Professeur de lettres puis journaliste, Katherine Pancol écrit un premier roman en 1979 : *Moi d'abord*. Elle part ensuite pour New York suivre des cours de *creative writing* à Columbia University. Suivront de nombreux romans dont *Les hommes cruels ne courent pas les rues*, *J'étais là avant*, *Un homme à distance* ou encore *Embrassez-moi*. Après l'immense succès des *Yeux jaunes des crocodiles*, on lui doit *La Valse lente des tortues* en 2008 et *Les écureuils de Central Park sont tristes le lundi* en 2010.

KATHERINE PANCOL

Muchachas

ROMAN

ALBIN MICHEL

© Éditions Albin Michel, 2014.
ISBN : 978-2-253-01733-2 – 1re publication LGF

Pour Octavie et Chacha, mes deux lectrices si attentives,
Nadine, Dominique, Sarah,
Corinne, Sophie, Gloria,
Pascale, Béatrice, Melissa,
Nathalie, Sylvie, Marina,
Virginie, Carole, Magda, Lilo,
Lise, Marie, deux chicas *à l'alto !*
Muchas gracias, muchachas !

« Chaque homme dans sa nuit s'en va vers sa lumière. »

Victor HUGO

Au volant du Kangoo rouge, elle regarde défiler les collines, les ponts, les villages de Bourgogne. Elle reconnaît une ferme, un étang, une barrière blanche qui bat au vent. Une chatte rayée est enroulée sur un pilier des établissements Moret.

Elle pourrait conduire les yeux fermés. Elle connaît la route par cœur. Elle se rend à Lyon régulièrement. Elle a demandé à Georges de lui prêter sa voiture. Et à Julie des jours de congé. Elle n'a pas donné d'explications.

— Tu prendras ce temps sur mes vacances.

Julie a répondu ne t'en fais pas. Georges lui a tendu les clés. C'est comme s'ils savaient qu'elle avait un compte à régler. Elle regarde le paysage défiler et se demande ce qu'elle va faire de Lucien Plissonnier. Prononce à voix haute :

Lucien Plissonnier. Mon père… Lucien Plissonnier.

Il doit exister une madame Plissonnier, veuve de Lucien. Est-elle encore en vie ? Avait-elle su que son mari la trompait ?

Si Adrian me trompait…

Elle ne veut pas y penser.

Elle ne sait pas où il habite, de quoi il vit, si seulement il travaille. Il lui rapporte des liasses de billets qu'il dépose dans la boîte à savon sous le lavabo de la salle de bains. Jamais la même somme. Il affirme qu'il vaut mieux qu'elle ne sache pas d'où ça vient. Il ajoute qu'un jour ils seront réunis. Léonie aussi pensait qu'un jour ils seraient réunis, Lucien et elle.

Stella s'arrête à un stop. C'est la nouvelle lubie du département. Planter des stops partout. Les gens ne les respectent pas et les franchissent allègrement, provoquant des accidents. Et des morts.

Elle laisse passer une mobylette et redémarre. C'est drôle d'entrer dans une famille dont on ne connaît aucun membre. Elle s'examine dans le rétroviseur. Ses mèches blondes se dressent, hirsutes. On dirait des plumes de Sioux. Une guerrière tombée du ciel. Adrian dit qu'elle ressemble à cette actrice, Tilda Swinton. Il lui a montré une photo dans un journal. Joséphine ne ressemble pas à Tilda Swinton. Elle possède un charme subtil, doux, raffiné, qui enveloppe telle la ouate. Est-elle mariée ? Elle ne porte pas d'alliance.

Stella klaxonne afin que le tracteur devant elle se range et la laisse passer. Elle est pressée, Tom l'attend. Depuis la mort de Toutmiel, il se met en rogne pour un rien, passe des heures seul dans les bois, mange sans parler et file se coucher avec son harmonica.

Nadine, la directrice de l'école, assure qu'il a recommencé à se battre.

— Il est en colère tout le temps, ton fils, Stella, tu sais pourquoi ?

— Quelqu'un a tué son chien.

— Tu devrais l'envoyer voir un psy.

— Comme s'il allait desserrer les dents devant un psy ! C'est mal le connaître.

Tom est comme elle. Il ne dit rien. Il règle ses comptes tout seul.

— Tu as besoin de t'absenter si souvent ? lui a demandé Suzon. Je me demande bien ce que tu fourgonnes ! C'est que je me caille le sang, moi, depuis l'histoire de Toutmiel, j'ai toujours peur qu'il t'arrive quelque chose.

— Mais non, Nannie. C'est pas dangereux là où je vais.

— Mais tu fais quoi exactement ?

— Du repérage.

— C'est une occupation, ça ?

Stella est comme un animal, elle veut observer Joséphine avant de l'aborder. Elle a appris à déchiffrer les gens. À lire dans leurs gestes, leurs regards, comme elle lit sur les lèvres. Elle détecte dans le tremblement d'une voix la vindicte rentrée, la lâcheté, le mensonge. Elle devine un coup bas qui se prépare, une probable trahison.

Des heures de route à l'aller, des heures au retour pour décider si oui ou non elle va accorder sa confiance à Joséphine Cortès.

Léonie aussi veut savoir. Savoir quoi ? Elle ne sait pas très bien.

— C'est drôle, elle dit, c'est comme si je trouvais enfin ma place, que je devenais légitime. Toutes ces années sans savoir… ça m'a rendue folle. Je finissais par me demander si je n'avais pas inventé Lucien et si, finalement, tu n'étais pas la fille de Ray.

— Mais il est stérile, maman ! Souviens-toi ! Couillassec !

— Je ne savais plus rien de manière certaine. Je perdais la mémoire de moi-même.

— Ce sont les coups qui te rendaient amnésique.

— Je vais enfin savoir…

— T'emballe pas, maman, ce sont peut-être des rats, ces gens.

— Elle a l'air d'un rat, Joséphine Plissonnier ?

— Non. Et les étudiants semblent beaucoup l'aimer.

— Tu vois ! réplique Léonie, fière d'avoir marqué un point.

Elle demande des précisions, elle est grande, elle est mince, elle est jolie ? Elle porte des lunettes ?

Elle s'habille comment ? Elle hausse la voix quand elle parle ? Elle doit être intelligente pour occuper ce poste ! Lucien disait qu'il ne pouvait pas partir à cause d'elle, qu'il devait rester pour la protéger. Il avait dû se passer quelque chose de grave.

Stella a envie de crier « et moi, tu m'as protégée ? » mais elle dit simplement :

— Il t'a jamais expliqué ?

— Non, il paraissait accablé.

Léonie laisse échapper un soupir et murmure :

— Tu as une sœur, Stella. Ce n'est pas merveilleux ?

J'ai pas besoin d'une sœur ! bougonne Stella en s'arrêtant à un stop. J'ai besoin de personne.

Vue du fond de l'amphi, Joséphine Cortès a un air doux, modeste. Elle n'élève jamais la voix. Il paraît qu'elle a un chien très laid qui s'appelle Du Guesclin.

Aujourd'hui, elle a déposé un mot sur son pare-brise. J'aurais peut-être dû écrire autre chose ? Être plus claire ? Je m'appelle Stella, je suis votre demi-sœur, votre père a été l'amant de ma mère, euh… pas longtemps mais suffisamment pour que je voie le jour. J'aimerais savoir… quel genre d'homme était-ce ? Vous avez une photo de lui ? De quoi est-il mort un 13 juillet ? Il n'était pas vieux. Dans les quarante ans ? Quinze jours

15

avant, quand il avait quitté Léonic, il était en parfaite santé. Vous trouvez ça normal ?

C'est à force d'y penser que l'idée lui est venue : ce n'est pas normal de mourir à quarante ans. Et si c'était un coup de Ray ? C'est idiot, elle le sait, mais tout est possible. Il aurait suffi que Turquet, Gerson et Lancenny décident de venger l'honneur de leur chef. C'est le genre de mots virils qu'ils emploient entre eux, la main sur la poitrine et le coude sur le zinc. « Venger l'honneur », « lui faire la peau », « lui régler son compte à ce salaud ». Ils vident leur verre de bière et partent en guerre.

Elle les connaît par cœur.

Le passé, elle se dit en apercevant le toit pointu de la ferme des Peupliers, le passé… On croit qu'il est derrière nous et il revient nous faire des queues de poisson. Il réclame des comptes, pose des questions. Il joue les justiciers. Le passé n'oublie jamais. Il revient toujours. Avec une ardoise à régler. Il n'aime pas les histoires inachevées.

Violette, par exemple. Pourquoi est-elle de retour à Saint-Chaland ? Quand ses parents sont morts, il y a trois mois, à peine a-t-elle pris le temps d'agiter le goupillon au-dessus de leur tombe avant de sauter dans un taxi qui patientait en faisant tourner son moteur. Elle était pimpante, habillée d'un manteau de saison en vichy rose et blanc. Un tournage l'attendait, pas le temps, pas le temps. Les gens étaient scandalisés, c'est quoi cette gommeuse qui s'éclipse après la dernière pelletée ?

Violette. Depuis qu'elle est rentrée, Stella a eu tout le loisir de l'étudier. Quand elle était enfant, Violette lui clouait le bec avec son assurance, son audace, ses petits seins qui rameutaient les garçons du quartier. C'était évident qu'elle allait réussir. Elle n'avait qu'à claquer des doigts pour se retrouver tête d'affiche.

Stella prend des cafés avec Violette, fait marcher ses yeux, son nez, ses oreilles. Tous ses sens sont en alerte.

Violette en dit le moins possible. Elle a compris qu'elle devait rester évasive. Moins les gens en sauraient, plus elle acquerrait de prestige dans cette ville où le moindre murmure devient rumeur. Pourquoi est-elle de retour à Saint-Chaland ? Compte-t-elle poursuivre sa carrière d'actrice ? Pourquoi n'a-t-on vu aucun de ses films par ici ? A-t-elle gagné assez d'argent pour vivre sans travailler ? On ne la réclame pas à Paris ? Elle doit connaître des vedettes ? Véronique Genest, Alain Delon, Victor Lanoux, Mimi Mathy, Sophie Marceau ? Ils sont comment ? T'as leur 06 ?

Violette affiche un petit sourire énigmatique qui laisse entendre qu'elle ne peut pas répondre, que c'est trop long à expliquer, que son retour à Saint-Chaland, c'est du provisoire. Elle doit s'occuper des affaires de ses parents morts sur la D81, heurtés par un camion qui avait brûlé un stop. Des gens si bons, si braves ! Elle baisse la tête en étouffant un pleur, ce qui suspend les questions et châtie la curiosité déplacée.

Ça marche à merveille. On la plaint, on la considère, on lui découvre un cœur, on se gourmande d'avoir douté d'elle. « Elle n'est pas seulement belle physiquement, elle a aussi la beauté intérieure », affirme la boulangère en rangeant sa monnaie. « Elle est pure comme le lait ! »

Violette est une très jolie femme, c'est vrai. Grande, élancée, de lourds cheveux blonds, des yeux noisette et cette allure qu'on acquiert dans les grandes villes à force de feuilleter les magazines et d'épier les jolies filles aux terrasses des cafés. Il faut se pencher sur elle pour déceler les premières rides au coin des yeux et un léger relâchement autour de la bouche, dessinant une moue désabusée. La moue d'une personne qui a beaucoup attendu, beaucoup espéré et a été trompée, voire malmenée. Seul l'œil exercé de Stella a déchiffré ce désenchantement.

Violette a beau faire son intéressante, employer de grands mots, remuer des noms, des chiffres, des propositions mirifiques, Stella comprend qu'elle remue surtout du vent. Un vrai ventilateur. « Je suis sur un gros coup », « mon agent étudie le contrat », « une production internationale ». Stella opine. Une seule chose l'intéresse. Elle veut savoir si ce qu'on raconte en ville est vrai : Violette et Ray seraient ensemble. Ou si c'est du boniment. Si le type est accroché ou s'il se paie seulement du bon temps. Ça changerait tout qu'il soit chipé par le sentiment ! Le sentiment rend l'homme fragile. Il fait de lui une proie facile. Si Ray est amoureux, Stella va pouvoir sortir ses clous de tapissier et le river dans un cercueil.

Savoir aussi de quel côté se trouve Violette. Parce que après tout, si à trente-cinq ans elle n'a toujours pas réussi à impressionner le grand écran, pourquoi ne lui viendrait-il pas à l'idée de se mettre à la colle avec Ray ? Il a vingt-cinq ans de plus qu'elle, mais ça n'a jamais gêné personne. Il a le bras long, connaît du beau monde, est pote avec le préfet, le sous-préfet, le maire et ses adjoints, les flics et toutes les huiles du département. Il a de l'argent, même s'il habite toujours rue des Éperviers. Il y reste par commodité. Parce que sa mère refuse de déménager. Parce qu'il ne paie pas de loyer et qu'il a des oursins dans les poches. Logement de fonction alors qu'il n'est

19

plus en fonction ! Encore une arnaque ! Il semble très à l'aise : grosse voiture, bons restaurants, gadgets, téléphones, Rolex et tablettes. Fringant et bien fringué. Il ne met jamais les mains dans le cambouis. Les sales besognes reviennent à ses hommes de main, Gerson, Turquet et Lancenny. Son quartier général se trouve dans l'arrière-salle du café Lancenny. Il y récolte les pots-de-vin, les dessous-de-table, les enveloppes, tout ce que lui rapportent ses sales combines. Il arrose tout le monde et tout le monde l'arrose. C'est un système de rémunération mutuelle. Tout cela doit affrioler Violette.

Et puis, Stella a du mal à l'admettre, mais Ray demeure bel homme. Il se tient droit, affiche un ventre plat, un bronzage constant, un sourire éclatant, un air arrogant de propriétaire qui fait toujours frémir les femmes.

Stella lit tout cela dans les yeux de Violette. Mais elle lit aussi de l'hésitation.

Rien n'est joué.

Violette parle de ses projets, s'entend dire New York, Los Angeles, Paris, s'étonne puis trouve cela grisant et répète une nouvelle fois.

Et une fois encore.

Plus elle le dit, plus elle le croit. Elle épluche son contrat, prête à en discuter avec son agent.

Elle s'envole demain pour L.A., cherche un couturier pour l'habiller, une coiffeuse pour l'accompagner. C'est si bon d'exister. D'être enfin une star. Elle contemple le monde de haut. Elle considère les gens autour d'elle comme des assistants qui doivent l'écouter, lui donner la réplique, la mettre en valeur. Elle commence ses phrases par je t'explique… en regardant son interlocuteur comme s'il était niais. Elle est le centre du monde, l'actrice principale d'un scénario qu'elle écrit au fur et à mesure. Qui va la démasquer à Saint-Chaland ?

Elle ne fait rien de ses journées.

Elle dort jusqu'à midi, s'épile à la cire froide, à la cire chaude, se fait les ongles, en peint un en orange, l'autre en rouge, le troisième en bleu marine, regarde la télé, tweete sous un faux nom, balance des méchancetés, essaie un shampoing, fait un masque pour peau sensible, lit son horoscope, appelle sa voyante, épluche *Voici*, *Closer*, *Public*, fixe son téléphone qui ne sonne pas.

Allume sa trentième cigarette. C'est promis, elle arrête demain.

Stella devine les pointillés dans le regard parfois hagard, parfois blessé de Violette. Elle est comme un chat qui guette la souris. Tapie dans un silence aimable, elle attend. Elle ne sait pas quoi, mais elle se dit qu'un jour, Violette laissera tomber une information.

Et ce jour-là, Ray Valenti sera à sa merci.

Violette a fini par croire à ses mensonges.

Elle regarde son téléphone. Elle appelle son agent, il répond « je suis en ligne, Violette, on se parle dans deux minutes ». Elle raccroche, excitée, au bord des larmes. Il ne l'a pas oubliée, il a dit qu'il rappelait ! Il doit avoir un projet pour elle ! N'importe quoi pourvu qu'elle tourne. C'est fou, elle était en train de désespérer ! Pourquoi a-t-elle si peu confiance en elle ?

Elle décide de ne plus manger, s'épile les sourcils, se repeint les ongles, l'orange, c'est vulgaire ! Elle hésite à aller prendre une douche mais renonce. Si jamais le téléphone sonnait et qu'elle ne l'entendait pas ?

À vingt heures, quand Ray vient la chercher pour aller dîner, il la trouve assise en tailleur à côté du téléphone.

— Tu fais du yoga ? il demande en souriant, attendri de la voir si jolie.

— Oui, c'est ça, elle répond en le massacrant du regard.

— Tu es prête ? On a rendez-vous avec le préfet.

— Pas ce soir, elle dit.

— Il voulait te voir pour un boulot !

— Pas ce soir ! elle grince en élevant la voix.

— Il y aura le président du tribunal et sa femme.

— Arrête ! elle crie. T'as pas compris ?

Et elle donne un coup de pied dans le téléphone posé par terre. Ray la regarde, surpris.

— Tu veux que j'aille acheter une pizza et qu'on la mange devant la télé ? Je décommanderai, j'inventerai un truc. Je dirai que ma mère est pas bien. Il comprendra.

« Pizza », « télé », « manger », « ma mère », les mots strient sa tête d'éclairs furieux.

— Tire-toi, Ray, tire-toi !

Il s'en va, déconcerté. Cette fille est complètement cinglée. Elle n'a pas intérêt à le traiter comme ça trop souvent. Il va se mettre en colère. La corriger. Peut-être qu'elle n'attend que ça ? Il donne un coup de pied dans le pneu avant de sa Maserati. Merde ! Il avait vraiment envie de la baiser, ce soir ! Elle a un truc qui le rend fou. Une manière de l'ignorer puis de l'enjôler, elle avance, elle recule, elle avance, elle recule. Il ne sait plus sur quel pied danser. Il peut pas décrocher. Faudrait lui couper la queue. Avant de sonner à sa porte, il a le cœur qui bat la breloque. Pour se donner du courage, il pense qu'il va la baiser. Parce que alors… Mais alors, c'est la félicité ! Quand il s'enfonce doucement entre ses cuisses, une nappe de plaisir le submerge, l'étouffe, il se noie, il dit oui, il appelle Dieu, il signerait n'importe quoi. Cette fille a un vagin de boa constrictor. Son sexe est tapissé de parois douces, chaudes, moelleuses qui attrapent sa queue, la massent, la roulent, la malaxent. Il se tord, il devient torche, pousse des petits cris de bête blessée, se mord les poings, écrase le nez dans les oreillers et sombre, rompu, brisé, au bord des larmes. Il est si bien au fond d'elle, il a envie de crier maman, il voudrait y rester tout le temps.

Il ne peut plus se passer d'elle. S'il avait su, il n'y aurait jamais touché. Matériau hautement inflammable. Se tenir éloigné. Il s'impose des cures d'abstinence, mais elles ne dépassent jamais quarante-huit heures. Et il faut voir dans quel état il revient quémander sa pitance !

Il a déjà perdu deux centimètres de tour de cou, il va devoir changer toutes ses chemises.

Le lendemain, elle le rappelle.

Pas par désir de le revoir, mais par peur de manquer d'argent. Ses parents sont morts en lui laissant leur pavillon et un maigre livret d'épargne. Elle s'est fait faire de nouvelles photos pour relancer sa carrière. Elle a couché avec le photographe et il lui a fait un prix. Et la maquilleuse demandait trois cent quarante euros de l'heure. C'est celle d'Angelina Jolie quand elle est à Paris. Bientôt, elle n'aura plus un sou. Ray est son seul espoir. Il a du répondant. Elle s'est renseignée avant de le laisser poser ses mains sur elle. Elle a une copine qui travaille à la Banque de France et la tuyaute chaque fois qu'elle a un type en vue. Le compte de Ray est bien dodu. Pourquoi se priver ? Pour se montrer plus vertueuse que d'autres ? Ça fait longtemps qu'elle a compris que la vertu ne rapportait pas un sou.

« Argent », c'est le seul mot qui la ramène à la réalité. La brume se dissout. Une angoisse atroce l'envahit, elle aperçoit des cheveux blancs.

Elle repousse les factures à payer, son regard tombe sur le papier peint qui se décolle, la tache de rouille sur le tuyau le long du mur, le robinet qui goutte, Hollywood s'éloigne, les cafards rappliquent, elle se sent menacée. Épuisée. Une chiffe molle. Elle pourrait se mettre la tête dans le four !

Elle rappelle Ray.

Elle se jette dans ses bras tu m'aimes, dis, tu m'aimes ? Il la regarde sans comprendre où est passée la femme qui, la veille, l'a mis à la porte en hurlant. Il la serre contre lui, étonné de la voir si fragile, plus que jamais décidé à l'aider, à la protéger, à lui rendre sa dignité.

— Tu es ma star, tu le sais ? Tous mes potes m'envient…

Elle hoquette oui, oui, secoue ses longs cheveux, pose la tête sur son épaule et dit d'une voix de petite fille perdue :

— C'est mon agent, il veut que je parte à L.A. tourner un film avec DiCaprio, oh, pas le premier rôle, ni le second, mais quand même… plusieurs scènes. Il dit que c'est inespéré et moi, je ne veux pas te laisser, je suis si malheureuse.

Il resserre son étreinte, la berce, la console.

— Au prochain film financé par la région, le préfet te met dessus, je te le promets. Et alors tu prendras ta revanche sur tous ces cons !

— Tu es si bon avec moi. Je te mérite pas.

— Dis pas de bêtises. On est bien tous les deux, on va faire de grandes choses, tu verras.

Violette ne raconte pas tout à Stella, elle lâche des bribes. Pas de grosses informations, mais Stella est patiente. Comment fait-il, Ray, pour s'occuper de deux femmes à la fois ? elle se demande en allumant la radio. Une mère à torcher et une maîtresse à dorloter. On ne la vaporise pas avec des promesses, Violette. Elle doit réclamer du solide.

Stella enfonce les boutons de la radio et se cale sur Nostalgie. Hugues Aufray chante « Céline ». Pense à Léonie. Pourvu qu'il ne lui soit rien arrivé en mon absence ! Elle n'aime pas s'éloigner de sa mère, même si Edmond Courtois envoie des hommes interdire la porte de la chambre. Il paie double les heures. Chaque soir, quand elle s'absente, Boubou, Houcine ou Maurice vient s'asseoir dans le fauteuil près du lit de Léonie. Solange Courtois l'a appris et ne décolère pas. De quoi tu te mêles, Edmond ? On ne parle que de ça à Saint-Chaland ! On raconte que tu en pinces pour Léonie. Ça va rendre Ray fou furieux. Tu veux la bagarre ?

— Elle vous fait vraiment des scènes ? a demandé Stella.

— T'en fais pas. Je suis habitué. Ça rentre par une oreille et ça sort par l'autre !

La guerre entre Edmond et Ray a repris. Les deux protagonistes ont vieilli, c'est tout. Mais Léonie en est toujours l'enjeu. Edmond veut la protéger, Ray a besoin d'une bonne.

Est-ce qu'Edmond Courtois a connu Lucien Plissonnier ? Pas sûr, Léonie a dû se cacher pour vivre son amour. Sinon Fernande aurait frappé… Pauvre maman ! L'autre jour, elle a eu un petit air malicieux quand elle a raconté qu'elle endormait Fernande pour retrouver Lucien. Elle devait lui verser un somnifère dans sa tisane ou dans son verre de vin. Encore fallait-il qu'elle puisse l'acheter, le somnifère ! Tout était compliqué pour Léonie. Elle n'avait pas le sou. Et pas le droit de sortir. Quand Fernande lui donnait de l'argent pour les courses, elle devait lui rendre chaque centime.

La ferme n'est plus très loin.

Elle met son clignotant, tourne à droite sur la départementale, aperçoit le champ que le voisin essaie en vain de vendre. Il en veut quarante-huit mille euros ! Il ne le vendra jamais. Ça en vaut à peine quinze mille. Elle n'aime pas l'idée d'avoir un voisin. Un type qui viendrait loucher sur les habitants de la ferme. Il serait capable de repérer Adrian et d'aller moucharder à Ray. Ce dernier veut toujours la peau d'Adrian. C'est une obsession. La dernière fois qu'ils se sont croisés, il a grommelé entre ses dents « j'aurai sa peau, t'en fais pas ! Vous perdez rien pour attendre ». Elle l'a ignoré. Il me cherche ? Je l'attends, la carabine à la main, celle de Georges. Il m'a appris à m'en servir. Après la mort de Toutmiel. T'es la prochaine sur la liste, il a dit, fais gaffe, ils sont prêts à tout. Elle a aimé que Georges prenne son parti. Elle avait un doute. Elle ne savait plus de quel côté il était. C'est son problème : elle finit par soupçonner tout le monde.

Il l'a emmenée dans les bois et lui a donné des leçons de tir. La carabine, il la cache dans le Kangoo fermé à clé afin que Tom ne mette pas la main dessus. Ils ont eu une sacrée peur l'autre nuit quand Tom a débarqué dans la cour, le fusil braqué, prêt à tirer. Il cherchait Ray. Ça aurait fait une vermine en moins, elle se dit, mais je préfère que ce ne soit pas mon fils qui nettoie la planète.

Tom l'attend à l'entrée de la ferme, adossé au portail. Il est huit heures et demie, il fait encore grand jour.

Il joue de l'harmonica. Il a changé de morceau. Adrian lui a appris « *Heart of Gold* » de Neil Young, « *keep me searching for a heart of gold…* ». Le père et le fils beuglent ensemble en frappant du pied. Adrian s'est mis à la guitare. Ils répètent tous les deux le soir quand elle fait son patchwork. Elle raconte sa vie avec des morceaux de tissu. Elle tire la langue, s'applique, mesure, découpe, plante l'aiguille. Elle choisit la feutrine la plus noire pour le personnage de Ray. Ce sera un long tableau qui se déroulera sur plusieurs mètres. L'histoire de sa guerre avec Ray Valenti.

Hier soir, ils étaient tous les trois dans le salon. Les fenêtres étaient ouvertes, des senteurs d'aubépine entraient par bouffées, les étourneaux se baignaient dans leur vasque, Tom mangeait son harmonica et Adrian l'accompagnait à la guitare. Elle les écoutait en cousant. Elle fermait les yeux pour retenir le bonheur.

— Tu es heureuse, je t'entends, avait dit Adrian sans se retourner.

— Tu as raison, elle avait répondu en souriant.

Quand Adrian repart, il laisse sa guitare dans la chambre de Tom. Tom dort entouré de l'harmonica et de la guitare. Bientôt il aura un orchestre dans son lit.

Elle arrête la voiture à la hauteur de Tom.

— Ça va ?

— Y a un problème.

Stella sent son cœur s'emballer.

— Quoi ?

— Ton téléphone n'a pas sonné ?

Elle l'a éteint quand elle est entrée dans l'amphi et a oublié de le rallumer.

— Je l'avais éteint.

— C'est pas malin.

— Parle, Tom, parle !

Stella frappe le flanc de la portière de sa main gauche.

— Suzon a rien voulu dire. Elle pleure depuis une heure dans la cuisine.

Elle enclenche la première pour redémarrer quand elle entend Tom hurler en direction du Kangoo j'en ai marre ! Marre ! Faites quelque chose, merde !

— Ça va, mec ?

— Oui. Et toi ?

— Ça va.

Milan laisse passer un long moment. Il tire sur la cigarette qu'il vient de rouler. Ses doigts sont épais, boudinés, le bout est écrasé comme si on avait frappé dessus à coups de masse. Il n'a plus d'ongles, juste des bourrelets de chair noircis par la saleté, la terre, la limaille des poutrelles des chantiers. Son regard se pose sur le carreau du vasistas. Il partage une chambre avec Adrian au sixième étage sans ascenseur d'un immeuble rue Caulaincourt. Au-dessus de la station Lamarck, c'est l'avantage. Ils vivent à l'étroit, calculent chaque mouvement. Un espace de dix mètres carrés, deux matelas au sol, une plaque chauffante, un minifrigo, une douche. Les toilettes sont sur le palier.

— Va falloir faire le ménage, déclare Milan, la vitre est sale. J'aime pas. Ça me fout le cafard.

Adrian pose son sac et se laisse tomber sur son matelas. Il a punaisé au mur des photos de Stella, il dit que c'est Tilda Swinton, qu'il est dingue de cette actrice. Milan préfère Monica Bellucci, j'aime les femmes bien en chair, il ajoute ta Tilda, y a rien à manger.

— Tu veux un café ? il demande.

— J'veux bien, dit Adrian.

Milan ne se lève pas tout de suite. On dirait qu'il économise ses gestes. Il est poseur de parpaings. Toujours à se baisser, à empoigner, à se redresser puis à poser la brique. Quatre temps pour se bousiller le dos. Quand il est au repos, il fait des étirements, il se suspend à une barre en travers de la porte ou il s'allonge par terre, vertèbre après vertèbre, et fixe le plafond, les yeux grands ouverts.

— C'était bien, ton séjour ?

— Trop court.

Milan ignore où va Adrian. Il devine qu'il rejoint une femme. Un jour, il a retiré un cheveu blond de la veste d'Adrian et l'a brandi à la lumière. Il n'a pas posé de questions. Il attendait qu'Adrian se confie.

Adrian n'a rien dit.

— Vanessa est passée, elle te cherchait.

Adrian ne répond pas.

— Tu devrais lui dire que t'es en main. Elle te lâchera jamais sinon.

— Elle va bien finir par comprendre.

— Compte pas là-dessus ! C'est toi qu'elle cherche.

— T'as qu'à t'en occuper.

Milan se lève, remplit la bouilloire pour faire un café. Essuie le carreau d'un revers de manche.

— Moi, je suis aussi transparent que la vitre pour elle ! il dit en riant. Elle est perdue dans un conte de fées dont tu es le prince charmant.

L'eau se met à bouillir, Milan dévisse un pot de Nescafé, verse deux doses dans chaque tasse, un peu d'eau chaude, touille et tend la tasse à Adrian.

— Pourquoi t'es si mystérieux, d'abord ?

— Suis pas mystérieux, suis discret, répond Adrian. J'aime pas parler de ma vie privée.

— Même à moi ?

Adrian ne répond pas, trempe ses lèvres dans le café et recule en faisant une grimace, c'est brûlant.

— Tu te méfies ?

Il a senti une certaine tension dans la voix de Milan. Un léger reproche. Il sait qu'il le blesse en ne parlant pas, mais c'est plus fort que lui, il ne fait confiance à personne. Il n'y a qu'Edmond Courtois qui connaît son adresse à Paris.

— T'es fou ou quoi ? il rétorque.

— C'est juste l'habitude alors…, dit Milan.

— Oui, on va dire ça. C'est l'habitude.

— C'est triste.

Il faut qu'il éteigne tout de suite ce début de querelle.

— On vit ensemble, ça se passe bien, il dit.

— Pas au point de me parler…

— Je préfère tout garder pour moi. J'aime que ce soit secret.

— Elle est mariée ?

— Oui, c'est ça.

Elle est mariée au malheur, pense Adrian. Et je veux la sortir de là. Milan a ses papiers. Il n'a rien à craindre. S'il reste dans cette chambre minuscule, c'est qu'il n'a pas les moyens de se loger ailleurs. Il ne veut pas aller vivre en banlieue. Je veux voir la tour Eiffel, il dit, j'en rêvais quand j'étais enfant à Perm, c'était la liberté. Perm est à quatre cents kilomètres au nord d'Aramil. Ils viennent de la même région de Russie.

— Elle a aimé la chanson de Neil Young ?

Adrian sourit, soulagé que Milan change de sujet.

— Oui.

— Tu veux que je t'en apprenne une autre ?

— Je veux bien.

— Tu vas pouvoir faire ton joli cœur ! Une femme mariée !

Il secoue la tête de droite à gauche, c'est sa façon de dire qu'il ne comprend pas. Il y a tant de femmes libres dans les rues de Paris ! Quelle idée d'en prendre une mariée !

Adrian ferme les yeux.

Il repense à la soirée qu'il vient de passer là-bas. Si loin, si près. Saint-Chaland, c'est nulle part. Il se repère en longeant la voie ferrée à partir de la gare de Sens et puis il tourne à gauche. Il dissimule la voiture dans un bosquet, rampe dans les herbes hautes et s'engouffre dans le souterrain. Quand il ressort dans la cour de la ferme, il faut qu'il fasse encore attention. On ne sait jamais, chuchote Stella, un voisin pourrait venir chercher des œufs et t'apercevoir. Il marche la tête dans le col de sa veste, le dos rond, le nez baissé. Comme un clandestin. Monsieur Courtois lui a promis qu'il aurait ses papiers. Mais quand? C'est lui qui l'a mis sur le coup des chantiers. Il connaît la combine. Il l'a souvent utilisée pour des étrangers trop voyants à Saint-Chaland. Il préfère qu'ils se perdent dans l'anonymat de Paris. C'est un de ses amis qui a monté cette entreprise. Il refait des appartements, des bureaux, des maisons au black. Il a un contact à la préfecture pour avoir des papiers. Une relation à qui il graisse la patte. Tout le monde y trouve son compte. Les hommes louent leurs bras en attendant de s'insérer en France. Parfois, ils disparaissent, on ne les revoit plus. Ou ils s'en vont chercher un autre travail. Ça prend de plus en plus de temps de se faire régulariser. Il faut être patient. Ou inscrire son gosse dans une école. S'en servir de monnaie d'échange. Adrian refuse de faire ça. Il attend. Patience, prudence. Raser les murs. Ne pas faire de bruit. Profil bas.

— On attaque une autre chanson de Dylan? demande Milan.

— Si tu veux.

— Elle parle anglais, alors?

— Bien essayé! dit Adrian en souriant.

— T'en fais pas, je finirai par savoir. Je suis tenace. « *I Shall Be Released*[1] », ça te va?

Adrian jette un regard méfiant à Milan.

---

1. « Un jour je sortirai de prison. »

— Pourquoi tu me dis ça ? il demande.

— Je te dis rien, c'est le titre de la chanson, dit Milan.

— Ah…

— T'es sur les nerfs, mon vieux !

— Je suis fatigué, c'est tout.

— Appelle ça comme ça…

Quand Adrian est las d'être seul, de dormir seul, de s'entasser avec les autres ouvriers le matin dans la camionnette, de se casser le dos, de répondre aux questions de Milan, il claque la porte et va se promener vers Montmartre. Il fait la course avec le funiculaire. Il le bat souvent, ça redore son image. Il n'est pas seulement un type qui doit frôler les murs. Il court plus vite que le funiculaire.

Et puis il s'assied sur un banc entouré de verdure, d'un saule pleureur ou d'un tremble, ferme les yeux et dort tout droit.

Il se souvient d'un soir…

C'était peu de temps après le massacre de Toutmiel, il était arrivé à la ferme et l'avait trouvée roulée en boule dans son lit, secouée de sanglots qu'elle étouffait dans l'oreiller.

Il s'était penché sur elle, lui avait caressé l'épaule, avait chuchoté :

— Tu m'expliques ce qu'il se passe ?

— Me touche pas.

— Stella !

— Me touche pas, je t'ai dit !

— Mais parle, merde ! Tu me dis jamais rien. Je sers à quoi ? Un mec qui arrive la nuit et qui te baise ? Hein ? Qui repart le lendemain matin à toute allure pour qu'on ne le voie pas ? Parce que ça finit par ressembler à ça, notre histoire ! Alors tu m'expliques ou je me casse.

Elle avait serré l'oreiller contre elle et ses sanglots avaient redoublé.

— Fiche-moi la paix, j'ai pas envie de parler, elle avait hoqueté.

— Mais justement, je veux que tu me parles. T'as compris ? Sinon on n'a plus rien à faire ensemble…

Elle avait laissé passer un moment, avait lâché l'oreiller, s'était retournée et avait demandé :

— Tu veux quoi, Adrian ? Tu veux pleurer en m'écoutant te raconter mon enfance, ma mère qu'on tabasse et pour finir mon chien qui se fait égorger ?

— Je sais tout ça. Et bien d'autres choses encore.

— Tu ne sais rien ! Je t'ai rien dit !

— J'ai deviné, Stella. J'ai observé ta bouche qui se crispe, ton regard qui s'échappe, j'ai écouté quand tu dors et que tu parles tout haut, et quand

on fait l'amour et que tu pleures à gros sanglots…
Un jour, il faudra que tu parles. Parce que sinon, je
suis quoi, moi ? Un étalon ? C'est pas terrible, dis ?

Elle avait reniflé et souri.

Elle avait murmuré je sais, d'une voix de petite
fille si triste, si démunie, elle lui avait tendu les bras
et ils s'étaient enlacés.

Un peu plus tard, alors qu'ils reposaient l'un
contre l'autre, elle avait simplement dit :

— C'était Toutmiel, tu comprends, c'était
Toutmiel… Ils l'ont crevé et je l'aimais. Je l'aimais.

C'était son oraison pour son chien.

Suzon est assise dans la cuisine. Elle s'essuie les
yeux avec un bout de tablier.

— Nannie… Qu'est-ce qui s'est passé ? C'est
Georges ?

Suzon secoue la tête. Et, la bouche pleine de
larmes, elle bafouille :

— C'est ta mère.

— Maman ! Qu'est-ce qui est arrivé ?

— Amina. Elle a appelé. Il a essayé de la
reprendre de force.

— Qui ça ? Ray ?

— Je ne sais pas.

— Y avait personne pour la garder ?

Suzon secoue la tête, elle ne sait rien.

— Elle a dit qu'il fallait que tu l'appelles vite. Que Léonie était toujours à l'hôpital, mais que c'était grave, très grave. Elle pouvait pas te joindre, elle a appelé au moins six fois. Elle était dans tous ses états.

— J'avais oublié de rallumer mon téléphone.

Suzon roule son mouchoir entre ses doigts, l'étire comme une pâte à beignets, s'agite.

— Et moi qui savais pas où t'étais ! Mais où tu vas comme ça ? Et s'il t'arrivait quelque chose ? Je peux plus, Stella, je peux plus, c'est pas une vie.

Elle lève les yeux et supplie :

— Il faut faire quelque chose, ma Nénette, elle va y laisser sa peau, Léonie, et j'en mourrais. Et si on la prenait chez nous ? Je m'en occuperais bien, tu sais.

— Ne dis pas de bêtises, Nannie. Ils rappliqueraient aussitôt. Et ce serait un carnage.

Elle baisse la voix, une pensée la tarabuste, elle demande tout bas :

— Georges… tu crois qu'il serait d'accord ?

— Bien sûr qu'il serait d'accord ! Qu'est-ce que tu vas chercher ?

— J'en suis pas si sûre, Nannie. Il a peur lui aussi. Il se battrait pas pour elle.

Suzon ne répond pas. Elle baisse la tête et se mouche. Ça finit toujours comme ça, ces discussions.

— Tom a mangé? demande Stella, les yeux dans le vide, sentant la houle de la colère la submerger.

— Oui. Et il s'est lavé les dents. Il t'attendait, il voulait pas se coucher avant de t'avoir vue.

— Il va dormir chez vous, ce soir, je file à l'hôpital.

— Appelle Amina d'abord.

Stella hoche la tête. Serre Suzon dans ses bras, l'apaise en lui murmurant des petits mots doux mais mécaniques. Son esprit est ailleurs, il faut qu'elle trouve un plan, qu'elle cache Léonie. Mais auparavant elle doit la voir. Si ça se trouve, elle est en mille morceaux. Pourquoi n'y avait-il personne devant la porte ? Edmond Courtois avait promis de toujours laisser quelqu'un et de s'y coller au besoin.

— Allez, vas-y, ma Nénette. Elle a plus besoin de toi que moi.

— Tu t'es occupée des bêtes ? Je sais que j'exagère mais… Je voulais le faire ce soir. Je ne sais pas s'il reste de l'eau pour Merlin et je dois refaire le pansement de Grizzly, Toto l'a encore mordu.

— C'est fait. Tom m'a aidée. Il a tout bien en tête.

— Il change à toute allure en ce moment. Tu ne le quittes pas des yeux, hein ?

— Promis.

— Et tu rentres les chiens.

— Oui.

— Il pourrait venir traîner par ici, elle dit à voix haute, croyant se parler à elle-même.

— Tu crois que c'est Ray encore ?

— Qui ça peut être d'autre, Nannie ?

Elle ramasse les clés du Kangoo, son chapeau, son manteau. Attrape un morceau de pain et du fromage sur la table.

— Tu diras à Georges que je reprends sa voiture.

— Appelle-moi dès que tu sais quelque chose. Je dormirai pas.

— Promis.

Stella est sur le point de claquer la porte d'entrée quand Suzon la rappelle.

— Tu sais, ma Nénette, Georges, il y est pour rien dans cette histoire. Ne va pas t'imaginer que…

Stella lui jette un regard perplexe. Pourquoi Suzon lui dit-elle ça ? Parce qu'elle veut couvrir son frère ou parce que c'est la vérité ? La vérité, c'est qu'elle ne saura jamais sur qui elle peut compter. La vérité, c'est qu'elle soupçonne tout le monde. La vérité, c'est que la solitude lui remonte dans les nerfs. Alors Georges, parfois, elle a l'impression qu'il est franc comme une serpillière.

Elle croise Tom qui joue dans la cour avec les chiens. Costaud rapporte un bâton et s'écrase de tout son long à ses pieds pour prouver sa soumission et son envie de jouer. Tom lui flatte l'encolure,

c'est bien, Costaud, bon chien, bon chien. Il l'aperçoit, reprend le bâton et marche vers elle.

— Il est arrivé quelque chose à Léonie ?

— Oui.

— C'est grave ?

— Je ne sais pas, il faut que j'appelle Amina.

— C'est Ray encore ?

Stella le fixe en haussant les épaules. Elle a l'air
de dire qui d'autre ? mais les mots ne sortent pas.

— Tu dors chez Suzon et Georges, ce soir,
d'accord ? Et je ne veux pas d'histoires.

— J'ai compris, il dit en frappant le sol de son
bâton. Je ne suis pas un bébé.

Tom monte dans la chambre en raclant les
marches avec le dessus de ses chaussures. Il faut
qu'il parle à Jimmy. Jimmy Gun est toujours de
bon conseil. C'est en discutant avec lui qu'il a
appris un truc essentiel : dire non. Apprendre à
dire NON aux gens et aux choses qu'il ne veut
pas voir traîner dans sa vie. Arrêter de dire oui
pour avoir la paix ou pour faire plaisir aux grandes
personnes. Il veut que ça s'arrête, ces mensonges
qui bourdonnent. Depuis qu'il est petit, il flotte
autour de lui une odeur de malheur. Il a envie de
faire la guerre tout le temps.

Il en a parlé un jour à Stella. Un jour qu'il était
fier comme un chef parce qu'il lui avait fait des

coquillettes et qu'elles étaient cuites juste comme il fallait. Ils dînaient tous les deux, il avait posé sa fourchette, avalé les boules compactes que faisait le gruyère fondu et s'était lancé :

— Il faut que tu me dises.

— Que je te dise quoi ? avait demandé Stella en se versant un verre de vin rouge pour faire glisser le paquet de fromage.

— Ce qui se passe. Parce que je sais, mais je ne sais pas et ça me rend fou.

— Je ne comprends pas, Tom. Explique-toi. T'es pas clair. T'as pas mis un peu trop de râpé ?

— Ben... je devine qu'il se passe un truc pas net et je sais pas quoi et ça me fait peur. Alors que si je savais, je me préparerais.

— Tu te préparerais à quoi ?

— Au malheur. Et quand il arriverait, j'aurais pas peur.

Stella lui avait passé la main dans les cheveux en répétant qu'il était un peu confus. Elle avait décroisé ses jambes, les avait balancées sur le côté et était restée un long moment à contempler ses souliers comme si c'était la huitième merveille du monde. Il aurait bien aimé qu'elle mette d'autres godasses, il faudrait qu'il lui en parle un jour. C'était pas le jour.

Il avait attendu. Elle devait avoir du mal à parler pour attendre si longtemps. Et puis elle avait relevé la tête et elle avait demandé :

— Tu trouves que je te mens beaucoup ?

Il l'avait regardée droit dans les yeux et il avait répondu oui. Il aurait pu dire non pour la ménager, pour lui faire plaisir, mais ce n'était pas la vérité. Et ça l'aurait conduit dans ce terrain vague hostile, menaçant, où il stationnait tout le temps. Alors qu'en disant oui, il se tirait loin du terrain vague et posait le problème : tu me mens, je le sens et je ne le supporte plus.

— Il y a des choses que je ne peux pas te dire, avait continué Stella. Tu es trop petit. Les enfants sont des enfants et les parents des adultes. Chacun son territoire.

— Je te demande juste de ne pas me mentir quand tu peux.

— Ça t'apportera quoi ?

Et elle avait laissé échapper :

— Je ne veux pas que tu souffres toi aussi.

— Mais c'est encore pire, Stella. Je sens bien que ça ne va pas et je ne sais pas pourquoi. Ça me mange la tête.

Elle avait tiré sur les manches de son pull et s'en était entourée.

— Je sens bien que je suis différent à l'école. Pourquoi je peux pas parler de papa ? Pourquoi il vient nous voir en cachette ? Pourquoi Ray, c'est mon grand-père et je le vois jamais ? Et bien pire : pourquoi tout le monde en a peur ? Toi en premier.

Elle n'avait pas répondu tout de suite. Ce devait être une décision dure à prendre.

— En quoi ça t'aidera que je te dise la vérité ?

— Je me dirai que tu me prends pas pour un bébé. C'est important pour moi.

Elle avait eu un sourire tremblant de larmes. Il ne savait pas d'où venaient ces larmes. De son réservoir à elle, de vieilles larmes du passé qu'elle n'avait pas eu le temps de verser, ou de l'amour qu'elle lui portait et qui débordait.

— Je vais essayer, avait soupiré Stella, mais je ne te promets pas de le faire tout le temps.

Il avait eu envie de se blottir contre elle pour la remercier. Il avait hésité. Il voulait devenir un homme. Un homme ne se blottit pas contre sa mère.

N'empêche que ce soir-là, il avait gagné. Et c'était grâce à Jimmy Gun. Jimmy Gun lui avait appris à ne plus dire « oui » à tout bout de champ pour faire plaisir. À sa mère, à son père, à Georges ou à Suzon.

Alors, pour montrer qu'il lui était reconnaissant de sa franchise, il avait bien voulu admettre qu'il avait mis trop de râpé dans les coquillettes et que c'était dur à avaler, ces grosses boules de gruyère.

Il allume sa lampe de chevet et se place entre elle et le mur blanc de la chambre. C'est une petite

que Stella a achetée chez Ikea. Elle l'a prise
.eux exemplaires. Une pour chez lui et une
.re pour chez Suzon et Georges, quand il dort
.hez eux, afin qu'il ne soit pas dépaysé. Elle pense
à des trucs comme ça, Stella, et ça le remue, ces
petites attentions qu'elle a. La lampe, en plus, est
jolie avec son globe bleu turquoise posé sur un
support métallique genre flexible de douche. On
peut le tordre et orienter la lumière comme on
veut. C'est en jouant avec le flexible qu'il a appris
à faire des ombres chinoises. Son père lui a montré
quelques figures : le chien, le canard, le chameau,
la chauve-souris, l'escargot, l'oiseau. Il s'entraînait à les répéter quand, un soir, en se levant pour
attraper un crayon, il était passé devant le faisceau
de lumière et avait fait la connaissance de Jimmy.

Un garçon comme lui, sauf qu'il était bien plus
grand, projeté en ombre chinoise sur le mur blanc.
Avec les mêmes mèches en bataille sur le sommet
du crâne et un petit nez retroussé.

— Hé, il avait dit, tu t'appelles comment ?

Jimmy avait donné son nom. Ou plutôt c'est
Tom qui lui en avait trouvé un. Et comme le garçon sur le mur blanc avait l'air vraiment rebelle, il
avait déclaré « Gun. Jimmy Gun qui tire plus vite
que son ombre ».

Et ils avaient commencé à parler.

Il savait bien que c'était lui qui parlait mais,
au bout d'un moment, il finissait par l'oublier et

Jimmy se mettait à exister pour de bon. Cela lui faisait du bien de parler à Jimmy. Il avait trouvé un ami. Un meilleur ami. Il pouvait lui parler de son père, de ses allées et venues dans le souterrain, de Toutmiel, de la carabine de Georges, de Léonie et de cet abruti de Ray. Il lui racontait comment il était allé récupérer Moitié Cerise sous l'évier de la cuisine, et même qu'il s'était aventuré dans l'appartement et avait jeté un œil dans la chambre de la vieille. Il avait aperçu Fernande qui ronflait, la tête en arrière dans les oreillers avec son moignon posé bien à plat sur les draps. C'est pas beau, un moignon, il lui avait expliqué, c'est emmailloté de bandes blanches comme un bébé et, au bout, y a un pansement avec des taches jaunes et rouges, c'est carrément dégueulasse. Si ça se trouve, on va lui couper l'autre jambe puis les bras et ça ne sera plus qu'un tronc ! En plus, ça puait parce qu'elle avait dû faire sous elle, je me suis bouché le nez ! Je crois que si j'avais eu la carabine de Georges, bang ! bang ! je l'aurais tuée parce que c'est elle, la méchante. Elle et son fils, Ray. Ils font la paire. Je la tue, elle, je me fais la main et après, j'élimine Ray.

— Mais c'est ton grand-père, ce Ray, avait dit Jimmy.

— Peut-être, mais c'est surtout un salaud. Je ne sais pas ce qu'il a fait à ma mère, mais elle a la bouche décolorée quand elle parle de lui.

Il ne mâchait pas ses mots avec Jimmy. Jimmy comprenait tout. Mais cette fois, Jimmy avait dit que c'était pas malin, que dans ces cas-là il fallait préparer son coup. Parce que imagine que la vieille se soit réveillée ? Elle aurait gueulé, les voisins seraient arrivés et tu aurais été attrapé. Faut réfléchir avant de faire des trucs comme ça !

— Oui, tu as raison, il avait reconnu.

Ce soir, il va raconter à Jimmy Gun qu'il y a encore un nouveau drame. Qu'il n'en peut plus de voir pleurer Suzon. Stella, elle pleure pas, mais c'est tout comme. Les larmes moisissent à l'intérieur et c'est pour ça qu'elle est pâle et qu'elle a le bord des yeux rouge. Mais Suzon, à son âge ! Elle tremble tout le temps, elle s'essouffle. Un jour, elle va être prise de court, s'asseoir sur une chaise et mourir d'un seul coup parce qu'elle n'aura plus d'air.

— On va trouver un truc, répond Jimmy. On va monter un coup et liquider cette vermine.

Parfois, Jimmy Gun, il parle comme dans les feuilletons américains qui passent sur TF1.

Stella conduit en somnambule dans la nuit qui tombe. Elle suit les lacets de la route, son regard passe d'un champ à un autre, d'une ferme à la suivante comme si elle prenait appui sur ce paysage familier, comme s'il ne lui restait plus que les arbres et les prairies pour amis. Et ses lèvres scandent le salaud, le salaud, le salaud ! Elle descend la vitre et respire l'odeur des bois, des senteurs d'encens, de feuilles mortes, de mousse moite, de crocus et de violettes, de bourgeons de hêtre. L'odeur de la nuit, les bruits de la nuit, la pureté et l'innocence qui montent dans l'air. Elle entend le grincement étouffé des troncs qui se balancent, les cris des oiseaux, les roucoulements d'un pigeon, elle prend une goulée d'air frais et l'aspire. Léonie, ma mère, pauvre créature torturée, cela n'en finira jamais. Et le désespoir lui roule dessus, elle n'a plus de forces, elle a envie d'arrêter le Kangoo et de dormir sur le volant. C'est toujours la même histoire, sa mère battue, violée, maltraitée, sa mère qui ne peut même pas se défendre parce que les lois sont faites par des hommes et que les hommes les appliquent comme ils l'entendent. Une phrase l'avait marquée quand elle était en seconde, « Les femmes ont raison de se rebeller contre les lois parce que nous les avons faites sans elles », c'est un homme qui avait écrit ça, il s'appelait Montaigne. Ce n'était pas tombé dans l'oreille d'une sourde.

C'en est trop pour elle, elle se rappelle les nuits de son enfance : le sang dans les cheveux de sa mère, le bruit de son crâne frappant par terre, les insultes, les cris, sa mère demandant pardon, criant je ne le ferai plus. C'en est trop. Elle étouffe et se gare. Elle a beau écraser les poings sur ses yeux, les larmes glissent entre ses doigts, coulent sur ses joues.

Quand elle n'a plus de larmes à verser, qu'elle a consommé toute sa douleur, la rage revient, elle se redresse, elle s'essuie le nez sur la manche de son manteau, repousse son chapeau, se frictionne le crâne à pleines mains, mord dans le morceau de pain et le bout de fromage et compose le numéro d'Amina.

Une chauve-souris traverse le bleu-gris de la nuit en volant de biais et elle repense à la blague de Tom, « Comment on appelle une souris avec une perruque ? », « Je ne sais pas, Tom, tu sais très bien que je ne trouve jamais ! », « Une chauve-souris ». Il avait été content parce qu'elle avait éclaté de rire.

— Amina, c'est moi. T'es où ? elle dit en entendant la voix d'Amina qui parle si bas qu'elle l'entend à peine.

— Dans la chambre de ta mère. J'ai pas voulu la laisser seule. J'attendais que tu m'appelles.

— J'arrive.

— Elle dort. Je lui ai donné des somnifères.

— C'est grave ?

— Elle dort, répète Amina à voix basse.

Amina l'attend devant la porte de la chambre 144 et lui fait signe de se dépêcher. Elle lance des regards furtifs sur les côtés. Elle referme la porte de la chambre et la bloque avec le dossier d'une chaise.

— Tu crois que ça marche, ce truc-là ? demande Stella.

— Sais pas, mais ça me rassure. J'ai eu la trouille de ma vie, je te jure ! Parle tout bas. Je suis pas censée être là, je suis pas de garde cette nuit.

— Ils sont pas venus, Boubou, Houcine ou Maurice ? C'était le tour de qui ? J'avais pourtant prévenu Courtois que je ne pouvais pas être là.

— Non. J'ai vu personne. Je les attendais pour partir.

— Et ils t'ont pas appelée ?

— Rien, je te dis. Rien.

— C'est pas normal…

Il est dix heures et demie. D'habitude, quand ils font la relève le soir, ils apparaissent vers huit heures. Avec un grand sourire. Toujours prêts, toujours heureux de rendre service. D'ordinaire, Boubou et Houcine arrivent ensemble avec leurs jeux de cartes, leurs bières, ils tirent la petite table sous la télévision et ils jouent au gin-rami. Ils claquent un sourire, un regard en direction de Léonie, ils disent vous pouvez fermer l'œil, on est là. Elle leur sourit et les remercie. Maurice l'intimide un peu. Il est vieux garçon. Il lit des livres sur Napoléon et étudie la stratégie des grandes batailles, le mouvement des armées qui prennent l'ennemi en tenaille. Ou pas. Il refait Eylau ou Waterloo. Il aime la vie militaire, les uniformes, le défilé du 14 Juillet. Il le regarde à la télé. Il était allé à Paris une fois pour le voir « en vrai ». Il était parti la veille, avait tourné autour de la place de l'Étoile pour observer les préparatifs, avait dormi dans sa voiture, et s'était placé le lendemain matin au premier rang pour ne rien manquer. Il était revenu déçu. « On voit mieux à la télé. » Et il avait ajouté, « et puis j'aime pas la foule. Il y a trop de monde à Paris. Et puis ça sent mauvais, on ne peut pas respirer ».

Stella se penche sur sa mère. Elle dort paisiblement. Un léger ronflement sort de ses lèvres entrouvertes.

— Elle a l'air d'aller bien…

— Parce qu'y a pas de lumière. Regarde de plus près…

Stella se penche à nouveau et remarque un pansement sur l'œil gauche de Léonie. Elle pousse un petit cri et Amina lui fait signe de se taire.

Elles s'appuient sur le rebord de la fenêtre et parlent tout bas.

— Il devait être sept heures, j'étais dans la salle de bains en train de faire pipi quand quelqu'un est entré, je suis sûre que c'était Turquet, j'ai reconnu sa voix. Je ne sais pas pourquoi mais la clé était restée à l'extérieur. Ou c'est quelqu'un qui l'y aura mise pour que Turquet puisse me boucler.

— Ce qui voudrait dire qu'il a un complice ici…

— S'il n'en a qu'un, ce serait bien ! soupire Amina. En tout cas, il a donné un tour de clé et m'a enfermée. « Comme ça, elle viendra pas me faire chier, l'Infirmière », il a dit bien fort pour que je l'entende. J'ai frappé de toutes mes forces sur la porte, mais ça ne l'a pas empêché de s'approcher de ta mère. Je l'ai entendu dire « lève-toi, tu rentres à la maison ! ». Elle suppliait « ne me touche pas ! », et il ricanait « si tu crois que je vais m'en priver, connasse ! Lève-toi ou je te tabasse ». Elle devait lui montrer son plâtre parce qu'il disait « on va le faire sauter et vite fait ! ». J'ai entendu des coups, des gémissements, j'ai hurlé au secours, j'ai crié le numéro de la chambre, j'avais plus de voix ! Finalement y a eu un brouhaha dans le couloir et il est parti. Serge, un infirmier, est arrivé, il m'a dit qu'il l'avait vu filer mais il était pas sûr que c'était lui – encore un courageux ! – il m'a ouvert et j'ai découvert Léonie par terre. C'était pas beau à voir.

— Qu'est-ce qu'elle a ?

— Trois fractures au niveau des quatrième, cinquième et sixième côtes du côté droit. Elle a dû se tourner vers la gauche et lever le bras pour se protéger et il l'a dérouillée. Elle a des hématomes partout, sur le torse, le visage, le bras droit. Avec Serge, on l'a relevée, il a vérifié qu'elle n'avait rien de cassé, à part les côtes, pendant que je reprenais mes esprits. Il lui a donné un calmant et du Doliprane et il est parti. Faut qu'on en parle à Duré demain.

— Ma pauvre maman, soupire Stella en prenant la main de sa mère. Ils te laisseront jamais en paix !

Stella souffle sur le visage de sa mère, lui effleure la joue d'un doigt timide.

— Elle dort, elle est paisible, elle remarque, étonnée.

— Quand je l'ai relevée, elle s'est excusée. Tu te rends compte ! Elle m'a demandé pardon du tourment qu'elle me causait. Ce sont ses mots exacts. Elle est si mignonne, Stella, si mignonne ! Comment peut-on lui faire ça ?

— Je sais, Amina.

— Elle va avoir mal pendant un bon mois. Elle pourra à peine bouger, à peine respirer, va falloir la manipuler tout doucement. Interdiction de tousser, de rire, de faire des gestes brusques, y a rien à faire, il faut attendre que ça se ressoude.

— Je vais rester là. Suzon s'occupera de Tom et Georges le conduira à l'école demain matin. Je vais les appeler.

Elle tend la main vers son sac pour attraper son téléphone quand il se met à sonner. Elle lit « numéro inconnu » et ne répond pas.

— C'est peut-être Boubou ou Houcine, suggère Amina.

— Ou l'autre timbré qui va me menacer, « petite connasse, je vais te niquer la chatte ». Ils croient qu'ils m'auront à l'usure. Ils me promettent l'enfer. J'ai tant de haine, Amina ! J'en peux plus de subir, ça bouffe toute ma vie.

Elle regarde la forme allongée sur le lit, lui caresse le bras et son regard repart dans le vide.

— Souvent je me demande si je connais encore quelque chose à l'amour…

Elle s'arrête, réfléchit pour trouver les mots précis.

— J'ai des moments de bonheur. Mais ça ne dure pas. Le plus souvent la haine rapplique et reprend toute la place.

Le téléphone s'est arrêté. Stella hausse les épaules.

— Tu vois… Ils ne laissent même pas de message. Ils s'imaginent que rien qu'avec la sonnerie ils vont me terroriser.

Elle fait un doigt d'honneur au téléphone.

— Tu es sûre que ce n'est pas Houcine ou Boubou ? insiste Amina. D'habitude, ils sont toujours à l'heure.

— Leur numéro se serait affiché. Ce sont les autres, je te dis. T'as pas compris ? Il faut te faire un dessin ?

Sa voix se fait coupante, méchante. La candeur d'Amina l'énerve.

Amina pose la main sur le bras de Stella en signe d'apaisement. Stella la repousse et poursuit son idée fixe.

— C'est Turquet, tu l'as dit toi-même. Et Turquet, c'est Ray. Mais cette fois-ci, ils vont morfler.

— Qu'est-ce que tu vas faire ?

— T'occupe. Ils vont payer, c'est tout. Tu ne sais rien et je ne t'ai rien dit. Et si on t'interroge, tu la boucles, d'accord ?

— Stella, tu sais bien que je suis de ton côté.

Stella baisse les yeux sur le visage tendu et inquiet d'Amina, y lit la tendresse, la douceur, et regrette de s'être emportée.

— Excuse-moi. Je suis à bout. Je suis fatiguée de faire semblant d'être ce que je ne suis pas, une fille forte qui se bat tout le temps, mais si je cesse d'être cette fille-là, je serai qui ? Hein ?

Amina demeure muette. Stella a raison. Personne ne lui donne le choix d'être autrement.

— Ce soir, je vais rester dormir avec ta mère. Si elle se réveille et qu'elle a besoin de soins, je serai là. Rentre te coucher. On en reparlera demain.

Stella murmure merci, heureusement que tu es là.

— Je m'en veux de m'être laissée boucler, râle Amina. Plus jamais je fais pipi dans une chambre de malade. D'ailleurs, c'est strictement interdit par le règlement !

Stella sourit.

— Tu es une fille géniale, elle murmure.

— Toi aussi. Et depuis plus longtemps que moi ! Moi, j'ai eu la vie belle. Mon père et ma mère me dorlotaient pendant que tu te battais pour survivre.

— J'avais pas le choix.

— Même en classe tu tenais bon !

— Parce que j'aimais bien les profs. Ils étaient gentils avec moi.

— C'est vrai. Ils te pardonnaient tout. Tu te rappelles quand tu étais mal lunée et que tu donnais des coups de pied dès qu'on t'approchait ?

Elles rient comme si l'évocation du passé posait un pansement sur le présent.

— Mon préféré, c'était Toledo, notre prof d'espagnol, dit Amina. Lui, je l'adorais !

Stella plisse le nez et se souvient :

— Quand on avait cours l'après-midi et qu'il revenait de la cantine, son pull était couvert de taches. On tentait de deviner ce qu'il avait mangé.

— Et il fermait son veston pour qu'on ne les voie pas !

— Comment il disait déjà quand on avait la meilleure note ? demande Stella.

— Il criait à travers la classe en nous montrant du doigt *fantástico ! Así se hace, muchacha !* et tous les autres criaient *muchacha, muchacha*, en tapant sur leur bureau, ça faisait un de ces boucans !

— Avec lui, on était toutes des *muchachas fantásticas* !

— Il avait ses chouchoutes quand même ! T'as oublié ? dit Amina. Y avait toi, moi, Julie et Marie Delmonte. On était les meilleures en espagnol !

— On ne s'est jamais perdues de vue finalement…, s'attendrit Stella. Julie et moi, on travaille ensemble, toi, tu es à l'hôpital et Marie est devenue journaliste. On se voit à l'atelier de patchwork quand elle n'est pas de permanence au journal. Parce qu'elle travaille la nuit. Elle n'a pas changé, elle est toujours aussi gentille. Elle n'a pas pris la grosse tête.

— Pour mes trente ans, elle m'a offert une fausse une de journal où elle avait mis en titre « Amina : la *muchacha fantástica* ». J'étais pas peu fière !

— Elle peut faire ça ?

— Oui, elle m'a montré, c'est très facile et ça en jette ! Ça a fait plaisir à mon papa ! Je la lui ai donnée, il l'a affichée dans le salon ! Déjà quand j'étais petite, il trouvait que monsieur Toledo avait raison, que les femmes étaient des types formidables.

Il avait décidé d'apprendre l'espagnol en son honneur. Il s'était acheté une méthode Assimil et écoutait la lambada !

— Mais c'est brésilien, la lambada !

— Je sais. Mais il est comme ça, mon papa ! Il est contre les frontières.

Stella a envie de dire tu sais, j'ai un nouveau père et celui-là, je crois bien que je vais l'aimer même s'il est mort. Je suis sûre que c'était un type bien. Je suis la fille d'un type bien.

Elle se tait.

Elle n'arrive plus à penser droit, elle se sent devenir terriblement sentimentale. Elle enlace Amina, enfouit la tête dans sa crinière brune et bouclée pour étouffer les pleurs qui lui piquent le nez.

— Tu n'es pas seule, Stella. Je te laisserai pas. J'ai pas peur, moi.

Stella murmure *claro que sí, muchacha.*

Elles entendent une cavalcade dans le couloir, se plantent devant le lit pour protéger Léonie, s'attrapent par la main.

La poignée s'abaisse, mais la porte, coincée par le dossier de la chaise, ne s'ouvre pas.

Elles se regardent, surprises.

— Ça marche, le coup de la chaise, murmure Amina.

Puis une voix retentit :

— C'est nous, on peut entrer ?

— C'est qui, nous ? demande Stella.

— Houcine et Boubou. On est en retard. Il s'est passé un truc.

Amina consulte Stella du regard puis enlève la chaise et ouvre. Elle fait signe aux deux hommes de parler tout bas.

— Mais qu'est-ce que vous avez foutu ? chuchote Stella en colère. À cause de vous…

Elle s'arrête en apercevant Boubou dans la pénombre. Il baisse la tête et tente de dissimuler une grosse entaille sur la joue gauche. Sa main s'élève et vient se poser en coque sur la blessure. Ses doigts tirent sur la lèvre supérieure, on dirait qu'il a du sang dans la bouche. Houcine n'a pas l'air en meilleur état. Il ne parle pas, il chuinte, et se tient le bras gauche en grimaçant.

— Qu'est-ce qui s'est passé ?

— On était sur le point de monter dans la voiture pour venir ici, commence Boubou, quand Lancenny et Gerson sont arrivés et nous ont dit « les gars, restez là, on a un truc à vous dire ». On a répondu que c'était pas le moment, qu'ils repassent demain, et ils ont dit que justement, c'était pile poil le moment ! Que même y avait pas de meilleur moment ! Et ils se marraient.

— Ils avaient l'air mauvais, dit Houcine en chuintant.

Il ne dit pas « mauvais » mais « mauffais ».

— Alors…, reprend Boubou, ils ont commencé à nous embrouiller avec une histoire de vieilles machines agricoles à aller chercher chez Larmoyer, et combien ça allait nous rapporter si on faisait affaire avec eux sans passer par Julie. Que Julie, elle avait pas besoin de le savoir, qu'on ferait moitié-moitié, que Ray, il en avait marre que Julie mette la main sur toute la ferraille du coin, qu'il y avait du blé à se faire et qu'on serait bien cons de ne pas toucher notre part…

— Nous, dit Houcine, on a dit qu'on afait pas le temps de les écouter et que de toute façon, leurs magouilles à la con, ça nous intéressait pas.

— On regardait la montre, on voulait pas arriver en retard, poursuit Boubou, alors ils nous ont demandé ce qu'on avait à faire de si important, si quelqu'un nous attendait, une gonzesse ou deux, et pourquoi pas partager avec eux, et patati et patata, on s'est pas méfiés et c'est alors que ça a merdé.

— Ils sont paffés derrière moi, continue Houcine, et ils m'ont piqué les clés de la foiture. Je les tenais à la main…

— Ils les ont balancées dans les déchets de limaille, on avait fait marcher le broyeur toute la journée et ça faisait une sacrée montagne !

— On a fu rouge, on s'est jetés sur eux. On s'est battus, mais on était pas à égalité. Ils afaient des barres de fer et ils nous ont chargés. On s'est pris des coups, ça piffait le sang… Je crois bien que j'ai perdu une dent !

— Alors on a détalé et on s'est enfermés dans le hangar. Ils sont repartis en nous traitant de tous les noms !

— « Connards, trouducs, bâtards ! » Ils ont du focabulaire ! Et puis on est ressortis. On a cherché les clés dans le tas de déchets. Tu parles d'une galère ! On n'y foyait rien. On cherchait afec les mains, on cherchait afec les pieds, on bouffait de la limaille, on en afait dans les yeux, dans les trous de nez, on a mis au moins une plombe pour les retrouver !

— C'est pour ça qu'on est en retard. Faut pas nous en vouloir, Stella, dit Boubou.

— Je vous en veux pas.

— Si. Tu tires la tronche.

— C'est pas contre vous.

— T'en veux à qui ? À eux ? Ce sont des cons. Pensent pas plus haut que leurs talons.

— J'en ai marre. J'ai envie de tout arrêter et de me coucher pour toujours.

— Ça te ressemble pas.

— Je sais. J'aime pas ce que je suis en train de devenir.

Elle soupire. Hausse les épaules. Son regard tombe sur Léonie.

— On est en train de parler juste à côté d'elle et elle n'entend rien. C'est normal, ça ?

— Elle est épuisée, dit Amina. Et toi aussi. Rentre chez toi. Je reste avec les garçons.

Stella les regarde. Ils sont penchés sur elle comme s'ils prenaient son pouls.

— J'ai l'air si mal en point ? elle demande.

— Amina a raison, dit Boubou. Va te coucher. Ça ne se reproduira plus, je te le promets. On va délibérer.

Stella sourit. Boubou parle comme un dictionnaire, il « délibère ».

— Merci. Je vais aller dormir un peu.

— Cela ne me paraît pas superfétatoire, conclut Boubou en lui adressant un pauvre sourire qui lui fend la lèvre supérieure.

Joséphine se tient dans la pièce qui sert de bibliothèque à l'hôtel Mykonos Grand. Une belle pièce, haute de plafond, aux persiennes à demi fermées, aux murs chaulés, aux longs rayonnages en chêne blond chargés d'ouvrages laissés par des clients. Les gens lisent encore ! elle se dit en se rappelant le coup de téléphone de son éditeur le matin même. Il l'a réveillée à l'aube. Il aimerait qu'elle se remette à écrire, qu'est-ce qu'elle attend ? Son dernier livre est sorti il y a deux ans. Elle lui a répondu on n'écrit pas quand on est heureuse. Il a rétorqué je vais aller parler à Philippe, moi, et il va te faire souffrir ! Non merci, elle a murmuré en se souvenant de son chagrin passé, ça fait trop mal.

Le nez en l'air, elle cherche un livre pour Philippe. Elle porte un corsage blanc cintré, un pantalon corsaire rouge et des sandales Avarcas by Castel que Philippe lui a rapportées de Londres. Il affirme que c'est le dernier cri à Notting Hill.

Il les a vues dans un magazine, les a repérées sur des passantes, les a imaginées sur elle, a poussé la porte d'une boutique, les a examinées de face, de dos, de profil avant de choisir un modèle composé sur le devant d'une large bande zébrée noir et blanc et à l'arrière d'une fine lanière rose. Rien que pour elle !

Philippe s'était agenouillé à ses pieds. L'avait chaussée, avait refermé la boucle des sandales, caressé ses jambes.

Elle plisse le nez de bonheur.

Et dire qu'il y a peu de temps, je broyais du noir dans ma petite chambre d'hôtel à Lyon en compagnie de Du Guesclin.

Elle a perdu six kilos, raccourci ses cheveux, adopté une frange qui lui donne un air de jeune fille. Elle aime sa nouvelle allure, elle aime son nouveau corps, elle aime se dire c'est moi, cette fille-là ? en croisant son reflet dans une glace. Elle s'envoie des baisers le matin dans la salle de bains. Elle a eu tellement de chagrin quand elle a cru perdre Philippe que son corps a dépéri. Elle a minci. Ça lui va bien.

Elle aime ces bibliothèques d'hôtel où chacun dépose le livre qu'il a lu. Elle imagine que les gens n'y laissent que ceux qu'ils ont aimés, mais Philippe lui assure que c'est pour ne pas encombrer leur valise.

La journée a été chaude et venteuse en ce milieu de mois de mai. Le ciel apparaît bleu, rayé de fins nuages blancs et de fils électriques enchevêtrés. On dirait qu'à Mykonos, on cultive les fils électriques sur des poteaux en béton. Il en pousse partout en bouquets touffus. Sur les toits, aux coins des rues, sur la plage aussi.

Ils passent leurs journées au bord de la mer. Les toiles des parasols claquent et menacent de s'envoler, ils n'en ont cure. Ils lisent, ils nagent, ils échangent un baiser. Elle pense très fort c'est ça, le bonheur, et replonge dans son livre, *Mémoires d'une fripouille*, de George Sanders. Elle glousse et lit à haute voix :

— « Ma méchanceté était d'un genre nouveau. J'étais infect mais jamais grossier. Une espèce de canaille aristocratique. Si le scénario exigeait de moi de tuer ou d'estropier quelqu'un, je le faisais toujours de manière bien élevée et, si j'ose dire, avec bon goût. Je portais toujours une chemise impeccable. J'étais le type de traître qui détestait tacher de sang ses vêtements, pas tellement parce que je redoutais d'être découvert mais parce que je tenais à être propre sur moi. »

— Voilà un homme qui me plaît, conclut Philippe. J'aimerais bien être son ami.

— Trop tard, il est mort !

Il l'avait appelée en rentrant du Japon et avait dit « tu vas recevoir trois enveloppes portant chacune un numéro. Tu as le droit de n'en ouvrir qu'une, tu dois me rendre les deux autres cachetées, puis tu suivras à la lettre les instructions écrites sans poser de questions ».

Elle avait choisi la lettre numéro deux, elle aimait les chiffres pairs, et avait lu « Rendez-vous à Orly porte 13. Prendre maillots, crème solaire, palmes et dictionnaires ».

Ce jour-là, elle repart de la bibliothèque avec *Les Diaboliques* de Barbey d'Aurevilly. Reçoit en plein front le rire bruyant d'une fille trop maquillée qui tranche avec la douce tranquillité de la pièce.

Ils ont rendez-vous au bar avant d'aller dîner en ville. Elle se rend sur la terrasse et guette le coucher du soleil. Philippe doit être en train de téléphoner dans sa chambre. Prise d'une impulsion subite, elle compose le numéro qu'elle a trouvé sur son pare-brise. Elle laisse sonner et raccroche dès que le répondeur s'enclenche. Une voix d'opérateur débite un message impersonnel. Elle ne laisse pas de message. Revoit la haute silhouette de l'inconnu dans le fond de l'amphi. Qui est cet homme ? Se peut-il qu'il ait connu son père ? Quel âge a-t-il ? Papa aurait soixante dix-huit ans.

— Tu vois, il ne répond pas, chuchote Philippe à son oreille.

— Oh ! elle dit en sursautant. Tu es là ?

— Et tu ne laisses pas de message ?

— Je ne sais pas quoi dire.

— J'ai envie de t'embrasser.

— Alors, embrasse-moi.

— Non. Je ne suis pas un homme facile.

Elle lui sourit, baisse les yeux à nouveau sur le papier qu'elle a plié et placé dans son porte-monnaie, « On pourrait se voir ? Je veux vous parler de Lucien Plissonnier ». Elle n'a pas demandé au capitaine Garibaldi le nom du propriétaire du Kangoo rouge. C'est une histoire entre elle et le passé. Elle ne veut en parler à personne. Seul Philippe sait.

— C'est bizarre tout de même ! Quelqu'un qui veut me parler de mon père après tout ce temps !

— Tu as des souvenirs de ton père ?

— Je me souviens de l'amour qu'il me donnait. Il veillait sur moi, je n'avais pas peur quand il était là. Je me souviens de sa théorie sur la petite étoile qui était le boulon qui tenait la famille, je me souviens de la chanson qu'il nous chantait à Iris et moi. Il nous prenait sur ses genoux, il nous faisait sauter et il entonnait « Le facteur de Santa Cruz ».

— Elle disait quoi, cette chanson ?

— Henriette la détestait. Elle la trouvait vulgaire.

Philippe resserre son étreinte et Joséphine commence :

> *Le facteur de Santa Cruz*
> *Affalé sur son cheval*
> *Ressemble à ouna méduse*
> *Sous le soleil tropical.*

Elle déglutit et continue d'une voix aiguë :

> *Ohé, les* muchachas
> *J'apporte le courrier*
> *Ohé les* muchachas
> *Voici les PTT.*

— Les muchachas, c'était Iris et moi, on riait en sautant en l'air. Il faisait durer la chanson jusqu'à ce qu'on n'en puisse plus et qu'on lui demande d'arrêter.

— En effet, Henriette ne devait pas apprécier !

— Ils ne s'entendaient pas. Ils n'arrêtaient pas de se disputer. Henriette râlait, papa l'ignorait. Il partait souvent en déplacement professionnel, elle s'était habituée à vivre sans lui. Elle disait « cet homme a l'absence délicieuse » et elle s'étirait d'aise. Papa lisait, elle disait que c'était une perte de temps. Papa adorait Rilke, elle prétendait que c'était une femmelette. Papa nous récitait des passages entiers de Rilke. Tu connais l'histoire du dragon qui se transforme en princesse au tout dernier moment ?

— Non.

— C'est très beau. Il l'avait recopiée sur des fiches et il en gardait toujours une dans son portefeuille. Moi aussi, j'en ai longtemps gardé une dans mon sac. Écrite de sa propre main. Une feuille blanche signée Lucien Rilke. Un jour, je l'ai rangée dans un dossier et ne l'ai plus relue.

— Il travaillait dans le bâtiment, non ?

— Il était directeur de projet, il supervisait et suivait les chantiers. Il voyageait beaucoup. Les deux derniers mois de sa vie, il les a passés à Sens. Sur un chantier. Ça a dû être une période heureuse parce qu'il sifflotait tout le temps quand il rentrait le week-end. Il avait rajeuni, il disait « ah, la vie, la vie, la vie ! » avec un grand sourire. Mais ce soir-là, ce 13 juillet, quand il est rentré, ça n'allait pas fort… Comme s'il avait eu une contrariété.

Joséphine se gratte la gorge et continue :

— Henriette a dit « c'est à cette heure-ci que tu rentres ? » en tapotant le cadran de sa montre et papa a répondu « j'ai eu un rendez-vous qui a duré un peu longtemps ». « Avec qui ? », et il a dit « tu ne connais pas, mais rassure-toi, c'était un homme ». Et elle a rétorqué « comme si j'avais besoin d'être rassurée ! ».

— Cela ressemble fort à un rendez-vous galant pourtant !

— Arrête ! Papa, une maîtresse ! Impossible !

— Pourtant ça lui aurait fait du bien. Quelques moments de bonheur loin de la terrible Henriette.

Joséphine sourit.

— Ce soir-là, il avait l'air épuisé. Il s'est laissé tomber dans un fauteuil et il a défait sa cravate. Je suis venue sur ses genoux pour lui faire un câlin et il m'a dit « je suis en nage ! Il fait chaud, n'est-ce pas ? ». Je lui ai trouvé un drôle de regard, un peu vitreux, et je lui ai dit « ça va pas, mon papa ? ». Il a souri et il a murmuré dans un souffle « ça va toujours quand tu es près de moi ». Il m'a caressé la joue avec une petite grimace comme si ça lui faisait mal et les pétards ont commencé à éclater, je me suis levée pour aller lui chercher un grand verre d'eau, et... et il est mort. Il était important pour moi, tu sais. Il applaudissait à tout ce que je faisais. Il était toujours de mon côté.

— Tu as des photos de lui ?

— Pas tellement, maman n'en a gardé que très peu. Et quand elle s'est remariée avec Marcel, elle les a toutes enlevées. Il n'y avait plus une seule photo de papa dans l'appartement.

— Elle ne vous parlait pas de lui ?

— Si, elle disait qu'il n'avait pas d'ambition, qu'ils n'auraient jamais dû se marier.

— Pourquoi elle l'a épousé alors ?

— Elle l'a épousé sur un malentendu. Il était bien élevé, il avait une Panhard jaune citron, de très beaux yeux bleus, de beaux cheveux noirs, un costume bien coupé, il était galant, courtois, attentionné…

— Ça suffit pour se marier ?

— Ça suffit pour se faire du cinéma. Elle s'est vue femme de P-DG, a transformé la Panhard citron en Cadillac noire, lui a inventé un grand bureau, une secrétaire, des feuilles de paie ronflantes. Elle désirait un prince charmant, cynique, riche et puissant. Elle aimait les hommes qui terminaient leurs phrases par « et que ça saute ! ». Ça la faisait frissonner.

— Elle a vite dû déchanter…

— Elle nous disait toujours qu'elle était revenue de son voyage de noces à bout de nerfs. Il avait tous les défauts : trop bon, trop doux, trop modeste et en plus, il faisait l'aumône aux nécessiteux. Ça la rendait folle ! Lui, il aimait sa maison, ses filles, jouer aux Lego avec moi, écouter Iris réciter ses poésies, faire le jeu des Sept erreurs dans *France Soir,* aller au cinéma le dimanche après-midi en famille. Tout ce qui le rendait heureux exaspérait Henriette. Tu vois, j'ai plutôt retenu les agacements d'Henriette que les faits et gestes de papa.

Elle s'abandonne contre Philippe, soupire.

— Il me reste un autre souvenir de papa. Un ours en peluche qu'il m'avait offert juste avant de mourir. Il l'avait baptisé Sa Grandeur d'Ail. Il m'avait expliqué qu'il avait un frère jumeau qui s'appelait Moitié Cerise. Il était rouge et vivait chez une dame très gentille dans une petite ville près de Sens. J'avais dit « ça n'a pas de SENS de séparer des jumeaux ! » et il avait ri. J'avais fait une blague comme lui ! Il avait ajouté que Moitié Cerise et Sa Grandeur d'Ail étaient des personnages d'une pièce de théâtre qu'il aimait beaucoup. Je ne suis jamais allée la voir. J'étais petite et Henriette n'aimait pas le théâtre.

— Qu'est devenue cette peluche ?

— Elle a trôné sur mon lit jusqu'à mon mariage. Ensuite, je l'ai mise à la cave. J'ai eu du mal à m'en séparer !

Elle rit en triturant ses doigts pour s'empêcher de pleurer.

— C'est pour cela que j'ai peur d'appeler. Trop d'émotions reviennent…

Philippe l'embrasse et demande :

— Pourquoi tu m'as jamais parlé de cet homme qui te suivait ?

— Je ne sais pas.

— Tu as d'autres secrets ?

Elle sourit, évasive.

— Pas plus que toi !

— Je n'ai pas de secrets, moi !

— Oh si.

— Ah bon… Tu me diras lesquels !

Et puis, revenant à sa question :

— Tu avais peur que je me fasse du souci ?

— Tu étais au Japon… Je ne voulais pas t'ennuyer. Je voulais que tu profites de ton voyage, de Takeo.

Philippe s'assombrit aussitôt. Il regarde sa montre, passe sa main dans ses cheveux, déclare qu'il a retenu une table au restaurant, que le taxi doit être arrivé, il ne faut pas le faire attendre, on y va ?

Ils ont dîné dans une taverne. Iannis, le patron, un homme sombre, sec, préoccupé, est venu prendre un verre avec eux à la fin du repas. Il a bu son café debout en frappant la table de ses doigts comme s'il y avait urgence. Il a deux restaurants dans l'île, sa femme tient le second. Quand il évoque la situation de son pays, il dit « j'aime passionnément la Grèce et je déteste les Grecs. Ce sont des tricheurs, des menteurs, des hommes corrompus. Et ça a toujours été comme ça ». Il semble si triste que Joséphine a envie de lui promettre que tout va s'arranger très vite.

Dans le taxi du retour, elle prend la main de Philippe et murmure :

— Tu l'aimais beaucoup, n'est-ce pas ?

— Je ne m'attendais pas à ça. Je m'en veux terriblement.

— Tu n'avais rien deviné ?

— Non. J'aimais nos dîners, nos soirées en tête à tête, nos discussions, la confiance qu'on se témoignait, le travail qu'on faisait ensemble. Alors, que tout à coup ça se finisse de cette manière si abrupte… cela me sidère. Je me sens responsable.

— Tu n'es pas responsable, scande Joséphine en détachant chaque syllabe.

— Si. J'aurais dû savoir. J'aurais dû deviner. L'amitié, comme l'amour, c'est faire attention à l'autre. Je n'ai pas fait attention.

Elle pose sa tête sur son épaule et regarde le ciel. Les lumières de la ville dépassées, la nuit redevient noire et la lune un mince ruban qui sourit. Une brume flotte dans la nuit et dessine un voile transparent. Il n'y a plus que quelques lumières au loin et la radio du chauffeur de taxi joue un vieux sirtaki.

Plus tard, au moment de s'endormir, Joséphine demande :

— Dis, qu'est-ce qu'il y avait dans les autres enveloppes ?

— C'est un secret.

— Dis-moi.

— Non.

— Dis-moi.

Elle allonge le bras et gratte l'épaule de Philippe.

— Je dors, je ne t'entends pas.

— Tu ne dors pas puisque tu me parles.

— Ce n'est pas moi.

Elle gratte plus fort, il proteste.

— Je veux savoir. La question est entrée dans ma tête et je ne peux plus dormir. Je vais te torturer si tu restes muet…

— D'accord, d'accord, j'avoue ! il dit en riant.

Il prend un coussin, le roule en boule, le place sous sa nuque. Croise les mains sur son ventre.

— Alors, il y avait…

Joséphine s'accoude et écoute.

— … dans l'enveloppe 1, un bon pour un Big Mac dans un McDo de ton choix…

— Et ?

— Et tu dois trouver l'autre !

— Je ne trouverai jamais, on va passer une nuit blanche et demain, on ronflera sur la plage !

Dans la nuit, il sent le sourire de Joséphine, le souffle de son haleine douce et l'empreinte de ses lèvres sur sa joue.

— C'est délicieux ! Encore !

— Alors dis-moi…

— Une paire de charentaises fourrées !

— Non !

Il étouffe un rire. Dans chaque enveloppe, il y avait la même proposition : un voyage en amoureux à Mykonos au mois de mai.

— Tu n'as pas ouvert les autres enveloppes, j'espère ? il demande en fronçant les sourcils.

— Ben, non… Tu avais dit qu'il ne fallait pas !

— C'est pour ça que je t'aime, Joséphine, tu es si honnête !

— Ça ne sonne pas un peu comme bébête ?

— Pas du tout, il proteste. Puis, changeant de voix, il chuchote : Je vais te manger.

Elle rit et s'écarte. Il ouvre des bras d'ogre et se précipite sur elle. Elle se cache sous la couverture. Il lance une main pour la débusquer. Elle esquive l'attaque et crie manqué !

C'est une chose assez douce, se dit-elle, que de se sentir, à cause d'un homme, d'un homme qui marche à vos côtés, qui vous prend la main, d'un homme qui vous plaît et s'accorde bien, de se sentir un peu bête, joyeuse sans raison, puérile. D'éprouver de brusques montées d'allégresse, d'avoir envie de tout donner.

Elle hume l'air mouillé de la nuit, espionne la lune, respire les fleurs du jardin et les coquillages sur la plage.

Elle ne lui a pas posé de questions,

Elle n'a pas eu besoin de le faire.

Un soir, elle a reçu un mail de Shirley.

« Jo…

Je sais. J'aurais dû, mais je ne l'ai pas fait.

J'aurais dû te dire dans quelle folie je me précipitais.

Tu as deviné parce que tu as un cœur si grand qu'il voit chez le voisin.

Je suis tombée amoureuse de Philippe et je sais maintenant que ce n'est pas de lui que je suis tombée amoureuse. Mais de la situation : Philippe est un homme interdit. Si Philippe avait été libre, je ne l'aurais pas désiré. Je n'aime que les voies sans issue ornées de barbelés.

Je suis partie pour New York. Gary se produisait en vedette devant un public de professionnels. Dans l'auditorium de son école, j'ai entendu ce que disait le piano et que ne m'avait jamais dit Gary. Et j'ai eu honte, Jo, j'ai eu tellement honte.

J'ai entendu le cri de mon enfant. Mon fils que je plantais, tout petit, dans le hall des grands hôtels parce qu'un homme attendait dans une chambre. Un homme qui comptait chaque minute de retard et me la faisait payer. J'avalais les étages en courant, je me jetais contre la porte close, je frappais, je demandais la permission d'entrer.

La permission de me faire maltraiter.

Et il ne s'en privait pas.

Je t'ai déjà raconté[1]. Mais je pourrais te le raconter cent fois, mille fois. Parce que ça n'en finit pas. C'est toujours la même histoire avec les hommes. Je me jette contre des portes closes.

Les portes ouvertes ne m'intéressent pas.

L'amour, ça doit rendre heureux, n'est-ce pas? Je suis heureuse de t'aimer. Alors pourquoi je ne parviens jamais à ce bonheur quand j'aime un homme?

Avec l'homme en noir, quand c'était fini, je repartais, honteuse, salie. Je retrouvais mon petit garçon dans le hall, je m'agenouillais, je lui demandais pardon.

Ce soir, c'est à toi que je demande pardon.

---

1. Voir *Les Yeux jaunes des crocodiles* (2006) et *La Valse lente des tortues* (2008) chez le même éditeur.

Pendant le concert, je me suis dit que j'étais un monstre. Que les autres n'avaient pas à payer le prix de ma folie. La plainte de mon fils est entrée dans mon cœur. Je veux rester à sa hauteur, je ne veux plus retomber, je ne veux plus faire de mal à ceux que j'aime. Je vais partir pour Moustique et réfléchir. Seule. C'est ce que je fais toujours quand je vais mal. Ce n'est pas la première fois.

Gary et toi, vous êtes les deux plus belles choses qui me sont arrivées. Je ne veux pas vous détruire. Je préférerais mourir. Je t'embrasse, Jo. Fort comme je t'aime. Et je ne mens pas quand je dis que je t'aime.

Shirley.

P.-S. : Philippe n'a jamais rien su. Il pense que nous sommes de très bons amis. Je vais inventer une excuse pour justifier mon absence de Murray Grove. Et quand je reviendrai, si je reviens un jour, j'espère que j'aurai guéri. »

Joséphine avait lu et relu le mail de Shirley. Elle avait répondu par ces simples mots : « Je t'aime. » Elle n'avait rien ajouté d'autre. C'était à Shirley de trouver le bonheur. Le bonheur, c'est une affaire intérieure. Entre soi et soi. Takeo n'avait pas su trouver ce bonheur. Il était mort un petit matin après avoir lu le journal.

Il avait laissé un mot : « Je quitte le chemin. »
Et s'était jeté dans un ravin.

Le lendemain, au petit déjeuner, Philippe, après avoir bu en silence son café, mangé en silence un œuf au plat, du fromage et du cervelas, repose sa tasse et le nuage noir revient dans ses yeux. Joséphine fait mine de ne pas l'avoir vu et déchire son toast beurré en louchant sur le côté. Elle observe l'hôtesse, Alexia, qui place les clients de l'hôtel chaque matin dans la salle à manger. Elle porte une robe blanche très courte sur de solides jambes bronzées et de très hauts talons. Arbore un grand sourire qui ne se referme jamais et ses yeux rient sans faire de pause. Elle possède une mémoire de tombe ancienne : elle retient le nom de chacun des clients et parle leur langue. Peut-être vers la fin du séjour leur accordera-t-elle un baiser ?

Peut-être qu'un jour le nuage noir ne reviendra plus jamais ?

— Un soir, dit Philippe, les yeux dans le vague, il m'a emmené au restaurant avec deux de ses clientes. Sur le chemin du retour, on a parlé de toi. Je crois que c'est la seule fois où nous avons parlé de choses intimes pendant ce voyage. On pouvait parler de l'amour, de l'amitié mais pas de nos proches. J'avais l'impression que l'intimité ne l'intéressait plus depuis la mort de son fils. Il avait dû aller reconnaître son corps déchiqueté à la morgue. Quel père peut survivre à une telle épreuve ?

— Tu sais pourquoi il s'était tué, le fils de Takeo ?

— Il n'aimait plus le monde. Il restait enfermé dans sa chambre. Il n'était ni autiste, ni malade physiquement, ni retardé mental. Il touchait à peine aux plateaux-repas que lui préparait Hiromi. Ils sont nombreux, les adolescents comme lui au Japon. Ils ont un nom d'ailleurs, on les appelle les *hikikomori*. Ils sont accablés par la société. Ils ne veulent pas jouer le jeu, en faire partie. Rien qu'en 2011, on en a compté deux cent soixante-quatre mille. En grande majorité des garçons.

— C'est une sorte de phobie sociale ?

— Oui.

Il marque une pause et boit une gorgée de café noir.

— Takeo éprouvait un dégoût pour notre société moderne. La direction que prenait le monde l'affligeait et il se sentait impuissant. Hier, pendant que tu me choisissais un livre, j'étais au téléphone avec Ted. Il connaissait bien Takeo. Il m'a appris qu'il s'était suicidé après avoir lu dans le journal qu'on recrutait désormais des sumos parmi les Turcs et les Bulgares. Les Japonais ne veulent plus se battre, ils jugent l'entraînement trop dur et l'enjeu dépassé. Il a refermé le journal et il a pris les clés de sa voiture. Son monde n'existait plus. Il a préféré partir.

— Ah…, dit Joséphine.

Il faudrait qu'elle trouve une phrase juste qui cautérise la blessure. Elle ne trouve pas.

Stella s'est levée à cinq heures et demie. Le sol était glacé, la salopette froide. Elle est sortie, a marché pieds nus dans la rosée pour ordonner ses pensées, a contemplé le lever du soleil, nourri les bêtes, a brossé Merlin qui a couiné de plaisir, on lui avait assuré que c'était un cochon nain quand on le lui avait déposé enveloppé dans un sac à pommes de terre. Il pèse deux cents kilos et ne bouge plus de son enclos. Elle s'est versé un bol de café, est allée prendre sa douche. A ébouriffé ses cheveux, murmuré courage à son reflet. Courage, tu vas y arriver et surtout, surtout, t'as pas peur, ok ? Elle a mimé le geste du chasseur, pan ! pan ! en se regardant dans la glace.

Elle a repoussé la guitare et l'harmonica, réveillé Tom. A tiré une mèche de cheveux, mordillé un bout d'oreille. A remonté la bretelle de son débardeur sur sa peau encore tiède. Mordu un autre bout d'oreille pour l'empêcher de retomber dans le sommeil.

— J'ai compris, il a grogné en rabattant l'oreiller sur ses yeux. Je me lève.

— Je t'attends dans la cuisine. Je vais arroser mes salades et mes radis.

Son plant d'estragon a bien pris. La ciboulette et la coriandre aussi. Une odeur de terre heureuse monte du sol, un parfum de salade fraîche, de menthe poivrée, une pointe de lys. Ce sont les fleurs de Suzon. Elle y veille comme sur un calice. Le tuyau dessine sur le sol des signes cabalistiques. Des signes de mauvais augure. Stella donne un coup de talon, ça doit finir, ça ne peut plus durer. Elle n'a pas dormi cette nuit. Le pire a été évité hier, mais ils peuvent recommencer ce soir. Ou demain.

Elle va aller au commissariat de police et déposer une plainte. Écrire une lettre au procureur de la République. Cesser de se battre toute seule.

Elle dirige le jet d'eau sur son jardin potager. S'approche des salades, se penche sur une première rangée qui se tenait bien droite hier au soir. Les limaces et les escargots sont passés par là et il ne reste plus que des trognons. Elle jette le tuyau à terre, se baisse, examine les plants. Pendant la journée, ces sales bêtes se cachent. Elles commettent leurs méfaits la nuit tombée. Elle avait pourtant répandu de la cendre pour arrêter leur inexorable progression. Il a plu dans la nuit, la cendre s'est diluée et elles ont attaqué. Elle a tout essayé : les coquilles d'œufs, l'antilimaces, rien ne marche. Georges lui a suggéré la bière. Elles adorent la bière, elles grimperont dans le récipient et se noieront. Elle essaiera un de ces jours. Si ça ne marche pas, je monterai la garde avec la carabine de Georges et je les exterminerai à coups de chevrotine. C'est le seul moyen de se débarrasser de la vermine. Quand elle a le temps, elle les ramasse, les met dans une bouteille en plastique et les jette à la rivière, c'est la manière douce.

Elle s'assied sur le banc en pierre. Cabot et Costaud viennent se coucher à ses pieds. Ils bâillent, s'étirent, remuent la queue, heureux de cette journée nouvelle qui commence.

Elle appelle Amina et demande des nouvelles de Léonie.

— Elle s'est réveillée tôt ce matin. Je lui ai donné du Doliprane et un truc plus fort contre la douleur. Elle a réclamé son métronome et je l'ai laissée sous la garde de Micheline. C'est une collègue, elle l'aime beaucoup. Je peux pas te parler, je dois aller en salle d'opération.

— Je passerai te voir après avoir déposé Tom à l'école. T'en as pour longtemps ?

— Non. Une heure. Duré a rédigé un certificat médical ce matin en arrivant. On ne sait jamais, ça pourrait servir…

84

— Je vais aller voir les flics.

— Justement, ça pourra être utile, ce certificat.

— Tu veux dire avant qu'il ne soit trop tard ?

— Dis pas de conneries. Tu as réussi à dormir ?

Stella soupire :

— Je n'ai pas fermé l'œil de la nuit.

Elle sent une présence derrière elle. Un regard qui s'attarde sur sa nuque. Tom est appuyé contre le mur, il a tout entendu.

— Tu as pris ton petit déjeuner ? elle demande.

— Tu parlais à qui ?

— Amina.

— Au sujet de grand-mère ?

— Oui.

— Tu vas faire quoi ?

— Je ne sais pas. Et ce n'est pas avec toi que je vais en parler.

— Avec qui, alors ?

— Pas avec toi, un point c'est tout. Va te laver les dents et on part.

— Comme tu veux.

Il a parlé sur un ton froid, insolent, presque arrogant.

Comme pour souligner sa totale impuissance, sa faiblesse de femme. Elle se rebiffe et s'écrie :

— Ne me parle pas sur ce ton-là !

— Tu veux que je te parle comment ?

— Comme un garçon de ton âge.

— Ça veut dire quoi ?

— Avec du respect. Je veux qu'on me parle avec respect.

— Il te respecte, Turquet?

Stella ne sait pas quoi répondre. Elle pousse un long soupir, frappe ses godasses l'une contre l'autre, enfonce ses poings dans ses poches.

— Tu es en colère? demande Tom.

— Oui. Je suis très en colère.

— Parce que tu ne peux rien faire?

— Je vais trouver. Laisse-moi le temps de réfléchir.

Stella conduit en silence et Tom, les yeux baissés, joue avec son harmonica. Il le fait sauter d'une main dans l'autre avec la concentration de celui qui suit le fil de sa pensée.

— Tu veux qu'on révise les tables de multiplications? propose Stella.

Il ne répond pas, ses yeux deviennent gris comme si elle avait dit une ineptie.

— Tu penses à ta grand-mère?

Il s'enfonce dans son blouson et continue à faire sauter son harmonica.

— D'accord, elle capitule, je ne dis plus rien.

Elle met son clignotant à droite pour prendre la route qui mène à l'école, aperçoit au loin la grande bâtisse et, sur le bord de la route, des garçons de la classe de Tom qui marchent, habillés en astronautes. Ils tiennent sous le bras un grand saladier.

— Qu'est-ce qui leur prend ? C'est pas Halloween !

— C'est la maîtresse qui a demandé. On répète une pièce où y a des astronautes pour la fête de fin d'année. On doit avoir une combinaison blanche et un saladier pour faire le casque.

— Mais tu m'as rien dit !

— Si. Deux fois. T'as pas entendu, il répond dans son menton.

— C'est pas vrai, Tom, c'est pas vrai. Je t'aurais entendu !

— De toute façon, t'es jamais là !

Il descend, claque la portière du camion sans dire au revoir.

Stella court derrière lui. Elle l'attrape par le bras, le force à la regarder en face.

— D'abord, tu dis au revoir, merci de m'avoir accompagné à l'école. Je ne suis pas ta bonne ni ton chauffeur, et puis…

Elle tressaille devant son regard froid, sévère.

— Merde, Tom ! J'ai pas entendu, c'est pas un drame !

— Les autres mères, elles ont entendu. Les autres garçons, ils ont un ordi dans leur chambre, un téléphone portable, ils jouent à des jeux. Moi, je joue tout seul ou avec deux vieux !

— J'ai pas d'argent pour ça, Tom. Je suis fauchée.

— Je sais.

Il hausse les épaules comme si l'argument était usé.

— Pour le costume d'astronaute, dis, c'est trop tard ? demande Stella.

Il se dégage d'un geste brusque.

— J'en ai rien à cirer du spectacle de l'école.

Et il entre dans la cour, les épaules voûtées, en donnant un coup de pied dans une casquette à terre qui va retomber un peu plus loin.

Stella se redresse, cherche la maîtresse des yeux. Elle est sous le porche, elle serre contre elle les manches d'un gilet bleu marine jeté sur ses épaules. Cette femme a toujours froid. Même en été, elle se couvre comme pour aller marcher sur la banquise.

Stella s'approche et demande :

— Bonjour ! Ça va ?

— Je suis fatiguée. Vivement que cette année se termine. Les enfants sont de plus en plus difficiles.

— Dites… pour le déguisement de Tom, j'ai jusqu'à quand ?

— Lundi. Aujourd'hui, c'est la première répétition. Va falloir qu'ils apprennent à marcher avec un saladier sur la tête, je ne sais pas si j'ai eu une bonne idée…

— Mais si ! C'est très original.

— Ah... vous trouvez ? C'est que je me suis creusé la tête pour concilier spectacle et savoir. Et j'ai trouvé cette pièce d'un Américain.

Elle lève sur Stella un regard plein d'inquiétude. Stella tente de la réconforter et lui dit doucement :

— Tom sera prêt, ne vous en faites pas. Et ça va être formidable.

Elle repasse près de son fils et lâche sans s'arrêter :

— Tu l'auras, ton déguisement. Je te le promets.

Il hausse les épaules et gronde :

— Comme si c'était le problème !

Stella gare le camion devant le commissariat et ordonne aux chiens de rester dans la benne.

— Vous ne bougez pas ! Je ne veux pas vous retrouver en train de vagabonder sur la voie publique, compris ? J'ai assez d'ennuis comme ça.

Costaud et Cabot gémissent et tournent en rond dans la benne pour oublier leur envie de sauter et de la suivre.

Au fronton du commissariat est écrit MINISTÈRE DE L'INTÉRIEUR, COMMISSARIAT DE POLICE. RÉPUBLIQUE FRANÇAISE. LIBERTÉ, ÉGALITÉ, FRATERNITÉ.

— Si seulement..., peste Stella en grimpant les marches de ses longues jambes.

Elle pousse la porte, pénètre dans une grande pièce aux murs jaune sale. Il y a des néons rectangulaires au plafond, un canapé en skaï vert contre un mur, deux bancs en bois, des affiches qui proclament « Écoute alcool », « Écoute cannabis », « Votre fils se drogue, comment lui parler ? », « Accueil du public, assistance aux victimes », la Déclaration des droits de l'homme et une sorte de poème écrit en lettres italiques sur un fond de fleurettes roses et bleues qui dit :

Petite, vous rêviez sûrement d'un prince charmant,
Pas d'un homme qui vous frappe le soir en rentrant.

Derrière un long comptoir, un homme est tassé sur une chaise. Stella le reconnaît. Sylvain Lampiron, dit le Lampion. Elle était en classe avec lui. C'était un gamin chétif, toujours enrhumé, un peu tordu, il avait un bras plus long que l'autre. Le cheveu gras, la peau maladivement blanche, des lunettes disgracieuses, le front piqué de pustules. Il portait des pull-overs tricotés main qui s'effilochaient aux manches comme si sa mère ne savait pas finir ses mailles. Le grand jeu était de l'attraper par la manche, de tirer un fil et de le faire tournicoter. La manche se défaisait et tout le monde applaudissait. Le Lampion n'osait pas protester. Si

90

congestionné que ses boutons devenaient rouge vif et brillaient. Ce qui déclenchait l'hilarité générale. Hé le Lampion, s'il y a une panne d'électricité, tu nous éclaireras ? Dis, le Lampion, quand tu chies, t'as les boutons qui s'allument ? Un jour, Sylvain Lampiron camoufla ses pustules sous un onguent beige, s'imposa une centaine de pompes chaque matin, changea de lunettes et devint fréquentable. Mais on l'appelait toujours le Lampion, le pli était pris.

Aussi, lorsque Stella aperçoit Sylvain Lampiron en uniforme derrière le comptoir, elle ne peut s'empêcher de s'exclamer :

— Le Lampion ! Mais qu'est-ce que tu fais ici ?

Le brigadier Lampiron, en uniforme bleu marine, chemisette bleu ciel et pistolet Taser à la ceinture, se renfrogne.

— D'abord je ne suis pas le Lampion mais Sylvain Lampiron, ensuite je travaille dans ce commissariat depuis trois mois maintenant et je suis brigadier.

Et il donne un coup sec du menton qui, doit-il penser, lui fait gagner quelques centimètres et beaucoup d'autorité.

— Tu veux quoi ?

— Je viens porter plainte, dit Stella.

— Tiens donc !

Il éclate d'un rire insolent, méchant. Stella le fixe, étonnée, et demande, glaciale :

— Pourquoi tu ris ? C'est pas drôle.

— Je ris pas.

— Si.

Il reprend un air administratif et se carre dans sa chaise.

— Tu viens à quel sujet ? Je suis occupé, Stella.

— Tu comptes les pattes des mouches ?

— Si tu le prends comme ça, je vais être obligé de te mettre à la porte.

Stella siffle, mauvaise :

— C'est au sujet de ma mère, Léonie Valenti. Elle a été agressée cette nuit dans sa chambre d'hôpital. Je voudrais porter plainte.

— Contre qui ?

— Contre… Je ne sais pas. Enfin je sais, mais je n'ai pas de preuves.

Il remue des papiers pour se donner un air important, place l'index sur le menton et déclare :

— Si quelqu'un doit porter plainte, c'est elle. Pas toi.

— Elle n'est pas en état de le faire.

Il replonge dans ses papiers et l'ignore ostensiblement.

— Et si je t'apporte un certificat médical établissant les coups et blessures ?

— Encore une fois, c'est elle qui doit me l'apporter. Pas toi. C'est elle, la victime.

— Tu sais très bien que…

— C'est la loi, Stella. Je n'y peux rien. Tu peux aussi écrire au procureur de la République et signaler les faits.

— Et j'ai une chance ?

Elle ne sait pas pourquoi elle pose cette question, elle connaît déjà la réponse.

— Tu peux le faire mais… il en reçoit des centaines de lettres !

Le téléphone sonne, Lampiron décroche oui, chef, bien, chef et raccroche.

— Je vais devoir te laisser.

— Alors je m'écrase, c'est ça ?

Il a un sourire de petit chef. Il se caresse le ventre, il doit se demander ce qu'il va manger à midi, ce que madame Lampiron lui aura préparé. À la cantine, il raclait la béchamel au fond des plats.

— T'as plus rien à me dire ? il dit en regardant sa montre.

— Va te faire foutre ! grince Stella entre ses dents.

Elle attrape son sac sur le comptoir, le balance dans le vide, ouvre la porte et sort en la faisant claquer derrière elle.

— Quel connard, ce Lampion !

Elle est à peine installée au volant de son camion que son portable sonne. Elle décroche sans regarder le numéro et crie dans l'appareil :

— Allô ?

Elle entend un ricanement sourd et se raidit. Turquet.

— Tu me reconnais ?

— …

— Suis pas loin, Stella, suis pas loin du tout. Vise au bout de la rue, je vais te faire un signe.

Une Renault blanche est garée sur la droite. L'aile arrière gauche est enfoncée et un feu clignotant pend. La vitre est baissée, Turquet brandit un poing dont le majeur pointe vers le ciel.

— Tu m'as vu ? il ricane au téléphone.

— Connard !

— On va te suivre à la culotte, ma petite. On ne va plus te laisser un moment de répit. C'est pas une bonne idée de venir pleurer chez les flics. Le commissaire est un copain de Ray, tu le savais pas ? Ils ont dîné ensemble hier. Y avait ta copine, Violette. Ça, c'est une femme, une vraie avec des gros totos. J'aime les femmes avec de gros totos.

— Pour y noyer ta connerie ? Va t'en falloir des très gros…

— Fais gaffe, Stella ! T'es mal barrée. Tu vas te retrouver toute seule, le dos au mur.

— Ça t'empêche de dormir, l'Écrevisse ?

— C'est toi qui vas perdre le sommeil et je vais m'y employer personnellement.

Il souffle dans le téléphone et ne cesse de ricaner.

— Qu'est-ce que tu cherches, Turquet? Sois plus clair. C'est si tordu dans ta tête que ça me fout la migraine d'essayer de comprendre.

Le poing s'est abaissé et martèle la portière de la Renault.

— Laisse tomber ta mère, Stella. On la veut, on l'aura. Sa place est auprès de Ray, c'est la loi. Duré va finir par comprendre. Ou on lui forcera la main. C'est pas un courageux.

Il éclate de rire.

— Parce que tu trouves ça courageux de s'en prendre à une vieille femme alitée? réplique Stella.

— Elle a qu'à pas nous provoquer! Des mois qu'elle paresse au lit sans rien foutre!

— Oh! Le bel argument! De mieux en mieux!

— Pauvre conne, tu sais quoi? On va te faire la peau. Et à ton fils aussi! Ce sera plus simple. Alors tu vas nous la renvoyer, la Léonie. Compris?

Stella prend son téléphone à pleines mains et hurle JAMAIS! VA TE FAIRE FOUTRE, TURQUET!

Elle raccroche, jette son portable sur le siège passager. Attrape ses cheveux à pleines mains, tire dessus comme si elle voulait se scalper. La peur lui remplit le ventre, la rage lui remplit le ventre, elle a envie de tuer, elle ne sait plus qui elle est ni ce qu'elle veut. Elle sait juste qu'il faut que ça s'arrête.

À l'hôpital, elle croise Amina dans l'entrée. Elle sort de la salle d'opération et porte une combinaison blanche qui la dissimule entièrement. Ses pieds sont pris dans des sortes de chaussons bouffants fixés aux chevilles par un élastique. Elle enlève le masque de sa bouche et parle à une collègue en feuilletant un dossier.

Stella lui donne une petite tape sur l'épaule, Amina se retourne.

— Je suis à toi dans deux minutes !

— Ok. Je t'attends.

Stella s'écarte et observe les allées et venues du personnel médical. C'est le matin, certains sortent du bloc et vont se reposer, d'autres comme Amina sont en train de discuter. Elle aperçoit le docteur Duré qui pousse la porte battante. Il lui fait signe qu'ils se verront plus tard. Elle hoche la tête et le regarde s'éloigner. Il est vêtu de la même combinaison blanche. Et des mêmes chaussons en papier. Cela lui donne une démarche pataude, lourde. Elle hésite entre Casimir et un astronaute. Le mot éclate dans sa tête. Astronaute ! Elle tient le déguisement de Tom.

Amina vient l'embrasser.

— Ils m'ont appelée pour une opération tôt ce matin quand ils ont su que j'avais dormi ici. C'était pas un truc trop lourd, ça va… Je vais avoir une longue journée. Tu veux un café ?

Elles s'approchent du distributeur, Amina glisse deux pièces dans la fente.

— Comment elle va ? dit Stella.

— Bien. Tu peux aller la voir. Elle est extraordinaire, elle ne se plaint jamais. Elle force l'admiration de tous.

Amina regarde sa montre.

— Va falloir que je file

Elle joue avec la fermeture éclair de sa combinaison. La fait monter et descendre. L'attention de Stella revient au déguisement de Tom.

— T'en aurais pas une autre comme ça ? elle demande.

— Si. Pourquoi ?

— Pour Tom. Je dois lui trouver un déguisement d'astronaute et j'ai pas le temps de m'en occuper.

— Ce sont des tenues pour la salle d'opération. Pour ne pas contaminer le malade. Rien ne passe. Ni salive, ni souffle, ni cheveu, ni ongle, ni transpiration. Il y a les gants aussi !

— Des gants blancs ?

— Oui. Il nous arrive d'en mettre deux paires l'une sur l'autre pour ne pas prendre de risque.

— Tu pourrais m'avoir tout ça pour Tom ? Ce serait formidable.

— Pas de problème.

— Va juste falloir que je taille la combinaison. Elle va être trop grande pour lui. Faudra pas que je me loupe !

— Je peux t'en donner deux. T'en auras une de réserve au cas où…

— Génial ! Il va être content !

— Je vais les chercher. Je te prends deux paires de gants aussi ?

— Oui. Je t'attends dans la chambre de Léonie.

Léonie repose. Elle respire à peine. Un souffle léger sort de ses lèvres entrouvertes, blanches de salive séchée. Elle tient le métronome entre ses mains, bien calé sur son ventre. Il continue à battre lentement de gauche à droite, de droite à gauche. Un bruit métallique, régulier, clong-clong. Elle sourit. Comment fait-elle ? se demande Stella en se penchant vers elle. Elle caresse doucement le côté du visage qui ne porte pas de pansement. N'ose pas lui ôter le métronome des mains, cela pourrait la réveiller. Ou la contrarier.

Elle tire la chaise et s'assied. Reste un moment à contempler le visage endormi. Cherche à percer le mystère du sourire immuable. Où t'en vas-tu voguer, petite mère chérie ? À qui rends-tu visite dans ton sommeil ? Quelle histoire te racontes-tu qui te réconcilie avec la vie ?

Elle pose sa joue sur l'oreiller contre le visage de Léonie.

Murmure tout bas maman, maman, dis-moi ton secret, maman chérie, à moi qui suis en train de verser sur la mauvaise pente, je les hais, je vais tous les tuer. Il ne faut pas, hein ? Dis-moi que c'est interdit.

Léonie demeure immobile, les mains crispées sur le métronome.

Stella lui couvre le front, dispose les fins cheveux blancs en couronne, lisse les draps, ordonne les couvertures et sort en marchant sur la pointe des pieds.

Léonie ne dort pas. Elle ne veut plus pleurer. Elle est heureuse. Enfin !

Il ne l'avait pas oubliée. Il était mort.

Le 13 juillet. Quinze jours après qu'ils s'étaient promis de s'attendre jusqu'à l'éternité.

La chose la plus terrible, elle s'était dit pendant toutes ces années, c'est qu'il m'a oubliée. Au premier virage après Saint-Chaland, il m'a jetée aux orties. Cela signifie que tout ce qu'il m'a dit n'était que mensonges. Cela signifie qu'il enchaînait un chantier, une femme, un chantier, une femme, avec les mêmes boniments, la même petite étoile dans le ciel qu'il offrait à chacune. Il y a des hommes comme ça qui distribuent les étoiles, ils font du bien sur le moment, mais tellement de mal en partant.

Il ne l'avait pas oubliée ! Il avait arrêté de respirer. Moi aussi, j'ai arrêté de respirer le jour où il est parti.

Elle n'en veut pas à Turquet. Elle voudrait, au contraire, liquider sa vie sur terre, mais on s'entête à la sauver.

Un jour, elle avait cherché Plissonnier dans l'annuaire de Paris. Il n'y en avait aucun. Elle ignorait le nom de l'entreprise pour laquelle il travaillait. Elle s'était dit alors, peut-être qu'il n'existe pas ? Peut-être que ma tête malade a tout inventé ? Peut-être que Ray a raison ? Que je suis toc-toc ?

Je n'étais pas toc-toc, je me souviens très bien.

Ray était parti en Espagne prêter main-forte aux pompiers d'Alicante. Il envoyait des cartes postales à Fernande. « Je vais bien, je mange bien, je dors bien, tout va bien, prends soin de toi, je t'embrasse, petite mère, Ray. » C'était presque toujours le même texte sur les mêmes cartes postales mais Fernande les lisait et relisait à s'en crever les yeux.

Moi, Léonie, je me réjouissais.

Je reprenais goût à la vie. Je pouvais dormir tranquille, en travers du grand lit, mettre du sent-bon derrière l'oreille, je l'avais volé aux Nouvelles Galeries. Fernande essayait bien de me pincer, de m'humilier, mais je l'esquivais. À cette époque, j'étais encore robuste. J'enfourchais ma bicyclette, j'allais chez Suzon et Georges, je donnais à manger aux ânes, je nettoyais leur cabane, je les arrosais au jet, il faisait une chaleur de bain vapeur, cette année-là.

Mais je m'égare…

Un soir, donc, elle faisait la queue à la boulangerie derrière un homme. Elle contemplait son dos, ses épaules, ses bras un peu trop longs et pensait cet homme a sûrement les pieds plats. Allez savoir pourquoi ! Un mètre à peine les séparait. Il avait fait un pas de côté pour choisir des gâteaux derrière la vitrine, elle s'était avancée dans la file et avait attrapé son regard. D'immenses yeux bleu profond, bons, avec un grand sourire dedans. Ils s'étaient regardés, soudain heureux. S'étaient souri. Ils avaient failli se dire ainsi c'est vous, c'est vous. Depuis longtemps, je vous attendais. Je ne savais pas qui, je ne savais pas où, mais je savais que vous arriveriez. Je le voulais si fort.

C'est comme ça que les choses arrivent parfois, parce qu'on y croit sans renoncer, sans lâcher pied et que ça allume des feux d'espoir dans la tête.

Ils ne voulaient plus bouger de peur que la lumière ne s'en aille. Ils voulaient faire durer ce beau moment si paisible. Ils auraient voulu que tout le monde se taise dans le magasin, que tout le monde s'immobilise. Pour célébrer.

— Ça fera un franc dix, madame Valenti, avait claironné la boulangère.

Madame Valenti.

Elle avait baissé la tête.

C'est vrai, elle était mariée.

Elle l'avait revu une ou deux fois en faisant des courses pour Fernande. En allant chercher du lait. Ou du tabac à priser. Une poudre sombre que Fernande pinçait entre son pouce et son index, introduisait dans ses narines et reniflait. Puis elle donnait un petit coup de pouce de chaque côté du nez pour faire tomber l'excédent. Cela lui faisait les narines noires, c'était dégoûtant à voir.

Lucien était au bureau de tabac. Il achetait son journal. Ça lui avait fait le même effet. Le rose lui était monté aux joues et ses genoux s'étaient bloqués.

Cette petite intonation qu'elle avait eue quand elle avait dit « ah ! je suis heureuse de vous revoir, le hasard fait bien les choses ». Elle s'était entendue et avait sursauté « c'est moi qui parle, là ? ». C'est moi, cette fille insouciante, presque coquette ? Il avait eu l'air tout aussi heureux. Ils étaient ressortis ensemble, il cherchait ses clés dans ses poches et avait soupiré qu'un porte-clés, c'était une invention très pratique qui permettait de perdre toutes ses clés d'un seul coup au lieu de les perdre l'une après l'autre.

Et tout de suite après, très bas, il avait ajouté :

— Je suis heureux quand je vous vois.

La soirée était extraordinaire, l'air était parfumé de printemps. Tout pouvait arriver lors d'une soirée pareille.

Elle ne savait pas comment se comporter. Elle n'était pas habituée aux galanteries. Elle jouait avec son col de chemise, le tordait, le rectifiait, le froissait avec des petits mouvements de doigts. Elle avait peur de ne pas être assez jolie, assez divertissante. Plus tard il lui raconta qu'il avait eu envie de l'emporter dans ses bras. De lui ouvrir la portière de sa voiture et de dire allez, venez, on s'en va. Mais il s'était dit mon Dieu ! Je suis ridicule, un homme de mon âge, marié, père de famille, elle est si jeune, si innocente, elle vacille sur ses jambes.

Ce jour-là, elle avait ri de bonheur.

Une autre fois, au café-tabac, il faisait des mots croisés quand elle était entrée et il avait demandé en la regardant tendrement « pape fripon en six lettres ». Elle avait soufflé sur une mèche pour se concentrer et s'était écriée Borgia ! Et il avait dit très sérieusement, sans rire le moins du monde, vous êtes brillante, mademoiselle.

Il avait fait exprès de l'appeler mademoiselle.

Il rayait madame Valenti. Il remettait le désir à l'ordre du jour. La vie, la vie et encore la vie.

Elle s'était retournée pour vérifier qu'il ne parlait pas à une autre et elle s'était enfuie. Elle avait peur de s'écrouler devant lui. Trop de désir, trop de vie, il fallait qu'elle s'habitue.

C'était monsieur Settin, le pharmacien, qui lui donnait le somnifère. Sous le comptoir. Sans la faire payer. Il avait bien compris que c'était pour Fernande et qu'il y avait anguille sous roche. Ray le faisait chanter. Il menaçait de raconter à madame Settin comment son mari fricotait avec la belle Annie et depuis longtemps ! Il possédait, assurait-il, des photos compromettantes. Elle embrasse bien ! disait Ray. C'est une goulue, ça se voit sur les photos ! Or la propriétaire de la pharmacie, c'était madame Settin. Et celle qui avait son diplôme de pharmacienne, madame Settin aussi. Monsieur Settin n'était qu'un figurant qui jouait au pharmacien dans une blouse blanche en vendant de l'aspirine et du mercurochrome. Et si madame Settin le quittait, il n'aurait plus qu'à dormir à la belle étoile. Il préférait payer Ray, trois cents francs par mois. En donnant gracieusement à Léonie les petites pilules du sommeil, il se vengeait. Son visage s'éclairait quand elle pénétrait dans la pharmacie.

Madame Settin le remarqua et trouva cela louche.

Désormais, elle les aurait à l'œil, ces deux-là !

Léonie inventait mille ruses pour retrouver Lucien. Elle avait plus d'audace qu'elle n'en avait jamais eu de sa vie. Elle n'avait plus peur. Ni de Fernande, ni de verser le somnifère, ni de ressortir par le balcon la nuit pour le retrouver, ni qu'on les aperçoive ensemble. Elle répandait la poudre blanche dans le verre de Fernande pendant le dîner – elle buvait du vin Kiravi qu'elle coupait avec de l'eau –, servait le ragoût, attendait derrière la chaise que l'aïeule ait essuyé son assiette vide avec du pain – Léonie n'avait pas le droit de manger en même temps qu'elle –, l'entendait bâiller, soupirer je ne sais pas ce que j'ai, je tombe de sommeil ce soir, je vais aller me coucher, fais un quart d'heure de tricot et couche-toi. Et économise la chandelle ! Elle s'éloignait en traînant ses lourdes jambes. Léonie débarrassait, faisait la vaisselle, rangeait la cuisine. Elle tendait l'oreille, entendait Fernande ronfler dans sa chambre, se mettait un peu de sent-bon, un peu de rouge à lèvres et sautait par la fenêtre. Une chance qu'ils habitent à l'entresol ! Lucien l'attendait dans la voiture, tous feux éteints. Elle ouvrait la portière et se jetait à son cou. Une nuit encore, elle disait en refermant la portière pour qu'il n'y ait pas de lumière dans l'obscurité.

Et ils filaient vers l'enclos des ânes. Vers la petite cabane, chez Georges et Suzon.

Ils se voyaient tous les soirs.

Jusqu'à ce soir horrible.

Mais non… Mais non… C'est arrivé plus tard, bien plus tard. Je dois absolument me souvenir dans l'ordre. Mes souvenirs sont trop précieux pour que je les bouscule. Je dois en prendre soin. Il ne me reste plus qu'eux sur mes étagères.

Ils allaient au cinéma à Auxerre voir *L'Homme qui aimait les femmes* de François Truffaut. Ils étaient loin de Sens, ils n'avaient pas besoin de se cacher. Ils achetaient des esquimaux et des Chocoletti, des bonbons Kréma et La Pie qui Chante, ils s'installaient, ils goûtaient la glace de l'autre, ils étouffaient des rires, ils s'emmêlaient les mains, les doigts, la bouche, ils ne regardaient pas le film. Ils n'avaient pas de temps à perdre.

Ils y étaient retournés plusieurs fois sans jamais lever les yeux sur l'écran. Ils s'embrassaient, ils se déprenaient, ils se reprenaient, ils disaient des bêtises.

— C'est peut-être pour ça qu'on dit qu'on devient bête quand on est amoureux, disait Lucien, cela fait au moins trois fois que je vois ce film et je ne sais pas de quoi il parle !

Elle n'avait retenu que cette partie de phrase, « quand on est amoureux ». Elle était devenue toute molle. Presque liquide. Elle avait failli se noyer.

— Ah, elle avait soupiré, si seulement j'étais libre…

Il l'avait attirée contre lui avec une sorte de solennité grave. Comme pour la préparer à ce qu'il allait dire.

— Je ne suis pas libre non plus, Léonie. Je suis marié, j'ai deux petites filles. Je ne veux pas te mentir, je veux qu'il n'y ait que du beau et du grand entre nous…

Elle avait fait oui de la tête en froissant le papier de l'esquimau géant à trois étages. Marié. Il était marié. Deux petites filles.

— Je ne peux pas partir à cause de mes filles. Je ne vais pas t'expliquer pourquoi, ce serait trop long et trop triste, mais je te promets que dès que je pourrai partir, je te rejoindrai. Et je te promets aussi de ne jamais te mentir… Tu sais ça, n'est-ce pas ?

107

— Je sais, je sais, avait dit Léonie qui ne savait pas mais qui se sentait triste.

Qu'allait-elle imaginer ? Qu'un homme de quarante ans pouvait être libre ? Il a une femme, des enfants, il a déjà fait des rentrées scolaires, des Noëls à la pelle, soufflé des dizaines de bougies roses sur des gâteaux d'anniversaire. Je n'aurai jamais d'enfant. Ray dit que c'est de ma faute. Je suis stérile.

— Regarde-moi, Léonie, regarde-moi.

Elle avait souri dans le noir. Un pauvre sourire oblique qui déformait son visage.

— Je ne te demande rien, il avait dit. Je ne te demande pas de m'attendre, mais moi, je t'attendrai.

— Je t'attendrai, elle avait répondu. Et tu sais pourquoi ? Parce que, avec toi, je n'ai plus jamais peur. J'avais tout le temps peur avant.

Il avait pris sa tête entre ses mains et avait chuchoté merci, tu viens de me faire le plus beau cadeau du monde.

— On n'en reparlera plus jamais, d'accord ? il avait ajouté.

Elle avait dit d'accord dans l'obscurité.

Ce soir-là, quand ils étaient sortis du cinéma, il lui avait demandé si ça ne la gênait pas qu'ils marchent un peu. Il voulait voir le ciel, aspirer la beauté de la voûte céleste, l'immensité du firmament, verser cette grandeur dans son cœur qui chaloupait comme une guinguette remplie de couples amoureux, des couples qui dansent emboîtés de la tête aux pieds. Léonie et lui, un jour, danseraient dans une guinguette, cent pour cent emboîtés. La vie fait des miracles. Faut pas croire que tout est noir même si on nous le répète tout le temps, faut croire aux exceptions et surtout, surtout, il faut croire qu'on est soi-même une exception.

Il était très bavard ce soir-là.

Il voulait tout lui expliquer comme pour se convaincre lui-même. Il mettait dans ses discours une fièvre de professeur émérite. Ils s'étaient assis sur un banc du parc George-Sand, il l'avait prise dans ses bras et avait dit :

— Il n'y a rien de plus beau que ce qui peut se passer entre un homme et une femme. Cet amour-là est unique, parfait, même s'il ne dure que trois minutes, tu m'entends ? Trois minutes de bonheur parfait suffisent à remplir une vie. Avec toi, j'en ai en pagaille, des rations de trois minutes, alors je vais être un homme heureux. Et je me dirai que la vie vaut la peine d'être vécue et je continuerai, debout, digne, en attendant qu'on puisse être réunis. C'est comme ça que je vois les choses, Léonie.

Elle n'avait pas trop aimé le ton solennel qu'il avait pris pour faire cette déclaration. Elle s'était dit que ça ne présageait rien de bon.

Il avait poursuivi :

— Je te fais une dernière promesse. Je te promets que nous serons heureux. Cela prendra le temps qu'il faudra mais nous serons heureux…

Elle l'avait cru. Elle croyait tout ce qu'il disait.

Un jour, elle s'était aperçue que l'ourlet de son imperméable était défait et elle s'était promis, la prochaine fois qu'elle le verrait, d'apporter du fil, une aiguille et de refaire l'ourlet.

Elle lui avait fait un ourlet impeccable. Comme ceux de Suzon. Elle regardait l'ourlet et elle n'en revenait pas. Elle l'aplatissait de la paume de la main, elle le palpait. C'était sa victoire, cet ourlet. Alors, elle avait dit je vais te tricoter un pull-over. Il avait souri. Et tu diras quoi à ta belle-mère si elle te voit tricoter un pull d'homme ? Je lui dirai que c'est pour Georges, que Suzon m'a acheté la laine. Elle se sentait toutes les audaces après avoir réussi l'ourlet.

— Tu le porteras et tu penseras à moi.

— Je le porterai et je sentirai l'odeur de tes doigts entre les mailles.

Et il l'avait renversée. C'est peut-être ce jour-là qu'ils avaient fait le bébé parce que ce jour-là, elle était la reine des ourlets.

Elle avait pris ses mesures en lui passant le mètre autour du cou, autour du torse, en lui faisant lever les bras, en se trompant dans les centimètres. Elle le regardait les bras levés comme s'il faisait de la gym, assis, et elle avait éclaté de rire. Elle avait repensé au premier jour à la boulangerie et aux pieds plats. Elle lui avait raconté et il avait ri aussi.

Depuis quand n'avait-elle pas ri comme ça ?

Elle n'avait jamais ri comme ça.

Rire à deux, c'est comme faire l'amour, c'est incroyablement intime.

Et puis, tout de suite après le rire, avait déferlé l'angoisse, elle s'était réfugiée contre lui.

— On vit sur une étoile qui n'existe pas, elle avait dit.

— Pas du tout ! Elle est réelle, notre étoile, et dès ce soir, on va l'accrocher au ciel. Tu veux la mettre où ?

— Au milieu.

— Et on l'appellera comment ?

— Stella. C'est joli, Stella. Elle s'appellera Stella et on en sera les seuls habitants.

Elle portait sur le visage une expression de bonheur perpétuelle. Parfois, elle sentait le regard de Fernande planté dans son dos comme un hameçon. Pourquoi est-elle si jolie, si joyeuse, si déliée tout à coup ? elle devait se demander en prisant son tabac noir. Se pourrait-il qu'elle coure le guilledou ? Je m'en vais l'occuper, moi, elle n'aura plus une seconde pour faire la belle.

Elle ne lui laissait plus une minute de répit. Fais ci, fais ça, t'as fait ci, t'as fait ça ? Elle l'envoyait dix fois par jour à Carrefour remplir des cabas.

Lucien l'accompagnait parfois. Il la suivait de loin, surgissait au rayon conserves et condiments, lui claquait un baiser dans le cou. Faisait la queue en intercalant trois clientes entre elle et lui.

Dans la queue, la femme derrière Léonie parlait avec une amie de la canicule. On annonçait quarante degrés pour le lendemain.

— Je ne sais plus comment rafraîchir la maison, disait l'une. Tu t'y prends comment, toi ?

— Je ferme les volets et je fais des courants d'air, mais les portes claquent et j'ai peur que les murs se fendillent.

— T'exagères pas un peu ?

— Non, c'est de la merde, ces maisons modernes ! Faut que j'achète des pantalons à mes garçons. T'as vu les prix ?

— M'en parle pas. Une chemise en coton pour Henri : quatre-vingt-dix francs ! Y croient qu'on le fait pousser sur nos balcons, l'argent ?

— Qu'est-ce qu'il fait chaud ! J'ai dormi à poil cette nuit.

— On s'en souviendra du printemps 77. J'ai le fond de teint en rigoles.

— Je vais aller à la piscine et rester dans l'eau toute la journée.

— Avec tous les gens qui pissent dedans, t'es pas dégoûtée ! Henri, il dit que c'est le meilleur moyen d'attraper des champignons.

— Ou je vais aller au ciné. Y a l'air conditionné. Qu'est-ce qu'ils donnent à Sens ?

— Sais pas. Henri, il aime pas le cinoche. Il dit que c'est juste bon pour se tripoter et qu'on a passé l'âge.

— Ben dis donc, c'est pas un rigolo, Henri ! Tu dois pas te marrer tous les jours.

Et puis elles avaient dû reconnaître Léonie parce qu'elles avaient baissé la voix et s'étaient mises à chuchoter.

Elle avait juste entendu « ça lui réussit de ne plus avoir de mari ! Elle est devenue vachement sexy ! Tu crois qu'elle a un costaud ? ».

Elles avaient eu un rire méchant et la femme d'Henri avait supplié « arrête, arrête, je vais faire pipi ».

L'autre s'était enhardie et avait lancé :

— Il revient quand votre mari, madame Valenti ? On se languit de lui, nous !

Et la femme d'Henri, excitée, avait surenchéri :

— C'est vrai, c'est notre mascotte, Ray. On en voudrait toutes un comme lui !

Et elle avait eu un petit rire avant d'ajouter « le temps doit vous paraître bien long ! ».

Léonie n'avait pas répondu. Elle avait mis les courses dans le chariot, avait payé et s'était éloignée.

Avant de quitter le supermarché, elle s'était retournée pour apercevoir Lucien et ne l'avait pas vu. Se pouvait-il qu'il ait entendu et soit parti, offensé ?

Elle avait poussé le caddie jusqu'à la voiture, le cœur lourd. Ses bras n'avaient plus la force de soulever les bouteilles de lait, les packs de bière et d'eau, les bidons de lessive et de nettoyant. Quelle stupidité de lui faire acheter toutes ces marchandises ! Le soir même, Fernande lui ordonnerait de retourner les rendre et de récupérer l'argent. Elle crierait qu'elle était idiote, une vraie demeurée. Et elle consignerait « sa connerie » dans son petit carnet afin que Ray lui règle son compte à son retour. Elle marquait tout.

Ça lui était bien égal à Léonie ce qui se passerait quand Ray rentrerait.

Elle allait refermer le coffre quand Lucien s'arrêta à sa hauteur, baissa sa vitre et demanda :

— Dites, madame, vous avez laissé tomber ça de votre caddie. C'est à vous, n'est-ce pas ?

Les deux pipelettes étaient en vue et l'observaient.

Elle attrapa le sac en plastique que lui tendait Lucien et déclara très fort :

— Oh oui ! Quelle étourdie ! Merci beaucoup, monsieur !

C'était un ours en peluche. Un ours rouge qu'il avait trouvé au fond du rayon des jouets. Sur l'étagère du bas. Personne n'en voulait. Il était vraiment très rouge.

— On va l'appeler comment ? elle avait demandé le soir alors qu'ils étaient devant la cabane et regardaient les étoiles.

— Moitié Cerise.

— Parce qu'il est rouge ?

— Oui, et parce que c'est dans une pièce que j'aime beaucoup qui s'appelle *L'Été*. Deux chats se parlent, Moitié Cerise et Sa Grandeur d'Ail. Toi, tu es ma moitié et la cerise de ma vie…

Elle n'avait plus rien dit. Il y a des fois où c'est pas la peine d'ajouter des mots. C'est même recommandé de se taire, ça pourrait tout gâcher.

Et puis il y avait eu le soir horrible.

C'est comme ça qu'elle l'avait baptisé.

Fernande s'était plainte qu'elle était ballonnée, barbouillée, nauséeuse. Elle se tenait le ventre, elle se massait les reins, elle grimaçait. Elle avait repoussé son assiette, repoussé son verre, elle rotait, elle disait passe-moi la bassine, je veux vomir, et elle plantait ses petits yeux noirs comme des griffes dans ses yeux. Léonie proposait un grog, une tisane, un verre de vin chaud, n'importe quoi pour qu'elle puisse y verser sa poudre. Lucien part demain, il doit m'attendre dans la voiture, c'est notre dernière nuit, notre dernière nuit, et cette vieille carne qui ne veut ni boire ni manger.

Fernande s'était levée en s'appuyant sur la table et s'était laissée retomber sur la chaise.

— Aide-moi ! Tu vois bien que j'arrive pas à arquer !

Léonie avait passé ses bras sous le torse de Fernande, avait détourné la tête pour ne pas apercevoir ses narines noires et la vieille avait craché :

— Tu crois que je ne sais pas que tu m'endors tous les soirs ?

Elle avait failli la lâcher, mais s'était reprise.

— Que voulez-vous dire ?

— Je dis que tu me drogues.

Léonie n'avait pas répondu. Il ne fallait pas énerver Fernande. Il y avait encore une chance qu'elle s'endorme.

116

Elle l'avait accompagnée jusqu'à sa chambre. Avait ouvert le lit, placé les oreillers, rincé son verre à dentier. L'avait déshabillée, mise au lit. Avait attendu debout, au pied du lit. Elle n'osait plus rien dire.

— Prends le journal et fais-moi la lecture.

Elle avait pris le journal sur la table de nuit et avait commencé à lire les nouvelles.

Fernande la regardait avec un sourire mauvais.

— Et parle bien fort ! J'entends rien !

Elle s'était raclé la gorge et avait commencé d'une voix tremblante :

— « La petite guerre des messes à Saint-Nicolas-du-Chardonnet… »

— Je veux pas d'histoires de curés ! Lis autre chose !

Elle avait parcouru le journal et enchaîné :

— « Le jubilé de la reine d'Angleterre. Vingt-cinq ans déjà que la princesse Élisabeth est devenue reine et pour fêter ce jubilé d'argent, tous les fastes de la monarchie ont été déployés en ce mois de juin à Londres. Cinq millions de touristes sont accourus de toute l'Angleterre et des pays voisins. La fête était partout… »

C'est alors que la vieille avait prononcé ces mots d'une voix égale, ferme, comme si elle donnait des tours de clé et l'enfermait à jamais :

— Lucien Plissonnier. Quarante ans, marié, deux enfants, chef de chantier chez Mielles Échafaudages. Lucien Plissonnier est ton amant.

Léonie n'avait pas bougé, pas cillé. Elle n'avait pas peur, elle n'avait pas honte, elle n'avait pas envie de pleurer, elle avait envie de courir le retrouver. Qu'importe ce qui arriverait après !

Elle s'était levée, s'était jetée contre la porte. La porte était fermée.

— Dommage, avait ricané Fernande. Je l'ai fermée. Tu t'en es pas aperçue.

— Comment vous savez ? elle avait crié.

— Je sais tout, ma petite. Je veille sur les affaires de mon fils. Tu l'as trahi. Tu vas passer un sale quart d'heure, je te le dis.

— Mais je m'en fiche, avait hurlé Léonie, je m'en fiche. Je suis heureuse avec lui. Follement heureuse ! Je l'aime. Je touche le ciel, je touche les étoiles. Il m'en a même offert une d'étoile, rien que pour moi ! Vous n'avez jamais eu ça, vous. C'est pour ça que vous êtes laide, que vous êtes sale, que vous êtes mauvaise. Vous pouvez bien m'enfermer à clé, je partirai. Un jour, je partirai le retrouver. Vous ne pouvez rien contre ça. L'amour est le plus fort, toujours !

— Ma pauvre fille, être aussi bête à ton âge ! C'est affligeant. Prends ton tricot, fais des rangs, ça te calmera.

— Je ne prendrai pas mon tricot.

— Comme tu veux, mais tu aggraves ton cas !

Elle s'était à nouveau jetée contre la porte, avait secoué la poignée, donné des coups de genou, des coups de pied, appelé au secours.

Fernande avait sorti son petit carnet et notait en léchant la pointe de son crayon.

Lucien était parti sans qu'elle l'ait revu.

Ils devaient tout manigancer cette nuit-là. Comment correspondre, comment s'aimer de loin, comment ne pas se faire repérer.

Ils n'avaient aucun moyen de se retrouver.

Il ne connaissait pas le nom de famille de Georges et Suzon. Ni le nom de leur village à côté de Saint-Chaland. Ils s'y rendaient toujours de nuit. Il conduisait en l'embrassant, en la serrant contre lui, en caressant la petite boucle d'oreille en diamant qu'il lui avait offerte et qu'elle enlevait avant de rentrer chez elle. Elle la cachait dans un chewing-gum collé sous la boîte aux lettres. Un jour, des mois plus tard, Ray l'avait trouvée et la lui avait fait avaler.

Lucien conduisait n'importe comment. Elle criait attention, on va avoir un accident, je veux pas mourir !

Comme tous les amants, pris par la dévoration de leur passion, ils avaient oublié qu'il fallait une adresse pour honorer les promesses.

Elle se demandait qui les avait dénoncés à Fernande.

Ce n'était pas Turquet. Il avait réussi à accompagner Ray en Espagne en se faisant engager comme auxiliaire de santé. Ce n'était pas non plus Lancenny ni Gerson. Ils étaient à Paris. L'un donnait un coup de main à un oncle propriétaire d'un café place Péreire, l'autre effectuait un stage chez un garagiste, au garage Molitor, dans le seizième arrondissement.

Alors, qui les avait dénoncés à Fernande ?

Ray était rentré de mission.

Il avait eu une aventure en Espagne. La fille s'appelait Mercedes, il l'appelait Mercé. Une belle brune pulpeuse avec des taches de rousseur qui souriait sur une photo qu'il avait scotchée au-dessus de leur lit. Il lui téléphonait sans arrêt. Disait que c'était bon d'être amoureux en se grattant les couilles.

Il frappait Léonie le matin, il la frappait le soir. Il reprenait la main, comme il disait. Ça m'a manqué de ne pas pouvoir te dérouiller. On a beau dire, ça soulage, on se sent un homme après. Il faisait craquer ses doigts, se frottait les phalanges. Fernande lui resservait un petit jaune, lui lisait à voix haute les fautes de Léonie consignées dans son carnet et il se remettait à l'ouvrage.

Il lui restait un peu de courage. Elle alla porter plainte au commissariat. Elle avait l'œil tuméfié mais ne saignait pas. Revenez la prochaine fois, on lui dit d'un ton rigolard.

Elle se débattait. De plus en plus faiblement.
Une mouette engluée dans le mazout.
Elle n'en finissait pas de payer.
Elle devait l'attendre, tout habillée, quand il partait en mission le soir. Interdiction de s'allonger pour dormir. Interdiction de lire. Cela pourrait lui mettre des idées dangereuses dans la tête. Elle devait repriser, tricoter, laver, apprendre par cœur le manuel du parfait pompier, repasser ses lacets, compter les boutons dans la boîte à couture et les trier par tailles, par couleurs, par nombre de trous.
Il n'était jamais à court d'idées.
Elle tentait d'échapper au désespoir en se racontant des mensonges. Lucien l'aimait. Lucien avait eu un empêchement. Lucien viendrait la délivrer. Ce n'était qu'une question de temps. La vie, la vie, la vie, il faut lui faire confiance.

Il la faisait tomber du lit, lui donnait des coups de talon, ça marque moins. Il disait qu'elle était sale. Qu'elle ne l'approche surtout pas ! Sac à foutre ! Saloperie ! Fallait pas compter sur lui pour manger les restes. Et il se branlait en appelant Mercedes.

Il s'était acheté un roadster. Rouge, rutilant. Fernande prenait des photos de son fils, bronzé, torse nu, au volant. Il les envoyait à Mercedes.

Elle lavait la carrosserie chaque dimanche matin, faisait briller les chromes. De la mousse! De la mousse! Il hurlait de la fenêtre du salon qu'est-ce que tu fous, fainéante?

Il partait le soir faire une virée. Rentrait au petit matin. Prenait le café avec sa mère dans la cuisine. Ils avaient de longs conciliabules qui s'arrêtaient dès qu'elle paraissait. Elle surprenait les mots « placement », « banque », « inflation », « rendement », « pas la panacée ». Elle devait attendre qu'il soit parti pour s'approcher de la table et boire un café. Elle ne mangeait plus. Elle avait mal au cœur tout le temps.

Ce petit manège dura trois, quatre mois.

C'est Fernande qui se rendit compte qu'elle était enceinte.

— Elle peut pas être enceinte, tu sais très bien! rétorqua Ray.

— Je te dis qu'elle est enceinte... ouvre les yeux.

— Mais non! T'es folle! C'est pas la Vierge Marie!

— Elle est enceinte de l'autre, je te dis !

Enceinte.

Elle n'en revenait pas.

Elle n'était pas stérile. Elle avait dit à Lucien que ce n'était pas la peine de prendre des précautions, elle ne pouvait pas avoir d'enfant. Il avait dit oh, c'est triste ! Tu es malheureuse ? Elle avait dit je ne sais pas. Je ne sais pas très bien ce que je ressens, tu sais, je ne sais pas très bien où j'en suis côté sentiments. Elle avait ajouté mais quand je suis avec toi je récolte une moisson d'étoiles.

Elle était enceinte.

D'abord, ce fut une catastrophe. Il la dérouilla. Puis il réfléchit.

On recommençait à chuchoter Couillassec dans son dos. Il endossa le bambin. Contre la promesse de Léonie de signer l'acte de vente du manoir Bourrachard, puis de mettre l'argent sur un compte commun et enfin de faire passer la majorité de cette somme sur son compte à lui. Il avait trouvé, grâce au préfet, un acquéreur pour le château : une entreprise allemande qui cherchait un lieu en France pour le transformer en colonie de vacances. L'entreprise avait de l'argent et le château fut vendu un très bon prix.

Léonie signa tout ce qu'il voulut.

Quand elle accoucha, il était sur la grande échelle.

Et quand il fallut déclarer l'enfant et lui donner un prénom, elle choisit Stella. La dame qui passait dans les chambres pour enregistrer les déclarations la félicita, c'était très joli, très original.

Elle n'eut plus jamais de nouvelles de Lucien Plissonnier. Elle devint madame Toc-Toc.

Elle regarde le métronome et se dit comme c'est étrange, je le suis des yeux, clong-clong, clong-clong, et des souvenirs me reviennent. Un album de photos que je feuillette. Parfois elle pleure, parfois elle rit. Elle pleure beaucoup. Elle rit aussi. Elle se déleste de ces vieilles photos. Elle fait le ménage. Jette au feu ses peines, ses blessures, ses nuages.

En elle, quelque chose frémit, se soulève, un début d'euphorie, une joie nouvelle, elle n'a plus peur.

La vie, la vie, la vie.

En arrivant à la Ferraille, Stella aperçoit deux gendarmes qui montent dans leur fourgonnette et Edmond Courtois qui se dirige vers sa voiture. Elle va vers lui pour lui parler de Léonie, il fait un geste de la main, des doigts qui volettent et renvoient à plus tard. Il hâte le pas comme s'il voulait l'éviter.

Stella s'élance :

— Je voudrais vous voir, juste une minute ! Il faut qu'on…

— Pas le temps, pas le temps ! il dit en ouvrant la portière de sa voiture. J'ai un avion à prendre, je suis en retard.

— Ah ! dit Stella, désemparée, en pilant net. Et les flics, c'était pour quoi ?

— Pour rien. Un incident. C'est réglé.

Il se tourne vers elle, il a de larges cernes sombres et un mouvement convulsif des lèvres qui lui fait plisser le nez. On dirait un animal aux aguets.

— Ah ! dit encore Stella. Vous allez bien ?

— Oui, pourquoi ?

— Je ne sais pas. Vous n'avez pas l'air très en forme.

— Qu'est-ce que tu vas chercher ?

Il s'installe au volant, va pour fermer la porte. Mais Stella le retient par la manche :

— Que se passe-t-il, monsieur Courtois ? Vous m'évitez ?

Elle essaie d'attraper son regard, mais il se dégage et referme la portière.

— Je suis pressé, c'est tout. J'ai du boulot. Dis, à ce propos, on ne te voit pas beaucoup sur le site en ce moment… Tu te souviens que tu travailles ici ?

— Pourquoi vous dites ça ?

— Je te paye, merde ! Bosse un peu !

— Vous menacez de me renvoyer, c'est ça ?

— Absolument pas. Loin de moi cette idée !

— Ça en a tout l'air… Je me suis mise d'accord avec Julie pour rattraper. Vous êtes satisfait ?

— Le prends pas comme ça, Stella. J'ai une entreprise à faire tourner, moi. Et si tu crois que c'est facile ! J'en ai jusque-là !

Et il mime le geste de celui qui en a par-dessus la tête.

C'est étrange, se dit Stella, il fait semblant de s'énerver pour masquer son malaise. Sa colère sonne faux. Qu'est-ce qu'il me cache ?

— Vous ne me l'aviez jamais sorti ce couplet-là, monsieur Courtois ! Ça vous ressemble pas.

— Eh bien, les temps changent !

Elle lui tourne le dos, le laisse, affalé derrière son volant.

Quelque chose se prépare mais elle ne sait pas quoi. Toujours cette vieille méfiance qui se rallume au quart de tour. À quoi il joue, le père Courtois ? Un jour il la protège, il se confie, il s'abandonne, le jour suivant il l'ignore et la traite de tire-au-flanc. Difficile de s'y retrouver s'il change sans arrêt les règles du jeu.

Elle entame l'ascension de l'escalier qui mène au bureau de Julie en frappant la première marche de son gros godillot. À défaut d'être un homme, je peux faire autant de bruit qu'eux si je veux, elle se dit, rageuse. Font chier, ces mecs !

— Qu'est-ce qu'il a, ton père ?

Julie est derrière son bureau en train de taper sur sa calculette du bout d'un crayon. Elle marmonne :

— Merde ! Merde ! Ça le fait pas du tout ! Y a pas le compte !

Elle relève la tête et fixe Stella comme si elle ne la reconnaissait pas. Puis elle remonte ses lunettes d'un index rapide et dit ah ! c'est toi !

— J'ai tellement changé que ça ?

— Excuse-moi. Qu'est-ce que tu disais ?

— Ton père... qu'est-ce qu'il a ?

— Je sais pas, mais il va pas bien. Il passe ses nuits à trifouiller ses montres. Se couche tout habillé et dort dans son bureau ! Je le soupçonne de picoler. C'est l'enfer à la maison. Ma mère fait ses valises tous les quarts d'heure, il en a rien à cirer. Elle vient de se casser à Paris chez une amie.

— Et les flics, qu'est-ce qu'ils sont venus faire ?

— Encore une histoire avec les gens du voyage !

Elle a failli dire « manouches » mais s'est reprise.

— Et... ? demande Stella pour encourager Julie à poursuivre.

— Le petit jeune, tu sais, celui qu'on a vu pousser dans les jambes de son père, le petit morveux qui nous chourait toujours quelque chose en descendant du camion pendant que le paternel livrait la marchandise…

— Dragan ?

— Oui. Il a grandi, il doit avoir dans les dix-huit ans. Il s'est pointé tout à l'heure. Il voulait des renseignements sur les ventes qu'on a faites ces trois dernières années. Sûrement pour prélever un pourcentage. Il s'est pris de bec avec Maurice qui lui a dit qu'on ne les donnait qu'aux flics, il a insisté et le ton a monté. Alors je suis descendue, je lui ai dit de se calmer, que s'il continuait je lui filais une tarte, eh bien… il a continué, il m'a traitée de pute, de suceuse de flics et je lui ai filé une tarte.

— Et tu as appelé les flics…

— Oui. Ils sont venus, ils m'ont donné raison et il a détalé comme un lapin. J'espère qu'il ne va pas revenir. Seul ou avec toute la famille !

Stella pousse un soupir :

— Me dis pas que c'est Ray qui l'a envoyé !

— Je sais pas, Stella. Ça tourne pas rond en ce moment. Et j'ai un boulot de dingue en plus. Et Jérôme, tu sais…

Elle s'arrête net, replonge le nez dans ses chiffres, le relève et dit :

— Faudrait aller déposer une benne chez Depelletat. Pour l'aluminium. Ils balancent de belles plaques. On achète à la tonne. Tu vois ça avec eux. Tu fais signer le contrat. Faut que ça soit bouclé ce soir.

— Pas de problème. Tu me files les papiers ?

On frappe à la porte. C'est Jérôme. Il rougit en apercevant Stella et recule en glissant de travers comme un crabe.

— Entre…, lui dit Stella, je vais pas te manger !

— Je veux pas déranger…

— Mais tu déranges pas. J'ai du boulot, je m'en vais.

Julie a laissé tomber sa calculette, ébouriffé ses frisettes et regarde Jérôme avec adoration. Stella a le sentiment qu'elle pourrait passer toute sa journée à le contempler sans bouger. Elle est suspendue à un fil, tremblante d'émotion.

— Je vous laisse, dit Stella, vous avez sûrement des tas de choses à voir ensemble.

— Oh non ! proteste Jérôme, affolé. Je reviendrai. Hein, Julie, je reviendrai…

Julie le regarde sortir, désespérée.

— Et il est encore reparti !

— Pourquoi ? C'est pas la première fois ?

— Il m'a fait le coup trois fois depuis ce matin ! Il entre, il bafouille, il repart, il entre, il bafouille, il repart.

— Ben dis donc… C'est pas un hardi !

— On va jamais y arriver ! soupire Julie.

— Mais si… Mais si !

— Il veut me parler, mais il y a toujours quelqu'un ou quelque chose qui l'en empêche.

— Je suis désolée, s'excuse Stella.

— Non, non, c'est juste que… Hier, j'ai trouvé un poème qu'il avait recopié dans les papiers qu'il me donne chaque soir. Il avait dû l'oublier. Un poème si beau, Stella. Je te le montre si tu veux et tu me dis ?

— Je ne suis pas très versée en poésie. C'est pas mon truc. Tu devrais demander à quelqu'un qui s'y connaît.

— C'est que j'hésite à en parler… T'imagines, si tout le monde est au courant ! J'aurai l'air maligne.

— Y a pas de honte, Julie. T'es amoureuse, t'as pas la gale !

— On pleure quand on est amoureuse ?

— Ben, ça dépend des gens. Tu pleures de bonheur, c'est beau.

— J'ai l'âme gazeuse. J'ai des bouffées, des suées, le cœur qui fait des nœuds, le ventre plein de trous…

— Ben dis donc… Ça ressemble plus à une maladie qu'à de l'amour !

— J'ai le trac. Et j'ai envie de rire et de danser. Et puis j'ai encore le trac. Je suis sur courant alternatif !

— Pas de doute, t'es amoureuse.

— Tu le penses vraiment ? Tu crois que c'est pour moi ?

— Tout le monde y a droit. Ton nom ne figure pas sur une liste noire, « interdite d'amour » !

— Oh ! Tu dis ça pour me faire plaisir. Tu es gentille…

— Mais pas du tout ! Regarde-moi, j'ai bien trouvé Adrian et pourtant je pensais que jamais un homme ne m'approcherait ! Eh bien… Il est arrivé dans son camion, il m'a enlevée et je ne moufte plus.

Julie pouffe de rire.

— Je vois pas Jérôme m'enlever. Il arrive pas à me parler !

— Pourquoi pas ? Il a un côté preux chevalier…

— Et il recopie des poèmes qu'il oublie dans les factures. Peut-être qu'il les apprend par cœur pour me les réciter ? Peut-être que c'est pour se donner du courage…

Stella, attendrie, contemple Julie. Elle avait oublié qu'en amour, on passe son temps à se poser des questions. Rien ne tient debout quand on est amoureux, on fait la tour de Pise tout le temps.

— Je crois surtout qu'il faut que tu passes à l'action, sinon tu vas devenir toupie !

— Oh ! Je t'ennuie avec mes doutes.

— Mais non… Bon, il faudrait peut-être que je travaille. Ton père m'a fait une remarque sur mon absentéisme.

— Il a osé !

— Oui.

— Il va vraiment pas bien. Il ne le pensait pas. Il t'adore, Stella.

— J'en suis pas si sûre, ma toupie.

— J'aime quand tu me dis « ma toupie », j'ai l'impression que tu m'aimes bien.

— Mais je t'aime, toupie ! Je t'aime, et Jérôme t'aime, c'est évident…

— Oh ! Et s'il m'aimait pour de bon ? Ce serait bien. Je pourrais peut-être encore faire un bébé ?

— Et pourquoi pas ? Mais ralentis, ralentis, il n'a encore rien dit. Il ne faudrait pas que tu sois déçue et que tu souffres.

— Oui, oui ! Je me calme, je me calme…

Elle secoue ses bouclettes, respire, souffle, s'étire, lui tend un bon, des papiers et reprend sa calculette.

Au moment de partir, Stella a une subite inspiration. Elle ne sait pas pourquoi elle va prononcer ces mots-là mais elle s'entend demander :

— Y a toujours la vieille Peugeot sous le hangar ?

— Oui.

— Elle marche ?

— Elle est en parfait état.

— Tu me la prêterais pour le week-end ? Je voudrais emmener Tom se baigner à l'étang. C'est plus discret que mon camion. Il est à l'âge où on veut être comme tout le monde, surtout pas se distinguer ! Avec mon camion, je passe pas inaperçue.

C'est vrai qu'elle a pensé à emmener Tom se baigner à Saint-Denis-lès-Sens.

Mais, comme c'est bizarre, elle a l'impression que ce n'est pas le vrai motif. Il y a une autre raison qu'elle ne connaît pas encore.

— Vérifie juste qu'il reste de l'essence. Et que les papiers sont dans la boîte à gants.

— Et toi, tiens-moi au courant pour ton amoureux, d'accord ?

Julie tend vers elle un visage rayonnant d'espoir.

— Oh oui ! elle soupire si seulement… si seulement !

En descendant l'escalier, Stella entend son téléphone sonner. Elle l'extirpe de sa poche, il glisse, elle le rattrape, mais quand elle décroche, il a cessé de sonner. Elle regarde le numéro. Inconnu. Et, comme d'habitude, pas de message.

— Mais c'est quoi, ce bordel ! elle grogne en frappant les marches de ses grosses semelles.

Elle s'installe au volant du camion, elle prendra la Peugeot au retour, enclenche la première et rumine.

Les choses se décident toujours sans qu'on comprenne pourquoi ni comment.

Il va se passer quelque chose. Elle se sent grosse d'une attente qui ne peut plus durer. Tout est en train de se mettre en place. Ce sera bref, ce sera violent, elle le sait.

Elle attend depuis trop longtemps. Ils se croient tout permis. Ils larcinent à tout-va, ses potes et lui. Ils dérobent, revendent, engrangent. Leurs poches sont des succursales de banques. La dernière lubie de Ray? Une Maserati. Achetée cash. Si c'est pas suspect, ça. Ils sont copains avec le maire et servent d'intermédiaires. Touchent sur les permis de construire, les chantiers, les tranches d'assainissement, les certificats de conformité. Préfet, sous-préfets, secrétaires généraux, ils les ont tous ferrés. Ils rançonnent les bars, les restaurants, les salons de coiffure et autres commerces. Même aux cultivateurs ils piquent du pognon! Et, s'ils résistent, ils allument des feux dans les champs au moment de la moisson. Qu'est-ce qu'ils en font de tout cet argent? Faudra que je demande à Violette si elle est au courant.

Sans compter l'Amicale des pompiers fondée par Ray. Obligation de cotiser. La main sur le cœur. La larme à l'œil pour ces pauvres soldats du feu qui sont tombés de l'échelle et végètent dans leur fauteuil roulant, vous connaissez le prix d'un de ces fauteuils, mesdames, messieurs? Un scandale. I-ni-ma-gi-na-ble. Et quand Ray fait son baratin, on lui donne le Bon Dieu sans confession. Et des biffetons.

Elle a envie de rappeler Turquet, de lui donner rendez-vous dans la clairière derrière chez lui afin qu'ils s'expliquent. Il faut qu'elle lui fasse peur. Ou mal. Il habite dans une ferme isolée. Personne ne les verra.

Et puis elle se reprend. Qu'est ce que tu lui diras, banane ? Tu crois qu'on peut parler avec ce mec-là ? Elle secoue la tête. Elle n'a rien à en attendre. Elle ne doit pas s'égarer. Ils ne demandent que ça, la pousser à la faute. Et si possible dans le vide. Un accident est si vite arrivé.

Elle pense à Tom l'astronaute. Ce soir, elle taillera la combinaison blanche, la mettra aux mesures de son fils et ils riront tous les deux de sa démarche de gros patapouf lunaire.

Au carrefour des Quatre-Fermes, le feu passe au rouge et son camion s'arrête à la hauteur d'un cabriolet Mercedes gris décapoté. Elle a vu la pub à la télé l'autre soir chez Georges et Suzon. *Reach for the sky, drive a E Class coupé cabriolet*, disait la publicité. Et tout en bas en italique, une bande-annonce se déroulait si vite qu'on ne pouvait presque pas la déchiffrer : « À partir de soixante mille euros. » Soixante mille euros ! elle s'était exclamée. Moi je vis des années avec cet argent-là ! Qui peut bien se payer ça ?

Violette Maupuis.

Foulard Hermès, Ray-Ban noires, minijupe en cuir noir, bagues, bracelets, un lourd collier en or, des ongles manucurés qui pianotent sur le volant. Violette Maupuis, furieuse de devoir comme tout le monde obéir à un feu de circulation.

Stella donne un coup de klaxon et descend sa vitre.

— Les affaires marchent bien, on dirait !

— Hé ! Stella ! Ça va ?

— C'est ton héritage ou c'est tombé du camion ?

Violette éclate de rire.

— C'est Ray. Il me l'a offerte hier soir. Pour mon anniversaire. Il est mignon, hein ?

— Un chou à la crème !

— Il m'adore.

— T'en as de la chance !

— Disons que je sais y faire avec les mecs ! C'est pas très compliqué... Y a deux ou trois trucs de base.

Elle a dit ça du même ton que lorsqu'elle avait treize ans et qu'elle balançait ses petits seins sous son tee-shirt.

— Faudra que tu m'apprennes ! dit Stella.

— Quand tu veux… Et c'est pas tout ! Il va se débrouiller pour me mettre en vedette dans le prochain film produit par le conseil régional. Il va faire de moi une star. Il y croit dur comme fer. Je suis super-excitée !

— On se prend un café ce soir avant que j'aille chercher Tom ? Il a judo jusqu'à sept heures aujourd'hui.

— Ce soir, je peux pas. Grand dîner chez le préfet. Je dois me préparer pour être renversante.

— Ça ne devrait pas te prendre tant de temps que ça.

— T'es gentille, elle minaude. Il y aura tous les gens importants du coin, je dois faire bonne impression.

— Des mecs comme Gerson ou Turquet ? dit Stella pour se moquer.

— Tu plaisantes ! Je parle des haut placés. Gerson et Turquet, ce sont des nains. Turquet, de toute façon, il est cloué chez lui. À mourir de rire. Il a essayé de soulever des poids et s'est fait un tour de reins. Pauvre mec ! Je vais les faire gicler, tous ces types qui collent au cul de Ray ! Il vaut bien mieux que ça.

— T'as raison. D'ailleurs tu devrais le relooker, le Ray. Il fait un peu plouc pour une belle fille comme toi.

— J'ai déjà commencé. C'est con que vous ne vous entendiez pas, parce que tu verrais comme il a changé. Je lui lis le journal tous les jours, je lui donne des infos. Il s'en sert pour son business.

— Ah, parce qu'il travaille ? C'est nouveau, ça.

— Non, vraiment, Stella, j'aimerais que vous vous réconciliiez, c'est ton père après tout !

— Dis pas ça ! gronde Stella. Dis pas ça !

Elle a prononcé ces mots comme si elle allait dégoupiller une grenade. Violette la regarde, réprobatrice.

— Mais tu lui dois la vie ! Il faut respecter ses parents. Je t'explique : moi par exemple, je suis une artiste et pourtant, j'ai fait une pause dans ma carrière pour revenir ici et régler les affaires de mes parents. Si tu crois que ça m'amuse ! Mon agent n'arrête pas de m'appeler et de me dire de revenir à Paris. Je lui dis non, mon devoir de fille d'abord !

— Je ne savais pas qu'ils avaient tellement d'affaires à régler, tes parents !

— Ne sois pas sarcastique ! Sois positive, pense à l'avenir.

— T'as raison. Je ne fais que ça. Salut, la belle, à bientôt ! On s'appelle.

Le feu passe au vert. Stella a à peine débrayé que le cabriolet Mercedes n'est plus qu'un nuage de poussière à l'horizon. Elle frappe le volant de son front et jure. Se reprend.

Ne pas m'énerver, surtout ! J'ai besoin d'elle, elle va me servir un jour ! Mais elle m'énerve, elle m'énerve !

Au loin le nuage de poussière a disparu.

Elle allume la radio. Céline Dion chante qu'elle voudrait parler à son père, retrouver ses traces, savoir où est sa place. Tagada tsoin-tsoin. Stella voit une image surgir, celle de Ray poussant la porte de sa chambre, elle s'entend hurler non, papa, non !

Qu'est-ce qu'avait dit Violette au volant de sa Mercedes ?

« Tu lui dois la vie après tout ! »

C'est exactement ce qu'elle ne veut plus jamais entendre.

— Ça te plaît ou je fais plus court ? demande Stella à genoux devant Tom, la bouche pleine d'épingles.

Il se tient raide devant elle, les bras tendus, le menton en l'air, habillé de blanc, ganté de blanc, chaussé de blanc, les cheveux enfermés dans une cagoule blanche. Il tient un bocal à poissons rouges sous le bras. Il trouve que le saladier, ça fait gonzesse.

Il jette un coup d'œil dans la glace et s'écrie :

— Ouaouh ! C'est génial ! Merci, m'man ! T'es top !

Stella reçoit le maman en plein cœur et perd l'équilibre. Cela fait si longtemps qu'il ne l'a plus appelée ainsi. Elle ne savait pas que ça lui manquait tant. Elle a envie de prolonger cet instant de grâce et insiste :

— Je pourrais raccourcir un peu la jambe droite ?

— Non. C'est très bien, il dit en se regardant toujours dans la glace. Topissime !

— Ou rallonger un peu les manches ?

— Non. C'est parfait.

— T'es sûr que le bocal, c'est une bonne idée ?

— Je vais le porter sur la hanche. Ils font comme ça, les astronautes. Juste avant d'embarquer, ils se baladent avec le casque à la main. Cool Raoul.

— Je ne me souviens pas…

— Tu trouves pas qu'il fait un peu bizarre, le masque ?

— Non. Il couvre bien la bouche. N'oublie pas que c'est pour ne rien laisser passer…

— Mais un astronaute, il s'en fiche de laisser des traces. Au contraire, il veut qu'on se souvienne de lui, qu'on retienne que c'est lui qui a marché sur la Lune. Il est fier. Il se cache pas. C'est pas comme Dexter.

— C'est qui, Dexter ?

— Tu sais, le type du feuilleton qui découpe ses victimes en lamelles saignantes.

Stella fait la grimace.

— Ah oui…

Elle a dit cela d'une manière si vague que Tom est sûr qu'elle n'a pas compris.

— Mais oui, m'man, souviens-toi, on l'a vu chez Georges et Suzon. Suzon regardait entre ses doigts tellement elle avait peur ! Le type qui dézingue les criminels qui ont échappé à la justice. Dexter, c'est le justicier suprême, si tu veux. Comme la justice a laissé tomber, il fait le boulot lui-même.

— Je me souviens…

Elle a récolté un deuxième maman. Que doit-elle faire pour en avoir un troisième ? Elle avait oublié à quel point c'est bon de tenir son petit garçon contre soi, de lui montrer le monde et qu'il vous dise maman. Pourquoi Tom avait-il cessé de l'appeler maman ? Elle n'avait jamais osé lui demander.

— Moi, je ne suis pas Dexter, je suis un astronaute pacifique. Je fais avancer le progrès. Parce que c'est fou le nombre de découvertes qu'on a faites en allant sur la Lune, Stella ! Si tu savais…

— J'ai dû savoir cela autrefois.

— Tu vas en faire quoi, de l'autre combinaison ? Elle t'en a donné deux, Amina.

— Je ne sais pas.

— Parce que je veux bien la prendre, moi.

— Tu as un copain qui n'a pas de déguisement ?

Tom regarde sa mère et rougit. Il a eu une idée : il pourrait jouer à Dexter avec Jimmy Gun. Ils feraient comme s'ils découpaient Turquet ou Ray. Avec la même minutie, le même rituel que Dexter dans le feuilleton. Pour cela il lui faut une seconde combinaison.

Stella a vu son fils rougir et demande :

— Tu penses à quoi, là ? Et ne mens pas ! Tu te rappelles, on a fait un pacte…

— Je me disais que si tu ne t'en servais pas, je pourrais jouer à Dexter.

— Jouer à être un assassin ? Ça va pas ?

— Ben… ce serait qu'un jeu.

— Et tu découperais qui ?

— Turquet, par exemple. Il s'est pas gêné pour égorger Toutmiel.

— Tom, écoute-moi bien. On ne fait pas des choses comme ça. Ça existe dans un feuilleton, mais pas dans la réalité.

— Et avec grand-mère, il se gêne pas non plus ! Je te parie que s'il pouvait, il la découperait en lamelles saignantes.

— Ne dis pas ça, Tom ! Ne dis pas ça !

— Calme-toi, Stella ! Je voulais pas t'énerver.

— Je ne m'énerve pas. Je dis qu'on ne fait pas des trucs comme ça. Il ne faut pas se mettre au niveau de ces types-là, il faut être plus grand, plus noble, plus généreux. Sinon, tu te rends compte où va le monde ? Hein ?

— Ben, justement, il va pas bien, le monde, je trouve. Ray et Turquet, ils arrêtent pas de nous taper dessus et nous, on se laisse faire. Alors je pensais…

— Tu pensais rien du tout ! Je range cette combinaison et tu gardes la tienne, mais en tant qu'astronaute et pour l'école, compris ?

— Compris.

— Regarde-moi dans les yeux quand tu me parles. Droit dans les yeux, elle ordonne d'une voix ferme.

— D'accord, m'man.

Il relève la tête, ôte sa cagoule blanche et ses yeux bleus sous la touffe de cheveux blonds hérissés entrent dans les yeux de Stella avec une candeur mêlée de déception. Elle est sur le point de le prendre dans ses bras et de l'étreindre, quand elle comprend que l'attendrissement viendrait atténuer son autorité.

— C'est bien, mon chéri. On est donc d'accord, tous les deux.

Il opine de la tête et ajoute, boudeur :

— Il revient quand, papa ?

— Je ne sais pas. Mais il devrait être là bientôt. Ça fait combien de temps qu'on ne l'a plus vu ?

Elle sait très bien que cela fait quinze jours et elle se demande pourquoi c'est si long, cette fois. Chaque fois que l'absence est trop longue, elle s'inquiète, il a été arrêté, il est blessé dans un fossé. Elle ne sait rien de sa vie.

— Ça fait seize jours, je crois bien, il dit en comptant sur ses doigts.

143

— Oui, ce doit être ça. Peut-être qu'il va arriver ce soir…

— Et demain, c'est samedi, on pourrait aller dans les bois. Il m'a promis qu'il m'apprendrait à fendre des bûches, il m'a dit que ça donnait des forces dans les jambes, dans les cuisses, dans le ventre…

— C'est sûr. Va te coucher maintenant, je vais reprendre ton costume pour qu'il soit prêt lundi matin. Tu vas être le plus bel astronaute de l'école !

— *Yes !* Merci, m'man !

Et il monte à toute allure dans sa chambre. Il a tellement de choses à raconter à Jimmy Gun.

Stella, étonnée de tant de promptitude et ravie d'encaisser un quatrième maman, déploie la combinaison, sort une grande paire de ciseaux qu'elle fixe, interloquée : ils pourraient appartenir à Dexter.

— Ne bouge pas ! ordonne Philippe.

— Je ne bouge pas.

— Relève ta frange, tiens-la bien à plat et en arrière.

Joséphine s'exécute en souriant. Ils sont à l'aéroport d'Athènes, Elefthérios-Venizélos, un nom à faire rouler des cailloux dans la bouche ! Ils attendent le vol pour Paris et boivent un café à une table devant la boutique Hermès. Hermès rime avec Cortès, se dit Joséphine. Un jour, peut-être, il y aura une boutique Hortense Cortès dans l'aéroport d'Athènes.

— Et maintenant, ferme les yeux et écoute.

— Je ferme les yeux et j'écoute.

— Je vais lire sur ton front… et tu inclineras doucement la tête pour dire que je lis bien, que je ne fais pas d'erreurs.

— J'écoute.

Philippe se concentre.

— Tu as un souci, un gros souci, il s'étale sur la moitié de ton front…

— C'est vrai, dit Joséphine en inclinant légèrement la tête.

— Ça a un rapport avec un téléphone. Un numéro de téléphone. Un téléphone qui ne répond pas.

Joséphine hoche la tête.

— Tu appelles et quand le répondeur s'enclenche, tu raccroches. Sans laisser de message ! L'homme ne sait donc pas que c'est toi qui appelles…

— Parce que je ne sais pas quoi dire…

— Alors, forcément, il ne répond pas. Il se dit c'est un gêneur, il se dit si c'est important j'aurai un message.

— Tu as raison mais il va bien finir par décrocher un de ces jours et j'entendrai sa voix. Je voudrais entendre sa voix avant de lui parler.

— Mais ça, il ne le sait pas. Il doit penser que c'est quelqu'un qui veut lui vendre des fenêtres, un nouveau compte en banque, une assurance pompes funèbres…

— Y a tout ça d'écrit sur mon front ?

— Oui. C'est très long, plein d'explications, c'est pour cela que ça pèse si lourd sur toi.

— Et tu vois tout ça ?

— Oui. Je suis très fort.

Philippe fait une pause.

— Donc, tu devrais laisser un message la prochaine fois. Le type te rappellera et tu perceras le mystère de l'inconnu au fond de l'amphi. D'accord ?

Joséphine réfléchit.

— Tu n'as pas tort.

— Tu veux que je l'appelle ?

— Non. C'est à moi de le faire.

— Et tu n'as pas peur ?

— Et je n'ai pas peur.

Elle a vaincu le dragon.

Ça n'a pas été facile.

Elle a lutté. Elle a pleuré. Beaucoup. Mais un jour, elle s'est réveillée. Elle a regardé autour d'elle, elle n'a rien vu de nouveau.

Elle a regardé en elle.

Il y avait le respect.

146

Le respect de Joséphine Cortès pour Joséphine Cortès.

C'était la première fois.

Alors elle a compris. Le respect, il ne faut pas l'exiger des autres, mais de soi-même. Les autres s'inclinent. Ou pas. Ce n'est pas un problème.

Le respect est là, il demeure.

> *Vienne la nuit sonne l'heure*
> *Les jours s'en vont je demeure.*

Tout est si simple ensuite. Le corps fond, glisse dans les pantalons, les pieds se hissent sur de hauts talons, la frange raccourcit. Tout se remet d'aplomb.

Le bonheur, c'est une histoire entre soi et soi. On se dit je t'aime. On se dit tu es une fille formidable. On ajoute tu peux le faire.

Quoi ?

Ce que tu veux.

Et je vais y arriver ?

Bien sûr. N'écoute pas les autres.

C'est comme ça qu'on doit se parler pour être heureux.

Ça avait été une belle découverte.

Apollinaire avait raison.

Et nos amours
Faut-il qu'il m'en souvienne
La joie venait toujours après la peine.

Et la joie était arrivée par le plus grand des hasards.

Un jour madame Menesson lui avait monté son plateau-repas et l'avait trouvée affalée sur son lit. Elle avait rugi vous n'en avez pas marre de vous rendre malheureuse ? Vous vous inventez du malheur, inventez-vous plutôt du bonheur ! C'est pas sorcier ! Faut changer de refrain, chanter une bossa nova au lieu du Miserere.

Elle était repartie en disant vous me direz ce que vous en pensez de mon potage au potiron ! Je l'ai fait exprès pour vous. Avec de la crème fraîche de la ferme que m'a apportée ma belle-mère. Celle-là aussi, je l'ai mise à la bossa nova. Joséphine s'était assise sur le lit.

Le poème d'Apollinaire fredonnait dans sa tête, *faut-il qu'il m'en souvienne la joie venait toujours après la peine, faut-il qu'il m'en souvienne...* Elle avait pris le plateau, l'avait posé sur ses genoux. Je vais essayer, je vais m'inventer du bonheur. On verra bien.

C'est de quelle couleur, le bonheur ?

Je n'ai pas faim, mais je vais goûter ce potage.

Elle l'avait trouvé délicieux.

Était allée trouver madame Menesson pour la remercier.

— Et la petite pointe d'estragon, mmmm?

— Ah! Vous avez senti la pointe d'estragon! Continuez, vous êtes sur la bonne voie. Additionnez, additionnez et vous y trouverez votre compte.

Du Guesclin la contemplait avec une dévotion inquiète. Des portes de la cuisine s'échappait une musique de Carlos Jobim et il dressa l'oreille.

Elle additionna.

Elle relut son cours sur l'écriture et l'imprimerie. Parfait. Elle n'avait rien à ajouter.

Elle additionna.

Elle alla se promener place Bellecour. La lumière était orange, douce, oblique, on aurait dit un projecteur de théâtre. Du Guesclin trottinait devant et se retournait pour vérifier qu'elle le suivait. Les amoureux s'embrassaient, un jeune homme en habit noir jouait du violon. Elle s'installa à une terrasse, commanda un café. Et une boule de glace chocolat faite maison. Avec de la crème chantilly et des cigarettes russes.

Un homme passa, murmura charmante, charmante! elle lui sourit.

Elle avait ajouté un petit bonheur à un autre petit bonheur. Et ça avait fini par marcher. Ça avait fait comme une chaîne de vélo. Elle était entraînée.

Elle s'était entendue dire mais qu'est-ce qui me prouve qu'il ne m'aime plus ? Qu'il est parti avec Shirley ? Que tout est fini et que je devrais sauter dans un torrent de larmes ?

Madame Menesson a raison.

Et, comme pour la féliciter de cette déduction heureuse, le lendemain matin, le téléphone avait sonné, Philippe avait dit je suis rentré, tu m'as manqué, oh, comme tu m'as manqué !

Elle s'était envolée de bonheur.

Depuis, elle flottait.

Elle ne voulait plus redescendre.

Elle avait vaincu le dragon.

Le dragon l'avait fait douter de Philippe.

Il y aurait peut-être d'autres batailles. Ce n'était qu'une première victoire.

Mais elle la savourait.

Tom est allé se coucher. Stella a fini l'ourlet des jambes d'astronaute. Ajusté la longueur des manches. Ajusté la cagoule. Bricolé un petit écusson avec le sigle de la NASA et les couleurs du drapeau américain. Elle a brodé *Go, Major Tom, Go*. Elle a replié la combinaison, l'a rangée dans le placard avec son patchwork. Tom l'emportera lundi matin à l'école.

Elle a regardé l'autre combinaison. L'a dépliée. Elle s'est dit qu'elle pourrait servir.

Qu'elle pourrait lui servir.

Comme la Peugeot grise.

Elle était encore indécise.

Elle a posé les coudes sur la table, a croisé les doigts, déposé son front sur ses mains, a écouté la petite voix.

Il lui faut un alibi.

Le perroquet est venu se poser sur son épaule, il lui picore le cou. Il est neuf heures et demie, il veut regarder la télévision, la chaîne météo. Il est amoureux de la présentatrice. Une blonde pimpante avec du vert sur les paupières, du rouge sur les lèvres, des ongles bleu marine, des boucles d'oreilles jaunes. Et le nez busqué comme lui. C'est pour ça que tu l'aimes ? elle dit en allumant la télévision. Hector va se caler sur son perchoir, accroche ses griffes, se dandine, tend le cou vers la jolie blonde et commente, crrcc crrcc crrcc, d'une voix stridente. Il aimerait qu'elle le laisse en tête à tête avec la dame de la télé. « *Two is*

compagny, three is a crowd[1] », il crie. Il appartenait à un riche Américain qui quittait la France et
le lui avait donné alors qu'elle s'était arrêtée dans
une station-service sur l'autoroute. Il s'apprêtait
à le céder à un gamin de onze ans qui voulait le
plumer pour se faire une coiffe d'Indien ! L'animal
avait retenu quelques mots, tous en anglais, dont
un douloureux *Goooood byyye* qui se finit toujours
en sanglots.

Stella va s'asseoir sur le banc en pierre devant
la cuisine.

Elle appelle Julie. Elles parlent d'Edmond, de
Jérôme, des hommes et puis des hommes.

Elle demande :

— Si je dis que j'ai passé la soirée avec toi ce
soir, tu diras que c'est vrai ?

Julie ne demande pas pour quelle raison elle
doit servir d'alibi.

— Jusqu'à quelle heure ?

— Onze heures, minuit.

— Papa est à New Delhi, maman chez son amie
à Paris. Tout le monde sait que je me couche rarement après onze heures. Dans ces cas-là, il faut
être précis.

— Tu n'as pas peur des représailles ? demande
Stella.

— Non. Il s'agit de Ray ?

---

1. « À deux on est bien, à trois, beaucoup moins. »

— De Turquet.

— Ce que tu feras est juste. Même si c'est interdit par la loi.

— Ça risque fort de l'être.

— Eh bien, tant pis !

Stella dit merci toupie, et raccroche.

Son regard repart vers les étoiles.

Le ciel luit comme une plaque de métal chauffée à blanc. On dirait un lourd bouclier qui s'apprête à recouvrir la Terre. Comme s'il y avait urgence à protéger l'homme du danger.

Elle interroge le ciel et dit à voix basse c'est maintenant ou jamais, je n'ai pas le choix.

Je vais lui envoyer des clous.

Une tripotée de clous.

Elle ferme les yeux et visualise chaque geste.

Chaque étape.

C'est important qu'elle ordonne précisément ce qu'il va se passer afin de ne pas être surprise.

Elle enfilera la combinaison, cachera ses cheveux dans la cagoule blanche, mettra le masque, les gants, les chaussons noués aux chevilles. Elle dissimulera les plaques d'immatriculation sous du gros scotch noir. Elle prendra la carabine de Georges et des cartouches de chevrotine. On ne sait jamais. Elle doit tout prévoir. Tout visualiser.

Ne pas se laisser surprendre. Ne pas laisser de traces.

Elle roulera lentement, feux éteints, elle empruntera des petites routes à travers champs.

Elle garera la voiture près de la maison de Turquet. Elle la dissimulera dans un bosquet.

Elle avancera jusqu'à la ferme en faisant bien attention à ne pas buter dans un caillou, à ne pas trébucher, à ne pas déchirer sa combinaison. Le prendre par surprise surtout. Elle s'approchera de la ferme, apercevra de la lumière, regardera par le carreau, il sera devant la télévision, vautré sur son canapé marron. Il aura des charentaises aux pieds. Elle frappera à la porte. Avec autorité. Un, deux, trois coups. Il sortira en traînant la jambe, en se tenant les reins. Il gueulera qu'est-ce que c'est ? Il fera noir. Il clignera des yeux pour mieux voir.

Vous êtes qui ?

Il allumera la lumière de la cour et s'avancera pour mieux voir.

Un Martien ? C'est pas carnaval ! Vous voulez quoi ?

Elle dira d'une voix ferme :

C'est moi, Stella.

Stella ? il dira. Mais t'es déguisée ? Putain ! Qu'est-ce que tu fous là ? T'es venue te faire baiser ?

Encore mieux, l'Écrevisse ! Je suis venue te délivrer un message.

Il ricanera.

Hé ! l'astronaute ! T'as oublié ta capsule Apollo !
Allez ! Tire-toi ou j'te débine !

Écoute-moi bien.

Dégage, j' t'ai dit, t'es sourde ou quoi ?

Elle restera très calme et articulera.

Je ne veux plus que tu touches à un cheveu de
ma mère, je ne veux plus que tu nous menaces, ni
mon fils ni moi, je ne veux plus que tu m'insultes
sinon…

C'est à ce moment-là qu'elle avait commis la
faute.

Quand elle avait dit « sinon ».

Elle n'aurait pas dû.

Parce que, à ce moment précis, tout avait bas-
culé.

Elle avait laissé un blanc et il s'y était précipité.

Elle avait perdu le contrôle de la situation.

Il était devant elle, vêtu d'un survêtement délavé
et lâche qui laissait apparaître le haut d'un slip
noir. Il tenait une cannette de bière à la main et
se massait le dos.

— Sinon quoi, Stella ? Putain ! Suis mort de
rire. Comment elle parle ! Tu crois que tu me fais
peur avec ta carabine ?

— Je veux que tu nous laisses tranquilles. Que tu nous foutes la paix.

— Vas-y, connasse ! Tu crois que tu fais le poids ? T'es une gonzesse, quoi. Une gonzesse ! Manquerait plus que ça que tu fasses la loi !

— Ben si... Et dès ce soir !

Il avait émis un long rot et avait lâché :

— Elle est con, celle-là ! On les fourre, les gonzesses. C'est tout. Elles servent à ça. À se vider les couilles. Elles donnent pas d'ordres.

— Eh bien... on va changer tout ça, d'accord ?

— T'es barrée ! Non mais... t'es con ou quoi ? Tous, ils veulent ta peau. Tu les fais chier, t'as pas compris ? T'as pas une chance ! Tu sais avec qui il dîne ce soir, Ray ?

— Avec Violette et le préfet.

— Y a pas qu'eux ! Y a toutes les huiles ! Même ton pote Duré, il y est ! On va le gauler celui-là, t'en fais pas. On l'aura dans la pogne et on le tiendra par les couilles.

Il avait reculé, il s'était rapproché de l'entrée de la maison. Il avait tendu le bras. Elle avait cru apercevoir la crosse d'une arme.

La carabine reposait contre sa hanche, elle appuya sur la gâchette. Facile, si facile. Elle tira dans le vide. Pour lui faire peur. Elle était habituée au recul. Georges lui avait montré comment amortir le choc, un pied en avant, un pied en arrière, le corps fléchi, bloquer la respiration. Les mots de Georges revenaient. Son regard se posait sur elle, l'encourageait, ils ne t'auront pas, petite, ils ne t'auront pas.

Elle le vit tituber. Il se tenait le genou droit.

Il la regardait, stupéfait. Se penchait sur son genou, le tâtait. Il n'y croyait pas. Il releva la tête. Il ne s'écroula pas tout de suite. On aurait même pu croire qu'elle n'avait pas tiré, que le bruit de la détonation était celui d'un tronc pourri qui claquait dans la nuit. Tout devint flou autour d'elle. Elle demeurait debout, la carabine sur la hanche, pointée sur Turquet.

Il voulut faire un pas pour s'assurer qu'il pouvait encore marcher.

Elle tira une seconde fois.

Cette fois, elle visa l'autre genou.

Il s'écroula.

Elle était toujours immobile. Le canon de la carabine pointé vers le sol. Elle pensa c'est dommage qu'il n'ait que deux genoux. Elle y prenait goût.

Il était à terre. Il rampait vers elle. Il grimaçait, il jurait putain ! Sale pute ! L'enfoirée ! Je vais te démolir, tu vas payer, salope, l'enculée de ta race !

Elle ne ressentait rien.

Ne pensait à rien.

Ou si, elle se dit un salaud en moins.

Et ça lui donna une idée.

Il fallait qu'elle parle à quelqu'un.

Il était onze heures.

Julie se faisait une infusion dans la cuisine. La télévision était allumée. Sur le plateau à fromage, un camembert coulant menaçait de se répandre sur la toile cirée.

— Alors ? avait demandé Julie.

— Je lui ai tiré dans les genoux. Les deux.

— Merde !

— C'est parti tout seul. Enfin pour le premier coup. Parce que pour le second...

— Il est mort ?

— Je crois pas.

— Il va perdre beaucoup de sang.

— Il se fera des garrots.

— Faut encore qu'il puisse se traîner jusqu'à chez lui.

— C'est sûr.

Elles s'étaient regardées. Aucune ne tremblait.

— Tu me fais un café ? dit Stella. J'ai laissé la carabine dans la voiture.

— Ça ne craint rien. Bien serré, le café ?

— Oui.

— Et la combinaison ? avait demandé Julie. Faut la brûler.

— Tu crois ?

— Oui.

— Je vais la chercher.

— On la brûlera dans la chaudière. C'est plus sûr.

Julie avait regardé sa montre.

— Bon, il est onze heures et quart, à la demie, on va regarder le flash sur LCI, on pourra dire qu'on a vu les nouvelles. On dira aussi que tu es venue passer la soirée avec moi, on préparait un truc pour l'atelier de patchwork… Je vais sortir mes bouts de tissu, mes ciseaux, mes aiguilles. Je vais te montrer le dernier truc que j'ai fait, tu pourras en parler. Au cas où…

— On va dire ça. Si jamais on nous demande. Mais si ça se trouve, on n'aura pas besoin.

— Tu te sens comment ? Ça va ? demanda Julie.

C'était étrange, elle ne ressentait toujours rien.

Elle se disait juste il ne faut pas que je rentre trop tard, Tom est seul avec les chiens. J'ai bien tout fermé mais on ne sait jamais.

Un peu plus tard, alors qu'elles étaient penchées sur des carrés de tissu, des boutons, des bouts de laine et de mica, Julie déclara :

— Je te parie n'importe quoi que Turquet ne dira jamais la vérité…

— C'est-à-dire ?

— Qu'il ne dira jamais que c'est toi qui lui as tiré dessus.

— Tu crois ?

— Oui, réfléchis. S'il avoue qu'il s'est fait dézinguer par une gonzesse, et par toi, en plus… il passe pour une lavette, il perd son statut dans la bande. Tandis que s'il invente une histoire de cambrioleur ou de vagabond avec lequel il s'est battu et qui lui a tiré dessus, c'est quasi un héros.

— Pas bête.

— Et c'est pas toi qui iras dire le contraire !

— C'est clair.

— On n'aura qu'à demander à Violette, avait conclu Julie. Je te fiche mon billet que c'est la version qu'il donnera.

Elles s'étaient séparées, Stella était rentrée chez elle.

Elle avait ôté le scotch noir des plaques de la Peugeot, avait remis la carabine dans le Kangoo, avait effacé d'éventuelles traces à l'aide d'un chiffon.

Elle était passée dans la chambre de Tom. Sa joue reposait contre le manche de la guitare.

Demain, ils iront se baigner à l'étang. Elle mettra son maillot rouge et blanc. Elle se peindra les ongles de pieds en fuchsia et s'allongera sur sa

160

serviette en chantonnant le tube des Beach Boys qui passe en boucle sur Nostalgie.

« *Fun, Fun, Fun.* »

Au petit matin, le jour la réveille.

Elle a oublié de fermer les rideaux.

Elle s'étire, lance un bras pour chercher Adrian, elle voudrait qu'il soit là. Au milieu de la nuit, elle a cru entendre un bruit.

Georges dans la cour parle à Merlin. Voyou, il dit, t'as encore dévoré ta litière. T'es le cochon le plus goinfrard que je connais. Et j'en ai connu, des cochons !

Georges et ses histoires. Quand elle était petite, il lui racontait qu'il tirait dans les jambes des braconniers. Bang ! Bang ! Et ça fait mal ? elle demandait. Si ça fait mal ? il disait en prenant une grosse voix. Ça fait plus que mal, c'est une douleur énorme, insupportable. Tu pleures à chaque fois que tu respires, à chaque fois que tu pisses, à chaque fois que tu lèves un sourcil. C'est terrible ! Mais je te promets qu'ils ne revenaient plus jamais !

Elle saute hors du lit, va dans la chambre de Tom. Le lit est vide. Il est encore tôt, il ne s'est pas levé tout seul. On est venu le chercher, qui ? Qui ? Elle dévale l'escalier, se précipite chez Suzon.

— Tom n'est pas dans sa chambre et il est...

Elle lit l'heure à la grande horloge de la cuisine.

— … sept heures et on est samedi !

Suzon montre le bois du menton.

— Adrian ? dit Stella, soulevée par une joie insensée.

— Il est arrivé ce matin à six heures. On a pris un café ensemble. Il m'a demandé à qui appartenait cette voiture grise, j'ai dit que je ne savais pas.

— C'est pour emmener Tom à l'étang. C'est plus discret que le camion.

— Ah…

Suzon fait semblant de la croire et continue :

— Il n'a pas voulu te réveiller. Tom a débarqué dans la cuisine, pieds nus, il lui a sauté dessus et ils sont partis vers le bois. Adrian avait promis de lui apprendre à fendre les bûches.

Elle met des bottes en caoutchouc, une parka sur sa chemise de nuit. Elle ne peut pas attendre. Elle veut glisser ses mains sous le pull d'Adrian, toucher sa peau, sentir l'étau de ses bras, ses lèvres contre son oreille, ma princesse, ma beauté. Elle a faim de lui, la tête lui tourne.

Elle frappe les hautes herbes pour se frayer un chemin. Se fait mordre les cuisses par les orties, arrache le bord de la chemise qui s'accroche aux ronces. Il est là, il est là. Ce soir, ils vont dormir ensemble, mettre la main sur le temps, le remplir, le multiplier.

162

Déjà en elle quelque chose a changé, elle s'alanguit, ses yeux perdent leur métal, ses bras ne sont plus pointus. Elle a envie de rire, de courir.

Elle les aperçoit. Ses deux hommes. Le grand et le petit. Torse nu tous les deux. La chemise nouée autour des reins. De vrais bûcherons. Elle se tapit derrière un buisson. Adrian crache dans les paumes de ses mains. Tom l'imite.

Adrian a posé une bûche, droite sur le sol.

— D'abord, tu enfiles de gros gants, il dit. Tu demanderas à Stella de t'en acheter une paire. Ensuite, tu choisis un coin en métal. Ou un coin hélicoïdal. Celui-là, par exemple. T'as vu ? Il a la forme d'une hélice.

— Oui.

— Tu repères la faille dans la bûche, tu glisses le coin, tu lèves la masse et tu frappes. Facile, non ?

Adrian joint le geste à la parole. La bûche s'ouvre en deux, les deux parties s'écartent et tombent.

Tom l'observe, bouche bée.

— Ça a l'air facile, mais ça ne l'est pas. Je recommence. Regarde bien. Faut faire attention aux éclats de métal qui peuvent jaillir du coin. Tu dois vérifier que les bords sont bien lisses, les limer au besoin. Compris ? On continue ?

— Oui.

— Tu empoignes la cognée près de la masse. À deux mains. Tu prends appui en fléchissant

légèrement les genoux et en écartant les jambes.
Vérifie que tu tiens bien en équilibre. Tu places
le coin, tu lèves la masse. Tu vises la veine du bois
ou la fente. Tu tapes deux ou trois fois jusqu'à ce
que le coin morde. Et puis tu laisses retomber la
masse en visant bien et tu tapes un grand coup. Et
alors la bûche s'ouvre.

— J'ai compris.

— Et tu vas entendre le bruit de la bûche qui
s'ouvre, tu vas sentir l'odeur des essences qui se
libèrent. C'est comme si le génie du bois te parlait,
comme s'il te disait bien visé !

— Il parle pas !

— Non ! Bien sûr !

— C'est quoi la différence entre la masse et la
hache, dis ?

— Pour les grosses bûches on prend une masse,
pour les plus petites une hache. T'as tout compris ?

Tom fait oui de la tête et Adrian lui passe la
hache.

— À ton tour !

— Sans gants ?

— C'est pour étudier ton geste, tu n'es pas
obligé de frapper si tu ne le sens pas.

Tom prend une bûche et la place verticalement.

— Parfait, dit Adrian, il faut toujours mettre la
bûche dans le sens de la pousse de l'arbre. Pour
cela tu regardes dans quel sens partent les débuts
de branches. Tu l'as fait d'instinct, c'est bien.

Tom bombe le torse, pas peu fier. Il se positionne devant la bûche mais oscille un peu.

— Les jambes de part et d'autre de la bûche, fils ! Que tu sois bien calé. Pas de pied en avant parce que si la hache dérape, elle te tombera sur le pied et tu le sentiras passer !

Tom tire la langue et s'applique. Il a choisi une petite bûche et a pris la hache. Ses bras s'élèvent, ils paraissent graciles, ses yeux ne quittent pas la bûche, il achève son geste et la bûche se fend dans un souffle parfumé.

— Tu as senti, Tom ?

— Alors ça y est ? Je suis bûcheron ?

— Tu es bien impatient ! On va en prendre une plus grosse.

— Tu sais, Stella, elle m'a fait un habit d'astronaute.

— Tout blanc avec un casque ?

— Oui. Et il est super-bien.

— T'as une supermaman. On recommence ?

Stella savoure son bonheur et s'affaisse doucement sur la terre encore humide de la nuit. Les talons de ses bottes dérapent sur une plaque d'herbe, elle glisse doucement jusqu'en bas du talus. Écrase les fleurs, les branches mortes, heurte des souches, des racines. Respire une odeur de moisi sucré, boisé. Elle étend les bras, étend les jambes. Elle ne bouge plus, elle repose. Son corps devient mousse, humus, glaise, il se mélange à la terre, se décompose. Dans ses cheveux poussent des herbes folles. Elle entend les voix d'Adrian et de Tom. Des éclats de rire, des cris de joie. Elle happe cet instant. Il y a tant de lumière dans le ciel qu'elle croit apercevoir un début d'histoire. Enfant, elle lisait dans les nuages, dans les étoiles. Léonie lui avait appris. Des histoires parfois terribles mais toujours justes. Il n'y a rien de cruel dans le ciel, disait Léonie, il y a des combats mais à la loyale.

Est-ce qu'elle s'est battue à la loyale avec Turquet ?

Elle n'est pas sûre.

Est-ce qu'elle le regrette ?

Non.

Est-ce que ça l'a empêchée de dormir ?

Non.

Est-ce qu'elle serait prête à recommencer ?

Oui.

Elle ne laissera personne lui briser les ailes. Léonie s'était inclinée. Humble servante du malheur. Elle n'avait pas su relever la tête. C'est une science de relever la tête à temps. On peut rester courbé un certain temps mais pas une minute de plus. Turquet a payé. Pour la minute en plus.

Le malheur, on peut l'accepter. À condition qu'il s'arrête un jour. Qu'importe la date ! Pourvu qu'il y en ait une. Alors on peut être patient et endurer. Mais si on ne vous donne pas de date, si on rajoute du malheur tout le temps, ce n'est pas supportable. Ça rend fou.

Les yeux mi-clos, elle se dit et si je dormais un peu? Si je finissais ma nuit ici? Comme lorsque je dormais dans le grand chêne pour échapper à Ray. Adrian va me chercher, il battra les bois en criant mon nom, Stella, Stella, il rugira, cela fera un triangle rouge entre ses sourcils, et je ferai semblant de dormir pour qu'il m'appelle encore, pour que le désir et la peur montent dans sa poitrine, qu'il fouille les fourrés, brise les nœuds de ronces jusqu'à ce qu'enfin il trébuche sur moi, étendue à ses pieds en chemise de nuit. Il s'agenouillera, il m'embrassera, il me mordra un peu la bouche pour que je me cambre et me défende et on fera l'amour sous les grandes branches des arbres.

J'ai toujours faim de lui. Le désir de cet homme-là me fait tourner le ventre.

Elle rouvre les yeux et lit dix heures au soleil.
Elle n'entend plus la voix de ses hommes.
Ils ont dû rentrer à la ferme.
Il est là, elle se dit. Il est là et il m'attend. Il regarde l'horloge et se demande où je suis passée

et lui aussi, le désir le prend au ventre. Il ne veut pas le montrer, il veut rester avec Tom, il l'écoute parler de la manière dont il a fendu les bûches. Il dit oui, oui, il dit c'est bien, je suis fier de toi, mon fils, mais son regard suit les aiguilles de l'horloge et son genou bat sous la table.

Il m'attend.

C'est à son tour de m'attendre.

Elle se redresse, ôte les feuilles, les brindilles, lisse sa chemise, referme sa parka, passe les doigts dans ses cheveux et prend le chemin qui sort du petit bois.

Elle ira voir les ânes. Le faire attendre encore un peu, qu'il regarde sa montre et batte la semelle. Le désir est volatil, il s'entretient par tous les moyens, même les plus douteux.

Le téléphone sonne et elle décroche. Elle a aperçu un pivert qui tambourine, furieux, sur une branche sèche. Le petit calot rouge au-dessus de sa tête tressaille et lui donne un air de punk en colère. *No future*, il martèle avec son bec. Elle s'approche à pas feutrés tout en disant allô et aperçoit la moustache noire qui signale une femelle. Hé, muchacha, t'es en colère ? elle chuchote en se mettant à la hauteur de l'oiseau.

— C'est Joséphine Cortès, dit une voix. La fille de Lucien Plissonnier.

D'abord Stella n'entend que « Lucien Plissonnier ».

Elle se laisse tomber sur un tronc mort.

— J'ai trouvé un mot sur le pare-brise de ma voiture…

Tout de suite, elle reconnaît la voix de la femme qui parle à l'université. Une voix bien timbrée, claire. De ces voix qui aiment résoudre les problèmes et ne trichent pas.

— Un mot qui disait qu'on voulait me parler de Lucien Plissonnier…

Stella a la gorge nouée. C'est difficile de prononcer des mots qui vont l'engager, il y aura forcément un avant et un après, cette femme va être bouleversée.

— Vous m'entendez? dit Joséphine. J'ai fait le bon numéro?

— Oui.

— Je me demandais…

Stella se reprend et articule :

— Ce serait peut-être mieux qu'on se voie pour de vrai. Ça va être dur de se parler au téléphone…

— Vous ne voulez pas me donner un indice? Vous parlez au nom de votre père?

— Oh! Vous le saviez! s'exclame Stella d'une voix blanche.

— Je savais quoi?

— Que c'était mon père.

— Qui ça?

— Lucien Plissonnier. Vous le saviez?

— Votre père? Mais non… Je cherche un homme. Un homme qui assiste à mes cours du fond de l'amphi et m'a laissé ce mot. Qui êtes-vous?

— Je suis sa fille.

— La fille de cet homme?

— Non. La fille de Lucien Plissonnier.

— Mais c'est impossible! crie Joséphine Cortès. Lucien Plissonnier était mon père et il n'avait que deux filles.

— Et pourtant…

— Je veux comprendre, dit Joséphine. Qui a laissé ce mot sur mon pare-brise?

— Moi.

— Alors vous êtes un homme. Un homme grand avec un gros manteau et un chapeau.

— Non, je suis une femme, vous m'avez vue de loin et vous avez cru que j'étais un homme. C'est parce que je suis grande et que je m'habille comme un homme. Vous comprenez, je fais un travail d'homme. Je suis dans les bennes, les camions, la ferraille. Mais… Je m'appelle Stella et je suis la fille de Lucien Plissonnier.

— C'est impossible! répète Joséphine.

— Je crois bien que c'est vrai.

Depuis le soir où il avait parlé avec Stella, sur le parking de l'hôpital, Edmond Courtois ne dormait plus.

170

Il lui avait raconté l'enfer des nuits où Ray conduisait Léonie chez lui comme on mène une jument à l'étalon et elle lui avait appris que Lucien Plissonnier était mort un 13 juillet.

Un 13 juillet.

Alors, ce serait de ma faute ?

Il cherchait le sommeil, désespéré, il allait à la pharmacie faire le plein de pilules, de tisanes, de petites fioles sombres et amères, rien n'y faisait. Il gardait les yeux ouverts et entendait la tempête.

Il sautait d'un avion à un autre. Allait à New Delhi, à Bombay, à Calcutta, à Bangalore. Repartait à tire-d'aile à l'autre bout du monde, rencontrait de nouveaux partenaires à Pékin, à Kuala Lumpur, à Hong Kong, à Djarkata. Tirait sa valise de ville en ville, lisait des contrats, corrigeait des chiffres, provoquait des dîners, des assemblées, des rencontres, mais le sommeil toujours se refusait et sa tête s'alourdissait sous le poids de cette soirée du 13 juillet.

Il y avait trente-cinq ans.

Au bar des Grands Hommes, avenue Hoche. Près de l'Étoile.

La scène revenait toujours.

Quand le soir tombait.

Il tendait les bras pour la repousser, il jurait, il suppliait laissez-moi, laissez-moi, il ne savait pas à qui il s'adressait.

171

La scène était toujours là. Elle se déroulait, inexorable, se mettait en travers de sa nuit.

Et il se remettait à fuir. Il allait, sinistre, les nerfs à vif. Il s'emportait, disait le contraire de ce qu'il venait d'affirmer. Se débattait, défaisait sa cravate, étouffait, s'épongeait le front, putain de bordel de merde, l'air conditionné, ça existe pas dans ce pays à la con ?

Le 13 juillet 1977 ne le lâchait pas.

Ça faisait comme une tache de vin sur son front, il se disait tout le monde va savoir, tout le monde va savoir.

Il s'adressait à des juges imaginaires. Vous voulez que je vous raconte ? Vous voulez que j'avoue ? Je suis un homme lamentable, je n'ai ni courage, ni flamboyance, ni panache. Ray, au moins, il monte sur la grande échelle, il sauve des vies, il libère une école, il fait rêver les femmes ! Moi, je rampe, je prends un air affable, un air de bon garçon et je commets mon méfait en douce.

Vous voulez que je vous raconte ?

Après ma rencontre avec Léonie sur le parking de Carrefour, je m'étais dit qu'il devait y avoir un homme derrière sa désinvolture nouvelle, son brillant à lèvres et la petite boucle d'oreille en diamant.

Je l'ai suivie un samedi après-midi de ce mois de juin 1977. Je l'ai vue monter dans une voiture immatriculée à Paris. J'ai relevé le numéro des plaques minéralogiques.

Et j'ai trouvé le nom de Lucien Plissonnier.

Quarante ans. Ingénieur chez Mielles Échafaudages. J'avais vingt-sept ans à l'époque et il m'a paru vieux. Très vieux.

Après ç'a été facile. Je suis allé parler à Armand, un ancien copain d'école. Il m'a confirmé le nom de l'inconnu, m'a informé sur l'entreprise qui l'employait, sa place dans l'organigramme, sa réputation. Et sa situation conjugale, marié, deux enfants. J'ai failli m'étrangler.

Le salaud ! j'ai pensé.

Plissonnier, un ingénieur bien noté que tout le monde appréciait. Ce qu'on appelait il y a quelques années un chic type. On ne dit plus ces mots aujourd'hui.

Un jour, donc, je suis parti pour Paris, j'ai retenu une chambre d'hôtel, j'avais son numéro dans ma poche, je l'ai appelé.

C'était le 13 juillet 1977.

Au téléphone, je lui dis que je viens de la part de Léonie. Que je voudrais le voir. Il accepte, il est ému, il bafouille, il n'a pas de nouvelles, il ne sait pas comment la joindre, mon Dieu, il dit, c'est le ciel qui vous envoie ! Elle va bien ?

Je le rassure, je lui dis qu'on parlera d'elle autour d'un verre, s'il est d'accord.

Il veut me voir tout de suite. Il m'assomme de questions. Vous lui avez parlé ? Elle vous a donné une lettre pour moi ? Comment va-t-elle ?

Je ne réponds pas. Son empressement me rebute.

Je lui donne rendez-vous dans un café près de l'Étoile. Il répond qu'il y sera et plutôt deux fois qu'une ! Je ne ris pas. Il s'en fiche. Il continue à parler, parler, il pense à elle tout le temps, elle lui manque terriblement, il regarde le ciel et leur petite étoile chaque soir, elle est si jolie, si fine, si intelligente, si... oh, comme elle lui manque !

Et moi, je me retrouve comme un con. J'ai encore les clés de l'appartement que j'ai loué pour elle rue de l'Assomption. Je les palpe dans la poche de mon pantalon et j'enrage. Qu'est-ce qu'il a de plus que moi, ce type qui vient faire le joli cœur sur mes plates-bandes ?

Je choisis un bar chic pour lui montrer que je sais vivre, et nous voilà le 13 juillet à dix-neuf heures au bar des Grands Hommes, avenue Hoche.

L'homme fait son entrée. Ce n'est pas un ravageur. Pas de ces types qui affolent les femmes. Il n'est pas très grand, il a la tête enfoncée dans les épaules, un air de Pierrot lunaire, des chaussures ordinaires. De très beaux yeux bleus, des cheveux noirs, un costume bien coupé. C'est monsieur Tout-le-monde et la jalousie me pince à nouveau.

Il s'assied en face de moi. Je lui tends la main mais ne me lève pas. Il fait trop chaud pour bouger sans une bonne raison.

Il me demande s'il peut tomber la veste, j'acquiesce, il dit deux fois de suite il fait chaud, n'est-ce pas ? On commande deux whiskys, bien tassés, je dis, il me regarde comme si j'allais lui donner les numéros gagnants du Loto, il a les yeux qui roulent de bonheur, et ce regard confiant, heureux, me crispe.

— Comment va-t-elle ? il demande.

Il m'irrite tellement que je lâche tout à trac :

— Vous devez arrêter cette histoire. Ne plus jamais la revoir.

Il me dévisage, stupéfait. Il est blanc comme la nappe sur laquelle le garçon vient de poser nos verres et les glaçons. Deux verres bien remplis. Il n'a pas lésiné sur le whisky, le serveur. Un ramequin d'olives noires et vertes, des chips et des cacahuètes. Et la note.

— Elle est pour moi, je dis.

— Il n'en est pas question.

— Trop tard !

Et je glisse la note dans ma poche.

Ses yeux sont remplis de désarroi, il tend son cou vers moi.

— Pourquoi vous me dites ça ?

— Vous savez qu'elle a un mari…

Il hoche la tête.

— … il s'appelle Ray et il est violent. Très violent.

— J'ai cru deviner…

— C'est un peu délicat ce que je vais vous dire, mais… il a été mis au courant de votre petite histoire…

Il a un mouvement réprobateur quand il entend « petite histoire » mais il ne bronche pas. Je sens qu'il me craint et je dois avouer que j'aime ça.

— Bref, quand il a su qu'elle l'avait trompé, ça a été terrible. Je ne voudrais pas entrer dans les détails, vous seriez atterré.

— Mais cet homme est un monstre ! il s'écrie en regardant autour de lui comme s'il cherchait du secours.

— Vous avez complètement raison, mais que faire ? je dis pour évaluer sa détermination.

— Il faut envoyer la police !

Je prends une olive, je la mâche, la remâche, le temps de réfléchir avant de recracher soigneusement le noyau. L'homme n'est pas un gros calibre, je le pèse, le soupèse, je joue avec lui comme un chat avec une souris.

— Il faut que je vous explique… Je vois bien qu'elle ne vous a rien dit. Son mari est une brute. Mais pour notre petite ville, c'est un héros. Il est pompier, toujours le premier sur le front

176

du danger. Il sauve des enfants, des personnes âgées, arrache des bébés au feu. Personne ne se dressera contre lui, personne ne croira qu'il peut porter la main sur son épouse, toutes les femmes rêvent de lui ! On ne l'accusera jamais, on dira que Léonie a fait une mauvaise chute, qu'elle est entrée dans une porte vitrée. J'ai assisté à des scènes d'une violence insoutenable entre Ray et Léonie. Il se trouve que je suis proche de Ray, j'ai même été son meilleur ami autrefois, mais j'ai pris mes distances, à cause de cette violence précisément.

— Et vous ne faites rien !

— J'ai essayé, ne vous méprenez pas. Je suis même allé très loin. Léonie, c'est comme ma sœur. On s'est connus enfants. J'ai toujours veillé sur elle.

Là je marque un temps. Pour qu'il entende ce que je viens de dire. Et puis je reprends :

— Mais elle est mariée et surtout, le pire, elle est résignée.

— Pas quand nous étions ensemble ! Elle faisait des projets d'avenir avec moi…

Et c'est là que le drame a commencé.

Je me souviens très bien.

Je l'avais pris en tenaille, j'allais porter le coup final.

Il était de plus en plus pâle, il transpirait, il s'essuyait le front avec le petit napperon en papier qui était sous son verre de scotch.

— Mais vous ne pouvez rien lui proposer, n'est-ce pas ? Je veux dire, une nouvelle vie ?

Il a baissé les yeux et a dit, un peu honteux :

— Non. En effet.

Je n'ai pas enfoncé le clou tout de suite, j'ai attendu encore un peu.

— Quand vous êtes venu à Saint-Chaland, nous étions un peu en froid, Léonie et moi. À cause de Ray justement. Elle n'avait pas encore compris à quel point il était dangereux et ne trouvait pas correct de ma part de la mettre en garde.

— Elle est jeune ! Elle a toute la vie devant elle ! Il faut la sortir de là.

— Vous êtes le dernier qui peut l'aider !

— Et pourquoi ? il s'est rebiffé.

— Un seul mot, un seul coup de téléphone de vous et elle est morte ! Il est capable de la tuer.

Il était blême. Il ne pouvait plus respirer.

— Qu'est-ce que je peux faire ?

— Rien. Ou plutôt si, l'oublier. Pour le moment.

Il a secoué la tête de l'air de celui à qui on demande l'impossible.

— Est-ce que vous avez le choix ? j'ai ajouté. Parce que, si j'ai bien compris, vous n'êtes pas libre vous non plus, vous êtes marié, père de famille…

C'était dit. Je l'ai regardé, je n'avais même pas besoin de développer, de jouer au type ignoble qui allait tout balancer à sa femme. Des gouttes de sueur commençaient à couler le long de ses tempes.

— Je ne lui ai pas menti, vous savez. Je lui ai dit que j'étais marié. Elle le savait depuis le début.

J'ai fait un effort pour ne pas le brusquer. Il m'énervait, j'avais envie de le gifler.

— C'est pour ça que je suis venu vous voir. Vous devez oublier Léonie.

Il a porté la main à son cœur.

— C'est terrible. Je ferai tout ce qu'il faudra, je ne veux pas qu'il lui arrive quelque chose.

— Je savais que je pouvais compter sur votre compréhension.

Il s'est mis à jouer avec les cacahuètes. Les a alignées en carré, en rond, en triangle comme s'il essayait de résoudre un rébus.

— Elle sait que vous me voyez aujourd'hui ?

— Non. J'ai préféré rien dire.

— Je pourrais vous donner un mot que vous lui remettriez ?

— Je peux faire ça pour vous.

— On avait dit qu'on s'écrirait. Et puis… elle n'est pas venue le dernier soir. On n'a pas été malins, vous savez. Je n'ai jamais pensé qu'on pouvait être épiés ou suivis. Je nous croyais seuls au monde.

Il a eu un regard flottant, doux. Il a passé deux doigts dans le col de sa chemise pour se donner un peu d'air.

— Dans ces petites villes, tout le monde est au courant, j'ai dit. Les langues s'activent et les commentaires sont rudes. Vous savez comment on appelle les amoureux chez nous ?

— Non.

— Les costauds. C'est vous dire si on ne plaisante pas !

— Ça nous est tombé dessus. Nous sommes très joliment tombés amoureux.

Il a rougi en disant cela.

— Je ne suis pas un homme à femmes. Je n'ai jamais eu d'aventure avant Léonie et je ne peux pas appeler ça une aventure puisque nous nous aimons.

J'ai eu du mal à garder mon sang-froid.

— On s'est quittés il y a quinze jours et cela me paraît une éternité. Je sais si peu de choses d'elle. Qu'elle est mariée, c'est sûr. Qu'elle n'a pas d'enfant. Qu'elle ne peut pas en avoir. On ne parlait pas des autres, on était tout entiers préoccupés de nous. En la quittant, je lui ai demandé de m'attendre. Ma plus jeune fille a dix ans. Dans quelques années, elle sera tirée d'affaire.

Comme s'il avait le sentiment d'être allé trop loin dans la confidence, il s'est repris :

— Enfin…

Il s'est gratté la main droite, a regardé le barman derrière son comptoir.

— Elle est malade ? j'ai demandé.

— Non ! Heureusement !

— Vous m'avez fait peur !

— Non. C'est sa mère. Elle est dure. Elle ne l'aime pas beaucoup. Oh, je dis ça, mais en fait, elle n'aime personne.

Il a ajouté avec un sourire timide :

— Joséphine l'énerve parce qu'elle est douce, pas très sûre d'elle, maladroite.

Il a eu un pauvre sourire empêtré. De vaincu.

— Alors, je ne peux pas la laisser seule…

— Votre femme ?

— Non, ma fille. Je dois veiller sur elle.

Il devenait confus. Il s'adressait à moi comme s'il se parlait à lui-même, je ne comprenais plus rien. Je me suis dit qu'il n'était pas habitué à boire.

— Écoutez, j'ai dit alors pour couper court aux confidences, écrivez-lui une lettre, je la lui remettrai, et abstenez-vous de la voir ou de donner des nouvelles pendant quelque temps. Vous n'aimeriez pas être responsable d'un accident ?

— Oh non ! il s'est exclamé.

J'ai fait signe au garçon d'apporter un deuxième verre mais Lucien Plissonnier a refusé. Il ne se sentait pas bien. Un seul ventilateur tournait dans le bar et il se trouvait loin de nous. Il faisait chaud, lourd. Le bar s'était rempli. Une femme fumait, riait et parlait très fort à nos côtés. Il a cligné des yeux, a rentré la tête dans les épaules pour ne pas entendre.

— Il fait chaud, n'est-ce pas, ou c'est moi ?

— Vous devez être fatigué.

— C'est ce bruit ! Ça me casse la tête.

Il a tenté alors de se lever et est retombé sur son siège.

— Mon Dieu ! Qu'est-ce que je transpire, je suis en nage ! Et j'ai le cœur pris dans un étau, je ne peux plus respirer. Je vais rentrer.

— Vous ne prenez pas le temps d'écrire quelques mots ?

Et comme il me regardait, hagard, j'ai ajouté :

— Pour Léonie.

— Oui. Pour Léonie, il a répété.

Il a sorti un bloc, un Bic d'un petit cartable qu'il avait à ses pieds. Il a déchiré une feuille blanche, il s'est penché, il a écrit. Je me suis levé, je suis allé aux toilettes. Quand je suis revenu, il avait glissé la lettre dans une enveloppe et me l'a tendue.

Il se tenait le bras et grimaçait.

— J'ai le bras engourdi, je vais rentrer. Je pourrais vous rappeler ? Il faut que nous fassions quelque chose. Que nous unissions nos forces pour la sortir de là !

J'ai fait oui de la tête.

J'ai pris la lettre.

Il a tenté une nouvelle fois de se lever et il est retombé : il voyait tout tourner.

— Je vais vous aider, j'ai dit. Je vais vous mettre dans un taxi.

— Ce n'est pas la peine. J'ai juste besoin de marcher un peu.

J'ai payé et nous sommes sortis.

On préparait le défilé du 14 Juillet, il y avait des tribunes et des barrières de sécurité autour de l'Étoile. Des camions militaires se garaient, des parachutistes, des soldats, des marins en descendaient. J'ai hélé un taxi, un chauffeur s'est arrêté, il rentrait chez lui mais voulait bien faire un détour.

J'ai pris le bras de Lucien Plissonnier. Il s'est appuyé sur moi. Il m'a dit vous êtes gentil. Vous lui donnerez la lettre, n'est-ce pas ? Vous lui direz que je pense à elle tout le temps, qu'elle me manque. Il parlait fort, comme s'il ne s'entendait pas. J'ai marmonné oui, oui. Je me disais qu'on devait avoir l'air ridicules. On se donnait en spectacle. Les gens nous regardaient. J'étais gêné.

— Vous me promettez ?

— Oui, je vous le promets.

— Dites-moi oui, Lucien, je vous le promets.

J'ai répété plusieurs fois « oui, Lucien, oui, Lucien ». On aurait dit un homme ivre. J'ai bien vu qu'il souffrait, qu'il n'était pas dans un état normal.

J'ai ouvert la portière et je l'ai installé sur la banquette arrière.

— Vous êtes sûr que ça va ? j'ai demandé.

— Oui, je serai bientôt chez moi. Allez ! il a dit au chauffeur qui écoutait le bulletin d'informations.

C'est drôle, je me souviens de tout. De la chaleur moite, insupportable, de la chemisette jaune pâle du chauffeur, de ses lunettes Persol, d'un journaliste à la radio qui racontait la visite de Leonid Brejnev en France, Giscard d'Estaing qui l'avait reçu à l'Élysée, du super qui passait à deux francs trente-sept, et du million de chômeurs atteint pour la première fois. J'étais penché à la portière, je voulais qu'il me dise qu'il ne la reverrait plus, je le voulais de toutes mes forces. Je touchais les clés de l'appartement de la rue de l'Assomption, elles m'écorchaient les doigts.

Il m'a regardé et ça a été ses derniers mots :

— Dites-moi, vous savez qui nous a dénoncés ? Par qui il l'a appris, le mari ? Parce que ce n'est sûrement pas elle qui lui a dit…

— Non, je ne sais pas.

— Je vais la sortir de là, je la mettrai dans un meublé et…

J'ai coupé court :

— Vous voulez sa mort, n'est-ce pas ?

Il m'a regardé, hébété.

— Si elle meurt, ce sera de votre faute, je vous aurai prévenu.

Et j'ai tourné les talons.

J'étais furieux.

Je suis rentré à mon hôtel.

J'ai jeté les clés de l'appartement de la rue de l'Assomption sur le lit.

J'ai pris une mignonnette de whisky dans le bar.

Une deuxième. Une troisième.

J'ai vidé le bar.

J'étais déçu. Cet homme n'était pas beau, il transpirait, il souriait comme un benêt. Sa femme faisait la loi.

J'ai repensé à Ray. Lui, au moins…

Et je m'en suis voulu.

J'étais en colère contre moi.

Je n'ai plus jamais entendu parler de Lucien Plissonnier. Il ne m'a jamais appelé. Je me suis frotté les mains. J'avais gagné. J'ai vite déchanté. Léonie était enceinte, Ray triomphait. Il ne serait plus jamais Couillassec.

Peu de temps après, je me battais avec lui chez Gérard.

Peu de temps après, je devenais père moi aussi.

Je n'ai plus revu Léonie seul à seule. J'ai rendu les clés de l'appartement.

Voilà, c'est comme ça que ça s'est passé.

Un homme est mort à cause de moi.

Ce que j'ai fait de la lettre de Lucien Plissonnier ?

Je l'ai rangée dans un tiroir, dans mon atelier. Je n'ai jamais osé la lire. Je voulais garder une preuve que cette histoire était bien arrivée. Avec les années, je ne savais plus. Mes souvenirs devenaient flous. Je revoyais le bar, les deux verres, les olives, les cacahuètes, le napperon en papier, le ventilateur. Et je me demandais ce qu'était devenu cet homme placide, banal, aux grands yeux bleus. Je caressais les bords de l'enveloppe. Elle avait jauni. De manière irrégulière. De larges taches oblongues. Je contemplais l'écriture haute et fine, « pour toi, Léonie, de la part de ton Lucien ». Je me disais toujours la même chose, une belle écriture, un peu féminine, un peu mièvre. Pourquoi elle l'avait aimé, lui ? Qu'est-ce qu'il avait de plus que moi ?

Et puis, je remettais la lettre dans le tiroir et reprenais la réparation de mes vieilles montres. Il n'y avait que ça qui me calmait.

Stella, Adrian et Tom sont assis dans la cuisine de Suzon, autour de la table. Ils épluchent des courgettes. Suzon teste une nouvelle recette de

186

gratin trouvée dans *Rustica*. Sans fromage râpé ni beurre.

Elle s'est mis en tête de faire baisser le taux de cholestérol de Georges et ruse pour alléger ses plats. Georges s'y refuse et repousse les mets qu'elle lui propose s'ils ne baignent pas dans la crème et le beurre. Tu m'as déjà vu malade? il tonne. Non, jamais! Alors me mets pas à la diète!

Il appelle diète tout ce qui ressemble à un régime.

Les onze coups d'horloge sonnent quand la voiture de Georges se gare dans la cour. Il revient de Saint-Chaland. C'est samedi matin. Il est allé au marché. Suzon s'approche de la fenêtre et regarde son frère décharger.

— Le docteur lui a bien dit de ne pas charrier de choses trop lourdes, il n'en fait qu'à sa tête! elle grommelle en repoussant une mèche grise de son front.

Elle porte son tablier d'été. Le même que l'été dernier. Et que l'été d'avant.

— Passe l'ail sur le fond du plat, elle précise à Tom. Et sur les bords aussi!

Tom saisit une gousse d'ail et l'écrase contre les parois du plat.

— Et après, tu poseras les tranches de courgettes, tu feras plusieurs couches et tu ajouteras la crème allégée, pas trop, hein? Du sel, du poivre. Je t'ai à l'œil, je te surveille!

— Je sais faire !

— Vous me les faites bien fines ! elle commande à Stella et à Adrian qui coupent les courgettes.

Georges entre en poussant la porte de l'épaule. Il dépose un cageot plein de victuailles au milieu de la table parmi les épluchures. Il jette un regard méfiant sur le plat.

— Tu veux encore me faire maigrir ?

Suzon hausse les épaules et ne répond pas.

— C'est une manie ! bougonne Georges. Tu t'es vue, toi ? Tu débordes de partout !

— C'était bien, le marché ? dit Suzon. Y avait du monde ? T'as vu des gens ? Tu m'as rapporté un gratteux ? Tu t'es pas chicané au moins ?

— Pour des nouvelles, j'ai des nouvelles ! s'exclame Georges. Et pas du nanan pour les petits enfants ! Tiens, je t'ai pris un Tac O Tac. Gratte donc.

Suzon empoche le jeu et déclare qu'elle grattera quand elle le décidera.

Stella tend une oreille avide.

— Ça bavassait sec ce matin chez Lancenny !

Son regard tombe sur son journal et il s'emporte :

— Mais c'est mon *Rustica* ! Qu'est-ce qu'il fait là ? Vous avez pas intérêt à me le salir ! Y a toute ma vie et celle de mon jardin là-dedans !

— Et toi t'as intérêt à la mettre en sourdine ! s'emporte Suzon. Tu reviens d'où ?

— Je suis allé prendre un café chez Lancenny, je te dis.

— Chez Lancenny ? s'exclame Suzon, l'œil courroucé.

— Oui, fallait que je voie Gerson. Pour une histoire de bouchon de réservoir d'essence que j'ai perdu. J'étais sûr de le trouver là, un samedi matin.

— Et alors ? demande Stella qui se dit qu'elle va avoir des nouvelles plus tôt que prévu.

— Ben… il s'en est passé de belles, cette nuit, pendant qu'on dormait !

— Vas-y, raconte, dit Stella qui brûle de savoir.

— T'es bien impatiente ! dit Georges. Les histoires, c'est bien si on fait attendre. Si on dit tout tout de suite, on rate son effet. Alors, par exemple… Je me prendrais bien un petit café, moi… Ça va, Adrian ? T'es arrivé quand ?

— Ce matin. Et on n'a pas perdu de temps avec Tom, je lui ai appris à fendre des bûches. Il s'en est très bien sorti.

Georges approuve de la tête en attrapant la cafetière. Il croque un morceau de sucre qu'il met en bouche avant de boire son café.

— Et les limaces, Stella, t'en es où ?

— Nulle part. J'ai pas eu le temps de m'en occuper.

— Je lui ai dit de mettre de la bière, il dit en regardant Adrian. C'est radical. Mais elle m'écoute pas. C'est comme pour les poules…

Stella se tait.

Elle ronge son frein. Georges sait qu'elle attend et plus elle le pressera, plus il la fera attendre. Il aime bien occuper le terrain, se pousser du col, prendre toute la place. Il revient de la ville. Il a vu des gens, entendu des ragots. Elle avait oublié la gazette orale de Saint-Chaland. Les bruits qui circulent, parfois faux, parfois vrais.

— Qu'est-ce qu'elles ont les poules ? demande Stella qui décide de paraître désinvolte.

— Le renard a encore essayé de bouffer le grillage cette nuit. T'as rien entendu ?

— Non, je dormais.

— Pourtant ça a fait un de ces raffuts ! Mais t'étais sortie, non ?

— Pourquoi il ne s'attaque pas aux poules sauvages ? dit Stella en le regardant droit dans les yeux.

— Parce qu'il sait que ce sont des dures à cuire. Rapport de force. Ça marche comme ça chez les bêtes.

— Y a pas que chez les bêtes ! ne peut s'empêcher de répliquer Stella.

— C'est quoi, ça ? dit Suzon en plongeant la main dans une bassine en plastique rouge où trempe une blouse blanche.

— Je t'ai piqué de la javel. J'en avais plus chez moi.

190

— Et t'as mis de l'eau chaude ? s'exclame Suzon.

— Ben oui. Pour que les taches partent mieux !

— La javel, faut toujours l'utiliser à froid, râle Suzon, je te l'ai dit cent fois ! Sinon les taches partent pas.

— J'oublie toujours.

— C'est comme pour les limaces, souligne Georges. Elle ne retient que ce qui l'intéresse.

Stella soupire :

— Parfois, avec vous deux, j'ai l'impression que j'ai dix ans !

— Tom sait mieux que toi souvent ! rétorque Suzon.

Adrian lui caresse la cuisse sous la table et se rapproche d'elle.

Le téléphone de Stella sonne dans sa poche. Elle pose le couteau, s'essuie les mains au torchon.

— C'est Julie, elle dit à la cantonade. Je vais lui parler dehors. Je reviens tout de suite.

— Une manière comme une autre de couper à la corvée des pluches ! sourit Georges. Alors tu veux pas savoir la suite ?

— Je reviens, attends-moi.

Et elle lui décoche un grand sourire.

Il est battu à son propre jeu. C'est lui qui devra attendre maintenant.

Stella sort dans la cour. Costaud et Cabot viennent aussitôt se coller contre ses jambes et Merlin donne des coups de groin contre la barrière de son enclos.

— Ça y est ! Je suis sortie, on peut se parler. T'es où ?

— Chez moi. Je reviens du marché. Dis donc, ça cancane à Saint-Chaland !

— Oui, je sais. Georges en revient aussi et…

— Tu sais ou tu sais pas, alors ?

— Je sais pas ! Il se fait désirer et je ne veux pas me faire remarquer en insistant.

— Je te raconte : on ne parle que de ça.

— De quoi ?

— De Turquet !

— Turquet ! Ça va vite !

— Il paraîtrait qu'il s'est fait agresser chez lui cette nuit par un type très grand, baraqué, une vraie armoire à glace. Le mec était armé jusqu'aux dents. Il portait une cagoule. Ils se sont battus, le mec a sorti un fusil et lui a tiré dans les genoux ! Les deux ! Turquet a pu appeler les flics. Il est à l'hôpital. Il a perdu beaucoup de sang mais il est bien vivant.

— T'avais raison ! Il a inventé une histoire.

— Le pronostic est terrible : il risque la chaise roulante à vie. Enfin, c'est ce qu'on raconte sur le marché. Les gens ne parlent que de ça. Mais, c'est pas fini, ça se corse pour lui !

— Pourquoi ?

— Michael, tu sais, l'Irlandais qui a ouvert un bar à bières à côté de la halle… Il explique à tout le monde que c'est le traitement que les mecs de l'IRA infligeaient aux traîtres pendant la guerre civile en Irlande : ils leur tiraient dans les deux genoux. C'était leur signature et ça marquait le traître au fer rouge ! Alors du coup les gens, ils ont fait un raccourci et ils racontent que Turquet a trahi. Qui ? On ne sait pas. Tu devrais les entendre, c'est comme s'ils avaient tous été aux premières loges !

— N'importe quoi !

— Et c'est pas tout ! Je vais te raconter, c'est incroyable !

Stella entend qu'on l'appelle.

C'est Adrian. Sur le pas de la porte. Il tient un saucisson à la main et il mord dedans.

— Attends ! elle dit à Julie. Bouge pas !

Adrian lui fait signe de rentrer.

— J'arrive, elle dit. J'en ai pour deux minutes.

Il s'approche, passe un bras autour de ses épaules, la serre contre lui.

— Deux minutes, c'est trop ! il dit.

— Tu sens le saucisson à l'ail.

Elle sourit, lui caresse la joue.

Elle articule en silence, heureux ? Il répond en mordant à nouveau dans le saucisson. Une lueur dans l'œil qui dit viens, viens, j'ai besoin de toi tout le temps.

Elle acquiesce et reprend la conversation avec Julie.

— Qu'est-ce qu'il y a d'autre ? Dis-moi.

— Duré.

— Quoi, Duré ?

— Il a été arrêté à deux heures du matin. Conduite en état d'ivresse. Les flics l'ont embarqué et mis dans une cellule de dégrisement. Il risque d'être suspendu six mois. Ou radié à vie dans le pire des cas. Ce n'est pas la première fois que ça lui arrive. Ray est toujours intervenu pour le faire relâcher. Cette fois-ci, il n'a pas bougé le petit doigt.

— Mais c'est pas possible ! Duré était à un dîner chez le préfet, il devait y être avec sa femme, elle ne boit pas et elle conduit toujours quand ils sortent !

— Elle n'était pas là. Stella, écoute-moi bien : elle était à Paris. Assister à une première de film. Un film avec Sophie Marceau. Elle l'adore. Elle a emmené ses filles. Elle n'a pas arrêté de remercier Ray, il paraît.

— Ray ?

— Oui. C'est lui qui lui a obtenu les places.

— Le salaud !

— Quand je te dis qu'il a le bras long !

Stella reste un moment pensive.

— J'ai réfléchi comme toi, dit Julie. Et…

— Il a tout organisé. Il envoie madame Duré à Paris, il fait inviter Duré chez le préfet, il le fait boire, le remet dans sa voiture ivre mort, prévient ses potes flics qui l'arrêtent sur la route du retour. Le mettent en cellule de dégrisement. Le mec est fait aux pattes. Il va laisser Ray récupérer Léonie.

— T'as tout compris !

— Je l'entends déjà « tu fais sortir Léonie ou je laisse faire les flics et t'es rayé de l'Ordre des médecins ».

— Exact.

— Merde ! Merde ! Merde ! Il faut que j'aille chercher maman et vite !

Elle a dit ça dans un cri, elle s'arrête et constate un ton plus bas :

— Et je la mets où ?

Il y a un tel effroi dans la voix de Stella que Georges l'entend et passe la tête par la fenêtre de la cuisine.

Stella ne le voit pas. Elle lui tourne le dos. Elle se mange les doigts en parlant à Julie.

— On va trouver, Stella, on va trouver !

— Si je l'amène ici, il va se pointer, tomber sur Adrian. Sur Tom.

— On va trouver une solution. Je te promets. On y est arrivées jusqu'à maintenant, y a pas de raison. Préviens Amina. Qu'elle ferme à clé la chambre de ta mère. On se reparle dans la journée ? D'accord ?

— D'accord, murmure Stella.

Et puis tout bas, elle dit merci d'être là tout le temps.

Elle ne sait pas si Julie a entendu. Elle a raccroché.

Le temps va trop vite, elle se dit. Je ne suis pas sûre de pouvoir le rattraper. Et depuis combien de temps je fais la course contre lui ?

Elle rentre dans la cuisine. Tape ses lourdes galoches contre le montant de la porte.

Adrian et Tom s'entraînent au bras de fer. Adrian fait semblant de plier. Le visage de Tom est rouge, congestionné. On dirait que les veines sur son front vont exploser. Sa mèche blonde tremble et son biceps enfle.

Georges observe Stella. Elle est pâle, les bras croisés sur la poitrine, et fronce les sourcils.

— Ça va ? il demande.

— Oui.

— T'as pas l'air !

— C'est Julie. Y a des problèmes sur le site.

Le regard de Georges se fait lourd, insistant.

— Y a pas que sur le site qu'il y a des problèmes ! il dit.

— Peut-être, mais moi, c'est ceux-là qui m'intéressent…

— Tu es sûre, Stella ?

Un léger trouble et elle se reprend. Elle plante ses yeux dans ceux de Georges.

— Qu'est-ce qu'il pourrait y avoir d'autre, Georges ?

« Alors vous saviez ? Vous saviez que Lucien Plissonnier était mon père ? » La phrase l'accompagne partout. Quand elle ouvre les yeux le matin, quand elle se lave les dents, s'asperge le visage d'eau, prépare son petit déjeuner, ouvre la penderie, s'habille, quitte l'appartement, attend le métro sur le quai, donne son cours, referme ses cahiers, va chercher ses vêtements chez le teinturier, fait les courses à Carrefour City, lit un texto de Philippe, « cette nuit, j'ai dormi avec toi, entre tes jambes », rougit, passe à la caisse et rougit encore, revient chez elle, s'enferme dans son bureau pour travailler, cuisine pour Gaétan et Zoé, les regarde dîner je n'ai pas faim, finissez le plat ! Passe l'éponge sur la table, se démaquille, s'asperge le visage d'eau, se lave les dents, rebouche le tube de dentifrice, se regarde dans la glace.

Tu as une sœur, Joséphine ? elle dit au reflet dans la glace.

Une moitié de sœur.

Le reflet ne bronche pas.

Tu en penses quoi ?

Le reflet ne répond pas.

« Alors vous saviez ? Vous saviez que Lucien Plissonnier était mon père ? »

La phrase n'en finit pas d'exploser. Elle reçoit des brandons enflammés dans le visage, les yeux, les jambes. Les mots se détachent en boulets brûlants. Lucien. Plissonnier. Était. Mon. Père. Vous. Saviez ?

Lucien Plissonnier, MON père.

Elle ne dort plus. Elle a beau fermer les yeux, respirer lentement, réciter des passages de Chrétien de Troyes, du Cantique des cantiques, appuyer sur chaque mot pour qu'il l'enfonce dans le sommeil, reprendre son souffle, relâcher chaque muscle… la phrase revient.

Et si c'était vrai ?

Qui est cette fille ?

Papa a eu une maîtresse.

Pas possible !

Et tout de suite, l'autre image survient. Celle de la petite fille qui se raccroche au cou de son père, à l'amour de son père. Il n'aimait que moi. C'était MON papa. Cette femme ment !

Oui mais…

Elle rejette les couvertures, s'assied dans le lit.

Les mots ne vont pas les uns avec les autres. Que sait-on de la vie de nos parents ? Ils sont papa et maman, pas un homme et une femme. Ils n'ont pas de sexe, pas de désir brûlant, pas de nuits blanches.

Et pourtant…

Cette femme semblait sûre d'elle. Elle n'avait pas insisté. Elle avait juste dit ce qui lui semblait être une réalité.

Et si c'était vrai ?

Elle se souvient des mots du livre dans le jardin du Palazzo Ravizza à Sienne. « Moitié », « sœur », « famille ». Une demi-sœur ? Une nouvelle famille ? Serait-ce possible ?

« Je crois bien que c'est vrai », avait dit l'homme qui était une femme.

Joséphine avait ajouté alors quelques mots.

Elle ne se souvient plus très bien de ce qu'elle a dit. Si. Elle a demandé des preuves.

Oui, des preuves.

Après tout, ce pouvait être une farce. Une horrible farce.

Et elle avait effacé le numéro de l'intruse.

Elle ne voulait plus jamais en entendre parler.

Et puis, un matin, elle se lève.

Va dans la cuisine. Le soleil entre dans la pièce. Frappe le toasteur, frappe le coin de la table, frappe le panier à pain, le calendrier des pompiers. Et tout devient vrai.

Elle glisse deux tartines dans le grille-pain, sort le beurre du frigidaire, un pot de confiture de mûres.

C'était un homme aussi…

Un homme qui avait besoin de l'amour d'une femme. Et ça lui paraît suffisant pour accepter l'autre projecteur. Pour observer ce qu'il éclaire. Lucien Plissonnier, un homme qui se desséchait auprès d'Henriette…

Elle se verse une tasse de thé, trempe ses lèvres dans la boisson brûlante. On n'est pas seulement un papa ou une maman, un amoureux ou une amoureuse, on peut être tout à la fois. L'un n'empêche pas l'autre. Pourquoi son père n'aurait-il pas eu droit à une autre vie, lui aussi ?

Elle passe dans la salle de bains. Parle au reflet dans la glace, soupire et dire que j'ai effacé le numéro de téléphone ! Il ne me reste plus qu'à attendre qu'elle rappelle, cette femme qui s'habille comme un homme.

Ma moitié de sœur.

Elle regarde encore le reflet dans la glace et chuchote on lui demande qu'elle rappelle, dis ? Il fait clignoter les étoiles, il peut bien actionner un téléphone !

Elle a un petit sourire et le reflet sourit aussi.

Elle retourne dans la cuisine où Zoé avale une tartine avec Gaétan en relisant son cours de philo.

Le visage de Zoé est rouge, chiffonné. Joséphine se demande si elle a pleuré.

Hortense pousse la porte du salon de beauté et les femmes présentes relèvent la tête. Elle les ignore et se dirige vers Meme. Elle porte une marinière, un large pantalon kaki qui tombe sur ses hanches, une grosse ceinture en cuir marron et des sandales plates. Un énorme cabas. Elle a attaché ses cheveux en un plumeau arrogant et posé un peu de gloss sur ses lèvres.

— *So sexy!* soupire une femme, découragée.

— Fais-moi le grand jeu! lance Hortense en s'asseyant face à Meme. Manucure, pédicure, c'est moi qui régale!

— Tu as de l'argent? demande Meme en fronçant les sourcils.

— Je suis riche. J'ai accepté de relooker une femme grasse et ingrate, et je lui ai pris cher. Très cher.

— Combien? dit Meme en préparant ses instruments.

— Mille cinq cents de l'heure! Y avait du boulot!

— Mille cinq cents dollars?

Hortense hoche la tête et retrousse les manches de sa marinière.

— Et elle a payé?

— Cash! Elle était enchantée. Elle me rappellera, c'est sûr. Je lui ai changé la vie. Plus jamais elle n'aura honte de ses grosses cuisses, de ses gros seins, de son gros ventre, j'ai tout escamoté ! Je lui ai inventé un style. Je suis très forte.

— Tu l'as trouvée où, cette pintade ?

— Par Antoinette, la sœur d'Astrid.

Elle marque une pause. Elle croit avoir entendu sonner son téléphone. Le prend dans son sac et le pose sur la table.

— Elle adore mon blog et la façon dont je transforme les filles…

— Y a pas qu'elle ! Justement je voulais te demander…

— Quand Antoinette l'a croisée, la bonne femme s'arrachait les cheveux. Elle a un dîner demain soir à la Maison-Blanche et ne savait pas comment s'habiller.

— Moi, je veux bien lui peindre la *Joconde* sur chaque ongle à ce tarif-là !

— J'ai passé dix heures à la trimballer chez Barneys, Bergdorf et J. Crew. Résultat : douze mille cinq cents dollars dans ma poche.

— Non, quinze mille !

— Oui, mais Antoinette a pris une commission. Normal, c'est elle qui m'a mise sur le coup.

— Dis donc, elle ne perd pas le nord !

— C'est une coriace. Elle a un sablier dans son sac et quand tu commences à lui parler, elle le renverse. Si au bout de trois minutes elle s'ennuie, elle se casse. Inouï ! Je devrais essayer…

— Tu n'aurais plus une seule amie.

— Je n'ai pas besoin d'amies. Je suis ma meilleure amie. Je m'entends très bien avec moi-même. Cette fille m'intéresse. Elle me donne des envies, des idées. J'ai envie de l'épater. Si j'étais un garçon…

— TU N'ES PAS UN GARÇON.

— Je sais. C'est dommage, on ferait un couple formidable.

— Elle va travailler pour toi ?

— Elle sera mon égérie. À une seule condition : que je lui apprenne des choses.

— Elena est au courant ?

— Je viens de la voir. Elle m'a donné un livre sur la naissance de la mode en France sous Louis XIV. Lui et Colbert ont inventé le style français, l'ont mis en scène, l'ont commercialisé et ont fait rentrer des tonnes de devises dans les caisses du royaume. Ils ont même inventé la publicité !

— Je l'ignorais.

— C'est pour ça que tu es assise là à te faire exploiter. Aucune curiosité ! Aucune envie d'apprendre et de t'élever.

— Merci beaucoup !

— Je vais lire ce bouquin et m'en servir pour éblouir Antoinette. Elle adore tout ce qui est historique, économique et philosophique.

— Les deux mains dans l'eau, ordonne Meme, vexée.

Hortense s'exécute et poursuit son idée.

— Le seul truc, c'est qu'après ce livre, il faudra que je trouve autre chose… Elle a un faible pour Schopenhauer, Spinoza et compagnie. Ça ne m'a jamais passionnée, moi, la philo ! Tous ces gens qui se triturent les méninges sur le sens de la vie, Dieu, l'amour ! La vie, on la décide, l'amour, on fait le bon choix, et Dieu, on y pense juste avant de mourir, c'est largement suffisant.

— Qu'est-ce qu'il y a dans ce paquet ? dit Meme en montrant du bout de sa chaussure un sac qu'Hortense a déposé à ses pieds.

— Une chemise blanche Hermès. Je l'ai trouvée dans un *thrift shop* sur la 27e Rue… deux cents dollars.

— Deux cents dollars ! s'étrangle Meme. Pour une chemise blanche ? J'aime pas les chemises blanches.

— Tu as oublié le seul mot important : HERMÈS. Elle devait valoir mille deux cents dollars cette chemise, neuve !

— T'es zinzin, complètement zinzin !

— Non. J'ai l'œil. Je l'ai repérée dans un fatras de fringues. Je comptais te l'offrir. Pas grave, je te file son équivalent en billets !

Elle pose deux billets de cent dollars sur la table.

— Ouaouh ! Hortense !

— Je te file jamais de pourboire. Je me rattrape, c'est tout.

— Mais c'est trop !

— Tu savais que ça durait à peu près sept ans et demi un billet de cent dollars ? Après il est usé. Poubelle.

— C'est beaucoup trop, mais je te remercie.

— Pourquoi il n'y a jamais de femmes sur les billets ? Ce serait plus agréable que la tronche déplaisante de ce garçon.

— C'est Benjamin Franklin, dit Meme. Un des pères fondateurs des États-Unis. Et il a inventé le paratonnerre.

— Il aurait besoin d'être relooké lui aussi. Une coupe de cheveux et une petite liposuccion du menton !

— Écoute-moi, je voudrais te demander un service, oh, pas grand-chose…

— Pas tout de suite, ok ? D'abord je me détends et après on parle. Promis. J'ai travaillé toute la nuit. J'ai été tellement inspirée que j'ai de quoi faire deux collections ! Manteaux d'hiver et robes d'été. *I'm ready !*

— Bravo !

— Je ne sais pas quand je vais vraiment débuter. Car je veux faire de vrais débuts. Défilé, presse et tout le reste. Tout dépend de cet homme, Jean-Jacques Picart. Il a tous les pouvoirs. Donc je dois être absolument prête. Elena m'a tout expliqué. Premier rendez-vous, il regarde mes croquis. Il me dit je vous rappellerai. Ou pas. Et il réfléchit.

Deuxième rendez-vous, il a réfléchi, il vient me voir.

— Chez toi ?

— Oui. Chez moi. Parce que je n'aurai pas encore d'atelier. Il observe comment je vis, comment je me comporte. Il me pose des questions. J'ai préparé un petit discours. Il est parfait, mon discours.

Elle se redresse, prend un air sérieux et commence :

— Je veux faire des vêtements pour une femme forte, puissante, inspirée. Une femme qui est à la mode et se fiche complètement de la mode.

— Donne-moi l'autre main et arrête de bouger, dit Meme.

— Je ne travaillerai pas seulement les vêtements, mais une philosophie de la femme qui n'appartient à personne d'autre qu'à elle-même.

Meme émet un sifflement moqueur.

— *Boring*[1] !

— Tu trouves ?

— Absolument. Invente autre chose de plus sexy !

— T'as rien compris. Je dois être différente. Être un oiseau rare.

— On te mettra en cage !

---

1. « Ennuyeux ! »

— C'est mal me connaître ! Personne ne me coupera les ailes. Et d'ailleurs je me demandais si je ne devrais pas trouver d'autres associés…

— Elena ne te suffit pas ?

— Je n'aime pas dépendre d'une seule personne. Et si on se disputait ? Tout mon projet tomberait à l'eau.

— Elle compte sur toi dur comme du bois. Elle me l'a dit.

Meme pose sa petite pince et regarde Hortense.

— Tu n'es pas allée chercher des capitaux ailleurs ?

— Non, réplique Hortense. T'es folle !

Si. Elle est allée chercher des capitaux ailleurs. C'est Rosie qui l'avait alertée. Le fonds d'investissement Legman & Co cherchait des projets pour investir des millions de dollars. Les candidats devaient se présenter au 1336 Avenue of Americas au trente-huitième étage à dix heures trente et avoir préparé un *elevator pitch*. Dix minutes pour se vendre, dire pourquoi on est le meilleur, impressionner l'interlocuteur. Et en conclusion, trouver un mot de six lettres qui résume l'esprit du projet. Six. Pas une de plus. Rosie l'avait avertie : ils reçoivent trois mille dossiers par an, en retiennent vingt. Mais si tu es retenue, alors là, bingo ! Voie royale, tapis rouge, pluie de dollars, Las Vegas.

Elle était arrivée à dix heures, il y avait déjà foule dans les bureaux de Legman & Co. Elle avait retiré un dossier de candidature à la réception. La femme derrière son bureau avait spécifié, on n'est pas là pour vous dorloter, on est là pour écrabouiller vos rêves.

— Merci beaucoup ! elle avait répliqué en français.

La femme avait crié suivant !

Elle avait rempli le dossier, fait la queue, répété son discours. Rosie l'avait prévenue : interdiction d'utiliser des mots abstraits comme « révolutionnaire », « extraordinaire », « merveilleux », sublime ».

— Tu serais immédiatement dé-cré-di-bi-li-sée.

— T'es sûre ? avait dit Hortense.

— Oui. Parce que ça ne veut rien dire et que tout le monde les utilise. Essaie de mettre de l'humain, du détail, des couleurs, des émotions.

Elle était entrée dans la pièce. Autour d'une table ovale étaient assis cinq hommes en costume sombre et chemise blanche et une femme en tailleur bleu marine, les cheveux tirés en arrière. Ils avaient à peine regardé Hortense. Dans leurs yeux elle avait vu le chronomètre se déclencher, elle avait débité son *elevator pitch*[1]. Ils faisaient rebondir leur stylo sur le plat du

---

1. « Court discours qui vous propulse. »

bureau, regardaient l'écran de leur portable du coin de l'œil. Elle n'avait pas l'air de les passionner. La mode ? Le meilleur moyen de perdre de l'argent, avait grincé la femme entre ses dents.

Hortense avait poursuivi.

Et lâché le mot qui résumait le tout :

— *Winner* [1]. Six lettres.

— Bien, avait dit la femme, au suivant !

Loser [2], elle avait entendu dans sa tête. *You're a total loser.*

— Elle n'apprécierait pas du tout, Elena, insiste Meme. Elle mise sur toi.

— T'es folle ou quoi ! Bien sûr que je ne ferais jamais ça ! Et tes Bulgares, elles ne seraient pas intéressées ?

Meme éclate de rire.

— T'es pas au courant ?

Hortense secoue la tête.

— Tu dois être la seule à New York ! Tu ne regardes jamais la télévision ?

— Non. Y a rien d'intéressant.

— T'as la télé sur ton téléphone ?

— Oui.

---

1. « Gagnant. »
2. « Perdant. »

— Tape *The Siamese Sisters Show*. Vas-y, regarde.

Hortense obéit. Elle voit apparaître sur l'écran les deux sœurs, Svetlana et Yvana. Et elle se souvient. On lui a parlé de ce *reality show* qui fait des audiences fantastiques. La minute de publicité bat des records. Le show suit le quotidien de deux sœurs siamoises qui vivent collées des épaules aux hanches. Elles partagent le même pull, le même pantalon, le même lit, vont aux toilettes en se dandinant comme un canard obèse, mangent, se maquillent ensemble, se grattent le nez, l'une de la main droite, l'autre de la main gauche, elles attendent l'homme de leur vie et alors, seulement, elles seront séparées par un simulacre d'opération.

— C'est complètement bidon, dit Hortense.

— Oui. Mais ça fait un malheur parce qu'elles jouent vraiment le jeu. Elles sont collées avec de la vraie colle. Il va falloir les ébouillanter pour les séparer ! Le slogan, tu le connais ?

Hortense fait non de la tête.

— *Love hurts*[1] !

— Oh non !

— C'est une idée de leur père. Il produit le show, a écrit le scénario, a acheté de l'espace sur WWBO et le programme fait un carton. Il va gagner encore plus d'argent, ses filles vont être

---

1. « L'amour fait mal ! »

210

encore plus timbrées, et le prochain programme de téléréalité, ça va être quoi ? Tu peux me le dire ?

— L'amour entre deux cadavres. Seul un baiser peut les ressusciter. Qui va assez les aimer pour baiser les lèvres glacées et fétides d'un corps plongé dans le formol ?

Même fait une grimace horrible.

— Donc les Bulgares, on ne peut plus les approcher, conclut Hortense.

— Elles ont des gardes du corps, jour et nuit.

— Il ne me reste plus qu'Elena et je suis bien obligée de lui faire confiance.

— Mais elle est parfaite, Elena !

— Je voulais juste avoir plusieurs flèches dans mon carquois.

— Dans ton quoi ?

— Carquois. T'as pas eu une mère spécialiste du Moyen Âge, toi !

— Du quoi ?

— Oublie. Tu voulais me demander quoi, déjà ?

— J'ai une nièce, Kyung Soon, elle est folle de ton blog.

— Elle a bon goût.

— Elle s'habille très mal et puis elle n'est pas très jolie…

— Tu pries pour elle ou tu l'emmènes à Lourdes. Je ne vois que ça : un miracle.

— Ne plaisante pas. Tout le monde ne peut pas être comme toi.

— Mais je ne plaisante pas ! Je trouve ça horrible d'être moche. Tu voudrais que je fasse quoi ?

— Elle voudrait apparaître sur ton blog, que tu la choisisses comme fille que tu transformes. Je lui ai dit que je te connaissais.

— Impossible.

— Mais pourquoi ?

— Parce que je veux rester crédible. Cré-di-bi-li-té. C'est mon seul capital. Je ne vais pas le dilapider pour ta nièce.

— Mais personne ne saura que je te l'ai demandé !

— Si. Elle finira par le dire et je serai foutue. Je perdrai ma réputation. Et ma réputation, c'est mon tas d'or. Je refuse tout, Meme. La publicité, les parrainages, les participations, je refuse pour rester crédible, alors c'est non.

— C'est pas gentil.

— Tu as raison, je ne suis pas gentille et heureusement ! Je serais fichue depuis longtemps ! Les gens gentils sont des *losers*. Ou, seconde hypothèse, ils sont gentils parce qu'ils n'ont aucun talent et c'est le seul moyen qu'ils possèdent pour se faire accepter.

Meme fait signe à sa patronne derrière le comptoir qu'elle a fini et qu'elle est libre pour une autre cliente.

— Tu me fais la tronche ? demande Hortense en admirant ses mains.

Meme ne répond pas. Elle nettoie ses instruments en ignorant Hortense.

— Si tu veux, concède Hortense, je peux la voir et lui donner des conseils, je le ferai gratuitement parce que c'est ta nièce. Mais jamais elle n'apparaîtra sur mon blog.

— Elle voulait son heure de gloire. Comme tout le monde. Quel mal y a-t-il ? Tu n'es pas gentille du tout, répète Meme tristement.

— Si tu le penses, c'est ton problème, pas le mien. Tu ne me fais pas les pieds ?

— *I hate you*[1] ! murmure Meme.

— *No problem.* Tu sais quoi, Meme ? C'est pas ton boulot de m'aimer, c'est le mien. Et puis... si tout le monde m'aimait, je n'aimerais pas ça du tout ! Cela voudrait dire que j'aurais perdu tout intérêt. Que je serais banale, affreusement banale.

Elle remet ses sandales, regarde ses pieds. Elle ira voir une autre Meme. Il n'y a que ça à Manhattan : des instituts de beauté où travaillent des filles aimables, banales.

Et exploitées.

---

1. « Je te déteste ! »

Elle sort et hume l'air. Ses poumons se remplissent d'une joie de vivre intense. Que la vie est belle à New York ! Que le ciel est bleu, palpitant ! On a envie d'y projeter ses rêves.

Comme cette ville lui va bien !

Il fait chaud, les trottoirs vibrent. Elle n'a plus qu'à mettre les doigts dans l'air comme dans une prise électrique pour que les idées arrivent à un train d'enfer.

Elle pile net. Son œil devient antenne télescopique, s'arrête sur une fille qui mange un hot-dog au coin de la rue. On dirait une saucisse ! Elle a les cheveux jaune paille, un pantalon informe marron, un pull jaune qui la boudine, de la sauce rouge et grasse sur le menton. Hortense sort son téléphone, prend un cliché. Clic-clac, elle va faire une heureuse. Les idées surgissent si vite qu'elle est obligée de s'arrêter pour les noter.

Elle jubile. C'est tellement bien d'être soi. Assise en soi comme dans un fauteuil. Les gens veulent toujours plaire aux autres plutôt que de se plaire à eux-mêmes. C'est alors que les ennuis commencent. Parce qu'on ne sait pas quoi faire pour plaire aux autres. On se plie en quatre, on se contorsionne, on se limaçonne et ils vous collent des mauvaises notes.

Alors que c'est si facile d'être soi.

Bim, bam, boum, et c'est plié !

Elle longe Central Park et marche vers Madison. Les arbres du parc dessinent des ombres mouvantes sur le trottoir, elle respire l'odeur de crottin des calèches pour touristes, observe les vendeurs de bagels et de hot-dogs, les dais à l'entrée des immeubles, les *doormen* qui sifflent pour héler un taxi et tendent une main furtive pour dérober un pourboire. Elle ne marche pas dans New York, elle se nourrit. Cette ville est un puits de pétrole. Elle fore, fouille, extrait, fait jaillir des geysers d'idées. Elle salive. La vie lui saute aux yeux et elle est obligée parfois de les fermer pour prendre des notes et ne rien oublier.

C'est lundi. Elle a rendez-vous avec les filles.

Dans un mois, à cette heure-ci, elle sera dans l'avion pour Paris-Charles-de-Gaulle.

Ils partent en Europe, Gary et elle. Ils iront à Londres. Ils iront en Écosse. Ils iront à Paris. Il va falloir qu'elle travaille aussi. Dès que Junior aura trouvé un fabricant qui saura reproduire son tissu, elle lancera la production de sa première collection. Elle n'est pas folle à l'idée d'aller traîner sur les remparts du château, mais Gary insiste. Mère-Grand l'entretient, je dois lui rendre hommage. Et puis je le trouve beau, intriguant, romantique, ce château. Je suis sûr qu'il va m'inspirer.

Pas sûre qu'il m'inspire, moi ! elle bougonne en traversant la Cinquième Avenue à la hauteur de la boutique Apple.

— Il a un château ? s'exclame Rosie. C'est un vrai prince charmant.

— Il n'a pas besoin de ça pour être charmant ! dit Jessica.

— Et qui s'occupe du château quand il est à New York ? demande Astrid.

— Sa grand-mère, répond Hortense. De loin, mais elle s'en occupe.

— Ça c'est moins glamour, ricane Astrid. Il va devoir lui rendre visite…

— C'est sûr, dit Hortense. Il l'aime beaucoup.

— Elle a quel âge ?

— Quatre-vingt-huit ans.

— Oh là là ! s'exclame Astrid. Elle doit être complètement sénile, elle perd son dentier, porte des couches, bave quand elle boit son thé et fait du crochet dans la maison de retraite où elle dépérit !

— Euh… pas vraiment ! s'amuse Hortense.

— C'est terrible de devenir vieux ! On regarde les heures passer, on traîne les pieds d'un fauteuil à un autre et on va se coucher à six heures du soir après avoir émietté une tranche de cake rassis. Pourvu que je ne devienne jamais vieille…

— Si on parlait d'autre chose, proteste Jessica, vous me foutez le cafard ! Et tes projets, Hortense ? T'en es où ?

— Je suis fin prête. J'ai deux collections dans mes cartons. Je vais conquérir Paris et le monde !

— Et on ne te reverra plus…

— Faux. Je reviendrai à New York. Il faut juste que je me lance.

— Antoinette a l'air enchantée. Elle s'amuse beaucoup avec toi.

— Je me donne un mal fou ! L'histoire du sablier m'a traumatisée. J'ai rendez-vous avec elle demain pour un essayage et je dois lire un bouquin entier ce soir pour la divertir afin qu'elle reste droite sans bouger. C'est du boulot d'employer ta sœur !

— Elle nous épuise à la maison. Elle a toujours un livre à la main et nous interdit de parler à table parce que ça l'empêche de se concentrer. Elle a commencé à faire des photos et bâille d'ennui.

— Avec moi, je te promets, elle ne va pas s'ennuyer !

— Et Gary ? Il revient à New York après vos vacances ?

— Oui. Il doit finir son école et a une tonne de projets lui aussi. Le concert a été un succès. Il a reçu des propositions pour des festivals et je ne sais quoi encore…

— Tu prends un risque en le laissant seul ici, dit Jessica. La chasse à l'homme est féroce. L'autre soir, j'étais au restaurant avec David et une fille que je connais à peine m'a envoyé un texto qui disait « quand t'en auras fini avec lui, tu me le files ? Il est mignon ». Non mais !

— T'en fais pas. Je ne crains personne. Il est fou de moi et je suis folle de lui. On ne s'ennuie jamais et on se consomme toujours avec appétit.

À ce moment-là, le regard d'Hortense croise celui de Rosie et elle demande, perfide :

— Et comment va Scott l'Hésitant ? Vous avez enfin consommé ?

— Toujours pas ! grommelle Rosie. Je ne comprends pas. Peut-être qu'il n'aime pas les femmes…

— Saute-lui dessus, dit Astrid.

— J'ai peur de le paralyser total !

— Faut savoir ce que tu veux !

— Ben… justement. Je ne sais plus.

Elles se regardent et éclatent de rire.

Elles vont me manquer, pense Hortense. Elle a à peine le temps de formuler sa pensée qu'elle s'entend dire :

— Allez, les filles ! Je vous lance un pari : on se retrouve à Paris pour mon premier défilé !

— Et tu nous paies le billet d'avion ?

— Je vous paie le billet d'avion et je vous loge à la maison !

Astrid, Jessica et Rosie hurlent de joie et tapent dans la main d'Hortense.

— Promis ? elles demandent, incrédules.

— Promis, dit Hortense qui peste aussitôt, oh là là, je m'égare, je m'égare, je suis en train de devenir sentimentale !

Dans un studio de la Juilliard School, Gary répète avec Calypso et Rico, un violoncelliste d'origine colombienne. Ils jouent le troisième mouvement du *Trio n° 7 pour piano, violon et violoncelle* de Beethoven en *si* bémol majeur. Le piano et le violon gambadent, donnent une sérénade, le violoncelle souligne leur élan, leur donnant un point d'appui pour s'élancer à chaque reprise de notes.

— Nous, avec Calypso, on dilate, toi tu rétractes, dit Gary à Rico qui le regarde derrière son archet.

À chaque pause, il reste un long moment le regard dans le vague. Rico peut se résumer à ces deux mots : concentration et contemplation.

— Ce qu'il y a d'extraordinaire chez Beethoven, dit Calypso, songeuse, c'est qu'on ne peut ni retirer ni ajouter une seule note. Chacune est à sa place. Tu en enlèves une seule, et la mélodie s'écroule.

— Toi, dit Rico, je suis sûr que tu savais jouer avant même de naître. C'est étonnant comme tu rentres dans la musique, comme tu l'habites sans même l'avoir travaillée. On dit Brahms et tu deviens Brahms, on dit Dvorak et tu deviens Dvorak, et ainsi de suite !

— Mon grand-père m'a appris à être concentrée. Il appelle ça faire attention. Il dit que c'est valable pour la vie quotidienne et pour la musique.

— Il dit quoi encore ?

Rico guette la réponse comme si elle allait décider de toute sa vie, comme si elle allait lui apporter ce qu'il cherche depuis si longtemps.

— Il dit qu'il faut se concentrer sur le moindre geste…

Rico ne bouge plus et attend, immobile.

— … le plus petit détail. Et alors tout prend du relief. Tout devient richesse. On se remplit, on progresse. Alors que les gens qui vont très vite oublient tout aussitôt. Ils referont demain ce qu'ils ont fait aujourd'hui, ils n'apprendront jamais.

— C'est si juste !

— Par exemple, quand tu dis bonjour à quelqu'un, dis-le en pensant que tu lui souhaites une bonne journée, bon-jour.

— Bon-jour, Calypso !

— Et fais un grand sourire, ça change tout. Le bonjour existe, il se pose, il remplit l'espace d'un sentiment, d'une chaleur, d'une affection et ça peut changer la journée de celui à qui tu le dis. Et la tienne aussi !

Elle parle et Rico la contemple avec adoration. Cette fille que les élèves trouvent disgracieuse est magnifique. Elle vous fait bondir d'un seul coup dans une intimité si précieuse, elle ouvre des coffres et des coffres de bijoux et brasse de l'or.

— Bon-jour, il répète, bon-jour Ca-lyp-so.

Il marque une pause.

— C'est vrai. Ça change tout ! il s'écrie. Même ton prénom sonne différent ! Je te vois, tu existes, tu es là pour de bon. C'est comme si j'étais aveugle et que je retrouvais la vue !

Il pose un regard ému sur elle. Tend son archet pour toucher le bout des doigts de Calypso, pour s'assurer qu'elle existe et que le bonheur qu'il ressent n'est pas un rêve. C'est un bonheur étrange d'ailleurs, il n'avait jamais éprouvé cette qualité presque aérienne de joie intense. Elle lui ouvre un gouffre de lumière. C'est une sorcière ! Il a peur de s'envoler et de la perdre des yeux. Il tend son archet et son âme s'accroche au regard liquide et fiévreux de Calypso qui le harponne et l'attire vers lui. Il se laisse entraîner, il voudrait se fondre dans l'air et venir se poser dans la paume de sa main, au creux de son épaule, sur la petite tache rouge au bas de son cou.

Gary suit le geste de Rico et Gary voit. Et Gary ressent un pincement de jalousie. Il se sent exclu du trajet de l'archet. Quelque chose l'a mordu au fond de lui. Ça lui a fait presque mal. Il a failli pousser un petit cri, ne la touche pas ! NE LA TOUCHE PAS ! Je suis jaloux, il se dit, ébahi. Jaloux. Ce garçon qu'il appréciait quelques secondes auparavant, avec lequel il aimait jouer, qu'il avait invité dans la bulle parfaite qu'il forme avec Calypso… ce garçon vient de crever la bulle en lui griffant le cœur.

Il pose ses mains sur ses cuisses, recule sur le tabouret comme s'il venait de se brûler.

— Et tu sais qui lui avait appris ça ? continue Calypso l'enchanteresse.

Rico secoue la tête.

— Nadia Boulanger elle-même !

— Nadia Boulanger ! répète Rico. Il l'a connue ?

— Oui.

— Ouaouh ! Ce doit être un homme extraordinaire, ton grand-père !

— Oui. Il l'est, se rengorge Calypso, très fière.

Gary les écoute et c'est comme si une vague l'emportait et le rejetait très loin. Il pose son regard sur Rico et le voit différemment. Il a du charme, Rico, un sourire de séraphin, des cheveux bruns en broussaille, des yeux noirs qui brûlent et se consument et les sons qu'il tire de son archet sont les plus mélodieux qu'il ait jamais entendus au violoncelle.

Gary se racle la gorge et propose :

— On va prendre un café ?

Rico et Calypso se tournent vers lui, étonnés.

— On arrête pour aujourd'hui ? demande Rico.

— Continuez si vous voulez, mais j'ai envie de prendre l'air.

— Comme tu veux, dit Rico. On se retrouve demain après les cours ?

Il range son instrument, se lève et avant de partir articule ces mots :

— C'était bien aujourd'hui. On a bien travaillé. Au revoir.

Et il sort comme s'il marchait sur un nuage.

— Je suis désolé, s'excuse Gary, je ne sais pas ce qui m'a pris… Tu sais quoi ? Je vais te raccompagner pour me faire pardonner.

— Jusqu'à la 110ᵉ Rue ? s'exclame Calypso. Tu es fou !

— Et pourquoi pas ? J'aime marcher dans New York. On traversera le Parc. C'est bientôt l'été, il faut fêter ça !

Il veut lui faire oublier le regard de Rico, les mots de Rico, la parenthèse que Rico a ouverte pour s'enfermer avec elle.

Il veut marcher pour que disparaisse le malaise qui l'étreint.

Il veut marcher pour retrouver ses pas.

À la hauteur de la 89e Rue, ils se sont arrêtés. Le feu est rouge et les autobus les effleurent en passant. Il est sept heures du soir, les gens se pressent pour rentrer chez eux ou poussent la porte d'un restaurant. Ils se bousculent, traversent en zigzaguant, ignorent les coups de klaxon, se jettent des mots et des rires. Un chien lève la patte sur une bouche d'incendie et sa propriétaire attend qu'il ait fini. Elle tient à la main un sac en plastique noir au cas où… Mais le chien repart, ce sera pour plus tard.

Gary grimace. Il pense à la répétition et n'aime pas l'idée du chien qui pisse. C'était si beau, leur répétition. Si beau, si haut. Une fois encore, ils ont traversé le ciel.

Calypso n'a pas vu le chien qui pissait.

Il l'entoure d'un bras pour la protéger.

Recule sur le trottoir pour les mettre en sécurité. Son bras se montre assuré, protecteur. Elle se laisse aller. Baisse la tête. Regarde à la dérobée la main de Gary posée sur son épaule. Manque défaillir et se rattrape à son bras.

— Tu vois ! Heureusement que je suis là ! il dit pour lui faire croire que son geste est chevaleresque, qu'elle ne doit pas se méprendre.

Elle abandonne sa main sur son bras, sent la chaleur de sa peau sous la chemise, presse un peu pour s'en assurer et attend en retenant son souffle.

224

Serre son violon contre elle. Savoure cet instant. Le feu passe au vert.

Le bras de Gary glisse et sa main s'empare de celle de Calypso. Leurs doigts s'enlacent. Ils regardent sur le côté.

Traversent sans échanger un mot.

En bas de l'immeuble de Calypso, il resserre l'étreinte de ses doigts et l'attire contre lui.

Le violon vient se placer entre eux.

Ils sont là, maladroits, dans la chaleur de l'autre. Il sent le savon à la lavande, elle se dit. Elle est si légère, je pourrais la casser, il s'étonne. Ils n'osent pas se regarder. Elle se trouve un peu bécasse, elle ne sait pas ce qu'il faut faire et pourtant elle sait qu'il va se passer quelque chose.

— C'est un excellent chaperon, ce Guarneri ! dit Gary en repoussant le violon. Toujours entre nous !

Elle rougit et garde les yeux baissés. Elle veut se rappeler chacun de ses mots et l'intonation avec laquelle il les prononce. Cela fait une musique dans sa tête. « C'est un excellent chaperon, ce Guarneri », elle peut poser chaque syllabe comme des notes sur une portée de Beethoven.

Et puis il se penche.

Il la contemple et ne parle plus. Il la contemple comme s'il ne l'avait jamais vue.

Même les silences, il faut les noter, elle se dit, un silence en musique, c'est aussi important qu'une note.

Et sa peau est si chaude, si douce, si parfumée à la lavande. Et là sur ma joue, sa barbe gratte un peu, il a oublié de raser ce centimètre carré et ma peau va s'enflammer, j'ai tellement peur de rougir et d'avoir des plaques. Je voudrais avoir la peau pure et blanche, les lèvres douces et remplies de baisers savants. Il va s'apercevoir que je ne sais pas donner des baisers savants et je vais avoir l'air d'une bécasse.

Et il l'embrasse.

Et la musique l'emporte. Elle ouvre ses lèvres et boit ce baiser, elle appuie doucement ses lèvres sur celles de Gary et reçoit, étonnée, ce premier baiser. Et c'est parfait, c'est un premier baiser si parfait ! La tête lui tourne, la rue se met à tourner aussi, les arbres sont à l'envers, les voitures roulent dans l'air, elle se laisse aller contre le mur en briques rouges, reprend son souffle, se dégage, étourdie.

— Il ne faut pas… il ne faut pas m'embrasser.

— Pourquoi ? il demande en laissant ses lèvres sur les siennes et en accentuant la pression de son bras sur le dos de Calypso.

— Parce que pour moi, c'est important.

— Tu veux dire que c'est un détail important ? il murmure dans un souffle sans écarter sa bouche de sa bouche comme s'il ne voulait pas avoir l'air de se retirer.

— Oh ! elle soupire. C'est important, très important.

Ils chuchotent et leurs bouches restent collées l'une à l'autre. Elles sont à l'unisson, elles parlent et c'est si entraînant. Et elle n'a plus peur, elle n'a plus peur de se confier.

— C'est très sérieux pour moi.

— C'est comme dire bonjour, il murmure. Tu y mets toute ton âme, tout ton cœur.

— Oui. Toute mon âme et tout mon cœur.

— Et tu as peur ?

— Non, je n'ai pas peur. Pas peur du tout. Je dis ce que je ressens. C'est comme un serment. Tout est sérieux pour moi. Ou alors rien n'est important. Je ne connais pas le juste milieu. Je ne sais pas faire semblant.

Il passe sa main dans son cou et le caresse. Il s'installe en propriétaire.

— Ce sont des mots très laids, « juste milieu », des mots tièdes, lâches, vides et vains, elle dit d'une voix entêtée.

— Et tu n'aimes pas ce qui est tiède, lâche, vide et vain, dit Gary.

— Pas du tout.

Elle a dit ça dans une moue violente et il reçoit ses mots, ému, attendri.

— Et tu n'embrasses pas à la légère…

— Oh non !

— Alors je vais t'embrasser très sérieusement, Calypso.

Et il répète en articulant et en la regardant :

— On va s'embrasser très sérieusement. Et ce sera notre premier baiser très grave, très plein, très audacieux.

Elle croise ses doigts, les enfouit dans ses poches à lui, dans les poches de son vieux pantalon en toile de chez Brooks Brothers, celui qu'il met toujours au printemps, en été, elle sait qu'il aime le porter parce qu'il se sent bien dedans, qu'il lui va comme un gant, elle croise ses doigts et se laisse embrasser avec une terreur délicieuse qui l'anéantit, mais la laisse debout accrochée à lui, accrochée à ce premier baiser sur la 110e Rue au coin de Madison, juste devant son immeuble, ce lieu qui dans sa tête va devenir solennel, ce lieu où elle élèvera bientôt une statue. Oh, elle se connaît bien ! C'est le début d'un bonheur délicieux et c'est le début aussi de terribles douleurs, mais elle prend tout. Oh, comme elle prend tout ! Comme elle oublie tout quand leurs bouches s'embrassent…

Après ?

Après, il est reparti vers Madison, il s'est retourné une fois, a souri en écartant les bras comme s'il disait c'est comme ça, on n'y peut rien, elle l'a regardé s'éloigner sans bouger, elle ne le pouvait pas, il emportait toutes ses forces, il fallait qu'elle se reprenne.

Elle attend quelques minutes appuyée contre le mur en briques rouges, et pose des notes sur son cœur qui s'affole.

Il y a de la lumière dans la cuisine, elle entend des voix. Une voix d'homme et une voix de femme. Une voix de femme implorante et le ton sec de Mister G. qui claque comme des coups de fouet. La voix claque, claque et l'autre voix supplie, se traîne, implore. Elle entend la douleur dans cette voix de femme. Et Mister G. se lève brusquement et fait tomber une chaise dans la cuisine.

— J'ai dit NON ! crie Mister G. NON, NON ET NON ! C'est clair pourtant !

Calypso avance sans faire de bruit dans le couloir qui mène à sa chambre. Ouvre doucement la porte. La referme. Abandonne son allure de souris qui court le long des murs, oh non, je ne suis plus une souris, je suis une reine !

Gary Ward m'a embrassée.

Em-bra-ssée.

Elle avance comme une reine. Victorieuse, presque arrogante. Je suis belle, elle se dit, je suis belle, il m'a embrassée, il a pris tout son temps pour m'embrasser, cela veut dire quelque chose car je l'ai prévenu, je l'ai prévenu et il n'a pas reculé. Comme la vie ruisselle et comme je voudrais toute la boire !

Elle range son violon. Soulève le vantail de la fenêtre. S'installe sur l'échelle de secours. L'échelle toute rouillée qui raye la fenêtre d'un trait oblique. Le soleil se couche sur Manhattan et une lumière rouge éclaire les arbres, les transforme en feux follets roux qui tourbillonnent dans les branches. On dirait qu'il y a un incendie. Elle tend l'oreille, mais n'entend pas les sirènes des pompiers.

Elle se frotte le nez comme si elle avait un million de fourmis dans le nez.

Je crois que je suis complètement à l'envers. Je crois que je ne sais plus quoi penser…

Gary Ward m'a embrassée.

Du haut de l'échelle rouillée, elle aperçoit une Vierge en plâtre qui trône dans le petit jardin voisin en friche. Une Vierge Marie entourée d'une guirlande lumineuse qui clignote et elle se sent l'âme religieuse et elle fait un signe de croix. Gary Ward m'a embrassée, Gary Ward m'a embrassée. Il faut que je ralentisse mes pensées et le bruit de mon cœur. Un jour, bientôt peut-être, je dirai simplement Gary et alors, et alors…

Alors je ne sais pas. Je ne sais pas grand-chose en amour. Je suis une débutante.

Que va-t-il se passer ?

Elle regarde le pot où jadis se dressait, vive et colorée, la violette cornue. Elle se recroqueville dans ses feuilles marron, pourries. Elle n'a pas eu le cœur à la jeter. Elle lui a soufflé dessus, elle l'a aspergée de gouttelettes, elle lui a parlé du concert et des applaudissements, mais la violette n'entendait plus. Elle flétrissait et laissait tomber sa tête. Elle a pleuré en la contemplant, s'est reprise, c'est une fleur, Calypso, une fleur, ça meurt un jour, je sais, je sais, elle a dit en se frottant le nez, mais c'était ma confidente.

Elle soupire, elle voudrait que quelqu'un lise son bonheur sur sa peau devenue blanche, sur ses lèvres rebondies et riches d'un baiser.

Les voix dans la cuisine s'élèvent, deviennent des plaintes et des cris. Et toujours la voix de Mister G. qui couvre la voix de la femme.

— Mais c'est hors de question ! il hurle. Hors de question ! Tu ne comprends pas ?

Et puis il y a comme des pleurs.

Calypso se bouche les oreilles, elle ne veut pas entendre.

Elle veut rester dans sa mélodie, Gary Ward m'a embrassée *do, ré, mi, fa, sol, ré* et ses lèvres étaient douces et chaudes. Ce n'était pas un baiser distrait, c'était un vrai baiser, Gary Ward a posé ses mains sur mon visage, a levé ma bouche vers sa bouche. C'était un vrai baiser, un vrai baiser…

— Pas question ! Tu m'entends ! Pas question !

Maintenant c'est Mister G. qui a l'air boule-versé. Il y a du désarroi dans sa voix, une inter-diction douloureuse. Comme s'il repoussait un danger. Comme s'il était le dernier rempart face à ce danger et qu'il bandait ses muscles pour ne pas être jeté à terre. Elle entend ce danger dans les éclats de voix qui jaillissent de la cuisine et rebon-dissent jusqu'à l'échelle de secours.

Elle referme la fenêtre.

Avance à pas prudents dans le couloir. Entre-bâille la porte de la cuisine.

Une dame est assise à la table. Une dame blonde tournée vers Mister G. qui arpente, furieux, l'es-pace entre la table et le vieux four. Une jolie dame blonde. Des rigoles de larmes sillonnent ses joues.

Elle a l'impression qu'elle la connaît. C'est peut-être une actrice ? La dame se tourne vers la porte et l'aperçoit.

Elle s'essuie les yeux d'un revers de la main. Elle a deux belles bagues à la main droite.

Mister G. aperçoit Calypso et crie :

— Qu'est-ce que tu fous là ? Va dans ta chambre !

Elle ne peut pas bouger. La pièce vibre du drame qui se déroule sous ses yeux. Mister G. se tient comme un boxeur sonné appuyé au dos d'une chaise. Il secoue la tête et souffle.

— Tu es Calypso ? demande la femme.

On dirait une affamée. Son corps se ramasse comme pour lui sauter au visage.

Calypso hoche la tête.

— Putain de Dieu ! hurle Mister G. File dans ta chambre ! T'as rien à faire ici !

Calypso sursaute, fait un bond en arrière.

La femme blonde s'est levée et tente de la retenir.

— Calypso ! Calypso !

— Emily ! Rassieds-toi ! Fous-lui la paix, t'as compris ! Fous-lui la paix ou je vais te démolir !

La dame blonde se rassied et prend son visage entre ses mains.

— Tu n'as pas le droit, tu n'as pas le droit, elle répète en sanglotant.

Et, dans sa nuque cassée, il y a la soumission de la femme habituée à obéir.

Mister G. fait signe à Calypso de déguerpir.

— Merde ! Casse-toi, je te dis ! Casse-toi !

Le lendemain matin, quand elle se réveille, le bonheur souffle en elle, elle est un brin de paille dans un ouragan de joie ! Elle a envie de s'étirer, de voler, voler, d'attraper un morceau de ciel, de le manger comme on dévore une pastèque. Le bonheur dégouline sur sa bouche, sur ses doigts, la poisse, la parfume, l'enrobe, l'engloutit, lui tisse une robe de fée, elle en agite les pans, elle l'ouvre et la referme, souveraine, souveraine. Il s'est passé quelque chose d'important la veille et ce quelque chose a changé sa vie, a changé sa peau, l'éclat de son teint, de ses cheveux, le bombé de ses ongles, le velouté de ses poignets. Elle attend, allongée dans le lit, que cet état distrait de bonheur se précise, qu'il s'incarne et devienne un plus grand bonheur encore. Elle guette, elle palpite, elle hésite, elle cherche, elle glousse, elle pouffe, elle ne veut pas savoir encore, pas tout de suite ! Pas tout de suite ! Que cette attente dure encore un peu, que ce doute délicieux s'éternise ! Elle passe ses doigts sur ses lèvres, elle éclate d'un grand rire, elle se souvient ! Elle se souvient ! Il m'a embrassée, il m'a embrassée ! Elle pose ses lèvres sur sa main, elle mime un baiser, elle roule dans le lit, s'enroule dans le drap, il m'a embrassée, il m'a embrassée, elle valse dans le lit, une, deux, trois, une, deux, trois, il m'a embrassée, elle redit les mots, les phrases qu'ils ont prononcées bouche contre bouche hier soir, butés l'un contre l'autre, prêts à se fondre, enlacés, emprisonnés, elle se frotte le nez, les fourmis sont revenues en lentes colonies, c'est nouveau, elle se dit, c'est le baiser qui m'étourdit, oh, c'est lui, c'est lui ! Et Gary Ward est encore plus grand, elle n'arrive pas à sa hauteur, elle voudrait qu'il soit là, non, elle ne veut pas qu'il la voie comme ça, ce serait trop facile, on dirait une proie, il faut qu'il se penche encore, qu'il la respire, oh oui, cette odeur de lavande, la tête lui tourne de mots et de sentiments, c'est si violent, et elle demande à la Vierge en plâtre dans le jardin d'intercéder pour lui envoyer un peu de majesté, un peu de distance, un peu de tenue s'il vous plaît ! Oh oui, de la réserve pour qu'il me conquière, qu'il soit inquiet, que ça ne lui tombe pas tout cuit dans le bec ! Vierge Marie, s'il vous plaît, je veux allumer un incendie !

Elle s'arrête, plisse le nez, entend ses mots en notes, écoute encore, une note, une autre note, on dirait le Kyrie de la *Petite Messe solennelle* de Rossini ! Le piano attaque, il galope, il galope, et l'émotion monte, monte, elle va exploser !

La *Petite Messe solennelle* est interrompue net par la sonnerie du téléphone. Calypso grimace, elle hésite à décrocher, mais la sonnerie s'entête, elle tend le bras, dit allô, allô pour tenir l'intrus à distance, se redresse, *abuelo, abuelo,* c'est toi ? Il a fait des progrès étonnants, il parle maintenant, il ne va pas vite, il trébuche encore, mais il s'exprime et elle comprend. Elle va lui dire à lui, elle va lui raconter toute la lumière et le grand air et le soleil et la merveille de cette ardeur nouvelle, *abuelo,* il m'a embrassée, il m'a embrassée, Gary, Gary Ward, tiens, j'ai dit Gary, je me rapproche de lui, il se rapproche de moi, et je l'ai prévenu que c'était sérieux, que c'était immense pour moi ! Et elle raconte, parce que si elle ne raconte pas, ça s'effacera, ça disparaîtra et d'ailleurs, il se peut qu'elle ait rêvé, oh non, elle n'a pas rêvé !

— Il t'a raccompagnée ? Il a remonté toutes les rues jusque chez Mister G. ?

Ulysse a l'air impressionné.

— On a remonté Madison à pied, lui, le violon et moi. On marchait, on marchait, on se tenait par la main, les doigts enlacés comme des amoureux sauf que, sauf qu'on ne savait pas encore… Lui et moi, moi éperdue, lui bien prévenu, moi si sourcilleuse, lui si attentif aux mots que je disais et c'était l'amour, *abuelo*, c'était l'amour qui se posait et j'ai entendu les oiseaux chanter ! C'est ça, l'amour, *abuelo* ? C'est ça ? Quand tu ne peux plus bouger sans penser à lui, sans te demander mais qu'est-ce qu'il fait en ce moment, et son rire, et sa peau, et sa bouche ? Quand tu le transportes toujours avec toi, même dans ton sommeil, même quand tu étends le bras ? Tu sais, ça ?

— J'ai su autrefois, *amorcito*. Autrefois.

— Tu as su cette paralysie de la tête et des jambes et des bras ?

— Je l'ai su une fois.

— Et tu touchais le ciel ?

— Et je touchais le ciel.

— Alors tu sais… tu sais toutes les émotions qui fourmillent et te piquent le nez.

— Oui, dit Ulysse, et il se racle la gorge.

236

Il marque une pause. Elle l'entend qui respire plus fort au bout du téléphone. Elle l'entend qui avale sa salive.

— Mister G. l'a vu ? il demande comme s'il voulait couper court aux émotions qui vont l'étouffer.

— Non. Il n'est pas monté.

— Ah ! Il aurait pu me faire un rapport !

Ulysse bégaie encore, il trébuche et les mots se cassent. Et quand il s'élance, il parle comme une mitraillette de peur de s'arrêter et de ne plus repartir.

— Un rapport ! s'indigne Calypso. Pas besoin de rapport.

— Si. Il m'aurait dit comment il te regardait, s'il te buvait des yeux, ou s'il se tenait écarté comme un type qui a gagné et s'en lave les mains.

— Tu ne me crois pas, *abuelo* ? Si je te dis, c'est que je sais, c'est que ma peau et mon âme savent, tu me connais, je me suis tenue longtemps au bord de ce moment-là, j'attendais je ne sais quoi. Mais je savais que ça allait être grand et mystérieux ! Ou que ça ne serait pas.

— Tu ne sais rien ! Tu es trop jeune ! s'emporte Ulysse.

— Ce sont des mots idiots ! Ça ne te ressemble pas ! Pourquoi tu es en colère ?

— Je ne suis pas en colère.

— Si. Les hommes sont en colère tout le temps. Ils crient, ils frappent, ils veulent faire peur. Ils croient qu'ils impressionnent, mais ce sont des menteurs. Ils n'impressionnent personne. Et puis de toute façon, Mister G., hier, il ne pouvait rien voir, il avait les yeux remplis de colère, de désespoir, il souffrait et il crachait, je l'entendais de ma chambre, il s'essoufflait à vociférer !

— Tout seul ? Dans sa cuisine ?

— Non, pas tout seul. Il y avait une femme avec lui. Une femme blonde, une Américaine avec un air de femme riche et usée, un air de femme abandonnée. Elle avait de belles bagues, des longs doigts fins, soignés, mais elle faisait pitié. Elle pleurait. Je ne suis pas restée longtemps avec eux, je n'ai pas pu en savoir plus.

— C'est nouveau, ça. Il a une femme dans sa vie !

— Tu crois que c'est ça ?

— S'ils se querellaient, c'est qu'ils se connaissent bien !

— Il bouillonnait, hier soir ! Les yeux lui sortaient de la tête et il la pointait du doigt, lui ordonnait de se taire, de rester assise.

— C'est bien qu'ils sont intimes, *amorcito* ! C'était une scène de ménage. L'amour, c'est aussi des scènes et des cris.

— Jamais !

— Si. Mais ce n'est pas grave. Ils se réconcilieront et ils s'aimeront, elle t'ouvrira la porte un jour en te souriant.

— Pourtant Mister G. avait vraiment l'air furieux. À un moment elle s'est levée comme pour m'attraper, pour me demander de m'asseoir à côté d'elle et qu'on converse toutes les deux et là, il lui a interdit, interdit tu m'entends, interdit de m'approcher, il a tonné « fous-lui la paix, Emily ! ».

— Il a dit QUOI ? dit Ulysse en appuyant de toutes ses forces sur le QUOI ?

— « Fous-lui la paix, Emily ! » Et il l'a crié si fort qu'elle s'est rassise d'un seul coup. Les bras ballants. On aurait dit qu'il ne voulait pas que je la voie. *Abuelo ? Abuelo ?* Tu m'entends ?

Il ne répond pas. Elle s'affole, elle se dit il a eu un malaise, il est tombé, il s'est blessé, elle répète *abuelo*, tu es là, tu m'entends ? *Abuelo !*

Elle tape sur le téléphone, hurle.

— Je suis là, dit Ulysse d'une voix caverneuse.

— Tu as changé de voix. Pourquoi ? J'entends tout, tu sais !

Un long silence et puis il dit encore :

— Elle est comment, cette femme ?

— Elle est blonde, mince, elle a l'air riche, elle a l'air de savoir s'habiller, elle a l'air malheureuse aussi, elle a l'air d'avoir quarante-cinq ans, un peu rafistolée, tu sais, comme sont les femmes ici, si fausses et en même temps si égarées, mal assurées, toujours à se regarder dans la glace pour effacer les rides.

— Elle n'a que des airs, cette femme ! il dit d'une voix triste. Tu es sûre qu'elle existe ?

— Sûre, *abuelo*.

— C'est un fantôme, il dit comme s'il se parlait à lui-même. C'est un fantôme.

Ce n'est pas un fantôme. Elle revient souvent et Mister G. lui ouvre sa porte. Furieux, mais il ouvre sa porte. Comme s'il ne pouvait pas faire autrement. Elle a donc un pouvoir sur lui, cette femme blonde ? Elle s'assied sur une chaise autour de la table, elle croise ses doigts et ils parlent. De quoi ? Calypso ne sait pas, mais la dame blonde s'entête, elle ne lâche pas. Mister G. semble à bout d'arguments, à bout de patience. Ils se disputent, ils argumentent, ils se battent pied à pied mais s'arrêtent toujours quand elle pousse la porte.

Calypso les observe. Elle aimerait bien savoir ce qu'il se passe entre ces deux-là.

Mais elle n'a pas vraiment la tête à ça.

Gary la raccompagne tous les soirs. Ils marchent dans les rues de Manhattan, les doigts enlacés, ils remontent Madison, elle voit passer les bus qu'elle ne prend plus. Le M1 et le M2. Il achète une glace, une pomme chez un épicier au coin d'une rue, il dit qu'il aime bien acheter les choses une par une, il en profite, il savoure. Quand tu as trop de choses, tu n'en profites pas. Alors ils mangent la pomme ou la glace en la faisant durer, durer. Ils ne sont pas pressés. Et ils s'embrassent en bas de l'immeuble en briques rouges. Ils s'appuient contre le mur, ils repoussent le violon, ils ont encore le goût de la pomme ou de la glace au chocolat et ils goûtent les dernières saveurs sur les lèvres de l'autre. Ils ne vont pas plus loin, ils mettent un soin extrême à rester lents, très lents, à déguster chaque instant.

Et la tête lui tourne. Et les arbres se renversent…

Quand Calypso rentre, la dame blonde est souvent là, dans la cuisine. Ils discutent âprement, mais ils se taisent toujours quand elle pousse la porte. Toujours. La dame se tourne vers elle et dit Calypso, Calypso. Mister G. s'interpose, ça va, ça suffit ! Toi, va dans ta chambre !

Emily, puisque c'est son nom, se penche vers elle et quand elle dit Calypso, elle a le cou qui s'allonge et ses yeux deviennent très grands, très profonds, remplis de beaucoup de questions. Et elle laisse échapper l'odeur d'un parfum que Calypso connaît. Un parfum délicat, pas de ces parfums américains qui cognent les narines, non, un parfum subtil. Avec des essences authentiques. Calypso attrape des senteurs. Une odeur de mandarine, d'orange, une feuille de violette froissée, un soupçon d'ylang, une rose poivrée, de la vanille. Elle détaille ces parfums, elle sait qu'elle les connaît, elle les a déjà respirés sur une robe, une écharpe, un tissu. Une odeur du passé, elle se dit encore, une odeur que je connais.

Il n'y a pas que cela qui l'intrigue chez Emily. Il y a cette impression de déjà-vu. Une actrice ? Finalement, elle ne croit pas. Elle a demandé mine de rien à Mister G. ton amie, elle est connue ? C'est une star ? Il a explosé. Une star ! Parce qu'elle passe à la télé ? C'est une rien du tout, ils peuvent lui sucrer son émission du jour au lendemain ! C'est une pauvre fille, Calypso, une pauvre fille prête à tout pour remplir le vide de sa vie. Parce que la télé, ça ne remplit pas une vie, ça la déserte au contraire ! La télé, c'est une baignoire qui se vide !

Emily travaille en montrant son visage sur un écran, c'est pour cela qu'elle croit la connaître.

— Les gens la reconnaissent dans la rue ? elle demande encore.

— Comment je pourrais le savoir ? il rugit.

— Ben… tu es son ami.

— Je ne suis pas son ami. C'est une ancienne relation qui m'a retrouvé et qui ne me lâche plus. Elle voudrait que je passe dans son émission et je refuse !

— Elle voudrait que tu passes dans son émission ?

242

— Oui. Ça t'étonne ? J'ai été un grand musicien, tu sais, et quand je l'ai connue, elle n'était rien du tout. Juste une gamine qui traînait dans les clubs de jazz. Et maintenant elle me colle, elle me colle !

— Tu devrais être flatté d'être harcelé par une vedette de la télé ! Ça veut dire qu'elle t'admire, qu'elle veut te remettre sur le devant de la scène...

— Tais-toi, tu n'y connais rien.

Mister G. ne décolère pas.

Et Emily revient toujours.

Elle frappe à sa porte ou elle le guette dans la rue.

À chaque fois, il est obligé de la faire monter, parce qu'un jour c'est Calypso qu'elle rencontrera en bas de l'immeuble, et alors là ! alors là ! il ne maîtrisera plus rien. Et ce sera le grand bordel ! Un bordel avec des cadavres, des pleurs, des grincements de dents. Il se doit d'empêcher ça. Il n'a pas le choix.

— Et comment tu m'as retrouvé ? il lui a demandé.

— Je connais les producteurs de *60 minutes*. J'ai demandé l'adresse de Calypso. Et ils me l'ont donnée. Je ne savais pas qu'elle habitait chez toi.

— Ils te l'ont donnée comme ça? Sans rien demander? À eux aussi, t'as ouvert tes jambes?

— Facile, facile! Tu pourrais trouver mieux. Tu étais plus fin autrefois.

— C'est tout ce que tu sais faire, ouvrir tes jambes et sourire à la télé!

— Tu crois que tu vas me vexer et que je vais me décourager?

— Mais qu'est-ce que tu veux ?

— C'est ma fille!

— Depuis quand c'est ta fille? Depuis que tu l'as vue à la télé? Mais quand elle était dans son berceau, qu'elle avait à peine un jour, qu'est-ce que tu as fait? Tu veux que je te rafraîchisse la cervelle? Tu es partie. PARTIE.

C'est toujours à ce moment-là qu'il perd la boussole, qu'il se met à crier, parce que à ce moment-là les souvenirs rappliquent et le terrassent.

— Tu l'as abandonnée. Tu as préféré tes parents blancs et riches, le grand appartement sur Park Avenue, des fiancés fats et parfumés à la petite fille dans le berceau! Et vingt-cinq ans après, tu as le culot de dire c'est ma fille. Mais « ma fille », c'est se lever la nuit quand elle pleure, « ma fille », c'est avoir de la fièvre quand elle est malade, « ma fille », c'est souffrir le martyre quand on l'opère, « ma fille », c'est faire des lignes d'écriture, des lignes d'additions, donner des vitamines, des leçons de violon, ce n'est pas venir chercher

244

une jeune fille toute nourrie, toute dorlotée, tout élevée, toute pétrie d'amour ! Tu es partie un jour, tu es partie pour toujours.

— Tu ne peux pas dire ça, Mister G. ! Tu ne sais rien de ce que j'ai éprouvé.

— Des émotions de gosse de riche ! Des émotions que tu répètes parce que tu les vois à la télévision ! Tu n'es pas à la télévision, tu es dans la vie ! LA VIE !

— La vie, c'est qu'une mère et sa fille soient réunies !

— Mais une mère, une vraie, elle n'abandonne pas son enfant ! Une mère, une vraie, elle part avec sa fille sous le bras et elle se dit qu'elle va s'en sortir, qu'elle va l'élever, s'écorcher les doigts pour elle, prendre des baffes, des coups mais la bercer tous les soirs !

— C'est ma fille.

Mister G. se mord les poings, balaie la table de la main, envoie à terre le journal, les boîtes de conserve, les cannettes de bière, un paquet de riz et ses lunettes.

— Si tu l'aimes comme tu le prétends, épargne-la. Épargne-lui l'épreuve de devoir tout reconsidérer : qu'Oscar n'est pas son père, et qu'Ulysse n'est pas son grand-père. Et Rosita ? Tu y as pensé à Rosita ? Non, tu ne penses qu'à toi. Toi. Toi. Toi.

— C'est ma fille. Tu ne peux rien contre ça. Tu dois me laisser la voir. Sinon j'irai la trouver et je lui parlerai.

Mister G. se jette sur elle et hurle :

— Si tu fais ça, je te massacre ! Tu le sais d'ailleurs, c'est pour ça que tu viens quémander comme une honteuse, tu as peur de ne plus jamais passer à la télé avec ta gueule cassée !

— Je te demande juste de me laisser l'approcher…, murmure Emily.

— Mais tais-toi, s'il te plaît, aie au moins la pudeur de te taire ! Tu crois que tu n'as pas fait assez de mal comme ça ? Tu as promis le mariage à cet abruti d'Oscar, tu t'es donnée à lui un soir pour lui faire croire qu'il était le géniteur, tu lui as fait miroiter la carte verte, la nationalité, la légitimité et puis tu t'es cassée ! Je ne l'aime pas Oscar, mais il y a de quoi être humilié, non ?

— Il ne méritait pas mieux !

— Peut-être mais quand même… Pense à Calypso. Laisse-la avancer, laisse-la grandir, aimer, apprendre, ne lui assène pas d'un bloc la tragédie d'une famille. Elle en a assez vu comme ça. Elle a reçu des coups, on l'a insultée, maltraitée. À chaque fois, elle s'est relevée et elle est devenue quelqu'un de magnifique. Passe ton chemin et laisse-la tranquille. Elle est heureuse. Et ce que tu lui diras ne la rendra pas heureuse. Cela lui fera une peine atroce. La vérité n'est pas toujours bonne à dire. As-tu eu envie de dire la vérité à tes parents quand tu t'es retrouvée devant le berceau de ta fille à l'hôpital ? Non. Et quand tu as pris l'avion pour revenir à New York en catimini, le ventre plat, débarrassée du honteux fardeau, as-tu eu envie de dire à l'hôtesse attendez un peu, je vous en prie, je vais chercher ma fille ? Non. Tu as attaché ta ceinture et tu es partie. Sans te retourner. Sans un regret.

— J'étais si jeune ! chuchote Emily.

— Tu l'as laissée, tu l'as livrée à cette brute épaisse qui l'a démolie à coups de clé anglaise ! Parce qu'il avait compris qu'il était le dindon de la farce.

— C'est parce que Ulysse ne voulait pas de moi que j'ai décidé de faire croire à Oscar que c'était lui le père. C'est seulement à cause de ça que j'ai couché avec lui. Et encore, deux ou trois fois, pas plus ! C'était pour que Ulysse soit jaloux. J'étais une enfant !

— Non. Tu étais égoïste, lâche, intéressée. Tu te servais des gens. Tu t'es servie d'Ulysse, je ne veux pas savoir pourquoi ! Tu t'es servie d'Oscar. Tu t'es servie des mecs pour faire carrière ! Et maintenant, tu te sers de qui ? D'une fille de vingt-cinq ans pour jouer à la maman ? C'est pitoyable !

Emily se rebiffe.

— Parce que toi, tu as toujours été parfait ?

— Non, mais au moins, j'ai été courageux. J'ai assumé mes conneries. Toi, non.

— Tu te donnes toujours le beau rôle, marmonne Emily.

— Calypso ne te servait à rien, tu l'as abandonnée. Comment as-tu pu abandonner un bébé !

Il lève les poings au ciel.

— Si tu n'as pas eu le courage de la reconnaître quand elle était bébé, pourquoi aurais-tu le courage maintenant ? Tu m'as dit que tu avais un amant et qu'il était sur le point de t'épouser, tu lui as dit que tu avais une fille ?

— Non.

— Et pourquoi ?

— Il n'aime pas les enfants. Il n'en veut pas.

Elle baisse la tête.

— Ah ! Tiens, j'aime mieux quand tu ne mens pas. Et tu aurais le courage de sortir tout à coup de ta manche une fille de vingt-cinq ans ?

— Je crois, oui.

— Tu crois ! Mais ça ne suffit pas de croire !

— Je le ferai petit à petit.

— Tu sais ce que tu feras ? Tu la prendras et tu la jetteras, et tu la rendras malheureuse. Tu l'abandonneras une seconde fois.

— Peut-être pas...

Mister G. gronde et frappe des deux mains sur la table.

248

— STOP! Ça suffit! Je ne veux plus rien entendre. Tu avais vingt ans, Ulysse en avait cinquante, vous vous êtes donné du bon temps, c'est tout. Fin de l'histoire. Il a pensé à Rosita et n'a pas voulu reconnaître sa fille, tu as pensé à tes parents et tu n'as pas voulu la reconnaître non plus.

— Je ne savais pas, Mister G., je ne savais pas.

— Tu veux que je te dise?

Elle le regarde, muette.

— Tu ne sais toujours pas!

— Et tu m'apprends quoi, aujourd'hui?

Antoinette a posé son sablier sur un coin de la longue table d'Hortense et se tient droite, en soutien-gorge et petite culotte, prête à un nouvel essayage.

— C'est obligé, le sablier? demande Hortense que la vue de l'instrument incommode.

— La vie est trop courte pour s'ennuyer plus de trois minutes! répond Antoinette en lissant ses cheveux entre ses doigts. Je te prête mon corps, tu me remplis la tête. *It's a deal*[1]. N'essaie pas de m'entourlouper!

— Je ne m'y risquerais pas! soupire Hortense. Mais ça me stresse d'avoir ce truc sous les yeux. J'ai l'impression de passer un examen.

---

1. « C'est le contrat. »

— Oublie-le. Sois plus forte que lui. On ne travaille bien qu'en sautant des obstacles.

Hortense hausse les épaules, attrape un rouleau de tissu, elle a eu une idée cette nuit et voudrait l'essayer sur Antoinette.

— Comme ça, ça te va ? demande Antoinette en posant ses mains sur ses hanches et en relevant le menton.

— Oui. Et dégage un peu les épaules...

Hortense tourne autour d'elle et réfléchit. Elle a lu d'une traite le livre que lui a prêté Elena, *Du style*, de Joan DeJean, *ou Comment les Français ont inventé la haute couture, la grande cuisine, les cafés chics, le raffinement et l'élégance*. Elle doit reconnaître qu'elle ne s'est pas ennuyée. Et qu'elle a de quoi immobiliser le sablier.

— Il était une fois un bon roi de France..., elle commence en essayant de ne pas avaler les épingles qu'elle tient entre ses dents.

— Impossible, l'interrompt Antoinette. Les rois ne sont pas bons, ce sont des tyrans.

— Pas tous.

— Impossible.

— Bon... Il était une fois un grand roi de France...

— Impossible. Les hommes étaient tout petits à cette époque.

— Louis XIV était grand. Un mètre quatre-vingt-cinq au moins.

— Sûre ?

— Sûre.

— Ça fait combien en mesures anglaises ? l'interrompt à nouveau Antoinette.

— Dis donc, t'es toujours aussi chiante ? se rebiffe Hortense.

— Toujours. J'aime être précise. Quand c'est précis, j'enregistre, quand c'est pas précis, j'enregistre pas.

— Quand t'es avec Spinoza, t'es chiante aussi ?

— Non, lui, il m'impressionne. Ton Louis XIV, pour le moment, il ne me fait aucun effet.

— C'était un génie.

Antoinette hausse les épaules et Hortense la rappelle à l'ordre.

— J'ai dit, ne bouge pas. Louis XIV, donc, était un roi charismatique doté d'un sens aigu du style, de l'Histoire et du gouvernement de son pays. Au début de son règne, la France n'était pas spécialement synonyme d'élégance ou de luxe. D'autres pays comme l'Angleterre, l'Italie et même la Hollande lui damaient le pion. Et pourtant, à la fin de son règne, soit soixante-douze ans après, le monde entier s'inclinait et reconnaissait les Français comme les arbitres incontestés du style et du goût. La France avait inventé le luxe et était devenue une superpuissance commerciale écrasant toutes les autres.

— Ce qui est toujours vrai, reconnaît Antoinette, piquée par la curiosité.

— Les caisses du royaume étaient vides, il fallait les remplir. Et pour cela trouver un concept. Louis XIV décida que ce serait le luxe, la mode, le raffinement, bref, l'élégance à la française. Tout devait être parfait. Des jardins de Versailles aux perruques des dames de la Cour, en passant par les arts de la table, les robes et les habits. La transformation des Français en gourmets et en reines de la mode devint une affaire d'État. Dans cette entreprise, le roi avait pour allié un homme remarquable, le contrôleur général des Finances, Jean-Baptiste Colbert.

— Coleberte ?

— Non, Colbert.

— Comme le type à la télé ?

— Si tu veux. Mais arrête de m'interrompre ou je vais tout oublier.

Hortense drape un pan de tissu sur la hanche d'Antoinette et enchaîne :

— C'est donc pour ainsi dire par nécessité que la France s'engagea dans l'ère de la créativité la plus extraordinaire de son histoire, et à la fin du dix-septième siècle, quand le roi mourut, les deux concepts indispensables à la réputation du pays et à sa balance commerciale avaient été inventés : la grande cuisine et la haute couture.

Antoinette ne dit plus un mot. Elle avale la science nouvelle d'Hortense et se laisse manipuler sans protester.

— Le roi veillait à chaque détail. Il recherchait avant tout le raffinement, qu'il s'agisse des cygnes dans le parc de Versailles, de la fabrication d'une crème brûlée, des robes des femmes de la Cour, des réverbères de la capitale ou encore des talons des escarpins masculins. Tout devait friser l'excellence. Et le scrupuleux Colbert s'assurait que chaque produit lancé par l'imagination du monarque soit exclusivement exécuté en France et par des ouvriers français, faisant ainsi rentrer les devises à foison. Colbert veillait aussi à ce que ces marchandises s'exportent à travers l'Europe, la Turquie, la Russie et répandent partout l'idée que « le beau » venait de Paris et que sans le sceau « Fabriqué à Paris » la plus jolie robe n'était plus qu'une guenille informe. Le roi et le ministre formaient une équipe parfaite. Au roi, la culture et l'instinct, au financier, le soin de remplir les caisses. Et tous les artistes, tous les artisans, couturiers, joailliers, coiffeurs, cuisiniers, danseurs, décorateurs suivaient, entraînés par la frénésie du roi…

Et l'essayage se poursuit sans qu'Antoinette se lasse. Hortense pose ses épingles, ajuste son étoffe, tourne autour du corps immobile d'Antoinette, articule un bras, redresse une épaule et débite les phrases du livre sans même avoir besoin de réfléchir.

Le sablier, oublié, reste sur le coin de la table sans avoir été une seule fois retourné.

C'est un spectacle étrange auquel on peut assister ce soir-là rue des Éperviers. Un homme grand, élancé avance, portant dans ses bras quelque chose qui ressemble à une moitié de femme. Un corps coupé en deux. D'un côté, une tignasse et deux bras qui émergent d'une blouse noire, et de l'autre...

De l'autre, il n'y a rien.

Pas de souliers, pas de jambes. Comme si un dessinateur facétieux avait effacé les mollets, les genoux, les cuisses et les pieds pour produire un effet drolatique. Un tronc avec deux bras. Voilà tout ce qu'il a bien voulu dessiner. Et c'est censé figurer une vieille femme puisqu'elle a les cheveux blancs, des rides profondes et des yeux noirs, enfoncés, éclairés d'une lueur mauvaise.

L'homme a garé sa voiture, une belle Maserati, sur le parking de l'immeuble et il avance d'un pas égal.

De dos, il marche vaillamment, sans plier ni se courber, mais de face, il a les mâchoires crispées, le regard égaré, et deux larmes glissent sur ses joues.

— Ne pleure pas, mon petit, dit la moitié de femme. Je ne suis pas encore morte, je n'ai pas dit mon dernier mot.

— Je ne pleure pas, maman, c'est le vent qui me pique les yeux.

La femme serre contre elle un vieux sac en similicuir noir qu'elle ouvre pour en sortir un trousseau de clés.

Ils reviennent de la clinique Montretot à Paris, où la moitié de femme a été amputée de la dernière jambe qu'il lui restait. C'est le préfet qui a suggéré cet établissement. Il s'y est fait opérer des varices l'année précédente.

Ils pénètrent dans le bâtiment et l'homme entame l'ascension des marches jusqu'à l'entresol sans faiblir.

— On aurait pu prendre l'ascenseur tout de même, ce n'est pas raisonnable, dit la moitié de femme en serrant son trousseau de clés contre sa poitrine.

— On va tout aussi vite en passant par l'escalier.

Et puis, pense-t-il, on ne rencontre personne. Il ne le dit pas, mais la moitié de femme en écho lui répond :

— Tu as raison, mon petit, c'est inutile qu'on me voie dans cet état. Il ne faut jamais faire pitié. C'est le début de la dégringolade.

Et elle enserre le cou de l'homme de ses deux bras robustes.

Cet homme et cette moitié de femme forment un couple. Ils n'ont pas besoin de se parler pour se comprendre et si l'homme ment en prétendant qu'il ne pleure pas, c'est pour faire honneur au courage et au sang-froid de la femme.

Ils entrent dans l'appartement et l'homme dépose doucement la femme sur le lit de sa chambre. Il étale pudiquement une couverture sur elle et se laisse tomber à son côté.

Il regarde dans le vide et ne dit mot. Parfois il étend la main pour caresser la jambe de la femme, mais se ravise.

— Sois fort, mon fils.

— Qu'est-ce que tu as fait au ciel pour mériter ça ?

— J'ai trop travaillé, trop tiré sur la corde, c'est tout. Du matin au soir, toujours debout, toujours bête de somme. Mais la force, je l'ai toujours.

Et elle se frappe la poitrine.

— Et tu sais pourquoi ?

Ray secoue la tête, les yeux pleins de larmes, et sa main repart à tâtons à la recherche des jambes qui manquent.

— Parce que tu es là, mon petit. Tu es toute ma vie, et ça a toujours été comme ça. Tant qu'on sera tous les deux, je ne serai jamais malheureuse, tu m'entends ? Jamais. On peut tout me prendre, me couper en morceaux, tant que tu es là, je suis vivante et forte.

Ray retient ses larmes et acquiesce.

— Moi aussi, je t'aime, maman.

— Tu vois, ces mots-là… ça vaut toutes les jambes du monde !

— Oh, maman ! il dit dans un sanglot. Dis pas ça !

Elle regarde son fils et s'extasie en croisant les mains et en les secouant comme ces paysannes qui remercient Dieu devant un ex-voto dans une chapelle obscure. Qu'il est beau ! Mais qu'il est beau ! Elle n'en connaît pas d'aussi grand, d'aussi vigoureux. Le regard fier et noir, le buste droit et large. C'est une œuvre d'art.

— Il va falloir la faire revenir, elle dit en changeant de ton. Qu'est-ce que tu attends pour aller la prendre de force à l'hôpital ?

— J'ai tout essayé, maman. Tout essayé. J'ai envoyé Turquet, j'ai menacé Duré. Je l'ai saoulé, je l'ai fait arrêter par les flics. Ils l'ont placé en cellule de dégrisement. Je suis allé le voir, je lui ai expliqué que s'il ne me la rendait pas, je n'interviendrais pas en sa faveur et qu'il risquait d'être radié de l'Ordre des médecins.

— Et alors ? demande Fernande en tendant le cou, implacable.

— Il a refusé. Il a dit ne compte pas sur moi. Mets-moi au trou, je m'en fous !

— Il a dit ça ?

Fernande est stupéfaite. Elle s'agite, frappe du poing sur sa couverture.

— Ne te mets pas dans cet état, maman, c'est pas bon pour toi.

— Mais je croyais que c'était une lavette, ce Duré !

— Moi aussi. Jusque-là, je le tenais. Il m'obéissait au doigt et à l'œil. Mais… il ne veut plus rien entendre. Il dit qu'il s'en fiche, qu'il est à deux ans de la retraite. Je n'ai plus prise sur lui. Comment on va faire ? Comment on va s'organiser ? Il faut que tu sois raisonnable et que tu acceptes quelqu'un à la maison. Je ne peux pas être là tout le temps.

— Jamais ! s'écrie Fernande en serrant les dents. Pour que tout Saint-Chaland soit au courant de ce qu'il se passe chez moi ? Merci beaucoup.

— Mais il ne se passe rien ! Il n'y a rien à raconter !

— Je connais les gens. Tous des malveillants. Ils adorent raconter des menteries, colporter des ragots. J'ai trop souffert quand tu es né. On me montrait du doigt, on parlait dans mon dos. J'étais une fille-mère, c'était la honte. Jamais plus ! Je ne veux personne chez moi.

— Mais comment on va faire alors ?

— Va la rechercher !

— Mais je ne…

— Va la rechercher, je te dis ! Elle est ta femme, elle a pas à discuter. Ça fait combien de temps qu'elle se prélasse à l'hôpital, hein ? Tu trouves ça normal ? Et pendant ce temps-là, je fais sous moi, je baigne dans mon pipi. C'est à elle de s'occuper de moi !

— Mais si Duré ne veut pas... Y a que lui qui peut la faire sortir.

— Il va gicler, Duré. Il va être radié.

— Pas tout de suite, maman. Ça va prendre du temps. Faut que je le dénonce en écrivant à l'Ordre des médecins, faut qu'il passe au tribunal, qu'il soit convoqué, ça va pas se faire en vingt-quatre heures !

Fernande secoue la tête, croise les bras, furieuse, regarde son fils, abattu près d'elle. Il a l'air si désemparé, si malheureux. Comme ce soir de Noël où elle n'avait pas pu lui offrir le camion de pompiers qu'il avait demandé ! Ça lui retourne le cœur.

— On va s'arranger tous les deux, mon fils.

Ray soupire. Il aimerait bien que ça s'arrange sans lui.

— C'est quand on est ensemble qu'on est le plus forts, pas vrai ? On a toujours fait une équipe formidable, toi et moi.

Elle lui prend la main, la serre, lui adresse un sourire tendre, presque coquet.

— On n'est pas bien, tous les deux, comme ça ?

Il esquisse un pâle sourire, demeure muet. Violette l'attend, ce soir. Il va encore falloir qu'il se relève en pleine nuit pour rejoindre sa mère,

refaire son pansement, lui donner ses médicaments, changer ses couches. La porter sur le trône.
La torcher, la soigner, lui prendre la main, l'écouter. Il n'en peut plus. Il va la massacrer, l'autre, à
l'hôpital, elle le fait exprès, c'est sûr.

— On va s'organiser, ne t'en fais pas, reprend
Fernande. Tu peux continuer à t'occuper de
tes affaires, moi, je vais m'arranger. Tu sais,
quand j'étais petite, un été, un cirque est passé à
Saint-Chaland. Il y avait une artiste cul-de-jatte qui
s'appelait Miss Nikita. Une lilliputienne très bien
proportionnée avec un visage ravissant mais sans
jambes. Elle se déplaçait à la vitesse d'une gazelle
et tu sais comment elle faisait ?

Il dit non, il s'en fiche pas mal de Miss Nikita.

— Elle marchait sur les mains, Raymond, sur
les mains ! Tu te rends compte !

Elle en est capable, il se dit, elle est capable
d'apprendre à marcher sur les mains. Pour moi.

— Je vais trouver une solution, je ne pèserai
pas sur toi. Maman est là. Maman a toujours été
là pour toi. Maman est forte.

Elle a raison, se dit Ray. Elle a toujours réponse à
tout. C'était elle qui avait eu l'idée du mariage avec
Léonie, elle qui avait dicté le contrat de mariage,
elle qui avait décidé de la manière dont ils allaient
vivre tous les trois dans le petit appartement pour
ne pas dépenser d'argent. Léonie servirait de

bonne. Elle ne vaut pas mieux que ça, elle disait. C'était elle encore qui plaçait son argent, lisait dans les journaux les plans d'épargne les plus intéressants, téléphonait aux banques, discutait, argumentait. Il n'était rien sans elle, il ne fallait pas que cette horrible maladie la bouffe tout entière et pourtant, il la voyait rétrécir entre ses bras.

Il se redresse, va se servir un verre de vin dans la cuisine.

— Tu veux un verre d'eau, maman ?

— Fais-moi un café, veux-tu ?

Ray fait chauffer de l'eau. Il écoute la bouilloire chanter. Il a envie de frapper quelqu'un. Il pousse un cri de rage et se mord les phalanges. Et ce salaud de Duré qui tient bon ! Il a été le voir dans sa cellule, il lui a mis le marché en main.

— Tu relâches Léonie et les flics effacent ton PV de conduite en état d'ivresse. Tu sais ce que tu risques ?

— Oui, a dit Duré en le regardant en face, vas-y, Ray, fais ton sale boulot, j'en ai marre, je me dégoûte, je ne serai plus jamais ton complice.

Il a eu beau brandir des menaces, Duré ne flanchait pas.

— Tu ne peux pas savoir à quel point je me sens mieux depuis que j'ai décidé que c'était fini.

261

Tu m'as pourri la vie, Ray, mais c'est terminé. Je vais recommencer de zéro.

— À ton âge, a éclaté Ray, c'est ridicule !

— Non, c'est rafraîchissant !

Il n'y avait rien eu à faire.

Les flics avaient fini par le relâcher. Il y en avait même un qui avait murmuré il a des couilles quand même ! Il l'admirait ! C'est un comble, il avait pensé. On vit dans un monde formidable ! Plus aucune valeur.

La bouilloire a cessé de chanter. Il prépare le café. L'apporte à sa mère.

Son regard retombe sur les moignons de Fernande. Deux pauvres moignons qui vont la faire souffrir pour le restant de sa vie.

Il reconnaît la broche qu'il lui a offerte à Noël, une broche en brillants, et il reçoit comme un défi le regard noir et déterminé de sa mère. Je ne suis pas encore finie, elle semble dire en prenant appui sur ses bras, tiens regarde ! je commence mes exercices pour me muscler.

— Ça va, maman ? T'es sûre ? il dit d'une voix tremblante.

— T'en fais pas, mon fils. Va à tes affaires. Apporte-moi le bassin, je me débrouillerai en attendant que tu reviennes.

Il va chercher le bassin, le lui tend et sort en lui promettant de rentrer le plus tôt possible.

J'aurai la peau de Léonie, je la récupérerai même si je dois marcher sur les mains pour la reprendre, rumine Fernande sur son lit. Ce n'est pas fini entre nous. Ah, ils me faisaient bouffer les feuilles d'artichaut sucées et resucées à table ! Et elle croit qu'elle va s'en tirer comme ça ! Comme une innocente ! Le père et le fils sont morts. Elle doit payer pour eux. Et elle a pas fini de payer. J'ai mis fin à sa romance avec ce Parisien tête de chien. Ça a été un beau coup, ça. Elle se demande encore comment je l'ai appris. Toutes ces années, j'ai lu dans ses yeux « comment elle a su ? ». Enfin… tant qu'elle a pu soutenir mon regard ! Parce que, au bout d'un moment, elle ne se posait même plus la question, elle divaguait, elle vivait dans le brouillard. Abrutie, qu'elle était ! Mais elle a donné un enfant à mon fils. Elle l'a pas fait exprès, mais c'était bien. Je ne l'aime pas, la Stella, mais elle a sauvé l'honneur de mon garçon. Ça a coupé net les mauvaises langues. Parce que, tout de même, un homme stérile, ce n'est pas un homme. Comment elle a su ? Qui lui a dit ? elle se demandait, Léonie. Et moi, je jubilais. Comme si on pouvait me gruger, moi, Fernande Valenti ! Je sais tout. Toujours. La chance m'a désertée souvent, mais elle m'a servie aussi. Forcément. Le bonheur et le malheur, ce sont deux plateaux reliés par le même fléau.

Même avec le malheur, y a un bon côté. Ce soir-là, quand il m'a renversée dans le fossé, il m'a mis la misère, il a fait de moi la risée de Saint-Chaland, mais il m'a donné le plus beau des enfants. Mon fils.

Alors, qu'elle ose le tromper, ça m'a fait tourner le sang. Tiens, rien que d'y penser, j'ai encore la colère qui monte !

Elle ne saura jamais comment je l'ai appris. Ça la poursuivra toute sa vie.

C'est ma vengeance.

Lundi matin. Stella se lève. On a beau être en juin, il a gelé cette nuit. Le temps est détraqué. Faut pas chercher à comprendre, elle maugrée, en posant la main sur les radiateurs froids de la chambre. Elle a oublié de faire rentrer du fuel. Il va falloir qu'elle appelle Delamotte et qu'il livre au plus vite. Va falloir aussi que je pense à couvrir le moteur du camion la nuit, où ai-je rangé la couverture ? Et que je ne serre pas le frein à main, s'il se met à geler.

Elle reprend la routine du lundi et de tous les jours de la semaine. Sort nourrir les bêtes. Les poules se roulent dans les cendres répandues par

Georges. Les cendres leur servent de shampoing sec et d'antipoux. Les particules entrent dans les plumes et tuent les parasites. Les ânes aussi aiment se rouler dans les cendres. Et ils vont se frotter contre le tronc des arbres.

Hier soir, Julie l'a appelée. Les gendarmes sont revenus la voir pour lui signaler des vols dans les cimetières. Les plaques, les objets en bronze, les statues sont les cibles des voleurs spécialisés dans le trafic des métaux. Ils ne reculent devant aucun sacrilège et pillent les églises aussi. Si vous voyez passer quelque marchandise suspecte, vous nous appelez, mademoiselle Courtois, on compte sur vous.

— C'est la routine, a soupiré Julie.

Il arrive à Stella de se demander si elle aime cette routine ou si elle la supporte parce qu'elle ne peut pas faire autrement. Elle évite de se poser la question, mais parfois, elle revient lui déchirer la tête comme un rideau qu'on tire brusquement. C'est toujours quand elle est en voiture. Qu'elle est à l'arrêt. Elle se regarde dans le rétroviseur et se demande et si je partais de Saint-Chaland ? Et si j'emmenais Tom et suivais Adrian ? Elle obtient toujours la même réponse : comment pourrais-je abandonner ma mère et me regarder en face dans une glace ? Car on ne peut vivre que si on peut se regarder dans une glace, non ?

Et elle embraye sèchement en faisant grincer le levier de vitesse.

Elle repousse la mèche blonde qui tombe sur ses yeux, dépose Tom à l'école. Adrian est parti au milieu de la nuit. Le réveil a sonné, il a enfilé son jean, son pull. Sa parka, ses bottes. Il s'est penché sur elle. A embrassé le coin nu de l'épaule qui dépassait de la couverture. A murmuré au revoir, princesse !

Elle a entendu la porte d'en bas se refermer doucement.

Des pas dans l'allée.

Elle a poussé un soupir et s'est rendormie.

Ce matin, comme chaque matin, elle fait un détour par l'hôpital.

Elle passe la tête dans la chambre de sa mère.

Léonie dort. Tout semble calme. Une infirmière lui fait un signe de tête, on est là, Stella, on veille, elle lui sourit en retour.

Elle referme la porte. Se dirige vers le bureau du docteur Duré, frappe. Personne ne répond. Elle dépose sur le bureau un mot plié en deux sur lequel elle a écrit « Tenez bon. Stella ».

C'est tout ce qu'elle peut lui dire.

Elle pénètre sur le site de la Ferraille et se gare.

Elle aperçoit Julie qui lui fait des grands signes derrière la fenêtre de son bureau.

— Viens vite ! Viens vite ! Faut qu'on parle ! elle dit derrière la large baie vitrée.

Il n'y a pas le son mais Stella lit les mots sur ses lèvres. Elle grimpe les marches et pénètre dans le bureau.

— Je suis passée à l'hôpital, je voulais voir Duré. Savoir s'il était rentré. S'ils l'avaient relâché…

— Et tu l'as vu ?

— Non. Il n'était pas là. J'ai laissé un mot sur son bureau.

Julie fait sauter un gros boulon d'une main dans l'autre et ses yeux pétillent.

— Les flics l'ont relâché. Il est rentré chez lui. Il est décidé à se battre. On est sauvées, Stella ! Je crois qu'on tient le bon bout.

— Comment tu sais ça ?

— Il a appelé papa.

— Et… ?

— Il lui a dit qu'il en avait marre de trembler devant Ray, qu'il allait tout balancer !

Stella se laisse tomber sur la chaise en face de Julie et écarquille les yeux.

— C'est pas possible !

— Si, si ! Toutes les combines, l'argent prélevé, les complicités. Il veut tout dire ! Il en connaît un bout, tu sais !

— Mais qu'est-ce qui a bien pu se passer ?

— La goutte de trop. Ray l'a menacé de ressortir tous les vieux dossiers contre lui s'il ne signait pas le bon de sortie de Léonie. Duré a répliqué qu'il avait aussi des dossiers contre lui.

— Tu crois que c'est vrai ?

— J'en sais rien. Peut-être qu'il bluffe mais en tout cas, il se rebiffe. Ils en sont là. Chacun veut la peau de l'autre. La guerre est déclarée. On ne va plus être les seules à se battre…

— Ça paraît trop beau, soupire Stella.

— Duré ne semble pas prêt à se coucher. Il a mangé du lion.

— Il l'aurait fait avant s'il avait eu quelque chose… Cela fait des années qu'il se couche.

— Je dis pas que c'est gagné, mais c'est un début, non ?

— Et comment tu sais tout ça ? Ton père est rentré ?

— Oui, ce matin. Duré l'a appelé pendant qu'il attendait ses bagages à Roissy. Écoute, Stella, c'est formidable ! Ça veut dire qu'il va garder Léonie à l'hôpital et veiller à ce qu'il ne lui arrive rien.

— Je ne crois pas aux contes de fées.

— Moi, si. Je veux y croire.

— Duré ne va pas y arriver tout seul. Il bluffe. Il est content d'avoir retrouvé son courage, mais il se vante. Il peut se dégonfler aussi vite qu'il s'est enflé.

Stella réfléchit un instant et reprend :

— Il faudrait quelqu'un d'autre avec nous. Quelqu'un qui connaisse le système de l'intérieur. Qui nous file des tuyaux qu'on refilerait à Duré. C'est un notable, on l'écoutera, lui. Mais il faut l'aider. Il ne tiendra pas le coup sinon.

— Et Violette ? suggère Julie. Elle ne se range-rait pas de notre côté ?

— Tu parles ! Ray vient de lui offrir un coupé Mercedes, des bagues à chaque doigt, un collier de vingt mille carats ! Il promet de la faire tourner, de faire d'elle une star et elle lui lit le journal pour le cultiver ! Ils sont associés maintenant. Elle est à fond pour lui. C'est son gagne-pain. Son dernier espoir d'être quelqu'un. Elle est enfermée dans le périmètre de sa tronche et n'en sortira pas. Elle a trouvé la bonne combine.

— T'as pas tort. Elle a pas le cul gratuit.

— J'ai cru que je pourrais l'utiliser mais je n'ai pas été réaliste sur ce coup-là.

— Soyons positives. Ta mère reste à l'hôpital et tu n'as pas à la cacher quelque part pour sauver sa peau.

— Oui. C'est déjà ça. Mais, je te répète, on ne va pas déboulonner Ray facilement !

Julie pique du nez, déçue.

— N'empêche que c'est un début de bonne nouvelle…

Stella la regarde et sourit.

— T'as raison, ma toupie. C'est quoi, le programme pour aujourd'hui ?

— Il faut prendre en main le découpage des plaques d'alu... Celles que tu as chargées l'autre jour.

— Ok.

Stella se lève, se dirige vers le vestiaire, marque un temps d'arrêt, se retourne et demande :

— Il est passé ce matin, Jérôme ?

— Oui. Comme d'hab.

— Raconte !

— Je crois que je me suis fait des idées. À force de vivre seule, on s'invente des histoires.

Stella revient vers le bureau, pose les mains à plat sur le plateau et dit :

— Et le poème, tu ne l'as pas rêvé tout de même ?

— Peut-être qu'il ne m'était pas destiné ? Peut-être qu'il était pour une autre ?

— Alors pourquoi il l'aurait glissé dans les papiers qu'il te donne chaque soir si c'était pour une autre ?

— Je sais pas... Peut-être qu'il l'a glissé par mégarde. Peut-être qu'il a une amoureuse, qu'il veut l'épater. Il cherche des mots jolis pour l'impressionner. Il s'inspire de poèmes qu'il trouve sur Internet. Ce serait pas le premier !

— C'est toi son amoureuse.

— Non. J'ai pas le physique. Je suis juste une bonne copine. Ou une patronne qu'il aime bien. Rien de plus.

Elle fait rouler le boulon sur le plateau. Il s'arrête juste au bord du bureau et revient vers elle.

— Ton bureau gîte, remarque Stella.

— Ce matin, il m'a demandé une avance sur salaire. Je lui ai répondu que j'étais d'accord et il a dit « merci, Julie, tu es une chic fille ». On dit « chic fille » à une amoureuse ?

— …

— Ah, tu vois, tu ne réponds pas !

— Parce que je ne sais pas.

— Parce que c'est mauvais signe…

Julie relance le boulon qui, cette fois-ci, dépasse le bord du bureau et tombe. Stella se baisse pour le ramasser et le replace devant Julie.

— Montre-moi ce poème, elle dit.

— Celui qui était dans les factures ?

— Oui. Montre-le-moi.

Julie soulève un tas de feuilles, de tableaux de chiffres, de brochures et retrouve le papier où est reproduit le poème.

— Tiens, elle dit en le tendant à Stella. C'est de Charles Baudelaire. C'est écrit en bas.

Stella prend la feuille et lit.

À une passante

La rue assourdissante autour de moi hurlait.
Longue, mince, en grand deuil, douleur
                         [majestueuse,
Une femme passa, d'une main fastueuse
Soulevant, balançant le feston et l'ourlet ;

Agile et noble, avec sa jambe de statue.
Moi, je buvais, crispé comme un extravagant,
Dans son œil, ciel livide où germe l'ouragan,
La douceur qui fascine et le plaisir qui tue.

Un éclair... puis la nuit ! Fugitive beauté
Dont le regard m'a fait soudainement renaître,
Ne te verrai-je plus que dans l'éternité ?

Ailleurs, bien loin d'ici ! trop tard ! jamais
                         [peut-être !
Car j'ignore où tu fuis, tu ne sais où je vais,
Ô toi que j'eusse aimée, ô toi qui le savais !

— C'est ce poème-là ? s'écrie Stella en montrant la feuille du doigt.

— Oui...

— Et tu le reconnais pas ?

— Non. Pourquoi ?

— Tu plaisantes ?

— Non, je te dis ! Pourquoi ?

— Parce que c'est celui qui est dans le livre que tu m'as prêté pour maman ! *Petit Jeune Homme*.

— En entier ?

— Non. Juste une phrase recopiée en haut d'une page. « Fugitive beauté dont le regard m'a fait soudainement renaître, j'ignore où tu fuis, tu ne sais où je vais… » Tu l'as pas vue ?

Julie rougit. Détourne la tête. Stella comprend et éclate de rire.

— Tu te souviens de ce que tu m'as dit quand tu m'as prêté ce livre ?

Julie rentre la tête dans ses épaules comme si elle voulait disparaître.

— « C'est génial, ça se lit comme du petit-lait et on apprend plein de choses… » Tu m'as dit ça et tu l'as pas lu ?

Julie fait non de la tête en rougissant.

— Tu n'as pas lu ce livre ! Et c'était un cadeau de Jérôme !

— J'ai commencé, mais c'était trop gros, ça m'intimidait. Je me suis juste dit qu'il devait bien m'aimer pour m'offrir ça. J'étais contente, j'avais pas besoin de le lire. Il me suffisait de le regarder et je pensais à lui et je me racontais des histoires.

Elles pouffent de rire toutes les deux.

— C'est pas trop mon truc, les bouquins. Mais j'ai bien aimé qu'il me fasse un cadeau…

— Et si ça se trouve, lui, il t'a offert ce livre pour t'impressionner ! Vous êtes bien, tous les deux ! Vous n'êtes pas près de franchir la ligne d'arrivée !

— Moi, pour me détendre, le soir, je préfère faire du patchwork ou des puzzles...

— Si tu l'avais lu comme moi, tu aurais remarqué qu'en haut d'une page quelqu'un avait écrit ces vers, « fugitive beauté dont le regard m'a fait soudainement renaître... », et c'est de toi qu'il parlait !

— Oh non ! proteste Julie en gémissant. Et j'ai rien vu !

— Et lui, depuis tout ce temps, il attend que tu lui fasses un signe en retour. Pas étonnant qu'il n'ose pas se déclarer !

Stella fixe Julie en secouant la tête et en souriant.

— Et l'autre jour, il a carrément recopié tout le poème pour que tu réagisses. Et tu n'as rien dit une fois de plus !

— Je pouvais pas savoir...

— La prochaine fois, il va t'offrir les œuvres complètes de Charles Baudelaire !

— Oh là là ! s'exclame Julie.

— Et moi, pendant tout ce temps, j'imaginais un complot, une menace. C'est malin...

Stella explique à Julie ce que lui avait dit sa mère quand elle avait trouvé la citation dans le livre.

— Je me suis mise à soupçonner Jérôme à cause de toi. J'ai cru qu'il était dangereux alors qu'il était tout simplement amoureux...

— Alors tu crois vraiment que…

— Je crois pas. Je suis sûre !

— Pourquoi il me le dit pas en face ?

— Tu veux qu'il mette un genou à terre et te fasse une déclaration ? C'est dans les films, ça. Et encore… les très vieux films. Mets-toi à sa place. Il faut toujours se mettre à la place des gens.

Vas y ! Explique moi.

— Tu es sa patronne, tu lui verses son salaire tous les mois.

— C'est vrai.

— Tu connais ses mésaventures, le Loto, les palmiers, le soleil, sa femme qui le quitte pour un gigolo, et lui qui revient à Saint-Chaland et qui a tout perdu ! Ça n'en fait pas un héros !

— C'est vrai aussi.

— Tu le reprends dans l'entreprise, tu lui offres un poste de confiance, il te côtoie tous les jours, il comprend à quel point tu es quelqu'un de magnifique, d'unique…

— N'exagère pas !

— Si. Il tombe amoureux.

— Redis-le-moi ! soupire Julie, en extase.

— Mais il ne sait pas comment te l'avouer. Il n'a pas une image de séducteur…

— C'est toi qui le dis !

— Il doit penser qu'il ressemble à pas grand-chose… Il circule à vélo, il est à moitié chauve, tout le monde connaît son histoire et le voit comme un cocu !

— Moi, je le trouve mignon avec son vélo. Et puis comme ça, il reste mince.

Elle fait une pause et demande :

— Dis, tu me le rendras, mon livre ?

— Oui. Pour le moment, ma mère veut le garder, mais dès qu'elle le lâche, je te le rapporte.

— Parce que j'aimerais bien…

— Promis, dit Stella.

Elle joue avec la boucle de sa salopette, puis demande :

— Il a quel âge, Jérôme ?

— Il doit avoir quarante-cinq ans.

— Eh bien, il a quarante-cinq ans, tu en as trente-quatre, il se dit qu'il est trop vieux ou trop chauve ou trop… Je ne sais pas ! On n'est pas sûr de soi quand on est amoureux.

Julie adresse un regard presque suppliant à Stella.

— Tu crois tout ce que tu viens de me dire ?

— Tu as envie de le croire ? demande Stella.

— Oui.

Elles entendent des pas dans l'escalier et la porte s'ouvre.

C'est Edmond Courtois.

Il aperçoit Stella et reste figé sur le seuil. Il porte un imperméable froissé dont les manches remontent. Son pantalon aussi est froissé et laisse apparaître des chaussettes trop courtes. Il n'est pas rasé et semble épuisé. Il tient une valise au bout de son bras.

— Ça va, papa ? demande Julie, inquiète.

— Je n'ai plus l'âge de voyager comme ça, il dit en s'essuyant le front et en posant sa valise. Tous ces décalages horaires me fatiguent.

— Assieds-toi, dit Julie, tu veux boire quelque chose ?

Il hoche la tête, sourit faiblement et se laisse tomber sur une chaise.

Julie se penche vers lui, l'embrasse, passe les bras autour de ses épaules et le serre contre elle.

Il se laisse faire, inerte.

— Tu es sûr que tu vas bien ?

— Oui, oui. Fais-moi un café.

Il semble ne pas voir Stella. Ou plutôt son regard glisse sur elle comme s'il ne voulait pas la voir.

— Je vais vous laisser, elle déclare en enfonçant son chapeau.

— Non ! Reste ! On va prendre un café tous les trois, dit Julie.

— C'est que j'ai du travail, répond Stella qui se souvient des reproches d'Edmond Courtois.

— Ça peut attendre ! Reste, je te dis !

Julie lui fait signe de s'asseoir. Je veux savoir pour Jérôme, ne pars pas, elle articule en silence dans le dos de son père. Stella sourit, attendrie.

Edmond Courtois prend ce sourire pour lui et se détend. Il a envie de demander pardon, d'expliquer qu'il ne va pas bien, qu'il dit parfois n'importe quoi, mais il se trouble et lâche simplement :

— Je suis désolé. Pour l'autre jour.

Il voudrait lui avouer ce qui l'empêche de dormir, ce qui le fait courir comme un canard sans tête, monter dans des avions, s'emporter pour un contrat mal ficelé ou un plat trop épicé, il voudrait lui raconter la scène avec Lucien Plissonnier, les remords qui le submergent. Il est mort à cause de moi, tu comprends, Stella ? À cause de moi. Il tente de dire tout cela dans un regard. Et le temps devient lent, lourd.

Les secondes durent des minutes, les minutes, des heures.

Julie s'affaire, fait bouillir de l'eau. Demande quelqu'un veut du sucre dans son café ? Ni Stella ni Edmond ne répondent.

— Vous voulez du sucre ou pas ? elle reprend plus fort.

Ils semblent revenir à eux et disent non, non.

— Du lait ?

— Non plus ! ils disent d'une même voix.

Et puis Edmond Courtois prend une grande inspiration et lâche dans un souffle, un presque murmure :

— On peut se parler, toi et moi ?

Stella, surprise, répond oui, quand vous voulez.

— Je t'appellerai.

Elle hoche la tête. Et lit dans les yeux d'Edmond Courtois un malaise qu'elle ne comprend pas. Elle tend la main vers lui, la pose sur son bras et dit sans savoir pourquoi :

— C'est pas grave. Vous étiez fatigué, c'est tout.

— Et voilà, le café est servi ! claironne Julie en posant un plateau sur son bureau. Il me reste des croissants, ils ne sont pas d'aujourd'hui mais je les avais enveloppés dans un torchon et ils sont encore bons…

— Vous savez ce qui est arrivé à Léonie, l'autre soir ? demande Stella à Edmond.

— Julie m'a raconté au téléphone. Ils ont essayé de l'enlever, c'est ça ?

Stella hoche la tête.

— Mais la bonne nouvelle, dit Julie, c'est que Duré est de notre côté maintenant. Pour de bon.

— Oui. Il m'a paru résolu. Il parlait différemment.

— J'espère juste qu'il ne va pas se dégonfler, marmonne Stella.

— On va continuer la surveillance de nuit, assure Edmond. Tu peux compter sur moi, Stella. Je suis désolé de ce qui s'est passé. Tu crois que je pourrais aller la voir, Léonie ?

— Cela va dépendre de son état.

— Peut-être qu'elle n'aura pas envie de me voir ?

— Je ne sais pas. Je lui demanderai.

Et ils boivent leur café en silence, chacun emmuré dans ses pensées.

En enfilant ses gants, en soulevant les lourdes plaques d'aluminium, en les posant sur la machine à découper, Stella s'accuse moi non plus, je ne sais pas parler. Il faut qu'on me devine. Je lâche les mots dans le désordre. Comme des pierres au visage de l'autre.

Elle a été maladroite l'autre matin avec Joséphine Cortès. Elle a filé droit au but. « Alors vous saviez que Lucien Plissonnier était mon père ? » Elle a lancé la phrase comme un cri, comme s'il fallait réparer une injustice.

— Il me faut un peu de temps pour réfléchir. Vous comprenez, n'est-ce pas ? avait répliqué Joséphine Cortès.

Et puis, elle avait ajouté :

— Vous avez des preuves ?

Elle ne l'agressait pas, non. Elle demandait. C'était normal. Qu'est-ce que j'avais imaginé ? J'ai tellement besoin d'avoir un père que je me précipite sans faire attention à ce que l'autre peut éprouver.

— Non, elle avait répondu, je n'ai pas d'autres preuves que ce que m'a raconté ma mère.

Elle avait pensé un instant parler de Moitié Cerise. Elle s'était reprise. Joséphine Cortès ne pouvait pas savoir que son père avait offert un ours en peluche à Léonie. Il n'était sûrement pas allé raconter à sa fille de dix ans « j'ai une maîtresse et je lui ai offert une peluche ! ».

Elle n'avait que la parole de sa mère pour convaincre Joséphine Cortès.

— Vous comprenez… C'est violent ce que vous me dites, avait ajouté Joséphine Cortès.

Stella ne pouvait qu'être d'accord avec elle.

— J'aurais voulu vous le dire plus doucement mais je me suis emberlificotée…

Et puis Joséphine avait répété :

— Je voudrais des preuves.

Stella avait raccroché.

La voix de Joséphine Cortès lui manque. Ses cours lui manquent aussi. Elle apprenait des trucs inutiles mais qui lui plaisaient bien. Des trucs dont elle était presque fière. Ce n'est pas une imbécile, ma sœur !

Elle observait les étudiants assis dans l'amphi et les enviait. Ils faisaient partie d'un club dont elle était exclue. Le club du savoir. Ils trouvent normal d'être dans cet amphi. Et moi, j'ai toujours l'impression d'être clandestine.

Je ne suis inscrite nulle part.

Elle n'avait jamais imaginé qu'elle pourrait aller en fac.

Cette femme, Joséphine Cortès, lui apparaissait soudain comme une voie royale vers la lumière. Elle l'entraînait vers le haut avec le savoir qu'elle distillait de manière si vivante, si amicale. Car, oui, on avait envie d'être proche d'elle, de s'en faire une amie.

C'était un sentiment qu'elle ne connaissait pas. À part Julie, elle n'avait pas d'amies.

Souvent, quand elle rentrait de Lyon, elle avait envie de raconter. Mais elle ne pouvait pas. Alors elle mentait. Elle disait qu'elle avait entendu ça à la radio.

L'histoire de la négation, par exemple. Ça lui avait agrandi la tête, elle s'était sentie d'un coup plus intelligente.

Au Moyen Âge, pour marquer la négation, on n'utilisait qu'un terme, le « ne ». Cela suffisait. Par exemple, on disait « je ne veux faire à manger ce soir ». « Je ne veux voir cet homme. » Inutile d'ajouter « pas ».

Ou alors, quand on voulait être précis, on disait je ne marche pas (pas même un pas).

Je ne couds point (pas même un point).

Je ne mange mie (pas même une miette).

Je ne bois goutte (pas même une goutte).

Je ne souffle mot.

Et ainsi de suite.

Et puis, petit à petit, on s'était mis à utiliser tous ces mots n'importe comment. On les avait rendus compatibles avec tous les verbes. Et le seul qui était resté dans la langue courante était le « pas ». Et ainsi était née la double négation.

Elle avait aimé apprendre cela.

Elle en avait parlé à Adrian, à Boubou, à Houcine, à Maurice.

— Vous vous rendez compte, les langues ont une vie ! Elles ne sont pas figées !

— Ah…, ils avaient dit, presque étonnés de son enthousiasme.

— Et maintenant le « pas » a même réussi à dégommer le « ne ». On dit « je mange pas », « je vois pas », « je bois pas ». C'est drôle, non ?

Adrian, Boubou, Houcine, Maurice avaient souri et demandé :

— Dis donc, t'étudies le vieux français maintenant ?

— Ben non… J'ai entendu ça l'autre jour à la radio dans le camion. C'était au *Jeu des mille euros*. Une question rouge.

— Et d'abord, pour commencer, en attendant qu'un film se présente et qu'il y ait un rôle pour toi, je vais te trouver un job, avait déclaré Ray un jour alors qu'il était au lit avec Violette. Un truc bien payé. Pas un job à la con !

— Moi, je veux faire du cinéma, point final. Le reste m'intéresse pas.

— Écoute-moi avant de dire non.

Il avait passé un bras autour de ses épaules et la cajolait, très satisfait de lui. Il avait trouvé un moyen pour qu'elle se fixe à Saint-Chaland, qu'elle ne reparte pas sur un coup de colère, ciao je me casse, t'es trop con ! Parce que, avec elle, il n'était jamais sûr de rien. Un soir, elle se glissait contre lui en gémissant et le caressait à lui faire tourner le sang, le lendemain, elle l'envoyait aux pelotes. Il ne savait jamais à quoi s'attendre. Elle avait vite fait de virer vinaigre. Et ces soirs-là, c'était ceinture. Quand elle ne le jetait pas dehors en l'insultant. Un vrai volcan, cette fille ! Ça, on pouvait dire qu'elle avait du tempérament !

Il avait besoin d'une cigarette pour s'encourager. Il avait attrapé son paquet de sa main libre et lancé :

— Tu vas me chercher un cendrier, chaton ?

— Va le chercher toi-même ! Suis pas ta bonne. Et arrête de m'appeler chaton ! C'est naze.

Il l'avait fixée, stupéfait. Mais avait choisi de se taire. Pas de conflit ! Surtout pas ! Il s'était levé, avait trouvé un cendrier, s'était recouché, avait allumé une cigarette, tiré une première bouffée. Il avait senti son corps se détendre et était reparti à l'assaut.

— J'ai parlé au maire. Il veut devenir député mais pour cela, il faut qu'il travaille son look.

— Je veux faire du cinéma ! Pas relooker un vieux plouc !

— Tu feras du cinéma, je te le promets. Mais d'abord écoute-moi. À Saint-Chaland, il peut rester un bouseux, mais s'il veut monter à Paris, faut qu'il change. Qu'il en jette. Pour cela, il faut l'aider. Et j'ai pensé à toi. J'en ai rajouté, j'ai dit que tu connaissais du monde à Paris, que tu avais fréquenté des journalistes, des gens du show-biz, des stars, ceux qu'il voit à la télé et qui le font baver.

— Mais tu n'as pas menti ! s'était offusquée Violette. Je connais plein de gens à Paris. Qu'est-ce que tu crois ?

— Je sais, chaton, je sais. Mais lui, il ne sait pas, tu comprends. Il fallait bien que je te présente, que je te fasse mousser pour qu'il ouvre son porte-monnaie et dégage un budget.

— C'est un pote à toi, le maire ?

— Ils sont tous mes potes ici.

— Tu l'as connu comment ?

Ray aimait raconter ses exploits, ses décorations, ses interviews, toutes les fois où il avait fait la une des journaux. Alors ce soir-là, il avait ramené Violette contre lui, avait bombé le torse, lissé le drap comme s'il se mettait au garde-à-vous pour raconter son histoire.

— J'ai été reçu à l'Élysée par Chirac et j'ai été décoré plusieurs fois, tu sais tout ça. En présence du préfet, du sous-préfet, de la gendarmerie au complet, des chefs d'entreprise du coin, des décideurs, comme on les appelle. À travers moi, c'était toute la région qui était décorée. On parlait de Saint-Chaland, de Sens, de la Bourgogne. Tout le monde était flatté. Le maire n'était pas encore maire, mais il était déjà au conseil municipal. On se connaissait, on s'appréciait, mais de me voir ainsi sous les feux de l'actualité et les ors de la République, ça l'a comme transporté. Il voulait à tout prix être mon ami. Quand je passais à la télé, il se collait contre moi afin d'apparaître à l'image. Je m'en amusais, mais je lui faisais de la place, je me disais que ça pourrait toujours servir. Et puis, petit à petit, il a gravi les échelons et il est devenu maire. Et là, il m'est devenu très utile. Il n'était déjà pas bien beau à l'époque, petit, rondouillard, avec des petits yeux rapprochés, de bonnes joues, de la couperose.

— Ça, c'est sûr ! C'est pas Brad Pitt !

— J'étais son héros. Il m'invitait à sa table, me demandait des conseils, m'accordait des passe-droits pour favoriser des copains à moi qui avaient des entreprises, bref, c'est trop long à t'expliquer mais on s'entendait et, surtout, on s'arrangeait bien.

— Tu faisais quoi, par exemple ? Pas des trucs illicites ?

— Des trucs limites, on va dire.

— Limites comment ?

— Des certificats de conformité de complaisance, des appels d'offres truqués, des combines diverses où je servais d'intermédiaire et au passage, bingo, j'encaissais ! Grâce à lui, je touchais sur tout. Et je me remplissais les poches.

— Et en échange ?

Ray avait hésité. Il avait regardé Violette et demandé :

— Tu vas pas te foutre en pétard, hein ?

— Mais non... C'est juste pour savoir. Ça m'intéresse.

— Bon. T'es sûre ?

— Oui, je te dis !

— Eh bien... je lui refilais des filles ou je l'emmenais dans des parties fines. On a partagé des gonzesses plusieurs fois et il était presque touchant à voir. Il regardait comment je m'y prenais, il faisait tout comme moi ! Ou alors... on se retrouvait à des parties de chasse. Aux dîners somptueux organisés après. Ces mecs étaient tous bardés de diplômes et de fric, n'empêche qu'ils étaient incapables de lever une fille un peu clinquante. Ils se vautraient avec des boudins de seconde classe. Ils étaient maladroits, empêtrés, alors, moi, je les épatais. Je les avais toutes et elles étaient toutes folles de moi. Et je faisais mon miel et je tissais ma toile. Moi, le petit bâtard de Saint-Chaland ! Je leur tenais la dragée haute. Tu te rends compte ?

Il avait dit ça comme s'il n'en revenait toujours pas. Violette avait entendu l'émerveillement dans la voix de Ray et s'en était étonnée.

— Ben… c'est un peu normal ! T'es carrément au-dessus de tous les mecs ici !

— Merci, chaton, s'était rengorgé Ray. C'est que je viens de loin, tu sais ! C'était pas évident de les avoir tous à ma pogne. Mais ça marchait et ça marche toujours, alors voilà ce qu'on va faire…

Et c'est ainsi que Violette Maupuis s'était trouvé un emploi auprès de monsieur le maire. Engagée pour améliorer l'image de l'élu. Sa conseillère en relations publiques et communication. Un poste créé exprès pour elle avec une belle rémunération, trois mille cinq cents euros par mois et un budget illimité pour l'achat de vêtements, les frais de restaurant, les billets de train, d'avion, la location de voitures.

Après sa première entrevue avec le maire pour signer son contrat, elle avait retrouvé Ray chez Lancenny. Elle secouait la tête en soufflant comme si elle était déjà épuisée par le travail à effectuer.

— Mais tu as pris des cours de théâtre, tu sais jouer la comédie, t'as qu'à te dire que tu joues un rôle.

— Tu parles d'un rôle ! Il faut le relooker total ! Ça va pas être une partie de plaisir !

— Ça, c'est vrai, y a du boulot ! avait ricané Ray. Mais tu as signé, dis ?

— Oui, mais c'est bien pour te faire plaisir parce que je ne vais pas m'amuser, c'est un vrai tas !

— T'as signé ? Tu me le jures ?

— Oui ! Puisque je te le dis !

Parfait, il s'était dit. Elle ne pourra pas se tirer de sitôt et j'ai barre sur le maire. Abus de biens sociaux. Elle émarge sur le budget municipal. Je les tiens tous les deux.

Trois mille cinq cents euros par mois, elle avait pensé, plus les notes de frais, elle allait pouvoir mettre de l'argent de côté. Car je ne moisirai pas ici. *No way !*

Parce que Violette Maupuis parlait anglais aussi.

Elle avait eu son premier rendez-vous avec le maire.

Dans son grand bureau orné du portrait du président de la République, de quelques lithographies bon marché et d'une tête de cerf empaillée.

Il était assis et elle avait aperçu ses socquettes blanches sous le bureau. Elle avait fait la grimace. Ça commençait bien !

Elle avait débuté par un état des lieux.

— On va faire un bilan, elle avait proposé à Hervé Lignon. Vous permettez que je vous appelle Hervé ?

— Oui, oui, on va pas faire des manières entre nous. Allez-y franchement, Violette. Je suis prêt !

— Bien, bien… Premier point essentiel : souriez toujours comme si vous étiez devant une caméra.

Il s'était tourné vers elle, avait souri benoîtement et guettait son verdict.

— Non ! Pas comme ça !

— Ah ? il avait dit en se soulevant de son siège. Je souris pas bien ?

Elle avait attendu afin qu'il soit complètement déstabilisé et avait repris :

— Souriez large, rassurant, les épaules détendues mais ouvertes. Vous avez du coffre, de la ressource. Vous êtes le père, le mari, le fils aimant, vous veillez sur vos administrés et vous prenez soin d'eux. Allez-y !

Le maire avait recommencé. Un brave sourire avec des dents mal alignées, jaunies par le tabac et le café.

— Oui mais… ça va pas le faire !

— Pourquoi ? il avait demandé, surpris.

— Va falloir vous refaire les dents, elles sont pourries… Vous connaissez un bon dentiste ?

— Oui. À Sens.

— Allez le voir le plus vite possible.

— Entendu.

Il avait décroché son téléphone et demandé à sa secrétaire de lui prendre rendez-vous sur-le-champ chez le docteur Jacquet.

— Pourquoi le sourire, me direz-vous ? avait continué Violette.

Il hochait la tête et attendait qu'elle l'éclaire.

— Vous souriez parce que cela vous permet de ne PAS répondre aux questions. Il ne faut JAMAIS répondre aux questions. Cela pourrait vous fermer des portes. En souriant vous laissez toutes les questions en l'air. Vous avez quelque chose de très important à dire mais vous ne le dites pas tout de suite. Vous le direz quand le bon moment sera venu. *The right time…*

Le maire avait mimé une moue volontaire et ferme.

— Maintenant, vous ouvrez les bras légèrement. On doit vous sentir attentif, protecteur, paternel.

Il avait ouvert les bras et son costume l'avait serré aux entournures.

Violette avait fait la grimace.

— Va falloir me changer le costard, la chemise, la cravate, les pompes, la montre et la coupe de cheveux. Sinon l'effet est raté.

— Tout ça ? avait soupiré le maire, découragé.

— Oui. Tout ça. On ne s'abandonne pas à un costume mal coupé et à des cheveux en broussaille. Vous devez faire envie. Pas pitié.

— Mais je vais faire comment ? Je n'ai aucune idée, tout ça est nouveau pour moi. C'est ma femme qui achète mes vêtements.

— En effet… C'est plus grave que je ne pensais.

Elle avait détourné la tête comme si l'affaire ne l'intéressait plus.

— Vous pourriez m'aider ? Me donner des conseils ?

Et comme elle ne répondait pas, il avait insisté :

— S'il vous plaît, Violette… On irait à Paris. Vous devez connaître les bonnes adresses. C'est important pour moi, vous savez.

— Il va falloir que je réfléchisse, ce n'était pas dans mon contrat. Je pensais que vous aviez une garde-robe. Avec vos fonctions tout de même !

— Je vous ferai une petite rallonge… Dites-moi oui. S'il vous plaît…

Elle avait fait semblant d'hésiter et avait concédé.

— Bon. Entendu. Je vous accompagnerai à Paris et on ira faire une razzia dans les magasins. Une bonne coupe, une manucure, quelques soins pour la peau – vous avez des points noirs, on dirait des lentilles !

Il s'était gratté la loupe qu'il avait sur le nez et avait compris, rien qu'en passant son doigt, qu'en effet ça la fichait mal.

— D'accord, il avait dit avec un petit sourire humble. Vous saurez être patiente, n'est-ce pas ? Je ne vais pas changer en un clin d'œil...

— Oui, mais il faudra y mettre du vôtre. Maigrir un peu aussi. Boire moins, l'alcool empâte et favorise la couperose. Vous faites de l'exercice ?

Il avait fait la moue.

— C'est indispensable. Une heure de jogging chaque matin. C'est bon pour la santé et pour l'image. Même Obama le fait.

Il s'était décroché la mâchoire. Obama ! Du jogging !

Violette s'impatientait. Quel plouc ! Si elle avait su, elle aurait demandé un plus gros salaire.

Le maire écoutait, prenait des notes, s'appliquait.

Elle avait eu envie de lui faire mal. De l'anéantir.

— Et votre femme ? elle avait lancé d'une voix mordante. Elle est comment ?

— C'est ma femme, il avait répondu en haussant les épaules.

— Je sais bien, mais elle est comment ?

Il avait réfléchi. Elle s'était penchée sur son bureau et avait demandé :

— C'est elle sur la photo ?

— Oui. Avec mes deux enfants. Thierry et Sébastien.

— Les enfants, je m'en fiche, mais elle... y a du boulot aussi !

Elle avait soufflé, découragée, et il s'était précipité dans le piège.

— Je peux vous faire un second contrat. Je veux dire pour vous occuper d'elle...

— C'était pas prévu, ça ! elle avait protesté.

— Je sais bien. Mais il le faut, non ?

— Oui. Elle va faire tache... vous ne pouvez pas être métamorphosé et vous afficher avec une potiche.

Elle avait insisté sur le « métamorphosé ». Installé un silence. Il ne s'était pas débattu. Avait assuré d'une voix ferme qu'il lui ferait un second contrat et elle avait laissé tomber, magnanime :

— Elle ne peut pas rester comme ça. C'est mou, c'est rien du tout, ça n'en jette pas ! Il faut qu'elle maigrisse, qu'elle devienne blonde, vaporeuse. Une gagnante, elle aussi ! Comme Michelle Obama. Elle est pour une grande part dans le succès de son mari. Elle est plus populaire que lui... Elle serait partante pour changer ?

— Je pense, oui. Si je lui demande...

— Sinon il faut la mettre au placard le temps que durera votre campagne...

— Oh non ! Elle voudra participer. Et pour la population, c'est mieux. Un couple, c'est rassurant.

— On verra. Mais qu'elle commence par maigrir et qu'elle file chez le coiffeur. C'est un minimum.

— Vous êtes bien aimable, il avait répondu. N'hésitez pas à me demander ce que vous voulez, vous avez carte blanche.

— J'espère bien. Je fais ça pour vous rendre service et parce que Ray me l'a demandé. Il croit en vous.

— C'est vrai ? avait dit le maire en se redressant. Il a raison et, vous verrez, je ne vous décevrai pas. J'ai de grandes idées pour Saint-Chaland et si vous pouvez m'aider à les faire passer auprès de mes administrés, vous serez récompensée, vous aussi.

Il avait tenté de reprendre l'avantage avec des promesses, mais Violette savait depuis longtemps que les promesses n'engagent que ceux qui les reçoivent et elle lui avait cloué le bec.

— Je vais voir ce que je peux faire, mais ne m'en demandez pas trop. Parce que franchement, je ne savais pas qu'un tel chantier m'attendait !

Il avait tiqué mais n'avait pas osé protester.

— Ah, j'oubliais. Pour votre femme, je ne commencerai que lorsque le contrat sera signé.

— Mais bien entendu, vous avez ma parole…

Elle avait daigné lui décocher un sourire. Il avait soupiré, soulagé, et elle était partie en pensant « coupez ! ». Elle avait failli se retourner et demander j'ai été bonne, non ?

Depuis elle travaillait pour lui et sa godiche de femme. Elle apprenait au maire à se tenir devant un micro, à articuler, à ne pas répondre aux questions, à glisser quelques citations, à faire des références historiques, à respirer, à placer ses mains, à sourire. C'était un élève appliqué et docile.

— Dites donc, vous m'avez encore habillé pour l'hiver ! il s'était exclamé un jour en la raccompagnant après une séance où elle l'avait malmené.

Il avait prononcé ces mots en se claquant une cuisse. Elle lui avait jeté un regard glacial.

— Plus jamais ça ! C'est si vulgaire !

Il s'était repris en s'excusant. Avait essuyé sa main sur sa cuisse.

Quelle quiche ! elle s'était dit.

Mais au moins, l'argent rentrait.

Le soir, chez elle, Ray la faisait parler, alors comment ça s'est passé ?

Elle racontait en se démaquillant, en appliquant son masque pour la nuit, en tapotant les cernes autour des yeux. Elle luisait de crème grasse et il l'attendait, couché dans le lit.

— T'es impayable ! il s'exclamait en se caressant les poils de la poitrine. T'es une actrice formidable ! Le monde a besoin de gens comme nous. Forts et déterminés. Avec des couilles. Dans la vie, y a ceux qui ont du pognon et y a les autres. Y a ceux qui ont le bras long et les petits bras. Bref, y a les malins et les cons. T'es pas une conne, t'es ma femme.

Et il bandait, il repoussait le drap, lui montrait dans quel état elle le mettait et la suppliait de le rejoindre.

Elle finissait de se masser le visage, le cou, le haut du buste, faisait pénétrer la crème grasse, tapotait, tapotait pour essayer de calmer la colère qui montait. Putain ! Je suis une actrice et je suis en train de faire le clown pour des ploucs de province ! Respire, ma fille ! Elle pensait à son compte en banque, fermait les yeux pour endiguer la rage, respirait encore et s'approchait du lit lentement.

— T'enlèves pas ta crème ? disait Ray.

— Non. Au prix qu'elle coûte !

Il se mettait sur un coude, faisait la moue.

— Si ça te plaît pas, t'as qu'à retourner chez ta mère !

— Non, chaton, non !

Elle s'allongeait contre lui, réprimait son dégoût, lui prenait la queue, la massait, la massait.

— T'as raison, il murmurait, avec les mains grasses c'est encore meilleur !

Un soir où elle l'avait entrepris de ses mains grasses, elle eut l'idée d'essayer un nouveau jeu sexuel, elle empoigna ses couilles, les caressa en alternant mains grasses et ongles griffus, délice délicat et torture subtile, et il se tordit de plaisir.

Tant et si bien qu'à la fin, n'en pouvant plus, il l'enfourcha et voulut la pénétrer d'un coup de reins. Elle l'arrêta net et soupira capote ! Oh non ! il gémit, pas maintenant ! Pas maintenant ! Capote ! elle ordonna en montant la voix. J'ai aucune envie de me retrouver avec un gosse dans le ventre ! Tu le sais très bien, je vais pas le répéter à chaque fois !

— Ça fait chier les capotes, je veux te sentir, moi, on est si bien à l'intérieur de toi.

— M'en fous ! Capote !

Alors, tremblant de désir, il avait lâché dans un râle :

— Mais tu risques rien, chaton, je suis stérile.

— Quoi ?

Elle s'était dégagée brusquement.

— T'es quoi ?

— Stérile, je te dis ! Merde ! Je peux pas faire d'enfant.

— Comment ça ?

— Oui, quand j'étais petit j'ai eu une opération et…

Elle l'avait laissé l'embrocher. Avait exécuté, docile, le boa constrictor.

Tiens ! Tiens ! elle avait réfléchi pendant qu'il ahanait au-dessus d'elle. Ainsi c'était vrai ce qu'elle entendait enfant. Les ragots qui circulaient derrière les volets fermés, qui vous venaient aux oreilles quand les parents parlaient et croyaient les enfants couchés. Ray Valenti était stérile, il méritait bien son surnom !

Mais alors…

Mais alors…

Stella n'était pas sa fille !

C'est Tom qui a eu l'idée. Un matin, alors qu'il avalait son chocolat chaud, qu'il tendait des bouts de tartine beurrée à Costaud et à Cabot.

— Je pourrais aller voir Léonie, il a dit. Demain, c'est mercredi. J'ai pas judo, le prof est malade.

Stella entrait et sortait, plaçait des morceaux de lard sur le bord de la fenêtre, remplissait le seau d'eau, attrapait des paquets de graines. Elle s'était arrêtée, l'avait regardé, avait dit pourquoi pas ? Elle sera sûrement contente de te voir.

Elle avait appelé Amina qui avait dit elle aussi pourquoi pas ? C'est une bonne idée. Tout ce qui peut la rattacher à la vie est bon pour elle.

Et l'affaire avait été conclue.

Parfois on se fait une montagne d'un truc, alors qu'il suffit de demander. Il avait été étonné que tout marche sur des roulettes.

Le mercredi, il a mis un pantalon propre, une chemise blanche, a brossé sa mèche blonde, a essayé de l'aplatir, a vidé le tube de gel, s'est lavé les mains et a déclaré je suis prêt, on peut y aller.

Il a pris son ballon de foot avec lui.

Stella le dépose devant l'hôpital.

— T'as pas besoin de ton ballon, laisse-le dans le camion.

— Non. Je veux le prendre.

— Mais tu vas pas jouer au foot avec elle ! elle dit dans un sourire.

— Je sais bien…

Il hausse les épaules. Il aime marcher avec son ballon collé à la hanche. Ça lui donne un air. Il se sent plus fort. Et puis sinon il ne saura pas quoi faire de ses bras. Il aura l'air con.

Stella n'insiste pas.

— Amina va venir te chercher, attends-la dans l'entrée.

— D'accord. C'est la chambre 144 ? Premier étage ?

— Oui, mais tu attends qu'Amina vienne te chercher. Promis ?

— Promis.

Et il croise les doigts dans son dos.

Il ne va pas attendre.

Il veut entrer dans la chambre seul. Comme un grand.

Léonie n'a pas besoin d'un petit garçon qu'on prend par la main, elle a besoin d'un homme. Il en a parlé à Jimmy et Jimmy pense comme lui. Les adultes, dans cette histoire, ils ont fait assez de conneries, à toi de jouer maintenant. Ils sont presque toujours d'accord, Jimmy et lui. Il a un projet pour sa grand-mère. Et il ne va sûrement pas en parler devant Amina. S'il y a un truc qu'il a compris, c'est qu'il ne faut pas tout raconter à n'importe qui. Il est en mission. Mission Léonie.

C'est la première fois qu'il va la voir pour de bon. Il l'a embrassée plusieurs fois en grimpant sur le balcon, mais si rapidement qu'il n'est pas sûr de la reconnaître. Elle était très maigre. Elle tenait à peine sur ses jambes. Il passait les bras autour de sa taille en faisant attention à ne pas la renverser. C'est la seule fois où il s'était senti plus fort qu'une grande personne. C'était comme une petite sœur très vieille.

Comment je vais l'appeler ? il se demande en marchant vers l'entrée de l'hôpital. Jimmy Gun a proposé « grand-mère », « mamie », « grand-mi ». Mais ça ne lui va pas. Elle est trop fragile pour être une mamie, non, non, je vais l'appeler Léonie. Ça me va mieux.

Il marche, son ballon sur la hanche. Croise une ambulance, des brancardiers, voit passer une dame salement amochée sur un brancard. Elle a des tubes dans le nez et émet des petits gémissements de douleur.

Il se range sur le côté, la laisse passer, resserre son ballon sur la hanche.

Pousse la porte d'entrée. Repère les lieux. Aperçoit un escalier et plein de flèches portant des numéros de chambres. Cherche Amina des yeux. Ne la voit pas. Tant mieux.

Il s'engage dans l'escalier. Son cœur bat très fort. Ça sent une drôle d'odeur. L'odeur de l'armoire à pharmacie de Suzon quand elle l'ouvre pour lui faire un pansement ou nettoyer une plaie. Ça lui rappelle des mauvais souvenirs. Il a envie de se boucher le nez, mais ça ferait pas poli.

Il grimace, monte les escaliers, arrive au premier étage.

Lit les numéros sur les portes des chambres. Aperçoit des formes allongées, blanches, qui geignent et tournent la tête vers lui. C'est vraiment pas gai, un hôpital.

Il marche le nez baissé. Déchiffre les numéros en regardant de biais. Avance en rasant le mur pour ne pas attirer l'attention, croise des infirmières, des plateaux, des chariots qu'on pousse, glisse, glisse, on pourrait lui demander pourquoi il est seul, où est sa maman, et ce ballon, c'est pour quoi faire ?

Il essaie de passer inaperçu, relève une dernière fois la tête, il y est presque. Chambre 143…

C'est la prochaine.

Et alors, venant juste en face de lui, il le voit.

Un type roux, courbé, transpirant, qui fait tourner les roues d'un fauteuil en soufflant. Ses jambes sont entourées d'énormes pansements et il a une goutte au bout du nez.

Turquet !

La main de Tom se crispe sur le ballon.

Il marche vers lui. Se plante devant le fauteuil. Le regarde droit dans les yeux.

— Fils de pute ! balance Turquet entre ses dents.

Tom se retourne, vérifie que personne ne le regarde, prend son élan et shoote de toutes ses forces dans un genou emmailloté.

Turquet se plie en deux en émettant un bruit sourd comme s'il craquait de partout.

Il reste plié, le souffle coupé.

— Ça, c'était pour Léonie, dit Tom entre les dents.

— Sale mioche ! crie Turquet, la bouche tordue de douleur.

Tom jette un regard autour de lui. Toujours personne. Il s'élance à nouveau, vise le second genou et balance son pied comme Zlatan quand il marque un but.

— Et ça, c'est pour Toutmiel.

Turquet hurle, s'affale.

Et Tom détale. Dépasse la chambre 144.

Pas grave, il va attendre, voir si quelqu'un rapplique et il reviendra sur ses pas, l'air de rien.

D'abord, il la trouve toute blanche. Les cheveux blancs, la peau blanche, les yeux bleus presque blancs aussi. Elle a la même couleur que les tee-shirts que sa mère laisse trop longtemps tremper dans la javel. Depuis combien de temps n'a-t-elle pas pris l'air ? Dans sa chambre, ça sent comme quand il est malade et que sa mère le force à prendre des sirops et le frotte avec du Vicks sur la poitrine.

Il se tient au pied du lit.

Elle le regarde. Et sa main comme une main de momie lui fait signe de s'approcher. Il redoute un peu à cause de l'odeur. Ses potes à l'école disent toujours que leurs grands-mères sentent mauvais. Il n'a pas trop envie de vérifier.

— Tu es Tom ? elle dit. Tom ?

Il hoche la tête. S'assied au bord du lit.

— Je peux m'asseoir là ? Ça va pas te faire mal ?

— Non. Je suis pas en sucre, tu sais. Je peux bouger la tête et les bras. Et même marcher !

Elle étend la main et lui caresse les cheveux.

— J'ai mis du gel, il dit, c'est un peu poisseux.

— T'es coiffé comme Stella. C'est joli.

Elle lui effleure les oreilles, le nez, les joues, les cils. Il se demande si elle est aveugle pour le toucher comme ça.

— Ça va mieux ?

— Oui. Je vais bientôt pouvoir sortir.

Il a failli demander pour aller où ? mais s'est repris juste à temps. Il fait rebondir le ballon sur ses genoux.

— J'ai fait quelques pas dans le couloir hier et ce matin je suis allée jusque dans l'entrée. Je m'étais habillée. Je ne voulais pas qu'on me voie en peignoir !

Elle est coquette, il trouve ça mignon. Elle sent pas mauvais du tout. Si on lui ajoutait un peu de couleurs, un peu de rouge et de bleu, elle serait peut-être jolie. Un peu fripée, mais jolie. Elle a l'air grande. Pas beaucoup de gras sur les os, c'est sûr. Mais on lui a pas donné l'occasion de faire du gras, c'est sûr aussi.

— Faut faire attention, ils pourraient te kidnapper !

— Je suis bien gardée, tu sais. Et depuis ce qui est arrivé à Turquet… C'était le plus terrible, celui-là.

— Oui, mais Ray…

— Ray? Il ne viendra pas. Ray, il donne des ordres. Il est pas si courageux que ça.

Elle a un petit sourire railleur.

— C'est drôle, dit Tom, on dirait que tu n'as plus peur.

— J'ai moins peur. Et bientôt je n'aurai plus peur du tout.

— Tu veux qu'on marche un peu? Je peux t'emmener dans la cour si tu veux.

Dans le regard de Léonie, il lit CHICHE écrit en gros. Elle hésite un peu et c'est le CHICHE qui l'emporte.

— À une condition…

— Oui?

— C'est que tu te tournes quand je vais me lever pour aller dans la salle de bains et m'habiller.

— Je regarderai pas. Promis.

— Et que tu sois patient. Ça peut prendre du temps.

— Pas de problème. Je suis pas pressé.

Il l'entend fournicoter dans la salle de bains. Aplatit sa mèche qui s'est redressée. Refait le lacet de sa basket. Lance son ballon en l'air. Le rattrape du genou. Recommence.

— Je suis prête, elle dit.

Elle s'est habillée de rose et ça lui va bien.

Et ils sortent de la chambre. Elle, un peu hési-tante. Lui, très droit. Il lui tend le bras pour qu'elle s'y appuie et elle pose sa main comme une mariée qu'on mène à l'autel.

— Tu avais une belle robe blanche quand tu t'es mariée ?

— Oui. Et j'étais allée chez le coiffeur.

— Et tu es entrée dans l'église ?

— Non. Juste à la mairie.

— Ah ! T'as pas eu la musique alors…

— Non, mais j'avais la belle robe blanche et des fleurs en plastique dans les cheveux.

Elle rit, ou plutôt elle pouffe entre ses doigts si maigres. Elle est drôle ! Elle a mis un peu de rouge sur les lèvres et sur les joues.

— J'aime bien quand tu mets des couleurs, il dit.

Elle cligne des yeux. C'est sûrement l'émotion.

Ils marchent dans le couloir. Il doit reconnaître qu'il ne sait plus très bien quoi faire de son ballon. Il l'embarrasse.

Ils atteignent l'entrée. Les gens vont et viennent, foncent dans les portes sans regarder. Il a peur qu'elle tombe. Elle dit :

— Mon Dieu ! Je me souviens du jour où je suis arrivée ici…

— Faut pas y penser.

— Tu as raison, Tom. Marchons.

— On va jusqu'au parking?

Ils sortent au soleil, elle tend son visage, ferme les yeux.

— C'est bon…, elle dit.

Elle ôte la main de son bras et avance toute seule. Il n'ose pas s'écarter, prêt à la rattraper à la volée si elle venait à tomber.

— On pourrait prendre la poudre d'escam…? elle dit d'une petite voix malicieuse en se retournant.

Et puis elle suspend ses mots comme si elle était rattrapée par un mauvais souvenir.

— Pour aller où? elle chuchote en courbant les épaules.

Et, comme si c'était une révélation qu'elle n'avait nulle part où aller, Léonie demande à s'asseoir sur le parapet pour se reposer.

Et alors là…

Il se sent de trop.

Il voit bien qu'elle est perdue dans ses pensées et qu'elle essaie de trouver une solution miracle pour changer sa vie.

Il fait rebondir le ballon autour d'elle.

Fait des dribbles, des amortis, un râteau, un coup de tête.

Il finit quand même par attirer son attention.

— Tu veux être footballeur plus tard?

— Sûrement pas. Sont trop cons.

— Tu veux faire quoi alors?

Il s'assied à côté d'elle.

— Je sais pas.

— Tu as tout le temps d'y penser !

— Tu savais, toi, à mon âge, ce que tu voulais faire ?

Elle réfléchit, elle réfléchit et puis elle dit :

— Je crois que je n'ai jamais su quoi faire de moi. C'est un peu idiot, non ?

Elle a encore un petit rire moqueur. Mais cette fois, c'est d'elle qu'elle rit. Avec tendresse.

— Je suis content d'être avec toi, il dit.

Le soir, il raconte à Jimmy Gun sa visite à l'hôpital.

— Elle est toute maigre, tu sais. On voit les os qui font des pointes sous la peau. On est restés un moment assis au soleil sur le parking et puis on est rentrés. En partant je lui ai dit que je reviendrais et que je lui ferais une surprise.

— Une surprise ? demande Jimmy Gun.

— Oui. On voudrait faire quelque chose pour elle, papa et moi. On ne sait pas encore quoi mais on voudrait la sortir de là. Lui montrer le monde. Elle ne le connaît plus. L'autre, il l'a enfermée si longtemps. Elle a été réduite en esclavage.

— C'est une idée de ton père ?

— Une idée à lui et à moi. L'autre jour, on est montés dans la nacelle, tu sais, celle qu'il a consolidée dans l'arbre. Il regardait les bois, les champs, la rivière au loin et il a soupiré « toute cette beauté ! On n'est plus jamais triste quand on prend le temps de la regarder », et moi j'ai ajouté « il faudrait que Léonie, elle voie tout ça, ça la fortifierait », il a réfléchi et il a dit « on va la faire sortir, Tom, on va la faire sortir ! » et on a topé là. Tous les deux dans la nacelle. C'était un vrai serment.

— Et vous allez vous y prendre comment ?

— On ne sait pas encore… Mais on va trouver. On la laissera pas tomber.

— Bravo, vieux. T'es un chef ! « Aux âmes bien nées, la valeur n'attend point le nombre des années. »

Parfois Jimmy Gun, il parle comme Corneille aussi. On ne s'y attend pas et il sort de ces phrases ! Il les a lues dans le calendrier *Rustica* de Georges. Y en a pour tout le monde. Pour les limaces, les rosiers, les salades et même pour Corneille.

Ils sont tous les trois dans l'arrière-salle du café Lancenny. C'est le milieu de la matinée, juste avant le coup de feu du déjeuner. Martine Lancenny remplit les bols de cacahuètes, les carafes d'eau, les carafes de vin, coupe le pain, plie les serviettes, dispose les salières et les poivriers, et sert les habitués accoudés au bar pendant que son mari reçoit ses « associés ».

Ray a fait les additions, réparti les commissions, rempli les grosses enveloppes jaunes de billets, les a distribuées à chacun. Il a passé en revue les gens qui leur devaient de l'argent et qui ont payé. Ils sont à jour.

— C'est super bien huilé, notre affaire, remarque Ray en se redressant dans son fauteuil. Comme disait Al Capone, « on obtient plus de choses en étant poli et armé qu'en étant juste poli ». Nous, notre arme, c'est la peur. Tu nous paies un coup, Gégé ?

Lancenny se lève en empochant sa part qu'il tasse dans sa poche de jean. Il passe la tête par la porte de l'arrière-salle et hurle en direction de sa femme :

— Martine ! Comme d'habitude !

Et il revient s'asseoir.

— Putain, on est forts tout de même ! s'exclame Ray.

— Ouais, dit Lancenny. Tu te souviens de ce qu'avait dit Edmond dans le temps, « inspirons la peur aux gens et ils se coucheront comme des couleuvres ». Il avait pas tort !

Un silence passe qui a le nom d'Edmond Courtois.

— Il est devenu un « monsieur », dit Gerson. Il se la pète maintenant.

— Moi, j'aurais bien mis la main sur son affaire ! dit Ray. On n'a jamais réussi à le coincer.

— C'est pas faute d'avoir essayé, proteste Gerson. On l'a cuisiné, le Jérôme ! On lui a fait miroiter les lingots. Eh bien, rien. Rien de rien. Il a jamais voulu entrer dans nos embrouilles. Ça aurait été idéal : il tient le carnet de commandes.

— Il peut pas, il est amoureux de la grosse Julie ! ricane Ray. Ça saute au pif !

— Parce qu'elle lui a sauvé la mise, voilà tout. Il est victime de sa reconnaissance.

— Faut pas mélanger les sentiments et les affaires. C'est une règle d'or, dit Ray. Tant pis pour lui ! Il aurait pu se faire de l'oseille facile.

— Et nous aussi ! Ça en brasse, la Ferraille. Et puis y a plein de trous dans les filets. Tu peux te faire à l'aise de l'argent ni vu ni connu.

— Je sais, soupire Ray, je sais. Ravive pas ma plaie. Mais j'ai pas dit mon dernier mot. On peut encore y arriver. J'ai une petite idée. Tu crois que j'ai laissé tomber ? N'oublie pas que la vengeance est un plat qui se mange froid.

— Et même décongelé ! rigole Lancenny.

Il se tourne vers la salle de restaurant et crie :

— Putain, Martine ! Qu'est-ce que tu fous ? Il fait soif !

On entend la voix de Martine qui crie j'arrive ! j'arrive !

312

— On sait toujours rien pour Turquet? demande Ray.

— Tu veux dire qui l'a amoché? dit Gerson.

— Oui. Le salaud qui a fait ça, faudrait lui mettre la main dessus. Pas le laisser impuni.

— Pauvre Turquet! Dans un fauteuil toute sa vie!

— Ils trouvent pas. Aucune trace. Aucun indice. Ils se demandent même s'il n'aurait pas tout inventé.

— Tu veux dire qu'il se serait tiré deux balles dans les genoux pour le plaisir? s'esclaffe Ray. Faut être barré pour penser ça!

— Ils disent ça parce qu'ils n'ont rien à se mettre sous la dent. Qu'ils veulent sauver la face.

— Ça pourrait très bien nous arriver à nous aussi, dit Gerson.

— T'as raison! s'exclame Lancenny. Un type qui en a marre de se faire racketter, il se pointe un soir et bang! bang! il défouraille. Ça va leur donner des idées.

— Ça fout la trouille!

Martine Lancenny apparaît sur le seuil avec son plateau chargé de bières. Elle n'entre pas. Elle n'a pas le droit quand Ray et Gerson sont là. Elle pourrait déranger. Entendre un truc qui ne la regarde pas. Gérard Lancenny se lève, va à sa rencontre, prend le plateau sans dire un mot.

Le téléphone de Ray sonne. C'est Violette. Il a mis une sonnerie spéciale pour elle. Une chanson de Bardot, « Nue au soleil », ça me fait bander, il dit.

— Putain ! ne peut s'empêcher de dire Gerson. Elle te lâche pas la grappe, celle-là !

Ray s'apprête à le moucher mais préfère prendre l'appel.

Il se lève pour parler à l'écart.

Lancenny pose le plateau préparé par sa femme sur la table.

— Elle a ajouté des tranches de saucisson, des toasts et des rillettes.

— Elle est sympa, elle, au moins ! marmonne Gerson. Elle fait pas chier comme l'autre.

Et il désigne Ray du menton.

— T'entends la petite voix qu'il a quand il lui parle ! Putain, je rêve ! Allez, c'est le moment. On est tous les trois de bon poil, on lui parle.

— Je le ferais pas si j'étais toi.

— Tu penses pareil !

Lancenny hausse les épaules, embarrassé.

— C'est sûr qu'elle me gave et qu'il a changé depuis qu'il la fréquente, mais qu'est-ce qu'on y peut ? Il est amoureux, il est amoureux !

— Putain ! Il en a baisé des gonzesses, mais elles nous ont jamais regardés de haut. Bien au contraire ! T'as vu comment elle nous traite ?

Gerson s'interrompt car Ray revient vers eux.

314

Il ne s'assied pas tout de suite et les toise de sa haute taille.

— Y a un problème, les mecs ?

— Écoute, Ray…, dit Gerson. C'est juste que…

— Que quoi ?

— Elle est si importante, cette meuf ?

— Tu veux dire Violette ? Elle a un nom. Et tu la respectes !

Gerson pousse un soupir bruyant et secoue la tête, dégoûté.

— J'ai compris.

— T'es jaloux, ma poule ? plaisante Ray.

Il éclate de rire, passe une main affectueuse dans le cou de Gerson comme s'il le caressait.

— C'est pas ça, dit Gerson en se dégageant brusquement, mais on se marre plus comme avant. Tu passes en coup de vent, t'as la tête ailleurs, on déconne plus.

— Tu veux dire qu'on se fait plus de plans cul ? Ben non, mec. J'aime bien cette fille.

— Merci. Ça nous avait pas échappé, ricane Gerson.

— Laisse tomber, dit Lancenny. T'as vu, Ray ? Martine, elle nous a servi des rillettes et du saucisson.

— Violette, c'est pas négociable, tranche Ray.

— Et merde ! s'exclame Gerson. Une meuf ! Pas négociable ! Depuis quand ? On avait toujours dit que…

— Y a que les cons qui changent pas d'avis.

— Arrête, dit Lancenny. Le principal, c'est qu'on continue notre business, hein, Ray ?

— Un peu, qu'on continue ! À moins que vous en ayez marre ?

Il s'est tourné vers Gerson et le défie.

— Tu annonces la couleur et tu sors du jeu. Je ne force personne.

— Non, non, maugrée Gerson. C'est juste que…

— Allez, ma poule, dit Ray en mimant un direct au menton, souris, t'es plus mignon quand tu souris. On irait presque faire un tour avec toi sous la douche.

— Merde ! Tu fais chier ! hurle Gerson qui donne un coup de poing dans l'air.

— Tu me parles pas comme ça ! crie Ray en le pointant du doigt.

— Ho, les mecs ! intervient Lancenny. On va pas s'engueuler à cause d'une gonzesse quand même !

— Si, s'énerve Gerson. Écrase-toi si tu veux, moi, ça me gonfle, je me tire.

Il prend sa part de billets, les roule, les met dans son blouson et quitte la table sans un salut.

— Merde, Ray ! Fais quelque chose, supplie Lancenny.

— Laisse-le piquer sa crise, tu verras, il reviendra me brouter dans la main.

— Pas sûr, il a l'air vraiment énervé. Tu veux une autre bière ?

— Il a pas le choix. Il peut plus vivre sans le pognon que je lui donne.

— Et qu'il gagne ! N'oublie pas, Ray, il le gagne son pognon. Il lui tombe pas tout cuit dans le bec.

— Il reviendra, je te dis.

— Tu l'as vexé grave.

— J'ai fait pire et ils sont toujours revenus, la queue entre les jambes ! Tu veux m'apprendre les bonshommes ? Je les connais par cœur. Le pognon, le pognon et le pognon.

Il se frappe les muscles du ventre de ses poings.

— T'as vu un peu la forme ? Trente minutes d'abdos tous les matins ! Tu devrais en faire autant.

Il se lève, effleure le crâne de Lancenny d'une pichenette. Se dirige vers la porte, se retourne et dit :

— Et arrête les rillettes !

Stella range les affaires de sa mère. Ramasse le linge sale, place le propre dans la penderie. Remplit la carafe d'eau. Aligne les CD. Dispose des cerises de son jardin dans un petit bol. La visite de Tom a fait du bien à Léonie. Elle n'arrête pas de babiller en disant combien il est mignon, gentil, attentionné.

— C'est un beau petit garçon !

— N'empêche qu'il m'a désobéi, je lui avais demandé d'attendre Amina dans l'entrée…

— Il voulait qu'on soit seuls, tous les deux. C'était la première fois qu'on se voyait pour de bon. Je le comprends.

— Si tu prends sa défense ! s'amuse Stella.

— Oui. J'ai beaucoup aimé notre petite promenade. On ne l'aurait peut-être pas faite si Amina avait été là.

Léonie prend une cerise dans le bol et la goûte.

— Tout est bon quand la vie revient…, elle dit.

Et puis elle demande :

— Elle a rappelé, Joséphine Cortès ?

— Non. Elle doit réfléchir. C'est une personne posée. Elle m'a demandé des preuves et on n'en a pas. À part Moitié Cerise. Et ce n'est pas foudroyant comme preuve.

Léonie recrache le noyau dans la paume de sa main. Le tend à Stella qui le jette à la poubelle.

— J'aimerais bien la voir tout de même…, dit Léonie.

— Tu n'aurais pas un peu le trac ?

— Non. Il s'est passé quelque chose ces derniers mois. Je n'ai plus peur, enfin… plus tout le temps. Parfois ça me reprend, sans raison. Je me vide d'un coup, terrorisée. J'ai mal fait, mal dit, je suis bête… je me recroqueville, j'attends le coup. Et puis ça passe. Sinon… ça va mieux. J'ai envie de vivre.

— C'est formidable, maman ! s'exclame Stella.

— L'autre jour avec Tom, on est sortis, on a marché, je me suis assise sur le parapet. Tout allait bien et puis, soudain, à cause d'une phrase, d'une pensée, j'ai eu peur. Je ne pouvais plus respirer, je me noyais. Et la vague s'est retirée. J'ai repris pied. Je n'avais plus peur.

Moi, pense Stella, quand la peur arrive, je me mets en position de combat.

C'est étrange, se dit Léonie, j'ai suivi le métronome des yeux pendant des heures et je me retrouve nettoyée, toute neuve. Ou presque.

Seul un souvenir ne s'efface pas. Il colle à sa mémoire.

L'inacceptable.

Elle a honte.

Elle n'ose pas regarder Stella.

Stella est une bonne fille. Dévouée, attentionnée. Elle fait son devoir sans faillir. Elle parle aux infirmières, au médecin, elle s'occupe du linge, elle lui coupe les cheveux, elle lui masse les pieds et les mains, elle lui apporte des compotes et des purées de carotte, des livres et des CD.

Elle est parfaite.

Sauf…

Sauf ce tout petit recul que Léonie perçoit.

Une imperceptible distance que Stella installe entre sa mère et elle, comme si…

Comme s'il existait un obstacle entre elles.

Et qu'il revenait à Léonie de le balayer.

À elle seule.

Léonie le sait.

J'ai accepté l'immonde. Je le lis chaque jour dans les yeux de Stella. Elle essaie de donner le change, elle s'agite, elle range, elle ravale la question mais je l'entends, comment as-tu pu, maman ? Comment as-tu pu ?

Je l'ai laissé entrer dans la chambre de ma petite fille. Je me suis bouché les oreilles.

Je ne savais plus. Je ne savais plus rien.

Je n'avais plus de corps, je n'avais plus de cervelle, j'étais madame Toc-Toc.

Ray rentrait rue des Éperviers. Elle essayait de lire le journal qu'avait laissé Fernande. Il se précipitait sur elle, la tirait par les cheveux et hurlait :

— Non mais… réfléchis un peu, espèce de tarée ! Tu peux pas lire ce journal, tu peux pas ! Tu crois que tu vas comprendre ce qui est écrit ? Tu le crois vraiment ? Je vais t'expliquer, moi. Tu ne peux pas lire ce journal parce que tu es vide de cervelle. Tu lis, mais tu ne comprends rien. Qu'est-ce que ça veut dire ce titre-là, par exemple ?

Il montrait un gros titre : « 1er novembre 1993 : la Communauté européenne devient l'Union européenne avec l'entrée en vigueur du traité de Maastricht. » Elle lisait à haute voix.

— Tu peux m'expliquer ce que tu as compris ?

Elle n'avait rien compris.

Elle avait peur qu'il lève le bras.

— Tu vois ? Tu es vide de cervelle. Mais peut-être que tu ne le sais pas encore. Tu veux un autre exemple ? Je t'en donne un. Au hasard, tiens…

Son regard devenait rusé, méchant. Il lui tirait les cheveux, la forçait à le regarder dans les yeux. Et il disait en articulant chaque syllabe :

— Tu as ou-bli-é que tu as fait ex-près de mettre les doigts dans la portière de la voiture pour ne pas aller passer ton examen de licence en fac. Tu as ou-bli-é !

Elle le contemplait, interdite, glacée. C'était il y a longtemps. Se peut-il que ça se soit passé comme il le dit ?

Il continuait sur le même ton :

— Comme ça tu pouvais dire que c'était de MA faute, la faute au mé-chant Ray. Alors que je te rappelle que tu as mis EXPRÈS les doigts dans la portière. Parce que tu savais que tu allais é-chouer.

Parce que tu es bête. Très bête. Idiote, même. Ça s'appelle l'inconscient. Et c'est encore une fois le toit de l'Himalaya. Il n'avait pas toujours tort, ton père.

Elle ne comprenait pas ce qu'il lui disait mais elle finissait par croire qu'il avait raison : elle était vide de cervelle.

Elle n'entendait pas ce qu'elle entendait, elle ne voyait pas ce qu'elle voyait, elle ne comprenait pas ce qu'elle aurait dû comprendre.

Alors quand il se levait la nuit pour aller dans la chambre de Stella…

Peut-être qu'elle inventait, après tout, peut-être qu'elle inventait.

Madame Toc-Toc, madame Toc-Toc.

La voix de Ray s'éteint.

C'est le dernier souvenir qu'elle veut décoller de sa mémoire.

Le bruit de la porte de la chambre quand Ray se levait et les cris de sa fille « non, papa, non ! Maman ! Maman ! ».

Léonie se mordait la main si fort que le matin, il y avait l'ovale de ses dents tracé en rouge sur sa peau.

C'est la fin de la journée. Stella monte au vestiaire poser son casque, sa cotte de travail et ses gants. Julie a aménagé un coin pour elle derrière une cloison en contreplaqué. Deux douches, une pour les hommes, une pour Stella, des placards, des grands paniers où ils jettent leurs cottes qui partent à la blanchisserie une fois par semaine. Une pièce adjacente où se trouvent une télé, un four à micro-ondes, un lit de camp. Julie a bien fait les choses.

Les gars sortent de la douche. Ils ont les cheveux mouillés et se frottent avec des serviettes. Ils plaisantent, se donnent des coups d'épaule, se piquent un tee-shirt, une chemise. Boubou a joué au Loto et a perdu.

— Comme Suzon, lance Stella par-dessus la cloison, elle joue toutes les semaines et ne gagne jamais ! Elle essaie de se rattraper avec des Tac O Tac, c'est pas mieux.

— Mais moi, ça va tomber un jour, je le sens, ça me grattouille sous la peau !

Boubou a réservé une table pour deux sur un bateau-mouche à Paris pour fêter ses trente ans de mariage.

— Et avant on ira se promener dans la plus belle ville du monde.

— C'est vrai que c'est beau, Paris, dit Houcine. Y a plein de choses à voir.

— Y a trop de monde et ça pue ! râle Maurice
en enfilant sa chemise. Et puis les monuments,
c'est pas mon truc.

— Toi, y a que l'armée qui t'intéresse. Je me
demande pourquoi tu t'es pas engagé. Tu aurais
fait une belle carrière !

— Je voulais pas quitter Saint-Chaland. Je suis
bien ici. Et j'ai toujours été bien. Quand j'ai envie
de m'évader, je lis des récits de batailles et ça me
suffit. Je vais bien plus loin que vous dans ma tête !

— Je parie que t'es jamais allé à Paris, dit
Boubou.

Stella aime ces fins de journées où ils se retrouvent dans le vestiaire. Ces chahuts d'hommes,
cette complicité tacite entre eux.

— Si. Je suis allé à Paris ! proteste Maurice.

— Ah ? Tes parents t'avaient emmené de force ?

— Non. J'avais vingt et un ans. C'était en 1977.
Pour voir le défilé du 14 Juillet.

— T'as un témoin ?

Boubou et Houcine rigolent.

— Tu nous dis ça, mais y a rien qui le prouve,
le charrie Houcine. C'est vrai, hein, Boubou ? Tu
t'es fait prendre en photo sur les Champs-Élysées,
par exemple ?

— Non.

— T'as rapporté un souvenir de Paris ?

— Ben non… Pourquoi j'aurais fait ça ?

— T'es jamais sorti d'ici, à mon avis.

324

— Qu'est-ce que vous avez à vous acharner contre lui ? demande Stella en passant la tête. Moi, je suis sûre qu'il est allé à Paris. Ce n'est pas un menteur, Maurice.

— Merci, Stella, dit Maurice, réconforté. Ils arrêtent pas de me charrier parce que je ne voyage pas.

— Et on a raison ! disent les deux compères en chœur. T'es enfermé dans tes récits de batailles et dans la Ferraille. Tu connais rien d'autre !

— Moi, ça me suffit.

— Parce que t'as une petite tête !

— Elle est aussi grosse que la vôtre ! Arrêtez de m'emmerder !

— T'énerve pas ! Allez, viens, on va boire un coup.

— J'ai pas envie. Vous m'avez suffisamment gonflé comme ça.

— Vous voyez, vous l'avez vexé, dit Stella. Tu as raison, Maurice, te laisse pas faire.

— N'empêche, dit Houcine, que si on avait une preuve, on arrêterait de te charrier !

— Tu vois, tu recommences !

— Sais pas, poursuit Houcine, hilare. Décris-nous la place de l'Étoile ou les cafés des Champs-Élysées. Ça a dû t'impressionner quand même !

— La place, elle était interdite à la circulation, alors je me suis promené tout autour.

— Comme par hasard ! Ils avaient déplacé l'Arc de triomphe parce qu'il gênait !

Maurice s'énerve et fait claquer la porte du placard.

— Et en faisant le tour de l'Arc de triomphe, t'as pas rencontré Napoléon, par hasard ? Ce serait une preuve, ça !

Ils éclatent de rire.

— Non, mais j'ai vu le patron, rétorque Maurice.

— Courtois ? s'exclament les deux hommes, stupéfaits. Qu'est-ce qu'il foutait là ?

— Je sais pas, mais je l'ai vu. Là ! Vous avez fini de m'emmerder maintenant !

— T'es sûr ?

— Ben oui…, aboie Maurice, énervé. Je suis arrivé le 13 juillet, j'ai garé ma voiture avenue de la Grande-Armée, je suis parti à pied pour repérer les lieux, pour voir où je serais le mieux placé… et tout en haut des Champs-Élysées, avenue Hoche, j'ai aperçu Courtois. Il m'a pas vu, lui. Mais je l'ai vu comme je vous vois. J'étais tout près.

— Qu'est-ce qu'il faisait, Courtois, un 13 juillet à Paris ? Il se préparait à défiler ?

Ils se poussent du coude et recommencent à ricaner.

— Il mettait un pauvre mec qui ne tenait pas debout dans un taxi et il répétait « oui, Lucien, oui, Lucien », et je peux vous dire que le mec, il était dans un sale état et que Courtois le portait.

326

Après il a regardé le taxi s'éloigner et il avait l'air furieux. C'est pour ça que je me suis planqué. Je me suis dit que j'étais de trop. Que j'avais vu un truc qu'il fallait pas que je voie…

Stella, qui était en train de s'ébouriffer devant la glace, se retourne et demande :

— Tu es sûr que le mec s'appelait Lucien ?

— Sûr de sûr.

— Et que c'était le 13 juillet 77 ?

— Puisque je te le dis ! J'ai jamais osé lui en parler tellement il avait l'air emmerdé. C'est mon patron, tout de même !

— T'étais pas née, Stella ! s'exclame Boubou. En quoi ça te regarde ?

Stella pousse la porte du bureau de Julie.

— Il est là, ton père ?

— Oui. Pourquoi ?

— J'ai besoin de le voir.

— Mais il est pas tout seul.

— Je m'en fous !

— Attends au moins que le mec sorte…

Stella reste debout, piétine. Enfonce ses poings dans ses poches, fulmine.

Julie se recroqueville dans son siège et, d'une toute petite voix, murmure :

— Stella… Ça y est. Il s'est déclaré. Il m'a offert un coffret.

— Qui ça ?

Julie la regarde, bouche bée.

— Ben… Jérôme !

— Ah, Jérôme.

— Mais qu'est-ce que t'as ?

— Rien. Alors ? elle demande d'une voix blanche comme par politesse.

Et elle donne un coup de pied dans le coin du bureau.

— Ça va pas ?

— Si. Très bien. Allez ! Raconte !

— T'as pas l'air… Tu es sûre ?

— Putain ! Julie ! Accouche ! De toute façon, faut que j'attende, alors…

Julie ajuste ses lunettes, tire sur les manches de son pull, rougit.

— Il est venu me voir…

— Qui ça ?

— Jérôme ! Je sais pas pourquoi je te parle, t'écoutes pas.

Elle reprend ses papiers et fait semblant d'être absorbée par les chiffres.

— Suis désolée. Vas-y. Tu meurs d'envie de raconter.

— Oui, c'est vrai.

Julie sourit et ses épaules tressautent.

— Il est entré, il a posé un paquet-cadeau sur mon bureau et il m'a dit « tiens, c'est pour toi ». Et puis il est reparti à toute vitesse.

— Et… ? demande Stella qui regarde la porte close du bureau d'Edmond et s'impatiente.

— C'est un coffret « beauté totale ». Y a tout dedans : un parfum, des crèmes de jour, des crèmes de nuit et toute la ligne de bain. Et même une belle serviette brodée ! Ça a dû coûter cher. Stella, tu avais raison, je suis son amoureuse !

— Eh bien, tant mieux ! Je suis très contente pour toi.

— On dirait pas.

Stella contemple Julie. La joie barbouille son visage.

— Je suis furieuse. Je ne supporte plus les mensonges, je ne supporte plus les secrets, il faut qu'ils arrêtent tous de me mentir !

— C'est pour ça que tu veux voir mon père ?

— Oui. Parce que lui, c'est le roi des menteurs !

Léonie écoute les pas dans le couloir. Elle les reconnaît presque tous. Ceux du fils de la dame d'à côté qui vient après son travail, ceux du père de la jeune fille de la 145 qui, chaque matin, lui apporte des croissants, ceux de la femme qui dépose un Tupperware à son mari à l'heure du déjeuner. Elle reconnaît le bruit des semelles et sait devant quelle porte elles vont s'arrêter.

Parfois, elle ne les identifie pas et se recroque-ville sous les draps, anxieuse.

Et si c'était lui ?

Ce jour-là, elle entend des bruits de pas qu'elle ne connaît pas. Ses doigts se crispent sur les draps.

Les pas se rapprochent. Lourds. Les semelles collent sur le sol et émettent un couinement. Ce doit être de grosses semelles, des souliers de chantier.

Elle glisse sous le drap.

Les pas s'arrêtent devant sa porte.

Hésitent, piétinent.

Il doit vérifier que personne n'approche. Il veut entrer et l'emmener. Elle ouvre la bouche pour crier mais aucun bruit ne sort. Elle ne sait plus crier.

On frappe à la porte. Elle ne répond pas.

La poignée de la porte s'abaisse.

C'est Edmond Courtois.

— Edmond ! elle murmure, soulagée. Tu m'as fait peur !

— Je suis désolé. Je ne voulais pas... J'avais prévenu Stella, il me semble.

— Oui, j'avais oublié...

Léonie lui fait signe de s'asseoir. Elle se redresse, tapote ses cheveux, ferme le bouton du haut de son pyjama, mâchonne ses lèvres et observe Edmond.

Il s'assied sur le bord du fauteuil près de son lit. Ouvre sa veste qui le serre. Passe la main sur son crâne. Tire un peu sur sa cravate. Triture ses doigts, les pose sur son ventre, recommence à les éplucher, les repose.

— Oh, Léonie ! Cela fait si longtemps !

— Oui. On a changé, n'est-ce pas ?

Il est corpulent, tassé, son visage est parsemé de taches de rousseur et ses cheveux rares ont viré au blond un peu sale. Il ne fait pas très soigné. Pourtant il habite une belle maison, il a une femme, une fille. Il ne semble pas faire d'efforts pour leur plaire. On dirait un vieux garçon. Il a toujours eu cet air-là, un peu négligé, un peu encombré de lui-même. Mais résolu aussi. Intelligent, cultivé. Et empoté. Un drôle d'homme. C'est comme s'il avançait avec le frein à main serré.

Elle se revoit allongée contre lui pendant que Ray, dans la pièce voisine, encourageait son équipe de foot en buvant des bières. C'était une chambre de célibataire. Une ampoule électrique pendait du plafond et éclairait la pièce d'une lumière crue. Elle posait son coude sur les yeux pour ne pas être aveuglée.

— Je suis venu une fois… ici… veiller sur toi, mais tu dormais.

— Ah…, elle répond, gênée. Tu m'as regardée dormir ?

— Oui.

— Ah…

Quand il était posé sur elle, dans sa petite chambre, elle fixait l'épaule blanche d'Edmond piquée de poils roux. Il avait beau être gentil, respectueux, elle ne pouvait s'empêcher de penser pourquoi ce sont toujours les hommes qui ont le dessus ? Parce qu'ils pèsent plus lourd que nous ? Parce qu'ils en ont pris l'habitude ?

— Tu es bien installée, dit Edmond.

— C'est grâce au docteur Duré.

— Alors il est revenu dans le service ?

— Oui. Pourquoi tu dis ça ? Il a toujours été là.

— Il a eu un petit accident. Oh, rien de grave. Je suis content qu'il ait repris sa place.

— Il est très discret. Je ne le vois pas souvent.

— Il a beaucoup de travail.

— C'est comme toi. Ça marche bien, les affaires ?

— C'est dur en ce moment, mais on s'en sort. On a la matière première. Il faut se battre. Je me rends souvent à l'étranger.

— Oui, je sais. Stella me raconte.

— C'est une fille bien…

— Je voulais te dire merci pour ce que tu fais pour elle.

332

— Julie l'aime beaucoup. Et moi aussi… Elle est un peu comme ma fille.

Et il devient tout rouge. Le souvenir des soirées où Ray lui amenait Léonie le met mal à l'aise. Il tend les jambes, les replie. Se trémousse sur la chaise.

— J'aurais pas dû dire ça ! il s'excuse.

— C'est le passé. On était jeunes. Jeunes et innocents. Moi, surtout. Cela me paraît si loin… On a fait chacun notre chemin.

— Il faut que tu te remplumes, il dit en souriant pour parler d'autre chose.

— J'ai jamais été bien grosse, tu sais !

— C'est vrai. J'avais peur que tu t'envoles quand tu partais à vélo.

— Tu étais très gentil avec moi.

— Un peu empêtré aussi.

— Oui. Un peu maladroit. Et ça, les filles, elles aiment pas. Elles préfèrent ceux qui roulent des mécaniques. Elles sont bien bêtes !

Elle le regarde avec un sourire si confiant, si lumineux qu'il a honte soudain et se lance.

— Léonie, il faut que je te dise…

— Quoi, Edmond ? C'est fini tout ça. N'en parlons plus.

— Stella sait. Je lui ai raconté.

— Mais pourquoi ? s'écrie Léonie. Il ne fallait pas. Qu'est-ce qu'elle va penser ? Je suis sa mère, tu te rends compte ?

Tout se dérobe en elle. Elle est aspirée dans un vide. Une nappe d'eau tiède l'engloutit. Elle se noie. Elle se débat.

— Et elle ne m'en a pas parlé ! Pourquoi tu as fait ça, Edmond ? Elle n'avait pas besoin de savoir !

— Elle sait tout, Léonie. Elle sait même des choses que tu ignores…

— Qu'est-ce que tu racontes ? Tu perds la tête !

— Laisse-moi parler… Je deviens fou. Il faut que tu saches. Tu vas me détester. Sûrement. Mais tant pis…

Il raconte sa soirée avec Lucien Plissonnier au bar des Grands Hommes, avenue Hoche, le 13 juillet 1977.

Elle s'agrippe au bord du drap, l'écoute, livide. Des larmes coulent sur ses joues mais elle ne cille pas, elle entend tout.

Et elle comprend.

— Il est mort à cause de toi !

— Ne dis pas ça, je t'en supplie !

— Si. À cause de toi. Tu as toujours été amoureux de moi, tu étais jaloux. Tu m'as privée de mon amour. Oh, je l'aimais ! Je l'aimais ! Et à cause de toi, il est mort !

— Léonie…, il supplie en lui tendant la main pour qu'ils fassent la paix.

Elle la repousse.

— Mais ça n'en finira jamais, cette histoire ! Qu'est-ce que vous avez tous à vous acharner contre moi ? Qu'est-ce que je vous ai fait ?

— Je ne voulais pas…

— Tu étais comme Ray, tu voulais avoir barre sur moi, me posséder, alors bien sûr, tu ne me battais pas, tu avais la conscience tranquille, mais tu as tué un homme, Edmond, tu l'as tué !

— Je m'en veux. Si tu savais comme je m'en veux. J'étais fou de toi, je ne voulais pas qu'il t'emporte.

— Mais je ne suis pas une chose ! elle crie, les larmes aux yeux.

— J'avais trouvé un appartement pour toi et je pensais…

— Mais tu t'es demandé ce que je pensais, moi ? Ce que je voulais, moi ?

Il secoue la tête, la regarde, désolé.

— Je l'aurais attendu toute ma vie, elle dit. Une lettre de temps en temps, un coup de téléphone, un mot d'amour m'auraient suffi. J'aurais repris des forces. Et Dieu sait que j'en avais besoin ! Au lieu de ça, tu m'as laissée m'enfoncer. Et je suis devenue madame Toc-Toc. Tu as repris ta vie. Tu t'es marié et tu m'as effacée.

— Je ne t'ai jamais effacée, Léonie. Jamais.

— C'était tout comme ! Je me noyais, je souffrais l'enfer, je pensais qu'il m'avait oubliée… Les coups de Ray, les vexations de Fernande n'étaient rien comparés à la torture de ne plus avoir de ses nouvelles.

— Léonie…, il murmure en tentant de frôler sa main.

— J'ai tout imaginé et j'ai fini par me dire que c'était normal, que j'étais une moins-que-rien, qu'un homme ne pouvait pas m'aimer. Que Ray avait le droit de me taper dessus, qu'il avait même raison !

Elle essuie ses yeux, le fixe.

— Tu es impardonnable, Edmond !

Il n'ose pas la regarder, ses doigts tremblent.

— Tu n'avais pas le droit ! Et moi, je n'ai rien su, rien. Il n'y a pas pire que de ne pas savoir.

Il secoue la tête, la laisse tomber sur sa poitrine. Elle le regarde s'avachir et pousse un cri de rage.

— Je ne te le pardonnerai jamais ! Jamais !

Il se redresse, sort une lettre de sa veste, la lui tend.

— Il m'avait donné cette lettre pour toi.

Elle prend la lettre en tremblant. Lit les mots, « pour toi, Léonie, de la part de ton Lucien ». Touche le papier comme si c'était une sainte relique. Pose ses lèvres sur l'enveloppe jaunie. Enferme la lettre entre ses mains. Elle la lira quand il sera parti.

Edmond dit encore :

— Je ferais n'importe quoi pour toi. Quand tu sortiras d'ici, tu ne manqueras de rien, je te le promets. Je te trouverai un appartement où il te plaira. À Paris ou à Sens. Et même à Valparaiso, si tu veux.

Il a un pauvre sourire d'homme qui ne sait plus comment se faire pardonner.

— Tu sais ce que j'aimerais vraiment, Edmond? elle balbutie.

Il la contemple, frémissant.

— Ce qui me rendrait heureuse par-dessus tout?

— Dis-le-moi…

— C'est que plus personne ne s'occupe de moi. Qu'on me laisse tranquille. Que je décide de ma vie toute seule. C'est ce dont j'ai le plus envie. J'y pense chaque soir. Vivre seule. Je n'ai jamais connu ça, jamais…

Elle presse l'enveloppe sur son cœur. La caresse du bout des doigts.

Demande d'une voix blanche :

— C'est toi qui nous as dénoncés à Fernande?

Edmond proteste :

— Oh non! Léonie, non! Je n'aurais jamais fait ça.

— Comment elle a su alors?

— Je ne sais pas.

— Parce qu'elle savait tout de Lucien. Son nom, son âge, sa situation.

— Tu sais très bien que dans ces petites villes, tout le monde est au courant de tout. Et quand ils ne savent pas, ils inventent. C'était de la folie de croire que vous alliez passer inaperçus.

Ce jour de juin 1977, Fernande s'était rendue aux Nouvelles Galeries.

Il faisait si chaud qu'elle en avait des suées. De son mouchoir roulé en boule, elle se tamponnait les tempes, les aisselles, le cou. La canicule la chauffait comme un couvercle de cocotte-minute. Elle grognait en rangeant le mouchoir dans sa manche de veste. Elle ne sortait jamais sans son sac, une veste en gabardine prune. Et un chapeau en feutrine bordeaux ou noir. Cela dépendait de son humeur. Et du temps. Ce jour-là, elle portait le feutre bordeaux.

Elle avait de plus en plus de mal à marcher et traînait ses jambes comme des poteaux.

À bout de souffle, elle s'était appuyée contre la porte vitrée de l'entrée et avait laissé passer quelques minutes avant de repartir. Elle avait encore oublié de prendre ses médicaments !

Elle les oublie tout le temps ! Elle refuse de s'avouer malade. Ray a besoin d'elle, de ses petits plats, de son attention constante. C'est elle qui lui achète ses slips, ses chaussettes, ses chemises. Elle ne laisse à personne le soin de s'occuper de lui.

Elle connaît ses mensurations, les couleurs qui le flattent, le tissu doux à sa peau, la crème à raser qui ne l'irrite pas. Quand Ray est là, il insiste pour qu'elle suive à la lettre les prescriptions du docteur, mais il est parti, il est allé prêter main-forte aux Espagnols. Ils ont eu besoin de son fils jusqu'en terre de Valence !

Elle avait pénétré dans le magasin, avait jeté un œil sur sa liste de courses. Entendu la chanson d'un jeune chanteur à la mode, « Allô maman bobo, maman comment tu m'as fait, suis pas beau » et pensé moi, j'ai fait un beau garçon ! Une merveille de fils ! Toutes les femmes le désirent, il les a toutes à ses pieds ! Il a même réussi à décrocher la petite Bourrachard. Ça, ça a été une belle prise. Une belle revanche. Elle déguste, la petite, et elle a pas fini de déguster. Trois fois par jour, je l'envoie à Carrefour, je lui fais acheter des kilos de marchandises pour les renvoyer aussitôt ! Ça lui tape sur le ciboulot, ça lui scie les mains, lui déboîte les épaules, c'est bien fait !

Les courses aux Nouvelles Galeries, elle se les garde pour elle. Elle aime ce magasin. La lumière est flatteuse, les articles sont de bonne qualité, les vendeuses très aimables, elles la saluent au passage.

Elle s'était dirigée vers le rayon des sous-vêtements. Avait cherché des culottes. De larges culottes en coton pour elle et Léonie. La même taille afin que Léonie ne joue pas les coquettes. Elle en rit avec son fils. Il ne se plaint pas. L'autre matin au petit déjeuner, il a lâché :

— Pour ce que j'en ai à faire ! Je la baise comme un boucher.

Et il avait enfourné deux croissants et un pain au chocolat.

Elle était en train de regarder les culottes quand elle avait entendu deux femmes bavarder de l'autre côté du présentoir. Elle avait tendu l'oreille. Il y a toujours quelque chose à ramasser dans ces lieux publics. Une anecdote croustillante, un bruit qui court, une confidence.

— J'ai moyennement aimé le film l'autre jour, disait l'une.

— Lequel ?

— Tu sais, celui qu'on est allées voir à Auxerre, une histoire d'homme et de femmes et tralalère.

— C'est vague comme indice !

— Mais si… l'histoire d'un mec qui passe son temps à mater les femmes !

L'autre femme semblait réfléchir. Il y avait eu un silence. Et puis elle s'était exclamée :

— Ah ! *L'Homme qui aimait les femmes* ! Moi, j'ai bien aimé.

— T'as surtout aimé mater les gens dans la salle ! On aurait dit une girouette tellement tu te dévissais la tête !

— T'as raison ! Tous les couples illégitimes se réfugient là-bas. Ils croient qu'on les verra pas. Ils sont cons. Rappelle-toi, Léonie... y a quinze jours. C'est comme ça qu'on a su. Celle-là, elle est bête qu'elle en peut plus !

— J'aurais jamais cru ça d'elle ! Si Ray savait ! T'en penses quoi de ce modèle-là ? Y a peut-être pas assez de dentelle, non ?

Fernande s'était arrêtée de faire tinter les cintres.

— Tu veux affoler Henri ?

— Oh, lui, pour l'affoler, je sais pas ce qu'il faudrait ! Il me grimpe dessus et redescend aussi sec ! Tu parles d'un orgasme, même pas le temps de démarrer qu'il a déjà tout remballé !

— Moi, j'aime bien Dim. À cause de leur campagne de pub. Tadidadidadidada ! Les mannequins sont vachement belles !

— Leurs modèles aussi.

— N'empêche, je m'attendais pas à la trouver là, Léonie.

— Et en bonne compagnie !

— J'aurais jamais imaginé ça.

— Quoi ?

— Qu'on puisse le tromper, Ray. Il est tellement sexy !

341

— Ça, pour être sexe, il est sexe. Il dégouline. Je lui passerais bien dessous !

— T'es con !

Elles avaient pouffé de rire.

— En plus, le mec avec qui elle était, il lui arrive pas à la cheville à Ray.

— Il est vieux. Il doit bien avoir quarante ans. Il a un beau sourire, remarque, et des beaux yeux…

— Elle l'a appelé Lucien, t'as entendu ? Quand ils sont entrés, il est allé aux toilettes, elle s'est assise à sa place et après, quand il est revenu dans la salle, elle a dit « je suis là, Lucien, je suis là » en faisant de grands gestes de la main. Mais quelle conne !

— Je le connais pas. Il est pas d'ici.

— Non. Il vient de Paris. J'ai demandé à Henri. Tu penses que je me suis renseignée. Tromper Ray tout de même ! Elle a pas froid aux yeux, celle-là !

— Qu'est-ce qu'il a dit, Henri ?

— Que c'est le Parisien qui travaille sur le nouveau chantier à Sens. Tu sais, l'immeuble pour la SAVICAM, avenue Jean-Jaurès.

— T'as raison ! Elle a parlé du chantier. Elle a dit qu'elle voulait qu'il dure toute la vie. Qu'elle était prête à s'enchaîner aux grues. Et nous, on était juste derrière et elle nous a même pas vues !

— Et Henri, il a ajouté que le type, il est marié et qu'il a des enfants. Deux filles.

— Mince alors ! Comment il sait tout ça ?

— Il déjeune au Coq d'or tous les jours, le Parisien. Et Henri aussi. Alors forcément ils se sont parlé. Henri lui a posé des questions. Mais très habilement, hein… C'est un méthodique, Henri. Il sait y faire. Et l'autre a tout déballé. Lucien Plissonnier, il s'appelle. Drôle de mec, drôle de nom !

— J'espère que Ray, il le saura pas. Ça lui fendrait le cœur.

— Moi, je vais prendre ce slip avec ce soutien-gorge, c'est frais, t'en penses quoi ?

— Oui… Tu pourrais essayer un peu plus échancré, ça l'émoustillerait, ton Henri !

— Et ça irait encore plus vite ! Pas question !

Fernande avait fait mine de lire attentivement les étiquettes, avait rangé les modèles par taille et par couleur et attendu que les deux femmes aient disparu pour s'avancer vers les caisses.

Dans une vieille rue pavée de Sens, en face d'un luthier et non loin de la halle se trouve une boutique éclairée et décorée le soir comme un arbre de Noël. C'est la Maison du patchwork. Des ateliers y ont lieu après le dîner, le mardi et le jeudi soir, quand les enfants sont couchés et que les maris ou les grands-mères les gardent.

Ces soirs-là, des groupes de femmes remontent la rue, serrées les unes contre les autres, échangeant des conseils, des avis, découvrant un bout de quilt ou de broderie, comparant leur travail tout en marchant. On les sent pressées d'arriver et de se mettre à l'ouvrage.

Des patchworks sont étalés en vitrine sur des planches en bois. Des marionnettes, des clowns, des lutins en tissu gambadent parmi des rouleaux d'étoffes, des colliers de perles multicolores pendent au-dessus des bocaux de verroterie. Et juste derrière, rangés comme des livres d'art sur des étagères, on aperçoit d'autres coupons, des boîtes en carton, des bocaux de perles et de paillettes, des cartonnages, des planches de rubans, de boutons, des coffrets de fils et, plus loin encore, des machines à coudre, des planches à découper, des règles.

Chaque jeudi soir, Julie et Stella se retrouvent à la Maison du patchwork avec leur ouvrage.

Stella poursuit le récit de sa vie. Elle vient montrer la progression de son travail à Valérie, la propriétaire de la boutique. Le jeudi soir, c'est gratuit. Elle n'achète rien chez Valérie, c'est trop cher, elle ramasse tout ce qu'elle peut trouver chez Emmaüs ou dans les vide-greniers. Elle achète pour quelques centimes un tee-shirt à paillettes, une robe ornée de perles, un manteau râpé pourvu d'un col en fourrure. Et les dépèce. Repère des colliers à vingt centimes, de vieux chandails dont elle arrache les boutons.

Elle pille les rayons de nacre et de strass des Farfouilles. Découpe les vieux pantalons en velours de Georges, les rideaux usagés de Suzon ou les blouses à fleurs qu'elle ne met plus.

Elle aime ces jeudis soir à couper et à coudre avec les autres filles sur le comptoir. Elle ne parle pas, elle écoute. Travaille. De longues oriflammes déroulent sur la toile l'histoire de sa vie. Chaque personnage a une couleur. Bleu pour Léonie, rouge pour Adrian, jaune comme un soleil pour Tom, vert pour elle, violet pour Georges, blanc pour Suzon, noir pour Ray Valenti. Ray Valenti tout en angles, en pointes, en griffes, en dents menaçantes. Elle coud des mains, des doigts, des bouches qui hurlent, des cheveux qui se tordent et que les mains arrachent. Ou des boules rouge et or dans les étreintes d'Adrian. La mèche jaune et longue en épi sur la tête de Tom.

Elle fait le point en tirant l'aiguille.

Elle entend parler de Violette et de Ray. On les voit partout, ils ne se cachent pas.

Une femme raconte les soirées chez le préfet, le maire, le capitaine des pompiers. Ray tient le bras de Violette. Le maire frétille quand il l'aperçoit. Le préfet a des projets pour elle. Elle ira loin, celle-là, elle dit en se rengorgeant, sûre de ses informations.

— Le démon de midi, grommelle une autre en lâchant l'aiguille pour couper un fil.

— Ou plutôt de la soixantaine ! corrige une troisième en cousant des boutons de couleur pour la collerette d'un clown.

— Elle le mène par le bout du nez, dit une quatrième. Les hommes sont faibles devant la chair fraîche.

— Moi, la Violette, si elle s'attaquait à mon homme, j'aurais vite fait de la rembarrer !

Elles ne se gênent pas pour parler devant Stella.

C'est comme si maman n'existait pas, pense Stella. Elle compte pour du beurre.

Elle coupe le fil de ses dents et refait une aiguillée.

Une fille entre en trombe dans l'atelier et se laisse tomber à côté de Julie et Stella. Elle porte de petites lunettes et ses cheveux sont tirés en une queue-de-cheval plantée haut sur le crâne. Son sac s'ouvre, se renverse et elle se baisse pour le ramasser.

— Ça va, ça va ? elle demande précipitamment. Suis pas trop en retard ? J'ai couru comme une dingue !

— Non. On vient juste d'arriver.

Marie Delmonte. Une des quatre muchachas de monsieur Toledo. Elle est secrétaire de rédaction à *La République libre*. Elle met en page la une du journal.

— T'as pu te libérer ? dit Julie.

— Je ne suis pas de permanence ce soir.

346

— Dis donc, tu bosses tout le temps ! s'étonne Stella. On te voit pas souvent ici.

— Qu'est-ce que tu veux, j'ai un drôle de rythme : six nuits de suite au journal et trois jours de repos.

— Et t'aimes ça ?

— C'est excitant ! Avoir l'œil sur les dépêches, regarder la télé pour choper un sujet, écouter France Info, tiens, même ici j'observe pour savoir s'il ne se passe pas un truc.

— T'as le virus, quoi ! dit Julie. Comme moi avec la Ferraille.

— Un jour, vous viendrez me voir au journal et vous comprendrez !

— Quand tu veux ! dit Stella qui fait un nœud en tirant la langue avec application.

Il y a des clans, des amitiés qui se font, se défont, des phrases qui échappent et blessent. Des silences qui s'installent. Mais aucune ne manquerait ces séances du jeudi soir sous l'œil vigilant de Valérie.

Julie montre à Stella un appliqué qu'elle vient de terminer.

— Tu le trouves comment ?

— Magnifique, répond Stella, et Julie continue, heureuse.

On a toujours besoin d'un regard extérieur pour avancer, pense Stella. Ça vous fouette le sang et vous fait galoper.

Elle fouille à la recherche d'un bout de tissu rouge matelassé pour camper son homme encore plus grand, encore plus fort. Si elle s'écoutait, elle mettrait du rouge partout.

— Tu m'as toujours pas rendu mon livre, marmonne Julie, les yeux sur son carré de tissu.

— Oups ! J'ai encore oublié.

— Tu comprends, c'est le premier cadeau de Jérôme et…

— Tu comptes ouvrir un musée ?

— Ris pas.

— À une condition alors…

— …

— Que tu le lises. Sinon je te dénonce !

Elles pouffent derrière leurs mains.

— T'as vu mon pull ?

Julie exhibe son sweat-shirt brodé « *I'm a candy girl* ».

— Je l'ai mis exprès. Je suis si heureuse. J'ai commencé un régime.

— Mais pourquoi ? Il t'aime comme tu es.

— Je veux être belle pour lui.

— Oh là ! dit Stella. Tu vas devenir complètement idiote !

Julie se penche et prévient :

— Moins fort ! Valentine Laignel écoute tout ce qu'on dit. Elle répète tout.

Valentine coupe de la feutrine sur le comptoir.

— Son mari est gendarme, ajoute Julie tout bas. Il est pote avec Ray. Ils trafiquent ensemble. T'as qu'à la voir, elle roule sur l'or. Elle collectionne les marques et n'arrête pas de frimer. Tu devrais enquêter sur le couple, elle chuchote à Marie, c'est louche, je trouve. Je suis sûre qu'il y a un sujet à faire sur eux.

— Faut pas exagérer et voir des coupables partout, dit Marie en disposant ses carrés.

Stella jette un coup d'œil sur Valentine. Elle a des bracelets jusqu'au coude, des boucles d'oreilles en diamants, le dernier sac Vuitton et une énorme Rolex.

— On dirait Violette, elle glisse à Julie. Ray et Laignel doivent acheter groupé et avoir des rabais.

— Quand je te dis qu'il touche à tout, Ray.

— On n'y arrivera jamais, soupire Stella.

— Mais si ! Dis pas ça. Parfois il suffit d'attraper un fil et toute la pelote se dévide… Tiens, regarde !

Julie tire sur le fil d'une pelote de laine qu'elle fait tomber par terre.

La pelote roule et se déroule.

— Pas plus dur que ça ! s'exclame Julie.

Valentine Laignel les observe, intriguée.

À la sortie du commissariat, Bernard Duré était rentré chez lui et avait pris des tranquillisants. Puis il s'était installé devant la télévision, avait regardé un documentaire sur le lion, le roi des animaux, et s'était recroquevillé en boule sur le canapé en se disant je vais faire un somme.

Il avait besoin d'un moment de répit après la décision qu'il venait de prendre dans la cellule de dégrisement.

Pour tout dire, il avait la trouille.

Ray Valenti allait tout balancer, tout le monde saurait qu'il était alcoolique, qu'il avait causé la mort de plusieurs patients, foiré maintes opérations. Il y aurait des actions en justice, des procès, des demandes d'indemnisation. Il serait peut-être même radié de l'Ordre des médecins.

Aurait-il seulement le courage d'aller jusqu'au bout ?

Il était seul chez lui. Sa femme et ses filles prolongeaient leur séjour à Paris.

Son salon lui avait paru tout à coup très grand, le plafond très haut, les canapés très blancs, l'écran de télévision immense. Et il s'était senti tout petit.

Il avait regardé les tableaux aux murs et s'était étonné de ne les avoir jamais vus. Le téléphone avait sonné et, sur le répondeur, la voix de sa femme s'était enclenchée « je ne suis pas là pour l'instant… ».

Il s'était versé un grand verre de whisky, avait gratté une barbe de trois jours, s'était demandé comment il allait annoncer sa chute à son père. Depuis qu'il était enfant, la science de Paul Duré,

son exigence, son excellence l'écrasaient et le ter-
rifiaient.

Il avait toujours envie de se hisser sur la pointe
des pieds pour lui parler. Il empruntait une voix
mâle, basse et grave, prenait la posture de l'homme
sûr de lui mais fuyait le regard paternel de peur
d'être démasqué.

Il allait devoir l'affronter.

Allait-il tenir le coup ?

Inutile de se mentir, il flanchait déjà.

Il était resté longuement sous la douche. S'était
rasé. Habillé. S'était contemplé dans la glace pour
voir s'il s'agissait bien de lui.

Il avait osé braver Ray Valenti. Il n'en revenait
pas. C'était l'événement le plus important de sa
vie. Mais il avait aussi l'intuition que s'il tardait
trop, il allait se dégonfler et disparaître sous le
tapis.

Le courage est un état gazeux, il s'était dit en
passant un peigne dans ses cheveux, un coup de
vent et le gaz s'évapore. On est vite dégrisé.

Il ne fallait pas qu'il traîne.

Il avait pris les clés de la voiture. Cherché ses
lunettes. Jeté un dernier regard sur sa collection
de silex, de haches polies et de granit. Des armes
et des outils qu'il avait mis au jour en effectuant
des fouilles en Normandie, en Bretagne ou dans les
Pyrénées quand il était étudiant. Chaque été, pendant trois mois, il faisait des stages d'archéologie.

C'était sa passion. Il s'allongeait sur une planche avec son grattoir de zingueur, sa balayette, sa petite pelle à poussière et son seau, nettoyait les surfaces sélectionnées, grattait millimètre par millimètre, ôtait les couches de façon à dégager le sol originel et découvrir d'autres vestiges.

Il allait d'émerveillement en émerveillement.

Chaque fois qu'il trouvait quelque chose, il le dessinait, le notait sur un cahier et remettait le tout au chef de chantier pour des analyses en laboratoire.

Une onde de joie le soulevait. Il savait qu'il était excellent, il n'avait pas besoin qu'on le lui dise.

Il passait ses vacances à fouiller. Il dormait à la dure, mangeait des sardines sur des tranches de pain, s'endormait en fixant la lune, les nuages, se rasait à l'eau froide, était le premier sur le site, le matin.

Il avait mené de front les fouilles et ses études de médecine. Mais au bout de sept ans, il avait dû choisir.

Le sourcil de son père s'était levé en un arc parfait exprimant l'interdiction, la surprise. Il avait laissé tomber c'est une blague, j'espère ? Tu n'hésites pas vraiment ?

Il avait bredouillé non, non, bien sûr, je plaisantais.

Avait rangé son grattoir, sa balayette, sa petite pelle à poussière.

Son père avait dit je le savais bien. Tu es mon fils. Bon sang ne saurait mentir ! Il lui avait offert la réglette avec son nom gravé dessus et le poème de Kipling encadré.

Il avait remercié son père.

Paul Duré avait repris son journal et ne lui avait plus adressé la parole.

Le soir même, Bernard Duré prenait sa première cuite.

Il passa à l'hôpital. On avait peut-être besoin de lui.

Sur son bureau, il aperçut un papier blanc plié en deux. « Tenez bon. Stella. » Il baissa la tête, froissa le papier, le glissa dans sa poche.

Il irait voir son père.

Ensuite, il rendrait visite à Léonie Valenti.

— Léonie, je voudrais vous parler et surtout, je vous demande cela comme une faveur, ne m'interrompez pas.

Léonie hoche la tête et croise les mains.

— Léonie, vous allez être ma dernière patiente. Quand vous serez en état de marcher, de sortir de cet hôpital, ce qui va arriver très vite, je signerai votre dossier, je donnerai ma démission et je m'en irai. Je me suis perdu de vue trop longtemps.

— Vous m'avez très bien soignée, docteur. Je marche à nouveau.

Elle voudrait se confier à lui, lui demander si elle va avoir des séquelles, mais elle n'ose pas. Elle pense qu'elle peut lui faire confiance, mais elle n'en est pas tout à fait sûre.

— J'ai examiné les dernières radios et tout est en ordre. Vous avez remarquablement réagi a tous les traitements. Mon père aurait parlé de votre capital résistance et vous aurait donné une très bonne note.

— Je me souviens de lui. Il m'avait opérée de l'appendicite. Il récitait des phrases et des poésies quand il faisait ses visites…

— Il n'a pas changé, dit Bernard Duré. Il aime les mots. Il les vénère.

— Il m'impressionnait beaucoup.

— Il nous donnait de l'huile de foie de morue pour nous fortifier le corps…

— C'était la mode à l'époque ! sourit Léonie.

— … et nous faisait apprendre des lignes par cœur pour nous fortifier l'esprit ! Je me souviens de la définition de l'âme qu'il nous faisait réciter, à ma sœur et moi, « l'âme est ce qui refuse le corps. Ce qui refuse de fuir quand le corps tremble, ce qui refuse de frapper quand le corps s'irrite, ce qui refuse de boire quand le corps a soif, ce qui refuse de prendre quand le corps désire, ce qui

354

refuse d'abandonner quand le corps a horreur[1] ». Pas mal, non ?

— Oui.

— Alors je m'entraînais. Je refusais de boire ou de manger. Mais j'avais l'impression de jouer un rôle. Le rôle du fils modèle. Je voulais tellement qu'il soit fier de moi !

— Il a eu toutes les raisons d'être fier de vous !

— C'est ce que vous croyez...

Il prend la main de Léonie dans la sienne. La tapote.

— C'était tout le contraire, Léonie. Plus mon père grandissait, plus je rétrécissais. J'ai beaucoup rétréci. Jusqu'à me laisser manipuler par Ray Valenti.

Son regard glisse et il détaille la chambre de Léonie comme s'il n'avait jamais vu une chambre d'hôpital.

— J'avais perdu mon âme.

Il reste un moment les yeux dans le vague puis s'ébroue et reprend :

— Mais j'ai bien l'intention de la récupérer ! Je ne suis pas au bout de mes peines, c'est certain, mais j'ai commencé le chemin. J'ai dit non à Ray qui voulait que je vous rende à lui.

— Je sais... Je sais qu'il vous a menacé. Les gens parlent dans les couloirs.

---

1. Alain, *Définitions*.

Elle a un petit sourire pour s'excuser de savoir ce qu'il préférerait taire. Il la regarde franchement.

— J'assume le fait que j'ai un problème avec l'alcool, je vais me faire soigner. Je suis allé trouver mon père, je n'en menais pas large, je vous assure. Je lui ai demandé de me pardonner. Je vais sans doute être traduit en justice et son nom sera sali. Mon père m'a tendu la main, je l'ai serrée. Il a relevé le menton d'une façon très militaire et m'a souri. Ce fut une explication brève mais virile.

Léonie le regarde, attendrie. Il ne porte pas de blouse et ressemble à n'importe quel quidam qu'on peut croiser dans les couloirs de l'hôpital.

— Vous avez été très courageuse, Léonie. Bientôt vous partirez d'ici. Prenez bien soin de vous. Et… je voulais vous dire aussi… Ce que vous avez enduré toutes ces années… enfin, les… j'aurais dû…

Il ne termine pas sa phrase.

— J'ai été comme tout le monde à Saint-Chaland. Lâche. Et pire encore, complice.

Il mouille ses lèvres, déglutit. Et reprend :

— Je vais faire en sorte que le règne de Ray s'arrête. Je ne sais pas encore comment je vais m'y prendre mais… Il a fait souffrir trop de gens. Je ne me tairai pas, je vous le promets.

Léonie secoue la tête, désolée.

— Il ne faut pas faire ça… Ray ne vous le pardonnera jamais.

— Je prends le risque.

— Il vous fera taire. Il a des amis haut placés.

— Ne vous inquiétez pas. Je connais des gens aussi.

— Ça va être la guerre.

— J'apprendrai. Et puis, Léonie, je n'ai plus rien à perdre. Je vais pouvoir enfin respirer.

— Même s'il vous envoie en prison ?

— Même s'il m'envoie en prison.

Cette femme est étrange, se dit Calypso chaque fois qu'elle aperçoit Emily attablée dans la cuisine. Parce que Emily revient. On dirait qu'elle attend quelque chose de Mister G., quelque chose qu'il ne veut pas lui donner. Et quand elle m'aperçoit, elle me dévisage, elle me suit des yeux comme si elle voyait une apparition.

Un jour que Mister G. parlementait dans le couloir avec un type de l'immeuble qui prétendait qu'il l'avait encore inondé et que ça ne pouvait plus durer, Calypso était entrée dans la cuisine. Emily avait fouillé dans son sac, en avait sorti un poudrier orné d'un délicat couvercle doré et s'était tapoté le nez avec la houppette. Puis elle avait ajouté, coquette :

— Tu veux que je te maquille ?

Mister G. s'énervait sur le palier et le ton montait.

Emily avait ouvert une trousse remplie de fards et de crayons.

Calypso s'était prêtée au jeu, avait fermé les yeux pendant qu'Emily la maquillait. Quand elle les avait rouverts, elle avait été enchantée. Elle avait toujours le menton un peu escamoté, mais le reste allait beaucoup mieux. Ses yeux débordaient de lumière, ses sourcils dessinaient deux petits parapluies, ses joues avaient rosi, ses lèvres brillaient et ses cheveux... oh, ses cheveux ! Ils tombaient, gracieux, sur ses épaules.

Elle avait sauté de joie, tapé dans ses mains.

— On recommencera ? On recommencera ?

Elle s'était levée, elle avait embrassé Emily, et elle avait reçu l'odeur de son parfum. La délicate odeur de ce parfum-là. Elle avait frotté son nez sur le col de sa robe, frotté, frotté pour en garder l'empreinte et tenter de l'identifier plus tard. Elle connaissait cette fragrance, elle en était persuadée.

Et puis, elle avait demandé :

— Vous le connaissez depuis longtemps, Mister G. ?

Mister G. affirmait qu'Emily était amoureuse de lui. Elle me poursuit depuis des années ! Elle a commencé quand je jouais avec Ulysse dans les boîtes de Miami, elle nous collait aux semelles. C'était une gamine. Elle devait avoir à peine dix-huit ans. Je suis sûr qu'elle n'avait même pas le droit d'être là ! Nous, on traînait après les sets, on buvait, on se la racontait et elle nous lâchait pas.

Calypso avait du mal à le croire.

Mister G. avait beaucoup de qualités, mais il n'inspirait pas la romance. Il était trop raide, trop brutal. Quand il tentait un geste tendre, il lançait un bras, une main d'un geste vif, s'arrêtait en angle droit juste avant la caresse et bougonnait ça va, t'as compris, allez dégage !

Emily n'avait pas eu le temps de répondre. Mister G. était rentré. Elles s'étaient aussitôt mises au garde-à-vous. Avaient feint de s'ignorer, mais il avait explosé :

— Qu'est-ce que tu fous ici ?

Il vociférait, faisait voler les pans de son manteau, les cendres de son cigare bon marché et Calypso avait dit je me suis trompée d'horaire, je n'avais pas cours cet après-midi.

Il avait hurlé DANS TA CHAMBRE !

C'est fou ce que cette femme le rendait nerveux.

Ulysse devient flou quand Calypso lui parle d'Emily.

Elle a même fini par lui demander :

— Pourquoi tu grognes quand je te parle d'elle ?

Il avait bougonné faux ! faux ! faux !

Elle avait répliqué sans se démonter vrai ! vrai ! vrai !

Et puis elle avait ajouté :

— *Abuelo...* Qu'est-ce que tu sais que tu ne veux pas que je sache ?

Il n'avait pas répondu.

— *Abuelo...* Emily porte le même parfum que celui de la robe bleue brodée de perles.

— Et alors ?

— C'est étrange, non ?

— Qu'est-ce que tu vas imaginer ? C'est un parfum français, très connu et très cher. « Ivoire » de Balmain, il s'appelle. Tu en trouves dans tous les magasins, dans tous les drugstores.

— Mais c'est bizarre tout de même...

Et comme il menaçait d'entrer en éruption, elle avait changé de sujet.

De toute façon, ce n'est pas son problème.

Elle aime. Elle est bulle et buée, souffle et douce risée. Elle voltige dans le ciel avec des arbres et des voitures. Elle souffle sur la violette cornue et la ressuscite, lève la main et le feu passe au rouge, plisse le nez et le bus arrive, fait glisser l'archet et tous les autres la suivent en file indienne. On ne rit plus dans son dos, on ne la bouscule plus à la cafétéria.

C'est normal, elle se dit, je suis en amour avec Gary Ward. Portée par une force invisible.

Et cet état se perpétue.

Pourtant le bonheur est connu pour s'arrêter parfois, pour monter et descendre, dessiner des trous d'air dans lesquels on trébuche, et alors on s'interroge, on doute, on souffre, on se ronge les sangs, on se fait des étranglements, des souffles au cœur, des hernies, des aigreurs. Elle, non. Elle enjambe les trous, les cloaques, les crevasses, saute par-dessus les précipices et bivouaque sur la berge.

Avec Gary Ward.

Toujours.

L'année se termine. Ils organisent des pique-niques dans le Parc. Ils déjeunent sur l'herbe. Parfois Rico les rejoint. Chacun apporte un morceau de tarte, de poulet, des carottes râpées, de la glace au caramel salé. Ils ouvrent une partition, parlent d'un nocturne de Fauré, de ce chant si pur, si mélancolique qu'on a l'impression de fouler un cœur dans la nuit. Ils marquent les mesures.

— Qu'est-ce qu'on choisit ? demande Rico. C'est l'accompagnement qui doit primer ou le chant qui doit sortir et s'élever ?

— Le chant. Il faut surtimbrer la main droite pour étouffer chaque accord de l'accompagnement, déclare Calypso. Si tu ne timbres pas, tu vas avoir quelque chose de dilué, de mou, de transparent et ce sera pénible.

— Mais si tu joues lent dès le début, dit Gary, tu donnes un côté très vertical, très sombre et c'est pénible aussi.

Ils s'échauffent, ils chantonnent, ils scandent, ils battent la mesure, ils rongent les derniers os de poulet, essuient leurs mains grasses dans l'herbe et repartent vite en studio répéter ce qu'ils ont imaginé.

Elle ne voudrait être nulle part ailleurs.

C'est ça aussi le bonheur. Quand tout est à sa place et qu'on a son siège réservé.

Et la vie est partout. Elle jaillit de la musique, d'une image, d'une odeur, d'une scène de la vie quotidienne.

Ils n'ont pas besoin de se parler. Ou alors des mots très courts qui font des ricochets. Des regards qu'ils se jettent par-dessus le filet.

Hier soir quand il l'a raccompagnée…

Une fille s'avançait vers eux. Elle ondulait, elle chaloupait. Elle aurait pu être belle mais insistait tant que ça tombait à plat. Ils avaient dit en même temps « caoutchouc ».

Caoutchouc.

Ce n'est pas le bonheur, ça ?

Elle a beaucoup d'autres exemples comme celui-là.

Elle joue du violon dans le Parc, Gary l'écoute, couché sur la pelouse. Un sourire plein le visage.

La tête posée sur un coude, l'autre bras tendu vers les écureuils.

Le monsieur bizarre en long imperméable passe. Il fait un petit signe de la tête. Puis il esquisse un geste d'excuse, il ne veut pas déranger, et il s'éloigne.

Gary éclate de rire.

— On dirait qu'il sort d'un roman de 1900 et qu'il est en papier, t'as vu comment il est habillé !

— Ne te moque pas de mon soupirant !

— C'est moi, ton soupirant, il affirme, péremptoire, en attrapant sa cheville et en l'encerclant.

Elle rougit si fort qu'elle doit lui tourner le dos.

Et des millions de fourmis repartent dans son nez. Des colonnes serrées qui font un embouteillage, de la tôle froissée, des klaxons, des gaz d'échappement. Elle est sur le point d'exploser.

Un jour enfin, Gary s'adresse à l'homme :

— On se demande, mon amie et moi, pourquoi vous nous suivez.

— Je vous comprends, répond l'homme qui porte un cache-nez alors que c'est le début de l'été. Puis-je m'asseoir à vos côtés ?

Il se laisse tomber dans l'herbe en un mouvement élégant de gymnaste accompli. Étend une jambe, replie l'autre. Arrache un brin d'herbe qu'il met en bouche.

Il explique qu'il était autrefois un violoniste de grand renom, il y a une plaque à son nom au

Concert Hall de Philadelphie, et puis… il a eu un accident de moto, sa main gauche a été broyée, il n'a plus jamais joué.

Il a les yeux gros de mélancolie et sort de sa poche une main estropiée maintenue dans un gant blanc sans doigts. On dirait un vieux lézard desséché emmailloté. Calypso recule, horrifiée. Elle enfonce ses mains dans les poches de sa robe légère, les range à l'abri dans la toile kaki.

Le monsieur a vu son geste et sourit tristement.

Calypso se mord la lèvre. L'homme la caresse alors d'un regard qui l'absout et continue :

— Je vous suis, mademoiselle, parce que quand vous jouez, j'entends mon violon d'autrefois. C'est un Guarneri, n'est-ce pas ? J'en avais un aussi. Vous jouez si bien…

Il les invite au Café Sabarsky.

Gary pose son bras sur l'épaule de Calypso et imprime une pression qui signifie je suis là, tu ne crains rien, je tords le cou au lézard s'il revient.

Elle trouve cela délicieux.

Au Café Sabarsky, ils commandent deux thés, un chocolat, des gâteaux, de la chantilly et des cerises confites.

L'homme dit qu'il voudrait aider Calypso. Financièrement, s'entend. Il sait qu'un violoniste qui débute ne gagne pas beaucoup d'argent. Il possède une grosse fortune et n'a pas d'enfant.

Il se tourne vers Gary, ajoute que lui ne semble pas avoir besoin d'aide. On lit l'aisance sur son visage. Est-ce qu'il se trompe ?

Gary secoue la tête.

L'homme a raison. Il n'a pas besoin d'argent.

Mais il se trompe.

Il aurait sacrément besoin d'aide.

Il passe ses journées avec Calypso, son violon, son piano. Mange assis en tailleur sur les pelouses du Parc, parle aux écureuils, observe la forme des nuages blancs dans le ciel. Ferme les yeux. Jure qu'il n'a jamais été aussi heureux.

Il la raccompagne jusqu'à la 110e Rue, l'embrasse contre le mur en briques rouges, souffle des mots muets, serre ses doigts emmêlés, écoute les bulles s'étrangler dans sa voix, guette la lumière dans ses yeux, dit il est dix-sept heures quinze, dix-sept heures vingt-cinq, l'étreint, écoute battre son cœur mais reste toujours sur le pas de la porte.

Il repart. En se retournant, en faisant de grands gestes.

Descend Madison. Passe devant le garage qui entasse les voitures les unes sur les autres et se demande à chaque fois comment font les gens pressés de prendre leur voiture.

Il traverse le Parc. Marche vers l'ouest. Regarde le soleil glisser derrière le Dakota. Sort du Parc. S'engage dans la 66e Rue. Il n'était pas vieux, Fauré, quand il a composé ce nocturne. À peine trente ans. Je n'ai pas une minute à perdre. Oh, ce chant si pur, si mélodieux…

Il ouvre la porte de l'appartement.

Hortense pousse un cri de joie. Lui fait une guirlande de ses bras. Il lui tape sur les fesses, l'appelle ma poulette, elle éclate de rire, l'embrasse à pleine bouche.

Incline la tête sur le côté, le prend par la main, s'écrie viens voir !

Elle a des crayons dans les cheveux. De l'encre sur les doigts. Du rouge et du bleu au bout du nez. Ça la fait loucher un peu. Elle carillonne t'en penses quoi ? C'est que j'ai tant d'idées, il faut que je mette de l'ordre !

Elle montre ses dessins, l'attrape par le cou, l'embrasse encore.

— Je suis si heureuse ! Il se passe tant de choses ! La vie est furieusement belle ! J'ai envie de toi ! Tu es grand, tu es beau, tu es fort, tu es mon héros !

Et il reste dans le grand salon à la regarder, à la regarder sans bouger pendant plus de trois minutes, et il se dit comme elle est belle, comme elle est éclatante, comme ses yeux, sa taille, sa peau, ses cheveux… oh, comme elle me remplit de beauté ! C'est ma moitié de peau, ma moitié de vie ! Depuis combien de temps je respire avec elle ? Et à l'idée que… oh non ! L'air lui manque ! Il la prend contre lui, l'emporte sur le lit. Il a eu peur de la perdre.

Et Hortense, suave, charmée, se laisse emporter, se coule contre lui, animale, affolante, plante ses yeux dans les siens, mordille le haut de sa lèvre, prononce bien distinctement comme si elle plantait une banderille enflammée encore, encore !

Et il oublie aussitôt Fauré, le studio, Rico, Calypso, le Parc, la 110ᵉ Rue, le Guarneri qui leur bat les jambes.

Il la regarde, ébloui, tu es si belle !

Il avait oublié. Hortense Cortès. Hortense Cortès. Comment puis-je avoir l'audace de t'oublier ? Quel homme de peu de foi et de peu de consistance ! Oubliés les bourrasques, les cyclones, les vents violents… Oubliés ta main gourmande, tes hanches dansantes, ton pied qui se faufile et…

Et ils sombrent dans le lit en se mangeant la bouche. Et ils s'empoignent, ils s'enchevêtrent. Et ils se déshabillent. Et… Elle se déroule en longue spirale et il s'arrête, marque une pause. Secoue la tête, siffle non, non. Trop facile, ma petite, trop facile. Pour qui te prends-tu ? Tu crois qu'on m'appâte comme ça ? Et elle se cambre, et il recule…

Pour se reprendre, pour tenter de garder la maîtrise, ne pas être emporté sur-le-champ. Saupoudrer d'inquiétude, de cruauté l'étreinte autrement si banale, si fatale, la faire attendre, l'obliger à s'interroger, à descendre de son piédestal de fille qui ordonne, de fille si belle qu'il en a mal aux yeux, tss, tss, il siffle encore, tu vas souffrir ma belle, tu vas souffrir. Et elle le sait, elle le sait, mais elle oublie et elle supplie, supplie, et leurs jeux reprennent comme s'ils ne les avaient jamais interrompus, elle sourit, rusée, elle glisse et il la dirige en s'appliquant à rester froid et dur jusqu'à ce qu'il perde la tête et la rejoigne dans l'éblouissement de la volupté, de la félicité, du grand feu d'artifice final. Et bientôt, fourbus, repus, ils reposent dans les bras l'un de l'autre et elle lui demande, rusée encore, pour lui faire croire qu'elle est une petite femme tranquille, qu'elle l'a attendu toute la journée blottie près de la cheminée, elle lui demande en retenant son souffle :

— C'était bien, aujourd'hui ?

Elle s'en fiche bien de sa journée ! Elle veut son regard, ses mains, son poids, sa bouche, ses cris, elle veut le dévorer, le dépiauter. Il la fait saliver. Saliver. Mais elle a appris qu'il fallait se plier à son désir, à ses fantaisies, à sa musique, Fauré, Chopin, Mozart, Beethoven et tutti quanti.

Et il répond en jouant avec les longues mèches couleur miel :

— J'ai étudié le *Nocturne n° 1* de Fauré et cela faisait comme ça…

Il chantonne en battant la mesure d'une main.

— Je ne sais pas encore si je vais jouer sur six ou huit temps, je me demande…

— Main gauche ou main droite ? elle demande car elle a encore un peu de patience à lui accorder.

— Justement, c'était la question que je me posais et…

Et il repasse dans sa tête les arguments de Rico et de Calypso, mais cela reste des arguments. Il n'y a plus ni la couleur, ni l'émotion, ni même le son qui s'élevait tout à l'heure dans le Parc.

Hortense a tout effacé avec ses guirlandes de bras, de baisers, la danse de ses hanches.

Alors, encore haletant, il se colle contre elle, l'enferme et demande et toi ? Qu'est-ce que tu as fait ?

Elle ne sait pas par quoi commencer, mélange Louis XIV, Antoinette, Elena, Junior, une photo pour son blog, la proposition d'un journal, une page rien que pour elle, si, si, je te jure !, un livre d'illustrations qu'elle a déniché au Corner Bookstore sur Madison et la 93e Rue, tu sais, cette librairie si belle, j'y suis allée avec Astrid, elle cherchait un livre sur Diana Vreeland…

Il pâlit.

Madison et la 93e Rue.

Elle a failli entrer dans son autre royaume.

Celui dont Calypso est la reine.

Il redoute la collision entre les deux reines.

Il ne veut perdre ni l'une ni l'autre.

— Celui qui frappe par l'épée périra par l'épée ! clame Hortense.

Il sursaute et demande pourquoi tu dis ça ? Il a dû manquer un passage.

— Le premier qui m'attaque, me copie, me roule dans la farine, je le trucide !

Et elle explique que cette fille, Mandy Marriotta, a essayé de copier son blog.

— J'ai attaqué ! Je suis allée la voir et je l'ai menacée de lui balancer un virus de la mort. J'y suis allée avec Mark. Il a joué le rôle du geek lanceur de virus mortel. Il s'était fait un faux tatouage sur le visage. Un dragon jaune avec des pinces vertes de scorpion. Elle était terrorisée ! Elle ne bougera plus.

Elle fronce les sourcils, fait une moue de dure à cuire. Il a envie de la rouler dans le lit.

Il aime deux femmes avec le même ravissement. Est-ce possible ?

Certains diraient que non. Lui peut affirmer que oui.

Il va partir pour l'Europe bientôt.

Peut-être que tout se remettra en place quand il sera loin du Parc, de l'école, du mur de briques rouges de la 110ᵉ Rue.

Ou pas.

Il sera temps d'aviser alors.

On ne sait vraiment ce que l'on perd qu'après l'avoir perdu.

Emily persiste à venir frapper à la porte de Mister G. Elle le guette dans la rue, l'attend sous la pluie, se suspend à son bras dès qu'elle l'aperçoit. Il la rejette, elle s'accroche, il monte l'escalier et la traîne derrière lui.

— J'ai besoin que tu me donnes ta bénédiction. Sinon elle pensera que je suis folle ! Que je raconte n'importe quoi !

— Et je ne me priverai pas de le lui dire ! Compte sur moi.

— Tu n'as pas le droit !

— Inutile d'insister. Je ne te laisserai pas l'approcher.

— Alors je parlerai à Ulysse. Je saurai le retrouver et il tranchera.

— C'est hors de question !

— Et pourquoi ?

— Tu sais dans quel état il est, Ulysse ?

Il donne un coup de poing sur la table de la cuisine et ses lunettes glissent sur le bout de son nez.

— Il marche avec des cannes et c'est Rosita qui le lave. Et encore… ça va mieux, maintenant, il peut parler. Mais il y a pas longtemps, il ne pouvait même plus prononcer un mot.

— Qu'est-ce qu'il lui est arrivé ?

— C'est de ta faute encore ! Tout est de ta faute ! Tu as foutu le bordel dans cette famille !

— Mais c'est trop facile de toujours m'accuser ! Ça fait vingt-cinq ans que je l'ai pas vu, Ulysse Muñez, et je l'ai pas violé, que je sache !

Les yeux de Mister G. lancent des éclairs. Il lève le bras, mime une gifle puis se laisse tomber sur une chaise et souffle :

— Bon. Tu veux pas comprendre, alors je vais t'expliquer. Je vais essayer de rester calme…

Il émet une sorte de râle du fond de la gorge et se reprend.

Il étend les mains sur la table et frappe comme pour marquer le début de l'acte un.

— Régulièrement, Oscar se plaint à son père de ce que Calypso a hérité du Guarneri et pas lui. Tout cet argent qui lui passe sous le nez, ça lui crame la cervelle. Pourquoi Calypso ? Pourquoi ? C'est moi qui devrais avoir ce violon ! Un jour, il y a quelques semaines, Ulysse, excédé, l'a mis à la porte. C'était une dispute de plus. Ils les collectionnent ! Oscar est parti se réfugier dans son bar habituel. Et là, comme il continuait à gémir, un mec au comptoir a laissé tomber de quoi tu te mêles, *chiquito* ? Oscar a regardé le mec qui lui parlait et il a reconnu Ignacio Ochoa. De la fameuse famille Ochoa.

— Je devrais connaître les Ochoa ? demande Emily en ouvrant grand les yeux.

— Ulysse t'a sûrement parlé des Ochoa ! se récrie Mister G.

— Non. Jamais.

— Les Muñez et les Ochoa à Cuba, c'est les Montaigu et les Capulet à Vérone. Ils sont ennemis depuis des siècles ! De père en fils, on pourrait dire. En 1978, alors qu'ils vivaient encore à Cuba, Oscar et Ignacio se sont bagarrés comme des chiens pour une histoire de trafic de dollars en provenance de la diaspora cubaine à Miami. Ignacio avait piqué la part d'Oscar, des dollars qui faisaient vivre la famille Muñez. Ils avaient fini en prison tous les deux. En 1980, quand Fidel a laissé partir les Cubains pour Miami, il en a profité pour vider ses prisons et Ignacio s'est retrouvé dans un bateau direction Key West avec les autres *marielitos*. Oscar, lui, est parti avec Rosita et ses frères et sœurs. Ils se sont tous installés à Hialeah. Oscar et Ignacio se croisaient, mais ils s'évitaient. Ce jour-là dans ce bar, va savoir pourquoi, quand Ignacio Ochoa a vu Oscar se pointer, la vieille guerre des clans s'est rallumée et Ignacio n'a pas pu s'empêcher de balancer à Oscar ce que tout le monde savait mais taisait par égard pour la famille. Parce que la famille, chez les Cubains, c'est plus que sacré. C'est le Saint Sacrement, le Petit Jésus en culotte de baptême. Donc Ignacio a lancé de quoi tu te plains, *asshole*? C'est Ulysse le père de Calypso, pas toi. Et s'il a eu envie de lui donner le violon, c'est son affaire. Elle est autant sa fille que t'es son fils. En pleine gueule ! Et devant tout le monde !

— Il a dit ça ? demande Emily, stupéfaite.

Son téléphone sonne, elle ne répond pas.

Mister G. opine et frappe du bout de ses doigts. Acte deux.

— Et là, Oscar, il a vu rouge. Son pire ennemi lui disait officiellement ce qu'il avait toujours su, ce qui le rendait fou : il n'était pas le père de Calypso. Il n'était rien du tout. Et qui plus est, il s'était fait couillonner par son propre père.

— Il savait alors ?

— Il est con, mais il est pas bête ! Il sentait bien qu'il avait été utilisé. Et il a la fierté de la queue ! La pire ! Il avait compris que tu t'étais servie de lui comme d'un pion. Ça le hantait. Il s'en était déjà pris à Calypso une fois. Il l'avait salement amochée. Mais cette fois-là, dans ce bar, ç'a été terrible. L'affront était public. D'autant plus que le mec continuait et le traînait bien profond dans la boue. Comment Oscar, clamait-il, hilare, avait-il pu croire une seule minute qu'il pouvait séduire une Américaine belle, blonde, excitante à s'en faire dresser les poils dans le calbar ! Bref, il lui vomissait dessus et Oscar se raccrochait au bar pour tenir debout.

374

— C'est étonnant que le secret ait tenu si long-temps.

— … Même Rosita savait. Mais elle la fermait. Elle refusait de voir sa famille se déchirer.

Et il frappe le début de l'acte trois.

— Ça lui a foutu un sacré coup à Oscar. Déjà qu'on ne l'aimait pas dans le voisinage, mais à partir de ce jour-là, on se foutait de lui. Les mecs faisaient les cornes quand il entrait dans un bar, il était devenu LE cocu. *El cornudo !* Alors il a décidé de donner une leçon à son père.

— À Ulysse ? Il a osé ?

— Oui. Il est allé trouver un de ses potes à Radio Mambi, une de ces radios cubaines de Miami. Ce type, qui se fait appeler Nino, est membre du Grupo 04-17.

— Qu'est-ce que c'est ?

— Une nébuleuse de la mouvance anticastriste de Miami. Un groupuscule opaque et confidentiel. Le nom du groupe est une référence au débarque-ment de la baie des Cochons. Le 17 avril 1961.

— Pffft, ça fait un bail !

— Peut-être, mais les Cubains de Miami, ils y pensent encore. Alors… c'est simple… Oscar contacte Nino, ils se retrouvent au McDo de la Calle Ocho, à l'angle de la 14e Avenue. Et Oscar lui confie comme un secret d'État qu'Ulysse, son père, est un espion à la solde de Fidel.

— Mais c'est ridicule !

— T'as raison. Mais ces types-là, je te le dis, ce sont des excités dangereux. Ils ont une relation amour-haine avec Cuba et ils s'enflamment comme des torches du KKK. Oscar accumule les preuves fictives et jure qu'il faut punir Ulysse. Pas le massacrer, non, juste le secouer un peu pour le remettre dans le droit chemin. Nino contacte deux hommes de main, deux Colombiens complètement torchés, et leur ordonne d'aller tabasser Ulysse.

Les doigts cognent sur la table pour annoncer qu'un nouvel acte commence.

— Les deux Colombiens fixent rendez-vous à Ulysse au restaurant Morro Castel à Hialeah sous je ne sais plus quel prétexte. Ulysse acquiesce, il arrive le premier, commande un *café con leche*. Les deux Colombiens déboulent, Ulysse les suit sur le parking derrière le restaurant.

— Et... ?

— Ils le poussent dans leur camionnette et démarrent à toute vitesse. Une demi-heure plus tard, ils s'arrêtent près des pistes de l'aéroport, sortent Ulysse, lui font passer le message, tu vas te tenir à carreau ou on te renvoie les pieds devant à Cuba, et ils le tabassent en règle.

— *Oh ! My God...*

— Ça encore, c'était terrible mais bon... le pire était à venir...

Et il frappe une dernière fois pour annoncer la fin de la tragédie.

— Ulysse, déjà très amoché, tombe en arrière sur un des murets en béton qui supportent le grillage de l'aéroport. Sa tête heurte violemment l'obstacle. Il est pris de convulsions et les deux types, affolés, se tirent à toute allure. C'est un employé de l'aéroport qui l'a retrouvé le lendemain, et dans un sale état !

— C'est pas possible ! gémit Emily en se couvrant la bouche de la main.

— Diagnostic : colonne vertébrale fracturée, hémiplégie, paralysie… Et depuis il se traîne sur des cannes !

— Et personne s'en est pris à Oscar ?

— La sacro-sainte famille, encore ! Ulysse sait ce qu'a fait Oscar. Mais il la boucle. Rosita sait aussi. Mais elle ne dit rien.

— Encore un secret ! murmure Emily.

— Et si Ulysse s'en sort, c'est parce que Calypso lui parle tous les jours et lui joue du violon au téléphone. Non seulement elle le maintient en vie, mais elle lui rend la parole, et bientôt l'usage de ses jambes. Il se bat comme un fou pour récupérer.

— Elle est formidable…

— Tu sais ce que c'est une famille, Emily ?

— Non. Ma mère m'a eue par distraction. Elle s'est fait opérer après ma naissance pour que ça ne recommence plus jamais !

— La famille, ce sont des mensonges, des omissions, des trahisons qu'on cache sous un autre mensonge, majuscule celui-là : celui de la famille heureuse. Le clan doit tenir debout avant tout. Les Muñez ont réussi à préserver leur clan, ne viens pas tout foutre en l'air avec tes révélations !

— Ce ne serait que justice pourtant…

— Tout le monde se liguera contre toi. Je dirai que tu mens, Ulysse dira que tu mens, que tu es folle, dévergondée, une Américaine désespérée en mal d'enfant qui en voit une à la télévision et la réclame aux objets trouvés vingt-cinq ans après.

— Calypso est ma fille, c'est la vérité !

— On s'en fout de la vérité ! *Fuck the truth*[1] ! Et puis je vais te dire autre chose… Si tu parles à Calypso, Oscar se croira obligé de venger l'honneur de sa mère. Il est capable de venir vous massacrer, toi et Calypso. Alors, tu la boucles.

— C'est quand même incroyable que je ne puisse pas…

— Ce qui est incroyable, Emily, c'est ce que tu as fait il y a vingt-cinq ans. C'est tout. La faute originelle, elle est là. Dans la chambre du Jackson Memorial Hospital. Nulle part ailleurs.

Il frappe du plat de la main sur la table et déclare :

— Fin de la discussion. Le dossier est clos. Tu veux un café ?

---

1. « Rien à foutre de la vérité ! »

Dans le grand salon rouge et or d'Elena, Robert Sisteron marche en long, en large, en long, en large. Il fait cliquer le capuchon de son stylo, le porte à la bouche, le mordille, s'arrête, se frotte le front, fait demi-tour, repart et finalement, dans un grand geste théâtral, ouvre les bras et déclare :

— On ne devrait pas miser sur cette fille, Elena. Je ne la sens pas. Elle ne m'a pas fait bonne impression. Trop instable, trop sûre d'elle, trop imprévisible…

Elena, les doigts enfouis dans sa boîte à loukoums, la bouche barbouillée de sucre glace, se tapote les commissures des lèvres, penche la tête vers lui et dit :

— Elle n'est pas imprévisible, elle a du caractère. C'est différent.

— Je répète : c'est risqué.

Elena suit des yeux le rayon de soleil qui chemine sur le tapis qu'elle avait acheté avec le comte au grand bazar d'Istanbul, tend une main pour le caresser. C'était un jour glorieux, le comte était heureux et voulait que cela se sache. Alors il dépensait, il dépensait, il la couvrait de cadeaux.

Elle abandonne le rayon de soleil, revient dans la discussion et reprend un loukoum rose. C'est à Istanbul qu'elle avait appris à aimer les loukoums.

— Vous savez très bien pourquoi je veux faire ça Robert, et cela devrait vous suffire. Arrêtez de

discuter ! On va lui faire signer un contrat draco-
nien, c'est tout !

Le loukoum tremble dans le rayon de soleil
et devient presque transparent. Elena ouvre une
large bouche et l'engloutit. Robert a une petite
grimace réprobatrice.

— Je vous dégoûte ? elle demande, amusée.

— Non. Pas du tout.

— Vous mentez mal !

Elle a envie de secouer cet homme qui recule
devant l'ombre d'une gamine.

— Un contrat ! Ça ne suffira pas ! il répète,
obstiné.

Elle fait un effort pour ramasser ses nerfs et,
lui adressant un sourire mondain, tout à fait hy-
pocrite :

— Tout ira bien, Robert, tout ira bien ! Et on
va s'amuser !

— Elle est trop jeune. Vous ne devriez pas…

Elena perd son sang-froid. Ses nerfs lâchent, elle
explose :

— On en a déjà parlé cent fois, Robert ! Vous
êtes fatigant ! Vous êtes comme les vieux, vous
répétez toujours les mêmes arguments ! La vie, il
faut la vivre jusqu'au bout tant qu'elle n'est pas
finie. Vous n'en avez pas marre d'être une momie ?

Robert Sisteron suspend ses pas, piqué au vif.

— Merci pour la momie !

Elena soupire.

— Que faut-il que je vous dise encore ? Regardez ce que font les grands groupes en ce moment ! LVMH, Kering. Ils parient sur des jeunes. Nicholas Kirkwood, J. W. Anderson, Joseph Altuzarra, Christopher Kane. Des jeunes, des jeunes, des jeunes. Au début des années 2000, sur qui misait-on ? Stella McCartney et Alexander McQueen. Ils sortaient de l'école. La même école qu'a faite Hortense, entre parenthèses !

— Elle deviendra vite ingérable...

— On la matera. Cette fille a de l'endurance, de la personnalité. Elle travaille vingt heures par jour ! Construire une griffe demande du caractère, de l'ambition, du courage, de la ténacité. Elle a tout ça, Robert !

— Et si on se plante ?

— On aura dilapidé un ou deux Zutrillo. Ce n'est pas la fin du monde. Oh ! Vous m'énervez avec vos pieds de plomb !

Elena se rejette dans son fauteuil. Écoute bouillonner son sang au bout de ses doigts. Voudrait déchirer quelque chose. Briser un vase. Claquer une porte. Pousser un cri. Appeler les pompiers. Action ! Il n'a donc pas compris que je ne veux pas mourir ! J'ai dix-sept ans ! La pauvreté me crispe le corps, je porte un sarrau et des bas noirs. Je suis comme une guêpe engluée dans une mélasse brune. Je guette le comte de ma fenêtre, il va venir demander ma main à mes parents, il me l'a murmuré hier soir dans sa moustache blonde et je lui ai accordé un baiser, je prie pour que mon père dise oui, j'ai déjà rassemblé mes affaires, j'ai hâte de changer de vie ! Quitter mes parents, la misère, le meublé de la porte de Clichy ! Je m'en fiche que son vrai nom soit Jean-Claude Pingouin et qu'il fasse des tours de passe-passe. Je m'en fiche qu'il soit plus vieux, et pas toujours très chic. S'il veut être russe, comte et riche, cela me va très bien ! Il a les yeux qui brillent, les lèvres rouges et pleines, de longs favoris blonds qui sentent le pain d'épice. Ses yeux entrent sous ma chemise, caressent mes seins, je veux bien ! Je veux bien ! Et surtout, surtout, il a faim. Il veut mener le monde. Brasser les pièces d'or, le champagne et les truffes, donner des bals, louer des orchestres, acheter des châteaux, des jets d'eau, des usines, des bateaux, des automobiles, détourner des trains, des fanfares, des escadrilles. Je veux TOUT ! il rugit en pétrissant la chaîne en or de sa montre de gousset. Je veux TOUT et je te veux, TOI. Mon petit chat, ma panthère, ma petite graine de femme, mon essentielle. Oui ! Oui ! Je serai sa femme ! Et je dévaliserai la vie.

C'est ce qu'elle avait fait. Avec jubilation. Et quand le comte débordait, quand il se laissait aller à trousser un trottin, elle se vengeait. Elle s'enfuyait loin de Paris et du comte. Et il la poursuivait dans les villes d'eaux, les gares, les plages, les alpages. Partout où elle allait. Elle crevait des cœurs, les portait en brochette. Jetait un regard en arrière pour voir s'il la suivait. Attrape-moi si tu peux ! Mais la note va être salée ! Il la rattrapait, la ceinturait, écumant. Elle le mesurait, l'ignorait. Il goûtait sa colère comme un grand cru classé. Poussait une rivière en diamants, une tiare en rubis sur la table. Elle les donnait en pourboire au garçon. Alors, subjugué, ivre d'amour, il se jetait sur elle, l'attrapait par les coudes, la renversait.

— Mais puisque je n'aime que toi ! il grondait pourquoi t'enflammer, grande chérie ?

— Et si ça me plaît à moi de prendre la fuite et DES amants !

Il portait une main à son cœur et pâlissait.

— DES...

— Oui. Parfaitement. Je te rends au centuple ce que tu me fais. Normal, non ?

Alors il mettait un genou à terre et lui baisait le bout des pieds tendrement, prenait ses chevilles, les baisait aussi, mettait son front contre le sol et déclarait prends tout ce que j'ai, sans toi je meurs !

Jean-Claude Pingouin était devenu russe.

Ils repartaient bras dessus bras dessous, se battaient une dernière fois dans la chambre, avant de sombrer dans les délices du lit.

Elle aimait cette partition conjugale. Cela finissait toujours par des diamants, des pièces d'or, un tour au casino, l'achat d'un haras, d'un trois-mâts ou d'un pigeonnier normand.

Jusqu'au jour où une impudente lui avait planté un couteau dans le dos ! L'avait humiliée, humiliée ! Et Jean-Claude Pingouin, diminué, avait laissé faire.

Elena secoue la tête et grogne à ce souvenir. Mais se reprend aussitôt, elle tient sa revanche ! Et cet homme précautionneux qui ne comprend rien ! Qui me parle de risques et d'économies. Quel balourd !

— Et moi qui m'échine à gérer votre fortune avec soin…

Un vieillard ! Un vieillard ! trépigne Elena, les mains plaquées sur les accoudoirs du fauteuil. Elle voudrait crier arrêtez mais se retient. Elle a besoin de lui, de sa science méticuleuse des chiffres.

Elle répond, radoucie :

— Et je vous en suis reconnaissante, Robert, très reconnaissante. Mais laissez-moi vibrer, livrer des batailles ! Cette gamine peut m'apporter tout ça. Je m'emmerde à dévorer des loukoums dans ma grande maison. Je m'emmerde, je m'emmerde, je m'emmerde !

Il secoue la tête, réprobateur. Soulève lentement le rideau de la fenêtre. Regarde le spectacle de la rue. Tous ces gens qui s'agitent sans répit. Il était si tranquille à Paris à faire des virements, des additions, à prendre ses médicaments. À regarder le journal du soir à la télévision.

— Ce sera comme vous voulez, Elena, il répond en se retournant.

Elle lit sur son visage qui s'affaisse le signal de la reddition.

— Je veux ma revanche et je l'aurai. J'ai décidé de ne pas mourir avant de m'être vengée. Et vous savez très bien que j'ai toujours le dernier mot !

Oh, comme il le sait !

Il jette un regard de vaincu à la femme qui lui tient tête. Elle lui paraît plus petite qu'avant, plus menue, mais dans son regard brûle la lueur de la pétroleuse d'autrefois, celle qui refusait d'être triste, d'être pauvre, d'être grosse, d'être laide, qui grondait de plaisir chaque matin en scrutant le ciel, se bouchait les oreilles pour ne pas entendre les mauvaises nouvelles et refusait de vieillir ou de tomber malade.

Hier, elle est allée chez le coiffeur. A demandé qu'on lui teigne les cheveux en rouge pétard. Rouge sang, rouge révolution, rouge je grimpe aux rideaux et je mets le feu !

Il avait oublié que personne ne la faisait jamais changer d'avis.

Antoinette se tient droite, les bras arrondis, la croupe offerte, la poitrine tendue. Son casque de cheveux raides lui donne un air martial.

— J'espère au moins que je t'inspire…, elle dit en faisant tourner ses poignets.

Hortense ne répond pas et drape un pan de tissu.

— Attention ! Dix secondes d'ennui ! Je vais sortir mon sablier !

— Je bosse, Antoinette, je bosse !

— On en était où déjà ? Ah oui… Au moment où les Chinois attaquent le commerce de la France et menacent de vider les caisses de Louis et de Colbert…

Hortense bafouille, la bouche pleine d'épingles :

— Une seconde ! Laisse-moi réfléchir… Si je fais un pli dedans comme ça ?

— Ça fait deux heures que je suis debout à me laisser épingler de toiles ! Parle-moi ! Je veux des nouvelles du Tout-Puissant Bien Éclairé !

— Si je parle, tu me laisses travailler en paix ?

— Oui, oui.

Antoinette est devenue une fervente de Louis XIV et de Colbert. Elle trouve que ce sont des types formidables. De la poigne, de l'intelligence et du bon sens. Tu sais ce que j'aime chez les hommes ? Quand ils sont intelligents comme des femmes.

Elle veut tout savoir de leur longue alliance.

— Les femmes à Versailles ne s'habillaient qu'avec des étoffes très chères, commence Hortense en rallongeant un ourlet. Leur peau délicate d'aristocrates ne supportait pas les matières qui grattent. En outre, elles avaient compris que les vêtements luxueux signaient le rang social et le pouvoir de celles qui les portaient, et elles ne reculaient devant aucune dépense. Ce fut dès le début un principe de base : plus c'est cher, mieux c'est.

— Cher comment ? interroge Antoinette.

— Le moindre lamé doré valait dans les cinq mille euros le mètre…

— En dollars ?

— Sept mille dollars !

— Le mètre ! s'étrangle Antoinette. Et il y avait des tissus moins chers ?

— Bien sûr. Le velours ou la soie damassée. Mille dollars le mètre.

— Et le peuple mourait de faim ! Quelle honte !

— Mais pour les nobles dames de la Cour, rien n'était trop beau. Tout devait souligner leur rang et leur fortune.

— Et remplir les caisses de Colbert !

— Tu as bien retenu ta leçon. Donc un jour…

Antoinette ne bouge plus, ne respire plus, on dirait un mannequin en cire. Hortense en profite pour resserrer les pinces sur les hanches.

— Un jour, en 1683, le chef de la police parisienne informa le roi que des ouvrières des faubourgs de Paris s'habillaient avec des tissus importés de Chine, beaucoup moins chers que les tissus français. Cela risquait fort de nuire au commerce national. Le roi et Colbert interdirent sur-le-champ les importations en provenance d'Orient. Et, pour que les ouvrières ne soient pas tentées de s'en procurer par la contrebande, ils publièrent un décret à l'intention des fabricants de textile leur ordonnant de copier les tissus étrangers de manière à ce que tous les profits de la haute couture restent dans les coffres-forts français. Imiter pour éliminer. Pas bête, non ?

— Tu es sûre que c'est vrai ?

— C'est dans le livre qu'Elena m'a prêté. Je n'invente rien.

Elle a à peine prononcé le nom d'Elena que celle-ci pénètre dans l'appartement, sa boîte de loukoums à la main.

Elle salue Antoinette, embrasse Hortense.

— Je dérange ? elle demande comme une formalité.

Elle brille d'un éclat de gamine espiègle. Pourtant nous ne sommes pas mercredi, ce n'est pas le jour de Grandsire, pense Hortense.

— Que dis-tu de ma nouvelle couleur ? lance Elena en secouant les cheveux.

— Ça vous va très bien, répond Hortense. Je me disais que quelque chose avait changé…

— Mes cheveux m'ennuyaient !

Elle fait la moue et louche sur une pointe de cheveux rouges.

— Robert m'ennuie aussi. Il est trop vieux. Il se répète. Il n'a que des chiffres dans la tête. C'est une calculette !

— Chacun son emploi, dit Hortense qui recule de trois pas, inspecte son drapé, chuchote c'est parfait.

— Tu ne me demandes pas comment il t'a trouvée ?

— Non. Je me moque de son avis. Je sais ce que je vaux. S'il ne m'apprécie pas, c'est son problème, pas le mien.

— Je peux partir ? dit Antoinette, lasse de tenir la pose. Je ne sers à rien dans cette conversation. Je perds mon temps.

— Oui. Merci. Je t'appelle demain.

Hortense retire la toile. Antoinette apparaît nue devant Elena qui la détaille et semble apprécier le spectacle.

— Vous êtes drôlement jolie, mademoiselle ! Cambrée ce qu'il faut, dorée, galbée, longue et lisse, une perfection ! Félicitations.

— Et vous, vous avez dû être pas mal du tout. Vous êtes presque bandante malgré vos plis et vos creux. Je parie que vous plaisez encore…

Les joues d'Elena s'empourprent, elle dodeline de la tête en disant c'est pas faux !

— Vous êtes si mince, continue Elena. Vous faites un régime ?

— Vous êtes folle ? J'ai autre chose à faire qu'à surveiller mon poids.

Elle hausse les épaules, lève les yeux au ciel, glisse ses longues jambes dans un jean étroit.

— Tant de filles s'abîment en des régimes stupides, constate Elena.

— Pas moi ! Je refuse de passer quatre-vingt-quinze pour cent de mon temps à perdre cinq kilos ! *Ciao, ciao*, ma belle, elle lance à Hortense, et vous, la vieille, ne changez pas ! Vous êtes top !

Elena la regarde sortir, ébahie.

— Tu l'as trouvée où ? C'est une rareté !

— C'est la sœur d'une copine. Elle va être mon égérie.

— Notre égérie, Hortense !

Les sourcils d'Hortense se joignent, son nez se fronce, elle ne goûte pas ce partage obligé. Elena lit la réticence grondeuse sur son visage.

— Eh oui… Va falloir t'y faire, ma chère petite !

— Je ne voyais pas les choses comme ça…

— Tu fais la création, je m'occupe de l'argent. *Fifty-fifty.* On était d'accord. Si tu changes d'avis, il faut le dire tout de suite.

— Mais la maison portera mon nom ? Vous me l'avez promis.

— Oui, et nous sommes deux à bord. Ne l'oublie jamais !

— Je n'oublie pas, proteste mollement Hortense.

— Deux dans le triomphe… et moi seule en cas d'échec. J'y laisserai mes sous. Et un paquet de sous !

Elena prend un loukoum, le gobe, laisse passer un moment.

— Si échec il y a, mais, je te rassure, je n'y crois pas. Je suis même persuadée du contraire.

Hortense accroche le regard d'Elena.

— Je serai seule sur scène, n'est-ce pas ? elle insiste, butée. Ce sont mes modèles, mes idées, c'est mon travail. Vous ne faites que donner de l'argent…

— C'est le nerf de la guerre. Tu ne ferais rien sans mon argent. Alors souris. On ne va pas s'épingler pour un débat sans intérêt.

Hortense esquisse un pâle sourire. Elena incline la tête pour la remercier.

— Je te laisserai la première place sur scène et sur les photos. Mais je veux que l'on sache que je suis derrière toi. Avec ma force de frappe. Nous ne serons pas les premières à former un couple argent-talent. Alors ravale tes rêves de grandeur, tes sanglots de petite fille, apprends à partager et continue de travailler !

— Je n'ai pas besoin que vous me le disiez, je ne fais que ça, du matin au soir ! s'emporte Hortense.

— C'est parfait. Je veux savoir où je place mon argent… Que fais-tu, maintenant ?

— J'attends un coup de téléphone de Junior.

— C'est qui ?

— Mon contact à Paris. Un garçon très intelligent qui dirige une entreprise de produits pour la maison. Une sorte d'Ikea. Il est au courant de tout, connaît les fabricants, les produits, les marchés. Il doit m'appeler pour me confirmer qu'il a trouvé la personne capable de reproduire le tissu de la gaine.

— Il est sur une piste ?

— Oui. On va pouvoir lancer la production. J'ai au moins deux collections complètes dans mes cartons.

— Tu lui as envoyé un échantillon de mon corset ?

— Oui. Vous m'y aviez autorisée.

— Je ne m'en souviens pas.

— Eh bien, faites un effort ! Si on doit être associées, il va falloir avoir de la mémoire !

— Hortense, rabaisse ton caquet !

— Je n'aime pas la façon dont vous me parlez. Vous ne me sifflez pas comme on rappelle un chien ! D'accord ?

— Je te demande juste de rester à ta place.

— Et vous, à la vôtre !

— Hortense ! s'exclame Elena.

— Oui ? répond Hortense, faussement soumise.

— Je veux que tu voies Jean-Jacques Picart avant de démarrer. Son avis est de la plus haute importance. Son avis et ses introductions. Tu ne feras rien de bien sans lui.

— J'ai compris. J'attends le coup de fil de Junior et j'achète mon billet pour Paris.

— Entendu. Je l'ai prévenu de ton appel. Prends rendez-vous. Et dis-moi… quel âge a ce garçon que tu appelles Junior ?

Hortense fait semblant d'être absorbée par la longueur de l'ourlet, se penche sur le tissu, prend une mesure et parle à Junior. Junior, s'il te plaît, appelle-moi vite ! Sinon il va falloir que je mente sur ton âge ! Tu imagines sa grimace si j'annonce que tu as six ans ? Elle va s'étrangler avec son loukoum. Dépêche-toi !

— Hortense ! répète Elena en éclaircissant sa voix. Je t'ai posé une question…

— Je me demandais si je devais faire un peu plus court ou un peu plus long… Vous en pensez quoi ?

Elena se penche sur le tissu, le plaque sur le mannequin en bois, calcule la longueur. Ses mains volettent, heureuses. Elle retrouve des gestes d'autrefois. Cherche la taille, tâte le tissu de ses mains ridées aux ongles rouges, et les bracelets en or glissent sur ses avant-bras. Son regard devient pointu, habité d'une interrogation ancienne. Ce n'est plus une vieille folle qui mange des loukoums et s'emboîte avec son masseur le mercredi, c'est une femme adroite, inspirée, qui a eu autrefois un métier et le fait revivre sous la savante pression de ses doigts.

Hortense la regarde, surprise. Elle me cache des choses. Elle sait couper, tailler, monter, dessiner. Cela a été plus qu'un passe-temps. Vous ne m'avez pas tout dit, chère comtesse ! Je le devine à vos doigts, à la lueur sagace de votre regard, vous avez envie de prendre les ciseaux et de soustraire ce petit centimètre que j'ai oublié. Et vous avez raison. Ce sera bien mieux ainsi. Mais vous prenez les ciseaux ! Vous osez ! Alors là… Je ne vous permettrai pas ! C'est ma robe ! Pas la vôtre !

Elle va pour ôter les ciseaux des doigts d'Elena, mais celle-ci se dégage et la foudroie.

— Laisse-moi ! elle crie.

Et, dans son regard, il y a la volonté d'être chef, de régner seule. Le désir cruel d'évincer celle qui voudrait la remplacer.

Les deux femmes se mesurent. La plus vieille semble revenir d'un songe heureux, la plus jeune vient de voir se dessiner un cauchemar.

— Vous ne faites plus jamais ça ! dit Hortense en attrapant le poignet d'Elena. Plus jamais !

Elle lui ôte les ciseaux des mains et les repose sur la table.

C'est ce moment-là que choisit Junior pour intervenir. La sonnerie du téléphone d'Hortense retentit, elle s'éloigne pour répondre et entend :

— Hello, Biche jolie !

— Tu tombes bien !

— Je sais, je sais.

— Une minute plus tard et c'était…

— Je sais tout, Biche affolée. Laisse-moi t'annoncer une grande nouvelle ! J'ai trouvé notre fabricant. Je suis passé par Shéhérazade, j'ai remonté toute une filière de tisseurs, artisans, ouvriers experts. Que de talents en notre France tourmentée !

Il pousse un soupir triste.

— Mais ne nous affligeons pas ! Restons de belle humeur. J'ai déniché une perle rare, Biche jolie. Un atelier qui travaille la qualité, la beauté et la fonctionnalité du tissu, qui produit des matières qui non seulement enchantent l'œil, mais éclairent, réchauffent, modèlent, absorbent. J'ai commandé un rouleau de piqué blanc comme tu me l'avais demandé afin de voir comment travaillent ces gens. Ils vont reproduire le motif du corset façon haute couture. L'affaire est lancée… Mais il faut des sous.

— Normal ! dit Hortense. Dis, homme avisé, as-tu entendu notre conversation de ce jour ?

— Oui. Je me suis branché un peu avant de t'appeler. Je voulais savoir où j'allais mettre les pieds. Pas commode, l'ancêtre. Passe-la-moi, je vais te l'emberlificoter !

— Oh, Junior ! Je ne savais pas que tu me manquais tant ! J'arrive bientôt, nous irons faire bombance et jacterons comme des moulins à vent.

Pourquoi je me mets à parler comme lui ? se demande Hortense, étonnée d'entendre ces mots désuets sortir de sa bouche.

— Oh, Biche jolie ! Que je t'aime, que je t'aime ! Passe-moi la vieille. Il faut la neutraliser tout de suite. Je vais te la ramollir façon loukoum.

Elena clame d'une voix forte bonjour, jeune homme, saisit un morceau d'étoffe qui traîne, s'en sert comme d'un éventail, se coule dans un fauteuil, devient molle, liquide et laisse tomber de lourdes paupières qui se soumettent. Puis elle se lance dans une série cadencée de oui, oui, oui, ses mains voltigent, son menton acquiesce, et son pied bat le parquet, heureux d'être à l'unisson de son interlocuteur.

Un dernier mouvement du menton et elle raccroche, éblouie.

— Ce garçon a l'air épatant. Fin, concis, visionnaire. Il voit loin ! Nos intérêts sont entre de bonnes mains. Je ferai le versement demain pour le piqué blanc. Il va m'envoyer les coordonnées de cet artisan. J'ai hâte de voir son travail !

Elle lève la tête vers Hortense qui salive à nouveau. Un premier chèque ! Presque un engagement !

Que c'est excitant ! Elle va pouvoir faire de grandes et belles choses. Elle va s'empiffrer de mode.

— Junior est fantastique.

— J'ai oublié de lui demander son âge, se souvient soudain Elena.

— Junior n'a pas d'âge, s'exclame Gary en s'encadrant dans la porte. Junior est Junior. Quand vous le connaîtrez, vous serez sous le charme. Tout le monde l'aime et l'apprécie. Il est unique au monde !

Il se tient debout, le nez légèrement brûlé par le soleil. Ses yeux paraissent plus noirs et son sourire emprunte à celui du flibustier. Il a de l'herbe dans le cou et sur la semelle de ses chaussures.

— Tu es allé traîner où ? demande Elena.

— Dans le Parc.

— Tout seul ?

— Non, on était toute une bande.

— Toute une bande ? Mon Dieu ! Toi qui n'aimes pas être en groupe !

— Bien obligé ! On répétait un morceau.

— Dans le Parc ? Que c'est étrange !

Gary hausse les épaules et tente de faire diversion.

— Il faisait beau, on est sortis, on s'est posés sur la pelouse. On avait nos partitions. Voilà tout ! Il fait un temps... mais un temps ! Éblouissant !

Elena l'observe. Il y a comme une note de trop dans son enthousiasme. Une fausse note, un faux entrain qui l'intrigue. Elle poursuit :

— Pourquoi n'emmènes-tu pas ta bande se promener dans ma belle voiture ? Il faut la faire rouler sinon elle va s'abîmer et cela fait longtemps que tu ne l'as plus fait tourner.

— Parce que je me vois mal en train de parader. Ce n'est pas mon truc, vous le savez. Je le fais juste pour vous rendre service…

— Et puis vous êtes trop nombreux pour tenir tous dedans, c'est cela, Gary ?

Gary rougit sous son hâle. Son regard part à la recherche de celui d'Elena.

Peut-être qu'il pourrait lui parler à elle ?

Peut-être qu'elle a déjà aimé deux personnes à la fois ?

Il l'imagine déjà. Blonde, jolie, souriante sur la grande affiche qui dira : « Salon de coiffure Tif-Tif : la qualité, pas le porte-monnaie ! Coupe à quinze euros. » Partout dans Saint-Chaland elle sera placardée. Dans les rues, aux carrefours, sur les flancs des bus. Ils banderont tous en la regardant, et il se dira c'est moi qui la baise ! C'est moi le gros veinard qui trempe ma bite dedans.

Hier soir encore, elle s'est enroulée autour de lui, lui a aspiré la queue, une folie ! Il la suppliait de s'arrêter pour que ça dure, ça dure. Il n'avait pas tenu longtemps. Il avait lâché la purée. Quelle salope ! Quelle divine salope !

N'empêche…

Sur l'affiche, elle aura l'air d'une sainte-nitouche. Blonde, pure, belle. Miss Tif-Tif. L'emblème du salon de coiffure.

On ne mégotera pas sur les moyens. La mairie lui donnera un coup de main, une petite subvention. Faut encourager le commerce, 'pas ? Campagne d'affichage et, et… première page du magazine *Tif-Tif* tiré chaque mois à mille exemplaires et distribué gratuitement dans la commune.

Tif-Tif est le seul salon de coiffure de la ville et des bourgs avoisinants. Madame Robert, la patronne, a été une de ses maîtresses. Mais elle paie sa redevance comme les autres ! Pas de favoritisme. Elle a trois employées fort appétissantes. Il les a toutes sautées. Il n'a même pas eu besoin d'insister, les petites se sont offertes d'elles-mêmes ! Tu les as bien élevées, il a dit à madame Robert en lui prenant le menton. Elle est encore bandante à soixante ans. Elle a les pommettes hautes, le ventre plat, les cuisses fermes. À chaque visite, il glisse une main entre ses jambes et tâte, pas mal ! Elle rougit. Il y retourne de temps en temps tremper son biscuit. Les bons coups font les bons amis, pas ?

— Tu me prends Violette comme tête de gondole et je te dispense de cotisation pendant, disons, six mois.

Elle a dit oui. Elle a dit aussi :

— Tête de gondole, c'est pas flatteur pour elle.

— Comme les gondoles à Venise ! Suis Ringo, elle est Sheila !

Il s'est trouvé très fin.

C'est dire avec quel entrain il sonne à la porte de Violette ce soir-là.

Elle lui ouvre, une cigarette au bec.

Il s'exclame, contrarié :

— Combien de fois je t'ai dit de ne pas fumer, chaton !

Il se bat les flancs, découragé de devoir toujours répéter.

— T'occupe, elle dit, entre, magne-toi, y a du courant d'air !

Il fait un pas en avant, enlève sa veste en cuir, la pose délicatement sur le dos d'un fauteuil, défait sa ceinture, ôte ses chaussures, il aime être à l'aise. Il l'attrape par le poignet, l'attire, l'écrase contre lui. Elle grimace, se dégage en se massant la nuque.

— Dis donc ! Vas-y mollo ! Suis pas en latex !

— Oh, chaton ! Te montre pas récalcitrante !

C'est un mot qu'elle lui a appris hier. Elle devrait être heureuse qu'il l'ait retenu et qu'il l'utilise. Mais elle ne remarque rien.

— J'ai une surprise pour toi. Tu vas être contente ! Tu vas me sauter au cou…

Et il ajoute, lubrique :

— … et à la braguette !

Violette tire sur sa cigarette et le considère sans complaisance. Depuis le temps qu'elle moisit dans ce bled, il serait temps qu'il se passe quelque chose. Pour le moment, elle n'a récolté que des promesses. Elle attend toujours le grand film, le grand rôle, le grand metteur en scène.

Ray s'installe dans un fauteuil, la prend sur ses genoux, glisse une main sous son chemisier, annonce en fanfare la bonne nouvelle : elle va poser pour la campagne du salon Tif-Tif. Être placardée sur tous les murs de Saint-Chaland et des environs. Et faire la une de la gazette du salon.

— Et comme slogan « Tif-Tif, la qualité, pas le porte-monnaie ». J'ai tout pris en main. Ils ont pas la queue d'une idée ici. Tu te rends compte, mon chaton ? Tu vas être une star ! J'ai vu Fabrice, le rédacteur en chef de *La République libre*, il est d'accord pour t'interviewer. Il m'a assuré que l'article serait repris partout. Radios locales et tout le bordel ! Tu vas être célèbre, chaton !

— Et le film ? elle demande d'une voix glaciale en lui soufflant une bouffée de fumée au visage.

Il cligne des yeux, fait une grimace de dégoût.

— Quel film ?

— Le film. La région. Le préfet. Mon rôle. T'as oublié ?

— Ça viendra. T'énerve pas. On commence par Tif-Tif et après on passe le grand braquet.

Elle saute sur ses pieds et se met à arpenter la pièce en faisant de grands moulinets.

— Ça ne viendra jamais si je fais n'importe quoi ! Je suis une artiste, pas une potiche pour salon de coiffure.

— C'est un tremplin, mon chaton !

Violette explose :

— Un tremplin ? Une planche pourrie, oui ! Je vais me vautrer ! Vendre la coupe à quinze euros de chez Tif-Tif, tu parles d'une gloire ! Donnez-moi l'Oscar tout de suite ! Comment n'y ai-je pas pensé ? C'est dingue, ça ! Toutes ces années à prendre des cours, à passer des castings, à supplier mon agent d'être sur l'affiche, à apprendre des rôles et pas une seule fois j'ai pensé à Miss Tif-Tif ! Dingue !

Elle hurle, se frappe le front, le considère, furieuse.

— Y en a plein qui commencent en faisant de la pub, c'est pas une honte ! il dit, piteux.

— Ils sont inconnus, ils ont vingt ans ! Et c'est à l'échelle nationale ! On leur pardonne !

— On parlera de toi…

— Dans un journal gratuit et sur les murs pourris de ce bled pourri ! Angelina Jolie ne ferme plus l'œil depuis qu'elle l'a appris !

— Tu exagères, chaton !

— Et arrête de m'appeler chaton ! Tu le fais exprès ou quoi ? J'ai trente-cinq ans, moi, je suis pressée ! J'ai pas de temps à perdre chez les ploucs ! Avec le leader des ploucs, j'ai nommé Raymond Valenti. C'est comme ça qu'elle t'appelle, ta maman, hein ? Raymond. C'est joli. C'est classieux. Elle a bien raison, remarque, tu n'es que ça : un Raymond.

Ray se rembrunit, blessé. Il se tasse dans son fauteuil.

Violette continue, déchaînée :

— Et tu sais pourquoi, Duglandu ?

Ray sursaute. Il a bien entendu ? Elle vient de l'appeler Duglandu.

— Parce que je suis une artiste. Une ar-tis-te.

Putain de merde ! Elle l'a appelé Duglandu.

Il se frotte la joue pour s'assurer qu'il est bien là, qu'il vient d'encaisser sans broncher. Sa tête est traversée d'un éclair. Il voit rouge. Il a envie de la frapper. Il a souvent envie de la frapper. C'est le boa qui le retient à chaque fois. Duglandu ! Il est trop gentil avec elle, il lui passe tous ses caprices. C'est fini. Elle va devenir carpette comme les autres. Duglandu ! Son regard se voile d'une lueur mauvaise. Il va la démolir, lui arracher la gueule, elle viendra ramper à ses pieds, elle lui demandera pardon, il secouera ses semelles pour la décoller. C'est comme ça qu'on les traite, les gonzesses. Et quand ses couilles crieront famine, il ira les vider chez une autre, les candidates ne manquent pas. Il va pour lever la main quand il pense soudain oui mais... il n'y a qu'elle pour faire le boa.

Il suspend son geste, se mord les phalanges jusqu'au sang. Gueule, hargneux :

— Y a que toi pour prétendre que t'es une artiste !

Il ne la giflera pas mais il ne va pas se laisser faire. Il va remettre les pendules à l'heure.

— Qu'est-ce que tu dis ? Répète ! elle lui aboie au visage.

— Ben, c'est vrai. Y a que toi pour croire que t'es une artiste. C'est écrit où ? Pas dans les journaux ni au cinéma ! Je t'ai jamais vue à l'écran, moi. Jamais entendu parler de toi. Et je suis pas le seul. Même le préfet hésite à te recommander. Il dit que personne te connaît. Alors, artiste, ça me paraît un bien grand mot pour une blondinette inconnue.

— Parce que t'es jamais sorti de ton trou. T'es un bouseux, Raymond !

Il sursaute à nouveau. Elle continue à l'insulter. Et il ne la claque pas. Qu'est-ce qu'il lui prend ? La tête lui tourne. Il devient vieux. Le sang ne coagule plus, le bras ne s'arme plus, il est tout mou. Avalé par le boa.

Dans un ultime sursaut de fierté, il lance, rageur :

— Tu veux que je te dise ? La seule fois où je t'ai vue à la télé, c'était dans les actualités régionales. Pour l'ouverture d'un Sofitel à Mâcon. Je ne sais pas ce que tu foutais là. En silhouette derrière une plante verte. Au bras d'un vieux bardé de décorations et d'un gros ventre ! J'ai cru que c'était un ancien combattant. Tu le suçais ou tu le suçais pas ?

— Va te faire foutre, Raymond ! hurle Violette. Je veux plus jamais te revoir ! T'as compris ! Plus jamais !

Elle lève le bras pour le gifler et il le bloque, stupéfait.

— Mais dégage, vieux plouc ! Dégage !

— Ne me le dis pas encore une fois, Violette ! Je suis capable de le faire !

— Mais vas-y ! Te prive surtout pas. Bon débarras ! J'en peux plus ! T'es vieux, tu ronfles, tu pues, t'as une petite bite, une toute petite bite ! On te l'a jamais dit, ça ? Ben voilà, je te l'annonce ! T'as beau rouler des mécaniques, elle est toute petite et elle te fait la nique !

Elle éclate de rire. Et mime une toute petite bite de rien du tout en écartant de deux centimètres ses doigts.

Il déglutit, ravale sa fierté. Le vagin-boa vient de se carapater. Il pleure déjà. Est prêt à quémander son pardon.

— Je plaisantais, chaton. Si on ne peut même plus plaisanter !

— Eh bien, moi pas. Dégage, je te dis, dégage !

— Mais chaton…

Elle prend son blouson, sa ceinture, ses chaussures, les lui balance en pleine figure et le pousse vers la porte.

Elle attend qu'il ait dégringolé les marches de l'escalier, ouvre grand la fenêtre et hurle à l'intention de tous :

— Couillassec ! Couillassec ! Couillassec a une toute petite bite !

Le lendemain matin, Violette téléphone à Stella.

Elle a écumé de colère toute la nuit. A fait des tonneaux dans son lit. Allumé, éteint, allumé, éteint. Verre d'eau, verre de lait, du lait avec du miel, du lait sans miel. Des abdos, une manucure, une épilation des sourcils. Et puis elle est passée aux somnifères et au whisky.

— Stella ? Faut qu'on se voie, elle déclare d'une voix pâteuse. C'est urgent.

— Ah, dit Stella. Tu veux que je prenne le thé avec Ray ?

— Non, éructe Violette, je veux le démolir, le ratatiner, en faire de la poudre de cafard. Y va payer. Et cher !

Stella demeure stupide, la bouche entrouverte. Elle ne croit pas ce qu'elle entend. Elle tend son bras à Julie, murmure pince-moi. Julie la pince mollement et Stella dit non, je rêve pas !

— Tu es toujours là ? demande Violette.

— Oui. J'ai du mal à comprendre.

En fait, elle se demande si ce qu'elle entend n'est pas le fruit de son imagination.

— Tu veux dire que c'est fini avec Ray ?

— Oui. Je l'ai largué hier et de belle manière ! T'avais raison, il est nul ! C'est un connard. Le roi des connards.

Stella dresse le pouce et fait un clin d'œil à Julie assise en face d'elle. Elle murmure tout bas *YES ! YES ! YES !*

— Et tu veux qu'on se retrouve où ? demande Stella.

— Chez Lancenny.

— Pas question ! Je ne mets pas un pied chez ce mec.

— Chez Lancenny, je te dis. Et nulle part ailleurs. On déjeune ensemble. Démerde-toi. Je te le proposerai pas cent fois. Et tu regretteras pas d'être venue, tu vas voir, tu…

Elle suspend sa phrase. Stella tend l'oreille.

— Je viendrai pas les mains vides, j'te promets, il va couler profond ! Connard ! Quel connard !

Elle raccroche brutalement.

Stella gratte une petite plaie sur son pouce, semble réfléchir, Lancenny quand même, cette ordure de Lancenny ! Elle croise les bras sur le bureau de Julie. Y pose sa tête.

Julie l'observe sans rien dire. L'échange a dû être rude. Stella fait rouler sa tête sur ses bras, puis se redresse et déclare :

— Julie, ma toupie, je crois qu'on a ferré le gros poisson !

— Non ! Pas possible !

— Violette se rebiffe et veut livrer l'homme.

— Tu crois qu'il l'a frappée ?

— C'est possible… En tout cas, elle a l'air furieuse. Et je crois bien qu'elle est prête à tout balancer.

Stella pousse la porte du restaurant et prend une profonde inspiration. Hausse les épaules pour se faire une carrure de bûcheron. Rentre le menton. Enfonce ses mains dans ses poches et se dirige vers la table où est assise Violette. Au beau milieu de la salle. Devant une carafe de vin rouge.

Violette Maupuis laisse filtrer un regard mauvais entre ses cils encore collés du mascara de la veille, avale sa salive comme une noyée à qui on aurait fait du bouche-à-bouche et laisse tomber :

— Tu es venue...

— ...

— Tu as eu raison. Tu vas en avoir pour ton argent !

Elle éclate de rire et se ressert un verre de rouge.

Elle a trop bu, se dit Stella. Elle a les yeux gonflés, les joues rouges comme passées à la toile émeri et des petits vaisseaux éclatés dans les yeux. Ses cheveux sont plaqués en mèches épaisses et sales. Elle est toute chiffonnée.

— T'as intérêt à ce que ce soit croustillant parce que j'ai dû laisser mon fils à la cantine et il déteste ça.

— Vous savez que vous allez bientôt nous quitter, madame Valenti, dit Amina. Vous êtes guérie maintenant. Vous êtes comme neuve.

— Je peux rester encore un peu ? demande Léonie d'une petite voix qui signifie mais où est-ce que je vais bien pouvoir aller ?

— Le docteur Duré ne vous laissera pas partir n'importe où... Il verra ça avec Stella. Mais on va vous garder en attendant.

— C'est gentil... C'est gentil...

Et c'est dans cet intervalle, entre les deux bouts de phrase, qu'elle reconnaît la peur, la peur qui la saisit quand elle imagine ce qu'il va se passer après l'hôpital.

Léonie agrippe le drap comme si elle voulait s'enfoncer dans le lit, ne plus le quitter.

Mais je vais aller où ? Je vais aller où ?

Elle attend qu'Amina soit sortie, qu'elle ait emporté le plateau du petit déjeuner, ait commenté une fois encore le temps qu'il fait, lui ait adressé un dernier sourire sur le pas de la porte, et elle se redresse. Elle glisse la main sous son oreiller, retire une enveloppe un peu jaunie où une main d'homme a écrit « pour toi, Léonie, de la part de ton Lucien ».

Chaque matin, elle tâte l'enveloppe du bout des doigts, la palpe, la retourne, la respire, mais ne l'ouvre pas. Elle ne sait pas pourquoi. Peut-être parce qu'il y a déjà beaucoup de bonheur dans cette simple phrase et dans la signature, « ton Lucien ».

Ce matin-là, elle prend la lettre, caresse le papier. Il est un peu grenu, un peu tramé. L'enveloppe porte l'en-tête « Hôtel des Grands Hommes » et elle sourit, émue. Son doigt passe sur l'encre, suit les hautes lettres, les pleins et les déliés. C'est lui qui a tracé ces mots, c'est lui.

Il ne l'avait pas oubliée.

Il ne l'avait pas jetée dans le fossé en quittant Saint-Chaland.

Elle le revoit à la boulangerie, la première fois. La nuque bien rasée au-dessus du col de la chemise. Et les pieds plats ! Elle l'entend rire dans la voiture quand ils s'embrassaient en mangeant des nougats et des caramels salés. Elle l'écoutait raconter ses histoires de bureau, de voyages, des voyages à deux balles parce que je ne sors jamais de France, je suis un voyageur au petit pied.

Il avait un petit sourire de bonheur au coin des lèvres. Ça lui remontait la bouche et lui donnait un air émerveillé. Il disait tu sais ce que c'est qu'une midinette ? C'est une expression de la fin du dix-neuvième siècle qui désignait une femme qui se contentait d'une dînette à midi. On appelait ainsi les ouvrières qui travaillaient dans les ateliers de couture et n'avaient pas le temps de déjeuner.

Et puis il l'embrassait, il l'embrassait pendant de longues minutes, de si longues minutes qu'elle fondait entre ses mains. Ça ne s'explique pas, ça ne s'explique pas de fondre comme ça !

Elle baise une dernière fois l'enveloppe, prend un crayon dans le tiroir de la table de nuit. Déchire délicatement le haut de l'enveloppe. Sort une feuille blanche pliée en quatre. La déplie. L'encre a pâli, mais les mots restent lisibles.

« Ma chérie,

Que je suis content que cet homme soit venu me trouver ! Il dit qu'il te connaît. Il dit que tu risques gros si je m'approche de toi. Il dit enfin qu'il veut bien servir de messager.

Ma chérie, je vais réfléchir et on va trouver une solution. Il le faut absolument parce que tu es mon amour, mon amour si grand que mon cœur s'emporte quand je t'écris.

Tu sais que je ne suis pas libre. Ne te méprends pas. Je suis libre de quitter ma femme. Mais pas de laisser ma petite Joséphine. Elle a besoin de moi. Je dois rester pour veiller sur elle, la protéger.

Je suis incapable de choisir mon bonheur et de sacrifier celui de ma fille. Elle est si merveilleuse, si sensible, elle ne s'en remettrait pas. Et tu n'aimerais pas que je fasse ça, n'est-ce pas, petite chérie ? Je le sais, je l'ai lu dans tes yeux. Il y a tant de bonté et d'amour dans tes yeux.

Mais je te promets que bientôt on se retrouvera et qu'on vivra libres, heureux, ensemble.

Il faut que je mette mes idées en place et ce soir, elles tourbillonnent. Je n'arrive pas à mettre la main dessus.

Je t'embrasse fort comme je t'aime,

Ton Lucien

P.-S. : Prends bien soin de Moitié Cerise !

P.-S. : Je joins à cette lettre mon poème préféré. Il est de Rilke. Lis-le et relis-le, il te parlera de mon amour. Il te donnera force et espoir.

Lucien Rilke. »

Une fiche quadrillée tombe de l'enveloppe. Un texte est tapé à la machine. Des caractères ronds qui bavent un peu sur les *o* et les *u*.

Transformer les dragons – Rainer Maria Rilke

« ... si nous organisons nos vies en suivant le principe qui nous pousse à toujours croire à la difficulté, ce qui nous apparaît le plus étrange aujourd'hui deviendra demain notre expérience la plus intime et la plus digne de confiance. Comment oublier ces anciens mythes que l'on retrouve à l'origine de toutes les races où des dragons se transforment en princesses au dernier moment ?

Et si tous les dragons de nos vies étaient des princesses qui n'attendent de nous qu'une belle et courageuse action ? Peut-être que tout ce qui nous effraie est, dans sa pure essence, une chose fragile qui attend notre amour.

Alors n'ayez pas peur... si un chagrin plus immense que vous n'en avez jamais eu se dresse devant vous, si une angoisse, comme un léger nuage sombre, vient invalider vos mains et tout ce

413

que vous faites. Il vous faut réaliser que quelque chose vous arrive, que la vie ne vous a pas oublié, qu'elle vous tient dans sa main et ne vous laissera pas tomber. Pourquoi voulez-vous fermer votre vie à l'inconfort, à la tristesse, à la dépression, puisque vous ne savez pas après tout le travail ce que ces états d'âme peuvent opérer en vous[1] ? »

À la fin, sur la petite fiche en carton, il avait ajouté à la main « la vie, la vie, la vie. Il faut lui faire confiance, belle chérie et embrasser les dragons ».

Putain ! Huit jours qu'il ne l'a pas vue ! Il a faim, il a faim. Il se branle comme un fou, mais ça le fait pas. Il va même pas jusqu'au bout. Il remballe.

Huit jours qu'elle l'a mis à la porte avec toutes ses affaires. Qu'elle l'a insulté ! Et pas qu'un peu ! Ça n'avait pas tardé, dès le lendemain les gens le regardaient en biais. Un regard gras qui colle. Qui chuchote dans son dos Couillassec, Couillassec. Il les entendait. Ou croyait les entendre. En tous les cas, ça recommençait. Toujours la même chanson ! Ils en ont pas marre depuis le temps ? Cette fois-ci y avait un couplet nouveau : p'tite bite, p'tite bite ! La salope ! J'aurais dû la taper. Comme les autres. Mais… Mais putain, qu'est-ce qu'elle est bonne !

---

1. Rainer Maria Rilke, *Lettres à un jeune poète*.

C'est de ma faute aussi, il se disait en arrêtant la branlette, en refermant sa braguette. C'était pas malin le coup de Miss Tif-Tif quand on rêve de Hollywood. C'est sûr, y a un sacré précipice entre les deux.

C'est le bordel partout.

Il ne sort plus de chez lui. Ou juste pour faire tourner la Maserati, passer sous ses fenêtres, voir si elle fume au balcon, si elle porte une petite robe décolletée avec des bretelles qui glissent, laissent apercevoir un sein…

Oh, putain, ses seins !

S'il y a de la lumière, il ralentit, j'y vais ? j'y vais pas ?

Il traîne en savates chez lui. Regarde la télé. Tout y passe, le téléshopping, la météo, *Les Douze Coups de midi*, le Journal, *Les Feux de l'amour*, *Une famille en or*, *Les Experts*, *Mentalist*, *Une famille formidable*. Quand il ne mate pas la télé, il compte ses sous. Il en a beaucoup. Un beau petit tas. Sa mère a bien géré.

N'empêche…

Ça suffit pas. Il lui manque le jus, les nuques qui se courbent, les sourires serviles, les filles qui s'offrent, le blé qui rentre et qu'il compte en faisant des petits bâtons. C'est fou, il se dit, comme on s'habitue.

Il continue son tour. Entre chez Gérard. Comme au bon vieux temps. Quand ça ronflait.

Cette fille lui a porté malheur.

Gerson avait raison.

Il s'installe au bar. Racle ses semelles sur la barre. Fait le tour de la salle des yeux. Pas grand monde. C'est bientôt l'heure de l'apéro, ça va se remplir. Il commande un whisky.

— Avec des glaçons. Mais sans Perrier ! il précise, l'œil pointé sur Martine Lancenny.

Elle a grossi. Comment il peut la monter, le Gégé ? L'est pas dégoûté ! Faut dire qu'il y a des années qu'elle lui fait usage, il s'est habitué.

Martine Lancenny dépose un whisky devant lui, un bol de glaçons.

— Il est pas là, Gégé ? il demande, penché sur le bar pour attraper les cacahuètes.

— Non. Il avait une course à faire.

— Il rentre quand ?

— Sais pas. Sont ses affaires.

— Dis donc, t'es pas bavarde !

— Pas le temps. Je bosse, moi.

— Parce que je bosse pas peut-être ?

— J'ai pas dit ça.

— Parle-moi autrement, tu veux ?

Elle ouvre le lave-vaisselle, sort les verres qui fument. S'écarte. Pose les mains sur les hanches.

— Il a pas dit s'il bouffait ici ?

— Non.

Elle le regarde d'une manière bizarre. Pire encore, il y a de la mauvaiseté dans son œil. Elle lève le coude. On dirait qu'il la pollue, qu'elle a envie de s'essuyer.

Et elle s'essuie !

Je rêve ou quoi ? Elle vient de se torcher devant moi avec le coin d'une serviette. Comme si j'étais une saleté qui lui bouchait la vue ! Non mais... C'est fort, ça ! Recommence, connasse, recommence et tu vas voir !

Il reste là, au bar, il la suit des yeux. Elle fait marcher des Picon-bière, des Perrier-rondelle, des petits blancs, des kirs, écrit le menu du jour sur une grande ardoise accrochée au mur.

Il ne la lâche pas des yeux. Elle a l'air de savoir un truc.

Et l'autre connard qui arrive pas ! Où il est parti glander encore ? Peut-être qu'il s'est mis à son compte ? Qu'il relève des loyers et les roule dans sa poche. Ça m'étonnerait pas, tiens ! Gerson lui a bourré le crâne. Va falloir que je rétablisse ma loi...

Et la Martine qui circule dans la salle ! Épanouie. Allante. Elle plaisante avec l'un, elle rigole avec l'autre. Ils parlent de moi, peut-être ?

Elle n'a pas l'air d'avoir peur du tout.

D'habitude, quand il entre, elle baisse les yeux et se planque dans un coin, ça lui fait plaisir. Ça le chatouille au bas du ventre.

Tandis qu'aujourd'hui... on dirait qu'elle le nargue.

Elle est revenue derrière le bar et se pavane. Toujours ce petit air de celle qui sait quelque chose. Mais tu sais quoi, salope ? Tu sais quoi ?

Et hop, elle vient de s'essuyer à nouveau le coin de l'œil ! En le fixant. Sans se cacher.

C'en est trop !

Il passe derrière le comptoir. Bloque Martine Lancenny contre la machine à café.

— Pourquoi tu me regardes comme ça ? J'ai une merde sur le front ?

— Mais non...

— Mais si. T'arrêtes pas de me regarder. Y a un problème ?

Il glisse un genou entre ses jambes. Elle tente de se dégager, mais il lui attrape un sein et le tord.

— Arrête, Ray ! Tu me fais mal, elle dit en donnant un coup d'épaule.

— Tu sais un truc que je sais pas ?

— Mais non... Qu'est-ce que tu vas imaginer ?

— C'est Gégé ? Il t'a dit quelque chose ? Il s'est plaint ? Il veut quoi, Gégé ?

— Mais je sais pas, moi ! C'est vos affaires ! Et puis d'abord, je te regardais pas ! T'es malade ou quoi ?

— Pourquoi il est pas là ? T'as vu l'heure ? Il bouffe dehors maintenant ?

Elle le repousse d'un geste sec.

— Je sais pas, moi ! Si tu crois qu'il me dit où il va, tu te fourres le doigt dans l'œil !

— Tu me parles pas comme ça, compris ?

Elle hausse les épaules, referme son chemisier. Reprend son torchon, frotte le bar.

— Retourne t'asseoir, Ray. Tu te donnes en spectacle.

Il se retourne, contemple la salle.

Quatre hommes jouent aux cartes à une table. Ils ont le visage levé vers lui.

— Vous voulez ma photo ? il gueule.

Les quatre hommes piquent du nez sur leur jeu.

Il repasse de l'autre côté du bar.

— T'as de la chance de t'en tirer comme ça. Suis pas en forme, ce soir. Attends un peu demain, ça va être ta fête !

Elle a un petit sourire désinvolte et lui présente la note.

La note ! Faut payer maintenant ! il râle.

Y a un malaise, c'est sûr.

Plus rien ne marche comme avant.

C'est le bordel partout.

D'abord Turquet. Les flics n'ont rien trouvé. Ils ont retourné les environs de la ferme, ont fait des prélèvements. Pas la moindre preuve qu'il y ait eu un agresseur. Et s'il s'était vraiment amoché tout seul ? Pour ne plus faire partie de la bande ? Et s'il avait eu peur ? Et s'il lui prenait l'envie de tout dégoiser ? Pourquoi elle circule, cette rumeur qu'il serait un traître ? Un traître à qui ? À Ray Valenti, pardi ! Qui plus est, Turquet à l'hôpital… il voit Duré tout le temps. Va-t'en savoir, l'autre l'a peut-être retourné ! Avec ses airs de nouveau héros qui lave plus blanc, il va se faire des alliés ! En plus, la plainte n'a pas abouti. Le conseil de l'Ordre des médecins a classé l'affaire. Solidarité entre nantis.

Il a fait chou blanc.

Et puis, Gerson qui lui bat froid depuis leur altercation l'autre jour. Quand Ray lui demande quelque chose, il est toujours occupé. Il a autre chose à faire. Du boulot, il dit. Mais quel boulot ? C'est moi son principal employeur. C'est pas avec son garage à la noix, ses pleins de diesel et ses vidanges qu'il s'est payé sa maison à Saint-Chaland et son chalet aux Arcs, hein ? Et sa Mercedes ? Il l'a eue dans une pochette-surprise ? Ils ont tendance à oublier tout ça, ces deux-là ! Il va bien falloir qu'ils se dévouent maintenant que Turquet est immobilisé. Et le moins qu'on puisse dire, c'est qu'ils ne se précipitent pas.

Ils sont devenus « laconiques ».

Encore un mot qu'elle lui a appris…

Comme elle lui manque ! Putain ! C'était de la balle, cette gonzesse ! Il n'ose plus aller dîner chez le préfet ou le maire depuis qu'elle l'a viré. Il a la honte au front. Ray Valenti jeté comme un bouffon. JETÉ ! Des coups et des claques, voilà comment il aurait dû la traiter ! Il a été trop bon.

Et maintenant, il est à la maison à torcher sa mère. Tu parles d'un avenir de merde !

Elle est fine mouche, sa mère. Pas besoin de lui faire un dessin. L'autre jour, alors qu'il lui donnait son bain, elle a dit on a eu raison de prévoir large et de faire rentrer l'argent, des fois que les gens veuillent plus verser leur écot ! Ça lui a troué la peau qu'elle dise ça ! Comment elle sait ? Elle sort jamais de chez elle et il la ferme devant elle pour ne pas l'affoler. Quand elle s'endort, elle sourit comme un bébé dans un cercueil. Il la regarde et ça l'apaise.

C'est bien la seule chose qui lui mette du baume au cœur.

Et Léonie qui fait la grasse mat, à l'hôpital, dorlotée par Duré et tout le personnel. Comme à l'hôtel ! Des mois à glander pour un bobo de rien du tout ! Il n'ose même pas aller rôder dans les couloirs pour la récupérer. Il a la frousse qu'on le sorte comme un malpropre. Duré ne doit pas le porter dans son cœur, c'est sûr.

Il paie son whisky et sort.

Monte dans la Maserati.

Va tourner une dernière fois sous les fenêtres de Violette.

Compose son numéro. Elle décroche, il dit c'est moi, elle répond va te faire foutre !

C'est le bordel partout.

Martine Lancenny regarde la porte se refermer sur Ray. Bon débarras ! Il lui a tordu le sein, il est fou, ce mec ! Elle prépare les serviettes pour le service du soir. Fait des oreilles de lapin. C'est sa figure préférée. Rumine. Je crois bien qu'il perd la boule. Il n'avait pas l'air tranquille. Faut dire qu'il n'a pas tort de s'inquiéter. Violette, elle fait gicler la boue. Et bien fort pour que tout le monde soit aspergé.

L'autre jour, elle a servi Violette Maupuis.

C'était vendredi à midi.

Elle se souviendra de ce déjeuner.

Elle venait de faire rentrer sa livraison de salaisons. Elle avait signé la facture du père Germain, elle comptait les saucissons, les pâtés et les jambons, les rangeait bien à l'abri, quand Violette Maupuis était arrivée.

Attention, c'est le genre de fille qui ne rentre pas comme tout le monde dans un établissement. Violette Maupuis, elle déboule. Tout est étudié. Les bras, les jambes, les pieds. La poitrine qui pointe en avant. Tout est synchronisé. On dirait un ballet de sirènes chez Walt Disney.

— Je voudrais une table. Pour deux. Pour déjeuner.

— Je vous mets dans un coin pour que vous soyez tranquilles ?

— Non. Au contraire. J'en veux une au milieu de la salle.

— Je disais ça comme ça. Ray, il aime bien préserver son intimité.

— Et qui t'a dit que je déjeunais avec Ray ?

— J'ai pas dit ça.

— T'as supposé, alors. Ben, tu t'es trompée. Je déjeune avec une copine.

Elle la tutoyait. Elle la prenait de haut. Elle imitait les manières de Ray.

Elle avait choisi sa table.

S'était assise, avait croisé haut les jambes. Elle portait une jupe en cuir noir, un haut panthère qui bousculait ses seins, une grosse ceinture qui lui étranglait la taille, des talons de dix centimètres au moins et des bas résille noirs. Une pute, quoi !

Elle avait sorti son téléphone. Un Samsung tout neuf. L'avait posé bien en évidence sur la table. Le sac, c'était un cabas Vuitton. Tout neuf aussi. Et ses lunettes, des Ray-Ban. C'est pas avec l'héritage de ses vieux qu'elle avait pu se payer tout ça ! Les parents Maupuis, c'étaient des braves gens. Elle, institutrice, lui, fonctionnaire à la Poste. Ils avaient des petites retraites et quand ils venaient au restaurant, c'était la fête. Ils se mettaient sur leur trente-et-un. Elle leur offrait toujours le digestif, ils le buvaient du bout des lèvres en chuchotant ça

pique un peu la gorge, mais c'est bon. Ils ne parlaient jamais de leur fille. Sûr qu'ils n'en revenaient
pas d'avoir engendré un tel engin.

Donc elle était là, la Violette, à croiser et décroi-
ser les gambettes, à regarder sa montre, à soupirer.

Et Stella était arrivée.

Celle-là, toujours habillée de son éternelle salopette ! Et ses souliers ! Des écrase-merde pleins
de boue ! Et sa crête blonde ! C'est une coiffure,
ça ? On n'est pas chez les Indiens ! Et même pas
maquillée. Note qu'avec ses yeux bleus, sa peau
de bébé, elle en a pas besoin. Putain ! Elle dégage,
quand même. Moi, je me fringue comme ça et on
me plante au milieu d'un champ pour faire fuir
les corbeaux !

Stella s'était assise. Avait ôté son chapeau, l'avait
posé sur ses genoux. Pas un mot aimable. Juste ce
qu'il faut pour être polie. Elle avait pas envie d'être
là, ça se voyait.

Elle avait retroussé ses manches, posé les coudes
sur la table.

C'est alors que je me suis approchée.

Je suis allée prendre la commande de la table
voisine. Je leur tournais le dos, mais je tendais
l'oreille. J'en perdais pas une miette. Je laissais tout
le temps aux clients de choisir. Des Hollandais qui

visitaient la Bourgogne et voulaient goûter les plats locaux.

Je les ai énumérés un par un. J'étais pas pressée.

Violette a attaqué fort :

— Pourquoi tu m'as jamais dit que Ray était pas ton père ? elle a lancé en parlant très haut pour que tout le monde entende.

Alors là ! J'ai failli lâcher mon calepin et mon Bic.

Stella Valenti n'a pas répondu.

Elle ne devait pas s'attendre à une telle entrée en matière.

— Il peut pas être ton père puisqu'il est stérile !

Elle ne mouftait toujours pas, Stella. Elle devait se demander si c'était du lard ou du cochon. Elle avait appris à se méfier. Je ne la voyais pas, mais en tout cas, elle ne desserrait pas les dents.

— Et comment je le sais ? a continué Violette.

Là, elle a laissé passer quelques secondes pour bien marquer le coup et elle a lâché en frappant sur la table :

— Il me l'a dit ! Tu le crois, ça ? Cash, le mec !

J'ai entendu comme un craquement sur la chaise de Stella. Touché ! je me suis dit. Mais elle se taisait toujours. Et l'autre continuait à pérorer de plus en plus fort.

— Oui, ma vieille, Ray Valenti est stérile. Stérile. Donc il ne peut pas être ton père. Tu le savais pas, peut-être ?

Je faisais le dos rond. Les Hollandais hésitaient entre un bœuf bourguignon, une fricassée de grenouilles à la crème et un coq au vin. Je leur disais prenez tout votre temps, je peux attendre.

— Ray Valenti, c'est Couillassec. Couillassec !

Elle scandait ces mots en frappant la table.

J'ai levé les yeux de mon calepin, j'ai regardé la salle et j'ai vu les habitués le cou tendu au-dessus de leur plat comme des tortues sorties de leur carapace. Couillassec, ça leur disait quelque chose. Ça les renvoyait des années en arrière. Ils se sentaient tout guillerets.

— Il me l'a dit… alors, pas la peine de nier ! On était en pleine action, il n'avait plus toute sa tête, je lui serrais la queue, l'aspirais, la relâchais, c'est ma botte secrète…

Elle a dit ça très fort. Elle ne se cachait pas.

Les vieux étaient congestionnés. Ils tiraient la langue, bavaient, s'essuyaient le menton. Ils se regardaient, une petite lueur salace au fond des yeux, ils rajeunissaient à toute allure.

— Je lui avais demandé de mettre une capote parce que je ne prends pas la pilule et que j'ai horreur du stérilet ! Et tu sais ce qu'il m'a répondu ? Il a dit « c'est pas la peine, je suis stérile ». « Je suis stérile », t'as entendu, Stella ?

Elle ne bronchait toujours pas, Stella.

— C'est pas tombé dans l'oreille d'une sourde, a repris l'autre. Alors ? Tu dis quoi ?

426

Stella Valenti devait se demander dans quel tra-
quenard elle était tombée. Elle a tourné la tête. Il
y avait des oreilles partout autour de leur table.

— Pourquoi t'as jamais rien dit ? a repris
Violette.

Les Hollandais avaient fait leur choix et il a bien
fallu que je décolle de leur table.

Je suis retournée au bar, j'ai déposé leur commande en criant bien fort un coq au vin, un bœuf
bourguignon et deux escargots en entrée. Michael,
l'Irlandais, m'a prise par le coude et m'a dit :

— T'as entendu ce que j'ai entendu ?

J'ai dit non. J'étais occupée avec mes clients.

— Pas possible ! Elle gueulait !

— Puisque je te dis !

— Ben, t'as loupé un truc. La vérité sort de la
bouche des belles filles ! Il est stérile, Ray. C'était
donc vrai, cette vieille histoire ! Putain ! Mais alors,
Stella, elle est de qui ?

— C'est vieux comme le monde, cette rumeur,
et tout le monde sait que c'est faux ! j'ai protesté.

Je voulais pas qu'on dise à Gégé que j'avais trahi.
Je voulais bien balancer mais en chœur, quand
tout le monde aboierait. Là, c'était trop risqué.
J'allais pas faire la fanfaronne en tête d'orchestre
et tomber ensuite le nez dans mon pipi ! On ne
sait jamais avec Gégé. Aujourd'hui, il l'a dans le
pif, Ray, mais demain, il peut faire la grimace à

l'envers et repartir main dans la main avec lui. Et alors là, je dégusterai !

— Jamais vu du faux qui sonne aussi vrai ! Elle est bien placée pour parler, la demoiselle ! a protesté l'Irlandais.

— Oui, a rigolé un autre type au bar. Juste en dessous ! Y a pas meilleure place !

J'ai filé en cuisine.

Moi aussi, j'ai peur de Ray.

Quand il est là, Gérard me traite comme sa bonne.

Mais je n'étais pas mécontente d'avoir entendu ça et pour un peu, je lui aurais payé un coup, à Violette.

D'autant plus qu'elle insistait. Et vas-y que je te balance des Couillassec, des stériles, des spermes à zéro, elle en remettait des couches.

Enfin, Stella qui n'avait toujours rien dit a marmonné :

— C'est pour ça que tu voulais me voir ?

— C'est une nouvelle alléchante, non ? Ça vaut le coup qu'on en parle entre vieilles copines. Le héros de la ville a le sperme à sec. Et qui plus est, je peux te le révéler, un tout petit zizi. Faut une pince à épiler pour l'attraper.

Alors là, j'ai bien vu que tout le monde avait entendu parce qu'ils s'étranglaient dans leur coude ou leur verre. Petit zizi ! Couillassec ! Il était habillé pour l'hiver, Ray Valenti.

Stella a dit quelque chose tout bas, j'ai pas saisi.

Violette a rétorqué :

— Mais t'en fais pas ! J'ai des biscuits. Je m'avancerais pas comme ça ! J'ai oublié d'être con, merci !

Stella a encore parlé ou plutôt elle a chuchoté.

Et puis elle s'est levée. Elle est partie.

Violette a posé un billet de vingt euros sur la table et l'a suivie.

Qu'est-ce qu'elles se sont dit après ? Je ne sais pas.

J'ai soulevé le rideau, j'ai regardé dans la rue. Elles ont marché ensemble un moment, et puis je les ai perdues de vue.

Elles ont dû continuer la conversation ailleurs.

J'ai laissé retomber le rideau. J'ai fait bouffer mes cheveux. Sorti mon tube de rouge. Je me suis dessiné un sourire. J'étais toute drôlette. J'ai failli payer une tournée générale !

J'en ai marre que mon mari se fasse traiter comme une lavette par cette grande gueule de Ray. Même si ça nous rapporte de la thune, et même pas mal... mais on a sa fierté tout de même !

Depuis ce déjeuner avec Violette, Stella n'arrive plus à dormir. Elle fait dîner Tom, regarde ses devoirs, le couche, va s'asseoir sur le rebord de la fenêtre de sa chambre.

429

Elle laisse pendre ses jambes dans le vide, les fait battre un peu pour sentir l'air. La nuit est presque chaude, pas un souffle de vent, les branches des arbres demeurent immobiles. Elle appuie la nuque contre la pierre, sent un bout de crépi qui se détache, frotte jusqu'à ce que le crépi s'effrite et tombe en poussière sur ses épaules et ses cuisses. Elle écoute les bruits de la nuit, guette les poules sauvages, les canards, les paons.

Violette lui a tout dit.

TOUT.

Je tiens une bombe entre mes mains.

Même dans mes rêves les plus audacieux, je n'aurais pu imaginer une telle hargne de la part d'une femme bafouée !

Après avoir quitté le café Lancenny, elles étaient allées chez Violette.

Cela faisait longtemps que Stella n'avait pas mis les pieds chez les Maupuis. Elle y allait goûter parfois quand elle était enfant. Madame Maupuis lui donnait une tartine beurrée avec du chocolat Meunier en grosses barres noires qu'elle râpait sur le pain. Elle avait un regard doux derrière ses lunettes, des cheveux roulés tenus par deux peignes et un col rond toujours blanc. Le dimanche, il flottait sur ses vêtements une odeur d'encens. Stella se disait est-ce qu'elle fait l'amour, elle aussi ? Est-ce qu'elle fait l'amour comme maman ? Est-ce qu'on la tape, est-ce qu'elle pleure, est-ce qu'on lui mord le cou ?

Elle a reconnu le couloir qui monte au premier étage, qui conduit aux chambres, au salon, à la cuisine. Au rez-de-chaussée, il y avait l'atelier de monsieur Maupuis, il possédait trois vélos de course et les bichonnait.

Tous ces souvenirs lui étaient revenus en une bouffée.

À cause de l'odeur de papier peint dans l'escalier.

Une odeur d'amande et de pomme verte. Monsieur Maupuis utilisait, pour poser son papier, une colle spéciale avec des solvants végétaux. « Et c'est pour cela que ça sent le verger ! » il disait en mimant le type qui hume la nature à pleins poumons. Il était drôle, respectueux. Il ne devait pas mordre le cou de madame Maupuis.

Elles étaient passées devant la chambre de Violette. Stella avait aperçu le lit défait, les draps froissés, les oreillers à terre, un peignoir bleu lavande jeté sur le lit et un plateau de petit déjeuner.

Elles s'étaient installées dans le salon. Violette était allée chercher un dossier. L'avait laissé tomber sur la table, soulevant un nuage de poussière.

— Et voilà le travail ! elle avait déclaré, satisfaite. L'homme est foutu !

Elle lui avait tout livré. Tout expliqué. Preuves à l'appui.

Stella, assise sur le bord de la chaise, le chapeau en arrière, n'en croyait pas ses yeux.

Violette lui avait montré son contrat avec le maire. Trois mille cinq cents euros par mois pour s'occuper de monsieur, deux mille euros pour madame. Cinq mille cinq cents euros pour quelques heures de blabla.

— C'est pas de l'emploi fictif, ça ? Tiens, je te file une photocopie des contrats, comme ça t'auras une preuve.

Elle avait glissé les papiers dans une grosse enveloppe marron. Stella avait reconnu les enveloppes qu'utilisait Ray pour répartir ses gains, elle les avait souvent aperçues sur la table de la cuisine quand elle était enfant.

— Et y a pas que ça ! avait continué Violette, l'œil brûlant. Les dents du maire, ses costards neufs, ses chemises, ses cravates, ses chaussettes ? Payés aussi par les administrés. Un tour de passe-passe sur les comptes municipaux. L'homme ne sort pas un euro de sa poche. Il en fait un principe.

— Il trouve normal d'être entretenu.

— Et c'est pas fini ! avait ajouté Violette en tapotant une chemise en carton. Dans ce dossier-là, il y a les magouilles du maire et de Ray. Les contrats d'assurance bidon, les certificats de complaisance, la liste des commerçants rackettés, les comptes, et je ne te parle pas des partouzes. Ils commandent l'alcool et le buffet en passant par la mairie. De vrais pourris ! Tu veux un autre exemple ? Le salon de coiffure Tif-Tif et madame Robert, la propriétaire. Tu la connais ?

Stella avait hoché la tête. Elle la connaissait mais ne mettait jamais les pieds dans son salon.

— Elle paie chaque mois une taxe qui va dans les caisses de Ray. Pour l'Amicale des pompiers. Le maire palpe un pourcentage et ferme les yeux. Ray est intouchable et étend sa toile chaque jour. Qui plus est, il tient un registre pour traquer le mauvais payeur. Tous les noms et toutes les sommes sont notés. Les retards, les crédits, les amendes…

— Mais comment tu as eu tout ça ?

— Il voulait m'impressionner, il venait travailler chez moi. Il faisait l'important.

— Il appelait ça « travailler » ?

— Oui. Il était très fier de ses combines. Il m'expliquait à quel point il était futé et bien organisé. Lourd, le mec ! Lourd ! Tu penses bien que je me suis empressée de tout photocopier ! De la dynamite en barre ! Je me disais que ça pourrait toujours servir au cas où…

Stella n'en revenait pas. Elle écarquillait les yeux et n'osait plus respirer.

— Mais Ray ne s'est jamais méfié de toi ? Il se livrait pieds et poings liés !

— Disons qu'il avait besoin de me prouver à quel point il était important. Un vrai caïd. Il voulait m'éblouir. Et moi, je préparais mes arrières si jamais il lui prenait l'envie de me larguer… Je ne voulais pas repartir bredouille.

— Tu l'aurais fait chanter ?

— Et pourquoi pas ? J'en sais assez pour l'envoyer au trou.

— Tu crois qu'il aurait marché ?

— Marché ? elle avait repris en gloussant de rire. Couru, oui ! Tu te rends compte de ce qu'il y a là-dedans ? C'est énorme ! Énorme ! Et ce n'est pas tout !

Elle lui avait expliqué le coup des fausses contraventions. Une escroquerie montée par Ray et exécutée par le gendarme Laignel.

— Ray ne se salit jamais les mains. Il tire les marrons du feu. Pas très courageux, le mec. Mais là, il s'est mouillé. Je veux dire, avec Laignel…

— Laignel, le mari de Valentine ?

— Lui-même. Je t'explique… Laignel se postait avec sa tenue de CRS sur l'autoroute et arrêtait les conducteurs en excès de vitesse. Il exigeait qu'ils versent une « consignation en liquide ». Une mesure qui, paraît-il, ne concerne que les étrangers ne pouvant justifier d'un domicile ou d'un travail en France. Il falsifiait la copie carbone du procès-verbal destiné à l'administration et transformait l'amende qui passait de trente-deux euros à six cents, huit cents, mille euros. Il faisait comprendre aux conducteurs que s'ils payaient tout de suite et en liquide, il leur laisserait la voiture, sinon il serait obligé de l'immobiliser. Il choisissait de préférence des propriétaires de Mercedes ou de BM. Pas bête ! Il empochait l'argent et le partageait avec Ray. Il le lui virait directement sur son compte. Grossière erreur ! C'est dans ce dossier-là, avec la chemise verte, j'ai tout noté !

— Mais pourquoi tu me dis tout ça ? Pourquoi tu le dégommes à présent ? Y a pas longtemps, tu affirmais que c'était un garçon charmant ! Et tu voulais qu'on se rabiboche !

Violette avait pincé les lèvres, serré les bras sur sa poitrine et avait laissé tomber sèchement :

— Il m'a humiliée.

— Il t'a frappée ? avait demandé Stella, stupéfaite.

— Pire ! Bien pire !

Violette s'était levée d'un bond comme si elle ne supportait plus d'être assise.

— Bien pire ? s'était exclamée Stella qui ne voyait pas ce qu'il y avait de pire que de se faire dérouiller matin et soir.

— Il a insulté l'artiste en moi, avait lâché Violette, drapée dans sa dignité.

Stella était restée muette quelques secondes.

— Je comprends pas, Violette. Il est fou de toi. Il te couvre de cadeaux. La Mercedes, tu sais combien elle coûte ?

Violette avait balayé l'argument de la main et continué :

— Je t'explique : d'abord il était en train de devenir collant. Il tapait l'incruste chez moi, me surveillait, voulait prendre ma carrière en main…

Elle avait appuyé sur son index pour bien marquer que c'était un premier grief.

— Il t'aime, ma vieille !

Elle avait haussé les épaules. Argument rejeté.

— Ensuite…

Elle avait tendu le majeur, deuxième grief, et son visage s'était figé de colère.

— Il fait des promesses qu'il ne tient pas. Le film, le rôle, le préfet, pfffft ! Oubliés ! Et enfin…

Troisième grief et troisième doigt brandi, presque retourné d'indignation.

— … enfin, et c'est là l'affront, l'humiliation, il n'a pas vu que j'étais une actrice. Il s'est foutu de moi, de ma carrière. Si tu avais entendu comme il m'a parlé ! Je t'explique…

Elle avait raconté.

— Je le hais ! elle avait conclu en poussant un grognement de rage.

Et Stella avait compris. Ray Valenti avait blessé Violette dans ce qu'elle avait de plus précieux : ses illusions. Il les avait détruites d'un éclat de rire.

436

Violette avait été confrontée à la réalité. Fini le premier rôle dans un film. Hollywood tel le *Titanic* sombrait, et Ray ne savait pas jouer du violon.

Stella avait vu aussitôt tout le profit qu'elle pouvait tirer de cette querelle entre les deux amants.

— Mais il est con ! elle avait explosé, indignée. Il est con !

— Ah ! Tu vois... Toi aussi, ça te révulse !

— C'est évident que tu es une actrice. Une grande actrice. Tu respires le talent, tu as le don d'exprimer la douleur, le rire, les larmes, l'abandon, la grandeur... Te regarder marcher, c'est voir un film en 3D sur grand écran !

— Tu as compris ça, toi !

— Mais depuis toujours... Tu as le cinéma dans la peau. Faut juste te donner une occasion et tu éclateras. Tu crèveras l'écran !

— Mais lui, il a rien vu ! Rien !

Elle retenait ses larmes. Mâchonnait sa lèvre inférieure et fixait le sol, furieuse.

— Tu sais ce qu'il voulait ? Tiens, j'ai honte de te le dire... C'est horrible, horrible !

Stella avait murmuré dis-le-moi, Violette. Dis-le-moi, tu sais que tu peux tout me dire, je suis ton amie.

— Rien que d'y penser, j'ai envie de gerber ! Oh, je suis si malheureuse...

— Parle... Ça te soulagera, tu verras.

Violette avait pris une profonde inspiration et lâché d'un seul coup :

— Que je devienne Miss Tif-Tif, l'égérie du salon de beauté de madame Robert.

— Non ! Pas possible ! s'était exclamée Stella, faussement outrée.

— Si ! Et il me faisait un cadeau avec Miss Tif-Tif ! Et il se prenait pour un grand manitou ! Il allait lancer ma carrière, me mettre dans la course aux Oscars !

— Ça alors…, répétait Stella. Je n'arrive pas à le croire. Tu ne le raconteras pas à ton agent, hein ? Il ne faut pas qu'il sache. Sinon ta cote va baisser…

— Oh là ! Non ! J'y avais pas pensé. Tu as raison ! Ce serait horrible !

— Oui. Terrible.

— Je me suis tellement trompée sur lui. J'ai cru qu'il allait m'aider. J'ai cru à ses sentiments, à ses boniments. Je t'explique…

Mais Stella ne l'écoutait plus.

Elle avait pris les dossiers et était partie après avoir embrassé Violette. Elle lui avait conseillé de se coucher tôt, de se mettre au lit, des compresses de tilleul sur les yeux. Il fallait qu'elle fasse bonne figure le lendemain.

— Sinon il saura qu'il t'a blessée, que tu es affaiblie, il n'aura plus peur de toi et il viendra te casser la figure. Il est comme ça. Tu n'es pas à l'abri d'un retournement de situation.

Ray ne devait se douter de rien. Elle avait besoin de temps pour mettre sa stratégie en place. Qu'il ne sente pas le filet se resserrer autour de lui, qu'il continue à tourner autour de Violette et ne pense qu'à une chose : la récupérer.

Violette l'avait regardée, effrayée.

— Tu crois vraiment ?

— Tu peux me faire confiance. Je sais ce dont je parle. L'homme est féroce. Il est capable de tout.

Elle avait marqué un petit temps et avait demandé :

— Pourquoi tu ne vas pas toi-même porter ces dossiers compromettants aux flics, à un juge ou à un journaliste ? Tu te rappelles cette fille avec laquelle on était en classe, Marie Delmonte ?

— Non. Je ne vois pas.

— Si. Elle était toujours en train d'écouter sa petite radio à la récré. Toute seule dans son coin. Tu vois pas ?

— Non.

— Pas grave. Elle est devenue journaliste. Elle travaille à *La République libre*. Tu pourrais tout lui balancer. Elle ferait l'enquête et la sortirait comme un énorme scoop. Ce serait plus efficace. Pourquoi tu t'en remets à moi ?

Violette avait baissé les yeux.

— Parce que tu es crédible et moi, pas. Parce que les gens te respectent et moi, pas. Parce que tu as du courage, moi, pas.

— Merci. C'est honnête de me le dire. Si j'avais un doute sur ta sincérité, tu viens de le lever.

Elle avait failli ajouter tu remontes dans mon estime, mais s'était tue. Fallait pas exagérer tout de même !

Elle avait descendu les escaliers. Était repassée devant l'atelier, avait remarqué les trois vélos renversés sur leur selle, était sortie dans la rue, avait pris une grande inspiration. Pour la première fois, elle avait envie de marcher dans Saint-Chaland. En prenant son temps, en regardant les passants en face, en s'arrêtant devant les vitrines. Elle avait entendu Violette tirer les verrous de la porte d'entrée.

À son tour d'avoir peur !

Cabot et Costaud entrent dans la chambre. Ils posent leurs pattes sur le rebord de la fenêtre et hument l'air. Parfois, elle part avec les chiens marcher dans la forêt quand la lune est pleine, qu'elle ne peut pas dormir. Ils poussent leurs museaux contre sa hanche, remuent la queue, ils ont envie de sortir.

440

Elle les caresse et murmure non, non, j'ai pas la tête à ça, je dois réfléchir, me concentrer. Ne pas me tromper sur la conduite à adopter. Je tiens une bombe entre les mains, c'est certain. Mais je dois déterminer où la poser. Ray, Lancenny, Gerson, Turquet, le maire, le préfet, ils vont tous y passer. Ils doivent payer.

Elle regarde le ciel et la lune lui sourit. Les chiens gémissent et tournent dans la chambre.

— Chut ! elle ordonne. Vous m'empêchez de penser !

Elle reste assise sur le rebord de la fenêtre et laisse passer les heures. La nuit brille, palpite, se soulève, s'emplit d'encre et de blanc. Les arbres craquent, ils lui parlent. Elle connaît leur langage, elle les a si souvent implorés quand elle se réfugiait dans leurs hautes branches. Toujours ils lui répondaient, ils bruissaient, craquaient, imitaient le bruit de mots qu'on chuchote. Il lui fallait tendre l'oreille, régler sa respiration sur le vent pour se laisser emporter par les mots des arbres.

Elle plisse les yeux, isole un pan d'obscurité gris-bleu troué de rayons de lune, fait un pacte avec la nuit, dis-moi où aller, à qui m'adresser, à qui remettre les précieux documents que m'a donnés Violette. Moi toute seule, je ne peux rien. Ils m'attacheront les mains, ils me bâillonneront. Il me faut l'appui d'un puissant pour étaler les preuves de leurs méfaits sur le bureau d'un juge. C'est ainsi que la vie est faite, je n'y peux rien.

Edmond Courtois ? Le docteur Duré ? Marie Delmonte ?

Au petit matin, alors que le jardin se réchauffe d'une chaude couleur de jaune à rayures rouges et violettes, elle gratte le crépi et laisse échapper un soupir apaisé.

Elle a trouvé.

Elle fera des photocopies des documents que lui a remis Violette. Elle les portera à Duré. Elles lui serviront de munitions dans sa lutte contre Ray. Le médecin connaît du beau monde et semble sincère. Il appartient à une vieille famille de notables, il a le bras long.

Il nettoiera. Fera place nette.

Et elle aura le dernier mot dans son face-à-face avec Ray Valenti.

Elle enfoncera le dernier clou.

— Pourquoi tu te caches dans ton col ? Fait pas froid, demande Tom.

Adrian ne répond pas, il fait semblant d'être absorbé par la route.

— C'est à gauche ou à droite ?

— Tout au bout, après le croisement, à droite, répond Tom.

Il gratte de son ongle le métal de l'harmonica. Son père y a gravé « Pour Tom, mon fils ».

— Et pourquoi tu portes des lunettes noires ?

— Pour que tu me poses des questions. J'avais peur qu'on n'ait pas de sujets de conversation…

Adrian a un petit sourire moqueur.

— T'as peur qu'ils te mettent la main dessus ? dit Tom, le regard aigu.

Adrian devine l'appréhension de Tom et décide de l'ignorer.

— J'aime bien jouer au détective. J'imagine que je suis sur les traces d'un trafiquant de voitures volées ou que je poursuis des dealers.

— Et tu les arrêtes ?

— Oui. Toujours. Je suis très fort.

Tom, désarmé, sourit, pose ses lèvres sur l'harmonica. En tire deux accords.

— Par exemple, là, continue Adrian, je me dis qu'on va enlever ta grand-mère et l'emmener pique-niquer dans les bois, près de la rivière.

— C'est pas un jeu, c'est la vérité.

— Attends la suite… On l'enlève, on sort de la grand-route, on entre dans les bois pour rejoindre la rivière et là se cache un dangereux criminel qui vient de s'évader. Toutes les polices de France le recherchent et nous, on tombe sur lui. Par hasard… Au début, il est très gentil, il nous pose des questions, il essaie de deviner si on sait qui il est… Il nous teste.

— On sait ou on sait pas ? demande Tom, curieux de connaître la suite.

Adrian se gare non loin de l'entrée de l'hôpital.

— Je te raconterai la suite plus tard. Va chercher ta grand-mère, je t'attends ici.

— Tu viens pas avec moi ?

— Non. Je suis mal garé, je préfère rester dans la voiture.

— J'aime bien ton histoire. Elle fait peur… Elle finit bien ?

— Allez, file !

Adrian s'adosse contre la vitre et attend.

Il va enfin faire la connaissance de Léonie. Stella a appelé le docteur Duré afin qu'il autorise sa mère à sortir quelques heures, il a dit oui, bien sûr, ça ne peut lui faire que du bien, mais ne l'emmenez pas dans les autos tamponneuses ! Je vais enfin rencontrer ma belle-mère, il a dit à Stella en souriant de son sourire en lame fine, et puis un jour, peut-être que j'aurai l'autorisation de casser la gueule à Ray Valenti ?

Stella l'avait regardé, surprise.

— Casser la gueule à Ray Valenti ?

— Oui. Tu as bien entendu.

— C'est à moi de le faire.

— Mais je suis ton homme. Je dois te protéger.

Elle n'avait pas répondu et ils n'en avaient plus parlé.

Ils n'ont pas besoin de parler pour se comprendre.

Il a compris que Stella voulait régler seule le sort de Ray Valenti. Il a compris que Ray Valenti n'était pas son père. Il sait qu'il a abusé d'elle, il a reconnu des traces d'anciennes brûlures au creux de ses reins, de ses cuisses. De pâles cicatrices en forme de rosaces. Des fleurs mortes. À Aramil, les garçons marquaient leurs copines du bout de leur cigarette quand ils s'ennuyaient. Les filles hurlaient, se débattaient, ils leur tapaient dessus et rigolaient. C'était à celui qui faisait le plus de marques. Ils appelaient ça « faire des bouquets ». Ça faisait passer le temps. Lui se battait pour abréger le supplice des filles et finissait dans le caniveau. Ou se faisait traiter de tapette. Et les filles ricanaient !

Tout ce qu'Adrian sait de Stella, il l'apprend pendant son sommeil. Il se penche sur elle, étudie son corps. Il le parcourt, le détaille, souffle des questions, des baisers, caresse les plaques roses, les bords boursouflés. Voit la cigarette dans la nuit, entend les cris des filles d'Aramil. Serre les dents à s'en faire péter les mâchoires. Prend Stella contre

lui, la berce, la console. Elle se débat non ! Non !
Papa, non ! Elle donne des coups de poing dans
l'air, le frappe et souffle des bribes d'aveux dans
son sommeil.

La nuit, elle dit des choses qu'elle rougirait
d'avouer en plein jour.

Un soir, après avoir débauché, il avait pris sa
voiture, quitté Paris et filé à Saint-Chaland. Son
idée était de rosser Ray Valenti, de le rosser salement, et de lui murmurer des menaces dans le
creux de l'oreille. Premier avertissement : tu te
couches ou le second te sera fatal ! Un truc comme
ça. Il avait appris par Houcine que Ray se rendait
le vendredi soir chez son copain Turquet. Pour
régler leurs petites affaires. Celles qu'ils faisaient
en douce dans le dos de Lancenny et de Gerson.

Il avait laissé son portable à Paris pour ne pas
être repérable, enfilé des sacs plastique aux pieds,
une cagoule noire, des gants. Il sait comment passer
inaperçu. Il s'était abrité derrière un arbre, avait vu
Turquet rentrer chez lui, avait attendu Ray et…

Stella était arrivée. Habillée en astronaute.
Il avait entendu leur dialogue, les coups de feu.
Stella n'avait pas tremblé. Turquet était tombé,
avait rampé jusqu'à chez lui.

Il avait compris ce soir-là qu'il ne devait pas
intervenir. Il était de trop dans cette histoire.

446

Il aperçoit Tom qui sort de l'hôpital. Il donne le bras à une longue femme aux cheveux blancs et raides, maigre, très maigre, qui marche le visage tendu vers le soleil et sourit.

— Ouvre les yeux, grand-mère ! Regarde où tu mets les pieds ! Tu vas tomber !

Il l'a appelée grand-mère.

La longue femme ouvre les yeux et Adrian sursaute. Stella ! Le même regard bleu, le même sourcil blond qui s'étire jusqu'à la tempe, la même peau translucide, la bouche bien dessinée, encore pleine, les pommettes posées comme deux galets sur la digue du visage... C'est une belle femme, presque transparente, un peu cassée. Elle semble émerveillée de marcher et prolonge chaque pas comme si elle voulait prendre possession de la terre. Elle enfonce les talons, ferme les yeux, les rouvre et Tom la rattrape en l'arrimant à son bras.

On dirait un couple de patineurs.

Adrian sort de la voiture et marche à sa rencontre. Il se moque bien qu'on le voie. Il a le sentiment qu'il doit s'avancer vers elle. La saluer, s'incliner.

— Papa, voici Léonie, dit Tom d'un ton solennel. Léonie, voici Adrian, mon père.

Adrian s'immobilise, ému, et Léonie sourit.

Elle lui tend une main qui tremble et vient s'abandonner dans la sienne.

— Je suis très heureuse de vous rencontrer, monsieur.

— L'appelle pas monsieur, pouffe Tom.

Elle porte un chemisier blanc, une longue jupe en coton rose, un chandail assorti. Son corps ressemble à une tige de fleur coupée et elle ramène de ses doigts maigres ses cheveux blancs derrière les oreilles.

— Excusez mon apparence. Il y a longtemps que je ne suis pas allée chez le coiffeur.

— Grand-mère, on s'en fiche ! On t'emmène pique-niquer près de la rivière. Monte devant, comme ça tu pourras voir le paysage.

Léonie se tait et fixe la route.

Ils s'arrêtent à un feu rouge et elle se tasse sur son siège.

— N'aie pas peur, dit Tom en posant sa main sur son épaule.

— Ça fait longtemps que je ne suis pas sortie.

— Là où on va, il n'y a personne. Y aura que nous.

— Tu es sûr ?

— C'est notre coin secret avec papa, hein, p'pa ?

Adrian opine d'un sourire.

— C'est là qu'on va pêcher tous les deux. Je vais te montrer mon rocher. Là où je me tiens avec ma canne…

— Et il fait merveille ! ajoute Adrian.

— C'est bien, elle dit comme si elle était ailleurs, qu'elle n'était pas assise sur le siège passager.

Le père et le fils se taisent.

Elle est si tendue qu'ils ne savent pas quoi dire.

La main de Tom se fait plus lourde sur l'épaule de Léonie. Elle la saisit et la serre.

— Tu ne dois pas avoir peur, dit Tom. Tu es avec nous.

Léonie ferme les yeux et pousse un soupir.

— C'est une idée de Tom, vous savez, ce pique-nique, souligne Adrian, il en parle depuis longtemps. On attendait le bon jour…

— Il est si gentil. J'ai bien de la chance.

Elle a parlé en laissant tomber son regard sur le côté. C'est une habitude. Elle a peur de prendre une claque si elle regarde en face. Adrian voudrait lui chuchoter ça va aller, ne vous en faites pas, on est là, vous ne craignez rien.

Il lance son bras pour l'entourer, la rassurer et elle tressaille, apeurée. Lui jette un regard qui cette fois-ci rencontre le sien. Il y lit l'attente douloureuse du coup qui va tomber. Et la soumission. Elle a rentré instinctivement la tête dans les épaules. C'est plus fort qu'elle.

— Vous ne devez pas penser ça ! s'exclame-t-il, presque furieux. Je ne vous ferai jamais de mal. Jamais.

Il tremble. Serre le volant. Il entend les cris des filles d'Aramil laisse-nous tranquilles ! Fous-nous la paix ! Casse-toi ! Il s'éloignait, furieux, inutile. Allait rebondir contre une palissade, cherchait un ballon à taper.

Léonie se frotte les avant-bras, murmure je suis désolée. Ses yeux se remplissent d'excuses.

— T'en fais pas, grand-mère, il t'arrivera rien. Et on t'a préparé un délicieux déjeuner…

— C'est toi qui l'as fait ?

— Non, c'est Suzon. Exprès pour toi.

— Suzon, Suzon…, répète Léonie.

— Un vrai pique-nique avec une grande nappe blanche, du saucisson chaud brioché, un poulet aux morilles, une salade de fraises. Du Coca et une bonne bouteille de vin. Et moi, j'ai cueilli des fleurs pour mettre sur la nappe blanche.

Léonie ferme les yeux. Le bonheur trop soudain l'éblouit et fait monter des larmes de joie qui coulent sur ses joues.

Léonie s'est appuyée contre un arbre, elle a étendu ses jambes et contemple la prairie, la rivière, les arbres qui marquent le début de la forêt. Ce champ autrefois appartenait à son père. Elle venait jouer près de la rivière. Elle construisait des barrages sur la rive, là où l'eau s'étale et paresse. Elle soulevait les pierres, les triait, les empilait, construisait un mur, des tourelles et racontait à Suzon qu'elle possédait une piscine.

La nappe blanche est jonchée des restes du déjeuner. La bouteille de vin est presque vide. Tom joue de l'harmonica. Adrian a renversé la cocotte et tape sur le fond pour l'accompagner. Ils chantent une chanson en anglais.

— Tu parles anglais, Tom ? s'étonne Léonie.

Le soleil lui chauffe les joues, lui chauffe les jambes. L'odeur de l'herbe, des fleurs, des plantes la prend à la gorge et l'étourdit. On pourrait croire qu'elle est ivre !

— Oui. J'apprends avec les chansons. Enfin, c'est papa qui m'apprend. *Searching for a heart of gold*... tu sais ce que ça veut dire ?

Elle secoue la tête en souriant. Elle veut bien apprendre. Il lui reste de la place dans la tête. Ou elle en fera.

Elle contemple la rivière. Elle aurait envie de relever sa jupe, de fouler l'herbe, de s'approcher, de tremper ses pieds dans l'eau froide et claire, de remuer les orteils, de sourire de les voir pâles, recroquevillés, envie de sentir les cailloux pointus, les cailloux ronds, de les faire rouler, de perdre l'équilibre peut-être, de se rattraper en faisant le balancier, elle savait faire le balancier.

Comme avant. Comme avant.

Adrian surprend un éclair de joie interdite dans son regard. Il lit son désir de s'échapper, de bondir vers la rivière, d'être seule avec la douce sensation de l'eau qui lui baigne les chevilles.

Alors il tend la main à Léonie et dit :

— Vous voulez tremper vos pieds ?

— Vous croyez que je peux ?

— Non seulement vous pouvez, mais c'est recommandé par la Faculté !

Il l'aide à se lever et ils marchent vers la rivière, vite rejoints par Tom.

— Je peux même attraper des poissons à la main, se vante Tom. Tu veux que je te montre ?

Il ôte ses chaussures, son jean, entre dans l'eau avec de grandes enjambées qui font des gerbes sur le côté.

Léonie a relevé sa jupe et tâte l'eau avec précaution. Elle interroge Adrian du regard, il lui sourit et l'encourage. Elle tend une jambe, trempe un pied. Pose l'autre. Sent l'eau qui enserre ses jambes. Remonte sa jupe. C'est frais, c'est doux, c'est comme une caresse. Ses orteils se détendent, ils s'étalent sur une pierre lisse. Adrian la conduit doucement jusqu'au rocher de Tom.

— C'est son rocher, mais je pense qu'il sera d'accord pour vous le prêter…

Elle a une lueur amusée dans l'œil et s'incline pour remercier.

452

— Installez-vous, dit Adrian, prenez vos aises…

— Vous parlez bien français, elle dit en s'étonnant. Vous avez appris à l'école chez vous ?

Adrian a un petit rire moqueur.

— L'école à Aramil ? Vous plaisantez ! L'instituteur était formidable, mais les garçons passaient leur temps à se bagarrer, à tirer les cheveux des filles, à voler les affaires des uns et des autres ! Ce n'était pas de tout repos… Si on apprenait à lire et à écrire, c'était bien !

Il secoue la tête, amusé.

— Tout ce que je sais, je l'ai appris en France. Avec Boubou et Houcine à la Ferraille. Et avec Stella, bien sûr.

— C'est à la Ferraille que vous vous êtes rencontrés ?

— Oui.

Il n'en dit pas plus. C'est plus fort que lui.

Le regard bleu de Léonie s'éteint.

— Ne vous en faites pas, tout va très bien. Je suis très heureux avec Stella.

— Ce doit être terrible d'être obligé de quitter son pays.

— Et quand c'est votre pays qui vous quitte ? Que vous ne le reconnaissez plus ?

Ils sont interrompus par Tom qui tient un poisson entre ses mains et le brandit :

— Papa ! Papa ! Regarde !

Adrian applaudit.

— Je le mets où ? crie Tom.

Adrian abandonne Léonie sur le rocher et va chercher la cocotte vide. Tom sort de l'eau en courant et y dépose le poisson.

— Suis fort, hein ! Je me suis penché, j'ai pas bougé, j'ai attendu, attendu, je l'ai vu, j'ai toujours pas bougé, il a tourné, tourné et hop, je l'ai attrapé ! On va le manger ce soir, hein, dis ?

Léonie, sur le rocher, se masse les jambes, les genoux, les bras. Comme sa peau est blanche et comme elle semble morte ! On dirait du carton. Elle prend de l'eau dans le creux de sa main, tamponne ses tempes, sa nuque. Cela fait des gouttelettes qui roulent et la chatouillent. Elle étouffe un petit rire. Elle ferme les yeux. Revoit le château, les bois, la campagne qu'elle parcourait, enfant. Elle posait son front sur un arbre. Enlaçait le tronc. Murmurait des confidences. Faisait des vœux, je voudrais que Ray soit mon mari, il est si beau, si fort, si doux, il dit que je suis belle, qu'il ne peut plus vivre sans moi, que j'ai toutes les qualités et zéro défaut. Zéro défaut ! Et puis il se reprend, si, si, tu as un gros défaut tout de même… et il ajoute avec une grosse voix, tu es la sœur de ton frère, mais ça, tu n'y peux rien, hein ? Mais quand même… c'est un défaut, un sacré défaut ! Alors je tremble, j'ai peur, j'ai honte… Et il me prend dans ses bras, il dit petite folle, tu as cru quoi ? Que j'allais te tomber dessus ? Et je dis oh, non, pas du tout ! Et il m'embrasse.

Comme cela lui paraît loin, irréel !

Le décor de son enfance avait été emporté et elle aussi.

Le parc et le château abritaient maintenant une colonie de vacances. Pour des petits enfants allemands. C'est Ray qui l'avait voulu. Il avait pris sa revanche sur les Bourrachard.

Elle pleure doucement en se rappelant la vente du château. Parfois c'est bon de pleurer, ça efface les souvenirs.

Tom vient glisser sa main dans la sienne.

— Tu n'es pas obligée de te cacher pour pleurer, il dit.

— C'est beaucoup d'émotions, cette sortie, pour moi. Tu comprends, Tom ? Je suis un peu perdue. Je n'ai plus de repères.

— Tu veux dire que c'était pas une bonne idée ?

— Si, c'était une idée magnifique. Mais… C'est quoi ton plat préféré ?

— Des macaronis avec plein de sauce tomate et de râpé. Je sais les faire, tu sais !

— Eh bien… c'est comme si tu donnais un gros plat de macaronis avec de la sauce tomate et plein de râpé à un homme qui sort du désert et n'a pas mangé depuis vingt ans au moins ! Comment tu crois qu'il réagirait ?

— Il serait déboussolé... Il les mangerait un par un, peut-être. Il aurait peur de s'étrangler tellement c'est bon.

— Voilà, c'est ça. Je suis déboussolée. Ça fait beaucoup de lumière, beaucoup de vert, beaucoup d'espace d'un seul coup.

— Mais tu guériras un jour, dis ?

— Oui, mon petit.

— Je crois que maman, elle aimerait bien ça...

Il réfléchit un instant et ajoute comme pour lui :

— Et moi aussi. Il est temps que ça finisse, tout ce malheur.

L'autre jour, il avait oublié son Bic quatre couleurs sur son bureau. Stella l'avait prévenu devant le rayon fournitures scolaires de Carrefour, d'accord, je te l'achète mais je te préviens, si tu le perds, tu n'en auras pas d'autre. Tu es responsable de ton Bic.

Il était retourné dans la classe le chercher. S'était arrêté devant la porte entrebâillée.

La maîtresse parlait avec une autre. Elle disait dis donc, la révolte gronde à Saint-Chaland, t'as entendu les bruits qui courent ? Et l'autre disait tu sais, je suis toute nouvelle ici, mais j'aurais jamais cru ça d'une ville qui a l'air si paisible. Il s'en passe de drôles tout de même ! Oui, avait repris la maîtresse, et maintenant, Ray Valenti, il est Couillassec à vie. C'est fou comme les rumeurs ont la vie dure. Couillassec, tu parles d'un sobriquet ! Ça peut flinguer un homme, un truc comme ça !

Il avait frappé à la porte et elles s'étaient tues. Il avait récupéré son Bic quatre couleurs.

Plus tard, il était allé consulter le mot « sobriquet » dans le dictionnaire. Il ne l'avait pas repéré tout de suite. Il cherchait « seau-briquet ».

Il avait fini par le trouver. Dans le vieux dictionnaire de sa mère. Entre « sobriété » et « soc ». Pas évident.

« Sobriquet : surnom familier, souvent moqueur. Exemple : "Et il mourut d'une embolie quand il apprit le sobriquet dont on l'affublait et qu'il ignorait." »

Un sobriquet pouvait donc tuer.

Ça lui avait donné une idée.

Ils ont plié la nappe, ramassé les gobelets, les couverts et les assiettes, sont remontés en voiture.

Ils sont arrivés à l'hôpital.

Tom a conduit Léonie dans sa chambre. Elle s'est allongée sur son lit. N'a plus rien dit. Elle n'est pas très bonne pour montrer ses sentiments, il a pensé.

C'est lui qui a le cafard maintenant.

Il ne sait pas pourquoi.

Il retourne vers la voiture, aperçoit son père, le col relevé, les lunettes de soleil sur le nez.

Ça lui fait mal au cœur qu'il se cache toujours.

Il s'assied, met sa ceinture et lâche :

— Elle s'en sortira jamais. Jamais !

— Mais si ! Qu'est-ce que tu vas imaginer ?

— Je sais pas. J'ai un mauvais goût dans la bouche.

— Tu veux que je te raconte la suite de mon histoire ? Tu sais, le dangereux criminel qui s'est évadé...

Tom se déride et sourit.

— Oh oui ! J'aime bien avoir peur...

Le bruit se répandait en ville et allait croissant. Couillassec escroc, Couillassec escroc, Couillassec escroc.

La rumeur roulait, enflait, charriait les vieilles peurs, les rancœurs, les humiliations passées, tout se mélangeait dans le grondement de la ville, alors c'est pas lui, le père ? Mais c'est qui ? Vous savez, vous ? Et puis, s'étouffaient les mauvaises langues, il paraît qu'il est pas clair du tout ! L'a un chapelet de casseroles au cul ! Mais oui ! Pas plus tard qu'hier, mon beau-frère qui est gendarme me disait que...

On murmurait dans les cafés, chez le boucher, le charcutier, chez madame Robert, chez la boulangère, aux caisses de Carrefour, tu connais pas la dernière ? Ray Valenti... Moi, je l'ai toujours dit, il est pas net, ce mec... Avec quoi il l'a payée, sa Maserati ?

Son nom commençait toutes les conversations, ponctuait les phrases. On colportait, on ragotait, on se faisait plaisir, on se vengeait d'être resté courbés si longtemps.

Monsieur Settin, le pharmacien, assurait qu'on ne la lui ferait plus, que si d'aventure Gerson ou Lancenny revenaient demander la contribution à l'Amicale des pompiers, il les enverrait sur les roses, et elles auront de grosses épines, mes roses ! Et je suis poli, il affirmait en croisant les bras sur la poitrine.

C'est fou ce qu'ils devenaient courageux maintenant que l'ennemi était affaibli !

Violette, au volant de sa Mercedes, alimentait le feu. Elle racontait le maire, son salaire, une honte, n'est-ce pas, mais c'est qu'il m'a obligée, Ray ! Il m'a menacée si je le faisais pas ! Elle donnait des détails que les gens pouvaient vérifier. Dis, c'est vrai, ça, la femme du maire, elle s'est fait décolorer. Blond platine, elle est maintenant ! Et elle a perdu du poids. Et le maire, il a les dents blanches, des costumes trois-pièces, des lunettes de marque. Aux frais de qui ? C'est nous qui payons ! Si c'est pas une honte ! Et il court tous les matins et un garde du corps le suit ! Ces gens-là, ils se croient tout permis ! Ils sont au-dessus des lois. S'il pense qu'il va nous embobiner, il se met le doigt dans l'œil, et profond !

Et Vincent Laignel ! T'es au courant ? Il touchait sur les contraventions. Encore une magouille de Ray ! C'est un collègue qui l'a dénoncé. Le mari de la femme de ménage des Duré… Il a tout balancé. Il était écœuré, il se demandait à quoi bon être honnête ! Il paraît qu'il aurait détourné plus de quatre-vingt-dix mille euros, le Laignel ! Ils vivaient bien, lui et sa femme. Et ils ne s'en cachaient pas. Ils sont tous comme ça, je te dis. La loi, c'est pas pour eux. Eux, ils se la coulent douce et ils nous mangent la laine sur le dos. On a ouvert une enquête et ça sent mauvais, très mauvais… Les flics sont en train d'éplucher le compte en banque de Laignel et ils ont trouvé des dépôts d'argent liquide louches. Et des versements sur le compte de Ray Valenti. De grosses sommes. Pas des picaillons. Il est mal barré, Laignel ! Et Ray Valenti aussi ! J'aimerais pas être à leur place, je te le dis ! Surtout qu'il n'y a pas que ça !

Violette tissait sa toile en achetant le pain, en garant sa voiture, en faisant la queue à la poste, en passant chez le teinturier, en allant prendre un café. Elle précisait c'est sûr qu'on a été proches, mais tout le monde peut se tromper. Et elle reprenait de plus belle, si, si, des escapades coquines, si, si, des parties fines, si, si, des avions privés pour aller voir Poutine !

Les gens étaient soulagés de ne plus avoir peur. Ils récitaient les vilenies, les amplifiaient, affûtaient les couteaux. La bête était blessée. Ils pourraient bientôt la saigner.

Quand même, disaient certains, il a mal tourné, c'est dommage. Il était différent, avant, il avait du courage, beaucoup de courage. Mais l'argent, que voulez-vous, ça détruit son homme aussi sûrement que l'alcool. Et Ray, il est comme tout le monde. Et puis, un garçon qui n'a pas eu de père, ça s'en ressent. Un père et une mère, vous direz pas le contraire, c'est ce qu'il y a de mieux pour élever un enfant. On ne le voit plus guère ces jours-ci. Il se sent pouilleux, il se cache. Il ne fait plus le fier.

Ray ne sort plus de chez lui.

Il ose à peine aller chercher son courrier.

Sa main tremble en ouvrant la boîte. Des envois anonymes, « Couillassec escroc, Couillassec escroc ». Des lettres découpées dans le journal. On dirait du linge qui sèche sur un fil. Ils s'y mettent à plusieurs ou il n'y en a qu'un seul ? Il ne sait pas.

Il a les nerfs qui s'usent. Parfois il pourrait pleurer.

Il se lève le matin et ouvre les volets pour voir le temps qu'il fait. La belle affaire ! Il ne sortira pas.

C'est fou ce que la maison est vide depuis que Léonie n'est plus là, il se dit en allant de sa chambre à la cuisine.

Il verse le café en poudre dans la tasse, ajoute l'eau, coupe des tartines, les beurre, porte le petit déjeuner à sa mère. Elle a bon appétit. Réclame plus de tartines.

C'est toujours la même conversation.

Quand il entre dans sa chambre, Fernande est en plein exercice, elle fait des haltères pour se muscler les bras. Elle souffle, elle transpire, les veines saillent à ses tempes. Elle attrape son regard et commence son réquisitoire.

— C'est de ta faute aussi ! Tu les as trop gâtés. Ils sont repus, ils n'ont plus besoin d'argent. Fallait pas leur en donner autant ! Faut jamais gâter les gens.

Ray l'écoute en se grattant. Il a de l'eczéma sur les jambes, dans le cou, sur les bras. Il se met de la pommade au fer, un remède de bonne femme prescrit par sa mère. Il n'ose pas aller demander conseil à la pharmacie Settin.

— Tu as vu, hier je suis allée aux toilettes toute seule, en marchant sur les mains ! T'es fier, hein ? Bientôt je ferai du trapèze dans l'appartement !

Il secoue la tête, attendri, elle est épatante.

— Oh, maman…, il laisse échapper.

462

— Tu vas voir, mon fils, tu vas voir ! On n'est jamais fini tant qu'on n'est pas dans la boîte.

Elle tâte les muscles de ses bras, ils ont doublé de volume, et elle frappe sur son ventre, de l'acier trempé !

Il mange, il grossit. Il attrape les plis de son ventre à pleines mains. Il pourrait les poser sur la table !

Il regarde la télé. Il revoit les enregistrements du temps où il était un héros. Assiste à son triomphe. Met les applaudissements à fond. Des larmes montent, il les bloque, t'es un mec, vieux, un mec. Comme s'il fallait qu'il s'en convainque. Arrête de bouffer des bonbecs ! Va courir ! Mais non… c'est plus fort que lui. Il regarde les images, se demande comment ça a pu dérailler, il ne comprend pas. Qu'est-ce qui a merdé ? J'avais tout bon, et puis…

Ça a commencé avec l'accident de Turquet. C'était la première fois qu'un de la bande était visé. Et salement ! Parce que Turquet, il est pas près de remarcher.

Et puis…

Les flics sont entrés dans la danse. Ils ont fouillé les poubelles. Les langues se sont déliées, les gens ont pris peur, la police ! La police ! Ils ont commencé à parler, pas bon, pas bon.

Et puis Gerson s'est rebiffé…

Et puis Violette…

Et puis Duré…

Comment a-t-il pu savoir pour Laignel ? Depuis le temps… Personne ne se doutait de rien. C'est Duré qui a sorti le dossier. Lui qui l'a envoyé au procureur de la République. Des documents photocopiés ! Des copies de mon compte en banque ! Pas bête, il a fait témoigner le mari de la femme de ménage. Ça fait peuple, ça fait le pot de terre contre le pot de fer, et le procureur n'a rien pu étouffer. Cela aurait été suspect. Chacun sa carrière, chacun ses intérêts.

Il ouvre son ordinateur, va consulter sa banque en ligne. Fait des calculs. Recommence. A peur de se tromper.

Fernande arrive en se traînant. Elle a enfilé un patin au bout de chaque main. Elle est en sueur, à bout de souffle. Elle a des mèches de cheveux collées sur le front et un débardeur mauve. Miss Nikita devait être plus bandante !

— Tu vois ! elle dit. Je me suis bien occupée de ton argent. On est riches maintenant. On ne manquera plus jamais de rien. J'ai fait les bons placements, de la pierre, de la pierre et encore de la pierre ! Et tout à ton nom. Laisse parler les gens, ils n'ont rien de mieux à faire ! Ça va passer, les plus gros orages finissent toujours par s'éloigner. La foudre, à la fin, elle se lasse.

Un soir, chez Lancenny, Gerson, appuyé au bar, déclare j'avais raison, cette fille sentait le pâté. Elle nous a porté poisse. C'est elle qui est derrière tout ça, je te le dis, elle et personne d'autre. T'as vu comme elle balance ?

Lancenny passe l'éponge sur le bar, pensif. La choucroute et la bière de midi lui restent sur l'estomac. Il a des renvois de saucisse. À tous les coups, Martine a laissé passer la date et fourgué des saucisses avariées… Ou le chou a fermenté.

— Tu lui as dit à Ray ? il demande après avoir roté.

— Ça sert à rien. Je te parie que si elle revenait lui faire la danse du ventre, il la reprendrait. Y a que des coups à prendre dans cette histoire ! Je m'écrase. J'ai mis assez de blé de côté, je ne vais pas aller tenter le diable et chatouiller le gendarme. D'autant que j'en ai appris de belles, mon vieux !

— Ah…, dit Lancenny, qui délaisse l'éponge et renifle ses doigts qui puent la javel.

— Ray et Turquet, ils manigançaient dans leur coin. Tous les deux. Ils se faisaient du rab dans notre dos !

— Non !

— Plus que vrai ! C'est Turquet qui l'a dit à la petite Margot. Elle travaille à l'hôpital. Elle est femme de ménage. Il a eu besoin de parler. Personne ne vient le voir. Alors il s'est confié. Putain, les boules, vieux ! Les boules !

465

— Merde ! Je voyais pas les choses comme ça !
On était potes, on partageait tout, c'était beau !
C'était l'amitié, quoi !

— Ben… t'étais con. Et moi aussi ! Alors tu
vois, je vais pas me mouiller pour lui… je digère
pas l'os.

— T'as raison. On va voir comment le vent
tourne, mais ça serait bien que la tornade nous
évite.

Lancenny se frotte le nez de ses doigts javelli-
sés. Le temps passe lentement maintenant qu'ils
ne sont plus aux affaires. Il tourne en rond dans
son bistrot. Il écoute la camionnette du plombier
qui vient se garer dans la cour du voisin, la télé qui
hurle, le journal de Jean-Pierre Pernaut et il fait le
ménage. Martine s'est affranchie. Elle part faire
des courses en lui laissant une liste de corvées. Il a
perdu de son autorité. Il est devenu homme à tout
faire. Il s'encroûte, il s'ennuie. Il va encore prendre
du bide, c'est sûr.

— Faut pas qu'ils le coincent, Ray, dit Gerson,
il serait capable de tout balancer…

— T'exagères, là ! Il a le cuir épais.

— C'est un faux dur.

— Quand même !

— Rappelle-toi, il nous interdisait de toucher
à Edmond et à sa fille. Il en avait peur. Edmond,
finalement, c'est le seul qui lui a résisté.

466

— On verra bien. Moi, je garde mes distances.
Je décroche plus quand il appelle et, à la maison,
je fais répondre ma femme…

— Alors, c'était bien, cette sortie avec Adrian
et Tom ?

Stella met de l'ordre dans la chambre de sa
mère. Elle trie les CD qu'elle doit rapporter à la
médiathèque, range les boîtes de médicaments,
regroupe des partitions, rince un verre, l'essuie,
retend le drap, borde le lit. Elle a envie de partir,
de claquer la porte, mais elle ne sait pas pourquoi,
elle ne s'en va pas, ce n'est pas fini, il reste une
chose en l'air, une chose qui la tourmente, tourmente ses mains, pèse sur sa nuque, enserre sa tête.
Il faut qu'elle tourne, qu'elle vire, qu'elle s'agite,
qu'elle bâillonne sa bouche qui voudrait crier.

— Oui, dit Léonie. Cela m'a fait beaucoup de
bien. J'ai cru avoir vingt ans à nouveau…

— C'est drôle, maman, tu ne fais plus le bruit
d'osselets dans la gorge…

— Ah, dit Léonie. Je n'avais pas remarqué. Je
le faisais déjà enfant. Suzon s'en inquiétait. C'était
revenu ?

— Comme si tu avais un truc de cassé, que des
petits os roulaient. Je me disais que c'était parce
que tu avais peur…

— Je n'ai plus peur, dit Léonie, hésitante.

Elle réfléchit. Ferme les yeux, les rouvre.

— Si, j'ai encore peur. Un peu…

— Ça va pas s'en aller comme ça ! Tu vas te rétablir petit à petit.

— L'autre jour, quand Tom et Adrian m'ont emmenée pique-niquer, j'ai retrouvé la vie et c'est bon, Stella !

— Celui-là, on peut le rendre ? demande Stella en lui tendant un CD. Tu le connais par cœur.

Léonie a une petite moue de contrariété.

— Maman ! Tu ne peux pas tous les garder ! Il faut faire un choix. Tu es incroyable, tu ne veux rien lâcher !

— Te moque pas, ma petite chérie.

— Je ne me moque pas mais c'est vrai que…

Que se passe-t-il ? se demande Stella. Elle m'irrite. Ce n'est pas la première fois. Une rage ancienne la saisit à la gorge.

Elle prend une grande inspiration. Elle se laisse tomber sur le lit, plie une chemise de nuit.

— Bientôt tu vas sortir d'ici. Le docteur affirme que ce n'est plus qu'une question de jours. Il faut que tu te prépares.

— Je ne retournerai pas chez eux, dit Léonie d'une voix qui supplie.

— Non. Bien sûr. Tu pourrais aller chez Georges et Suzon. Tu serais bien là-bas. Et tu serais protégée.

— J'ai l'impression d'être un paquet qu'on trimballe…, soupire Léonie en haussant les épaules. On me jette à droite, on me jette à gauche… On ne me demande pas mon avis.

— Tu as une autre solution ?

Elle a dû répondre trop vite, sur un ton trop vif. Sa mère se rembrunit et son menton tremble. Elle se cache derrière ses mains.

— Oh ! Je t'en prie, maman ! Ce n'est pas une punition d'aller chez Georges et Suzon !

— Tu es comme Edmond. Lui aussi, il voulait me trouver un appartement. Me caser quelque part pour ne plus entendre parler de moi ! Je ne veux plus qu'on s'occupe de moi, je veux me débrouiller toute seule.

— Edmond est venu te voir ? Pourquoi tu ne me l'as pas dit ? Il t'a parlé ? Il t'a raconté son entrevue dans le bar et t'a donné la lettre ?

— Parce que tu es au courant pour la lettre ?

— Oui. J'attendais que tu veuilles bien m'en parler…

Léonie détourne la tête et se mord les lèvres. Cela fait si longtemps qu'elle n'a pas eu quelque chose à elle. À elle toute seule.

— Mais elle est à toi, maman, je ne te demande pas de me la lire ! Je voulais juste que tu me dises comment ça s'était passé avec Edmond.

— Il m'a donné la lettre de Lucien et…

Elle fouille sous son matelas, retrouve la lettre et la tend à Stella qui la repousse.

— Non, maman !

Mais Léonie insiste.

— Si, lis-la, elle est si belle !

— Je ne préfère pas, c'est trop intime. C'était ton amant, quand même…

— Et ton père !

— Je n'ai pas besoin de père. Je suis contente de savoir que je n'ai rien à voir avec Ray mais je ne vais pas aller fleurir la tombe d'un inconnu. J'ai bien réfléchi…

— J'aimerais tant connaître sa fille. Joséphine Cortès. J'aimerais que tu ailles la chercher, qu'elle me parle de lui.

— Je ne sais pas si j'en ai envie, dit Stella.

Léonie la dévisage, stupéfaite.

— Non, continue Stella, je ne crois pas que j'aie envie de la rencontrer. J'irai la voir, si tu veux. Maintenant qu'on a des preuves… Je le ferai pour toi, rien que pour toi.

— Mais c'est ta sœur !

Les lèvres de Léonie tremblent, ses joues pâlissent, elle ne comprend pas et secoue la tête, désemparée.

Stella la fixe sans la voir et dit d'une voix monocorde, la voix d'une femme qui ne veut plus rêver, ne veut plus espérer, ne veut plus qu'on lui raconte de belles histoires :

— Je ne sais pas si j'ai envie d'avoir une sœur, je ne sais pas si je veux entrer dans une nouvelle famille, je suis presque sûre que non, en fait. C'est moche, les familles !

Elle a murmuré cela sans passion, comme un constat, c'est tout.

— Tu es méchante, Stella ! Pourquoi tu dis ça ?

Non, je ne suis pas méchante, se raidit Stella, piquée au vif. NON ! JE NE SUIS PAS MÉCHANTE ! Je ne supporte plus ce galimatias de mots qui mentent. Des mots qui portent beau, ton papa qui t'aime, ta maman qui t'aime, ton papa si beau qui aime ta maman si belle, des mots qui saignent la peau au lieu de donner des forces. Un père qui disparaît, un autre qui me viole, massacre ma mère, une grand-mère qui laisse faire et rythme le carrousel de coups de canne ! Et un, et deux, et trois, et quatre ! Et tu veux que j'aime la famille ? Mais tu plaisantes ! Les cris la nuit, le sang sur les draps du lit, tu te rappelles ? Tu te rappelles ? JE VEUX QU'ON ME RENDE JUSTICE. JE VEUX QU'ON ME PRÉSENTE DES EXCUSES. Je veux qu'on demande pardon à la petite fille qui tremblait de peur dans son lit. Je veux que tu baisses les yeux devant moi et que tu dises exactement Stella, j'ai été nulle, j'ai été lâche, Stella, peux-tu me pardonner ? Et je dirai oh oui, oh oui, je te le dirai avec tout mon cœur, tout mon amour, toutes mes forces, je crierai maman, merci, maman, je t'aime, je t'aime tant ! Et j'aurai envie de rire, de danser, de courir, de m'envoler, d'étendre les bras vers le ciel ! Mais tu dois le dire, tu comprends ? Après je te pardonnerai, après on s'aimera à la folie, on sera les championnes du monde, mais d'abord dis-moi... Dis-moi pourquoi tu n'as rien fait, pourquoi tu ne t'es jamais levée la nuit, pourquoi tu ne t'es jamais interposée entre lui et moi. Pourquoi tu te bouchais les yeux, les oreilles. Je veux savoir. Le jour où je saurai, je sentirai à nouveau le sang couler dans mes veines, le sang chaud qui donne la vie, je sentirai tes bras autour de mon cou, tes lèvres sur ma joue, je laisserai ta peau se frotter à la mienne et je dirai maman, maman chérie, maman, ma maman ! Et je goûterai le sel et le sucre, et mes jambes sauteront les haies et j'ouvrirai les yeux et le ciel sera bleu. Je reprendrai une couleur de femme, une douceur de femme, une rondeur de femme vivante. DEMANDE-MOI PARDON, PARDON. Parce que j'étais petite, parce que j'étais sans défense, parce que je n'avais jamais vu le sexe d'un homme, jamais touché le sexe d'un homme, on ne m'avait jamais forcée à... Tu vois, je ne peux même pas employer les mots, tu vois, j'ai des frayeurs comme toi, alors s'il te plaît, DIS LES MOTS, MAMAN, DIS LES MOTS.

Les mots sonnent comme des volées de cloches et l'abrutissent, elle ferme les yeux, se bouche les oreilles, tord sa bouche en une horrible grimace.

— Qu'est-ce qu'il y a, ma petite chérie ? s'inquiète Léonic.

Stella ne répond pas. Elle voudrait que les cloches arrêtent de cogner dans sa tête. Mais elles continuent, montent d'un ton, deviennent plus aiguës, scandent PARDON ! PARDON !

— Pourquoi serres-tu les poings ? Tu es en colère ?

— Ce n'est pas de la colère, maman…, elle laisse tomber, épuisée, les mains sur la tête.

— Tu veux me dire ce qu'il se passe, ma petite chérie ?

— Ça fait mal, ça fait mal !

— Stella, ne joue pas avec moi !

Stella éclate d'un rire mauvais. Elle répète en minaudant Stella, ne joue pas avec moi ! Et le tintamarre redouble.

— Je n'ai jamais joué ! elle explose. Jamais !

— Mais tu parles de quoi ?

— Je ne sais pas jouer. Je n'ai pas assez de souplesse. Pas assez de grâce, pas assez d'humour. Tu n'as jamais remarqué comme je manque d'humour ? Comme je prends tout au sérieux ? Je n'aime pas rire. Je n'aime pas tricher. Je n'aime pas faire semblant. Je ne sais pas jouer ! Il a voulu jouer avec moi. Moi, jamais ! Jamais !

Les deux femmes se regardent, stupéfaites.

Elles ne peuvent plus prétendre que ce n'est pas arrivé.

Elles ne peuvent plus se taire.

Les mots de Stella ont fait exploser le silence.

Léonie baisse la tête. Elle murmure je le savais bien, je le savais bien, je redoutais ce moment-là.

Stella n'entend pas, elle la guette, tendue vers elle.

— On est à égalité maintenant, maman. Tu dois parler, tu dois avoir le courage de parler. Tu n'es plus une femme qu'on maltraite, tu es une femme qu'on a aimée, et tu as une fille…

Léonie fixe le sol. Elle ne peut pas affronter Stella. Elle essaie de reprendre son souffle, c'est tout.

— Et cette fille, tant que tu ne parleras pas, tant que tu ne lui demanderas pas pardon, tant que tu ne lui diras pas pourquoi tu as laissé faire cette chose ignoble, pourquoi tu t'es bouché les yeux et les oreilles, cette fille aura toujours quinze ans, elle aura toujours mal au ventre, mal à sa peau, mal dans son âme. Elle ne peut pas grandir. Elle est prisonnière. Il faut que tu la libères…

Léonie balbutie, les yeux baissés :

— Ne…

Stella s'enveloppe de ses bras, berce en elle la petite fille qui attend.

— Ne crie pas, murmure Léonie.

— Je ne crie pas !

— Si.

— J'ai le droit de crier. J'ai le droit ! Et d'abord à quoi ça sert que je crie ? Tu ne m'entends pas ! Tu n'entendais pas quand je criais !

— Oh si… oh si…, souffle Léonie en se tordant les mains, en les frottant l'une contre l'autre.

Et au coin de ses lèvres, une vieille douleur revient creuser une ride, rappelle une souffrance lancinante.

— Et tu ne bougeais pas, et tu ne faisais rien, et tu te renfonçais bien profond dans ton lit pour ne pas entendre, mais pourquoi ? Tu ne comprends pas que je ne peux pas vivre à cause de ça ? Que je reste au bord de tout ?

Léonie respire par saccades, fait des petits bruits d'enfant qui pleure.

— Tu ne comprends pas que tout s'interrompt toujours à cause de ça ? Que les sentiments, les émotions, les rires tombent comme des bouts de peau morte ?

— Il était plus fort que moi, Stella.

— Ce n'est pas une raison !

— Il avait toute la ville avec lui. Et moi, j'étais madame Toc-Toc.

— Personne n'est plus fort que l'amour qu'on porte à son enfant ! Personne !

— J'avais peur… Je n'avais pas la force de…

— Et moi ? Tu crois que j'étais forte ? Je n'étais rien. J'étais morte. Morte. Je me laissais faire, inanimée. Je souffrais autant de ton silence que de ses coups à lui. Je ne sais même pas quelle douleur je préférais ! Je ne comprenais pas, je me disais c'est ma maman, elle va pousser la porte, elle va le tirer par les cheveux, lui planter ses griffes dans le dos, et tu ne venais pas, tu ne venais pas ! Et le matin quand je me levais, quand je sentais l'air froid sur ma peau nue, je me disais ah, tiens, je suis vivante alors... quand je regardais mon ventre, je m'étonnais de ne pas voir la trace du couteau, j'allais dans la cuisine et tu tournais en rond autour de la table sans même oser me regarder, comme un fantôme de mère... Oh, comme je me sentais seule, comme je me sentais abandonnée. Mais jamais, tu m'entends, jamais je ne me suis sentie coupable ! Impuissante, mais pas coupable.

— Tu te souviens de tout !

— Comment je pourrais oublier ?

— Ma petite fille !

Léonie a une moue suppliante et tend la main vers Stella.

— Laisse-moi ! Ne me touche pas ! hurle Stella.

— Ma petite fille...

— Oh ! Comme j'ai regretté d'être une fille !

— Tu es si belle !

— Comme j'ai regretté qu'il me regarde et qu'il me veuille !

— Tu me détestes !

— Tu sais bien que non… Je te pardonnais à chaque fois ! Ça me rendait encore plus folle, encore plus furieuse, encore plus seule !

— Mais alors… ?

— Un mot, maman, un mot, un seul ! Je t'en supplie ! Un seul mot…

Léonie se mord la main pour étouffer ses pleurs.

Elle relève la tête, regarde sa fille, balbutie :

— Pardon, ma petite chérie. Je te demande pardon.

Stella se laisse tomber sur le lit. Sa tête part en arrière comme si elle avait reçu un coup. Elle frissonne, elle est brûlante. Tout redevient chaud, vivant, le sang coule à nouveau, et son visage lavé de la colère reprend des couleurs, sa bouche s'anime, ses cils battent, elle entend le rire d'une infirmière, un bébé pleurer dans la chambre voisine.

Elle prend la main de sa mère, ferme les yeux, sourit.

Les cloches ont cessé de carillonner dans sa tête.

— Merci, maman.

— Moi, j'aimerais bien croire en la vie, croire en moi, mais je dois avouer que j'ai du mal, soupire Solange Courtois en prenant une louche d'œufs en neige et trois cigarettes russes. Vivement que cette année se termine ! Et les astres ne m'aident pas. Pour les Balance, ce n'est pas terrible !

— Parce que vous croyez à l'astrologie ? demande une femme qu'Edmond Courtois croit reconnaître. Son mari a repris il y a six mois le cabinet dentaire situé à l'angle des rues des Prés et du Grand-Pavé. On dit qu'il a du mal à se faire une clientèle. Il aurait la main un peu rude dans l'approche de la molaire.

— J'y crois pour passer le temps, soupire Solange Courtois, ça m'intéresse et parfois c'est très juste… Puisque Dieu n'existe plus, il faut bien trouver un sens à sa vie. Et pourquoi pas les astres ? Parfois, vous savez, ils annoncent des choses vraies…

— Une fois sur dix, un hasard ! Comme la roulette russe sauf que c'est moins dangereux ! se moque Raoul Petit, le notaire.

On raconte qu'il aurait un cancer de la prostate et se ferait soigner à Paris pour qu'on n'en sache rien à Saint-Chaland. La maladie n'inspire pas confiance et un notaire a besoin d'être rassurant. Il se murmure aussi qu'il participerait à des parties fines, raffolerait de la lingerie féminine, aimerait se faire battre, attacher. À quelle rumeur se fier ? pense Edmond en refusant les œufs en neige que la bonne lui présente.

Solange Courtois hausse les épaules et affirme qu'être en résonance une fois sur dix, c'est déjà pas mal. Il y a des gens qu'on côtoie chaque jour et avec lesquels on ne résonne jamais. Ils sonnent creux. *Ab amicis honesta petamus*[1] !

— Et vous êtes humaniste bien sûr ! ironise Raoul Petit. Vous aimez les langues anciennes…

— J'ai fait faire ma prochaine révolution solaire et l'année prochaine sera meilleure. On m'a assuré un renouveau, un nouveau cycle. Ma vie va changer ! À condition que je sois à Saint-Chaland le jour de mon anniversaire, bien entendu !

— Solange, s'écrie Duré, que vas-tu faire de cette nouvelle énergie ? Si j'étais toi, Edmond, je m'en inquiéterais !

Edmond Courtois sourit. Il était justement en train de penser j'ai épousé une dinde. Comment ai-je pu passer trente-cinq ans de ma vie en compagnie d'une dinde ? Elle était jolie et j'ai été flatté de la mettre dans mon lit ? Ou je lui ai beaucoup prêté, ardent que j'étais à vouloir oublier Léonie ? On ne s'est jamais parlé. On baragouinait deux langues étrangères. Un jour, je me souviens, je lui avais demandé « tu crois qu'on s'est trompés… », je faisais allusion aux canapés du salon qu'on avait choisis blancs. En guise de réponse, il y avait eu une série de sanglots convulsifs et une cavalcade dans le couloir. Elle s'était jetée sur le lit de la chambre,

---

1. « À un ami, on ne peut demander que ce dont il est capable. »

s'était enfermée à clef. J'avais entendu tomber ses chaussures, grincer les ressorts du matelas. Plus tard, à table, j'avais expliqué, piteux, « je faisais allusion aux canapés du salon », elle avait répondu « je ne veux plus en parler » ! Elle m'avait passé la salade d'endives en me disant que Human Rights Watch faisait un boulot formidable.

Élise Duré se lève. Les convives l'imitent et quittent la table. Le nouveau dentiste a les dents grises et la femme du notaire lui demande combien de fois par jour il convient de se brosser les dents.

Les hommes se regroupent dans un coin du salon pendant que les femmes s'installent sur les canapés, versent le café ou choisissent leur sachet d'infusion.

— Edmond, dit Bernard Duré en s'approchant, j'ai un vieux marc de Bourgogne, vieilli en fût de chêne, de belle couleur ambrée, qui râpe la gorge et débauche les arômes, tu veux le goûter ?

Il lui tend un verre, l'œil luisant de plaisir.

— Tu m'as l'air ragaillardi, Bernard.

— Ça va mieux, ça va mieux…

Edmond trempe ses lèvres, goûte le vieil alcool. Bernard Duré attend son verdict.

Edmond Courtois ferme les yeux et murmure fameux, fameux !

Alors tout à trac Bernard Duré lâche :

— Ça y est ! J'y vais, Edmond ! J'y vais ! J'y vais à fond la caisse ! Stella est venue me trouver

480

l'autre soir. Elle m'a donné un énorme dossier très compromettant pour Ray Valenti. Je vais le massacrer ! J'ai déjà organisé une première fuite qui a fait mouche… À travers le mari de ma femme de ménage. Et il me reste des munitions !

Edmond Courtois a un sourire forcé.

— Tu as ma bénédiction et mon appui.

— Tu as bien fait de me secouer l'autre jour à l'hôpital.

— Il va te falloir des alliés. Si tu as besoin de moi…

— Je sais que je peux compter sur toi.

— Je peux avoir un relais dans la presse. Julie, ma fille, a une copine qui travaille à *La République libre*. Marie Delmonte. Je te donnerai ses coordonnées.

— Je prends !

Edmond Courtois fait semblant de se concentrer sur la liqueur et ferme les yeux à demi pour cacher sa déception. Stella a préféré se confier à Duré. Elle ne me fait toujours pas confiance ? Elle trouve Duré plus chic ? Le bon docteur fleure meilleur que le ferrailleur ? C'est plus fort que lui. Son vieux complexe d'adolescent mal attifé, replet, couvé par sa mère, sa tante et sa grand-mère le rattrape. Il entrouvre les yeux comme un vieux crocodile, observe Duré qui palpite, enivré par sa nouvelle audace. Il se demande s'il ne se dégonflera pas à la première menace. On ne devient pas

481

courageux du jour au lendemain, il faut de l'entraînement. Ce n'est pas tout d'avoir des armes, encore faut-il savoir les utiliser.

P. A. R. D. O. N.

Ce seront les lettres fleurons de la dernière bannière de sa fresque en patchwork.

Pardon en langues de feu.

Demander pardon, c'est rendre sa place à l'autre. Lui donner le droit d'exister.

Ray doit demander pardon. Ou elle le zigouillera.

P. A. R. D. O. N.

Elle l'illustrera sur plusieurs tableaux.

Il y aura la petite Stella traquée dans sa chambre.

Il y aura la table de la cuisine où sa mère baisse la tête.

Il y aura la grande Stella, le doigt sur la gâchette.

Venga, muchacha, venga! Eres la mejor! Eres fantástica!

On verra l'homme qui jette des couteaux la nuit dans le ventre des filles prosterné face contre terre. Décapité. Sa tête sur un plateau comme celle de Jean-Baptiste dans le tableau du Caravage. Enfant, elle se régalait à contempler ce tableau dans son grand dictionnaire illustré. Elle baisait la photo sur papier glacé. La léchait pour goûter le sang.

P. A. R. D. O. N.

482

C'était beau, c'était éclatant, ça avait de l'allure. C'était tout un programme. Ça rallumait la flamme.

Et sa nouvelle sœur ?

Elle ne figurait pas dans sa fresque.

Elle n'avait besoin ni de sœur ni de famille.

Mais elle irait la voir pour lui donner des preuves. Elle avait des papiers qui démontraient sa bonne foi. Une signature en bas d'une citation plutôt pas mal d'ailleurs. Lucien Rilke. Et Moitié Cerise serait du voyage.

Ils s'en iraient à Paris dans le camion, Moitié Cerise, Lucien Rilke et elle. Ils iraient voir la tour Eiffel.

Et Joséphine Cortès.

Elle ne lui volerait pas son père.

Elle n'avait pas besoin de père. Pas besoin de punaiser une image sur le mur de sa chambre. Elle ne croyait pas aux images. Aux pères remarquables. Aux morts dont on fait des héros. Qu'on habille d'auréoles.

L'auréole, elle la posait sur sa tête.

Comme une couronne.

Toute seule.

À l'atelier, le jeudi soir, Stella montre son histoire en patchwork à Marie Delmonte, qui ajuste ses lunettes, se penche sur les carrés. Sa queue-de-cheval vient balayer sa joue. Elle se redresse, impressionnée.

— Tu y travailles depuis longtemps ?

— Oh, c'est une longue histoire, répond Stella, énigmatique.

Marie baisse les yeux sur son dessus-de-lit qui n'avance guère et soupire. Le temps me glisse entre les doigts. Le journal ! Le journal ! C'est un ogre qui me dévore !

Puis elle déclare tout à trac à Julie :

— Ton père est venu me voir au journal. Avec Duré. Ils m'ont filé un dossier sur Ray Valenti...

Elle se tourne vers Stella.

— Paraît que c'est plus ton père ! C'est le bruit qui court en ville.

— Ça l'a jamais été !

— Et qu'il a des casseroles au cul.

— Une batterie, même ! Vous allez pouvoir en faire quelque chose ?

— Je l'ai filé au rédac-chef. C'est pas l'homme le plus courageux du monde mais je crois que Duré et Courtois l'ont chauffé, ils lui ont dit que s'il n'en faisait rien, ils iraient trouver un autre journal. Un plus gros. Un parisien, quoi. Et là ça ferait du bruit...

— Alors il va se décider...

— J'espère bien.

— Tu nous tiens au courant ? dit Julie.

— Bien sûr !

— Moi, je passerais bien voir comment tu travailles. Ça m'intéresse, dit Stella.

— Un soir où c'est calme, je t'appelle et tu viens, d'ac ?

Joséphine et Stella se sont donné rendez-vous au pied de la tour Eiffel. Pilier nord. Allez savoir pourquoi ! Peut-être parce que Stella n'est jamais allée à Paris.

Ou si…

Deux fois avec son école.

Une fois pour visiter la Cité de la musique. Barbant. L'autre fois pour admirer les vitrines des grands magasins à Noël. Barbant aussi. Trop de monde, trop de bruit, trop de pères Noël. Un tous les dix mètres. Avec des barbes sales et des houppelandes reprisées. Des types lui touchaient les fesses, lui écrasaient les pieds. Les gens sentaient la sueur et le parfum à trois balles.

Mais pas de tour Eiffel au programme. Ça l'avait dégoûtée. Le voyage suivant, elle ne s'était pas inscrite. Ray avait refusé de lui donner l'argent sous prétexte qu'elle l'avait mordu. Elle lui avait arraché un bout d'oreille. À ce voyage-là, bien entendu, la tour Eiffel était au menu.

À Paris, la tour Eiffel, on l'aperçoit de loin, on n'a pas besoin de plan pour la repérer. Il suffit de se promener les mains dans les poches, le nez en l'air.

Elle est arrivée tôt ce matin, elle a garé son camion avenue de Suffren. Devant un restaurant italien. A commandé une pizza quatre saisons, a payé vingt euros, s'est indignée. Le garçon l'a regardée de haut. Que voulez-vous, ma petite dame, vous payez l'emplacement, le soleil, la tour Eiffel ! Vous n'êtes pas dans le bon quartier pour faire des économies. Faut aller à Barbès pour ça. C'est où ? elle a demandé pour le moucher. Parce que j'y vais tout de suite à ce tarif-là ! À l'autre bout d'ici. Vous êtes pas rendue ! En attendant, elle avait dit, rendez-moi ma monnaie.

Pour le pourboire, il pouvait toujours repasser !

— Un sou, c'est un sou ! il avait rigolé en faisant gicler les pièces.

— Chez moi, je vis trois jours avec le prix de votre pizza. Et je nourris mes chiens, mes ânes, mes poules, mes canards…

Il riait franchement.

— … mon fils, mon cochon et mon perroquet !

486

— C'est la première fois que vous venez à Paris ? Vous avez vu Montmartre ? Le Sacré-Cœur ? Ça vaut le coup.

— Non. Je connais pas et je suis pas près de connaître. Ou alors je viens avec mes sandwichs, un thermos et je dors dans mon camion.

— Ah, vous êtes une rigolote, vous !

Il se tapait les cuisses et secouait la tête.

— Tiens, je vous paie un café ! il avait fini par dire.

— Vraiment ? elle avait demandé, méfiante.

— Gratuit.

— Ben alors… merci. C'est combien sinon ?

— Quatre euros vingt…

Elle avait poussé un cri de femme qu'on égorge et il était parti en répétant impayable ! Elle est impayable !

Quand elle avait décroché, Joséphine Cortès avait demandé :

— Bonjour… Qui est à l'appareil ? Allô ? Allô ?

Stella n'arrivait pas à parler.

Elle avait la gorge serrée. Elle avait entendu la voix très douce, très claire de Joséphine Cortès, avait laissé passer quelques secondes et avait fini par chuchoter d'une voix voilée c'est moi, c'est…

Elle n'avait pas eu besoin d'en dire davantage. Joséphine Cortès avait enchaîné :

— Je suis contente que vous appeliez. J'avais perdu votre téléphone.

— Vous voulez dire que vous l'aviez effacé ? elle avait rétorqué.

Joséphine avait toussoté, embarrassée.

— Je crois que j'aurais fait comme vous si j'avais été à votre place, avait dit Stella.

— C'est que c'était un peu violent comme nouvelle... Je n'étais pas prête. Il m'a fallu du temps.

— Je vous comprends, j'ai été plutôt brutale.

Elles avaient laissé échapper un petit rire et ça avait détendu l'atmosphère.

— Vous savez, avait précisé Stella, j'ai toutes les preuves que vous voulez...

— Oh, j'aurais pas dû...

— Vous aviez raison. Sinon n'importe qui pourrait prétendre...

— Oui. Mais...

— Vous avez eu raison.

Elles étaient tombées d'accord sur un jour, une heure, sur la tour Eiffel et sur le pilier nord. Elles étaient sur le point de raccrocher quand Joséphine s'était écriée :

— Mais comment va-t-on se reconnaître ?

Stella avait ri.

— J'ai assisté à vos cours, vous vous souvenez ? Et puis il y a votre photo au dos de chaque livre !

— Ah oui, c'est vrai...

— Moi, c'est facile. Une grande blonde avec une mèche d'Iroquois sur la tête, de grosses chaussures et une salopette orange.

Elle marche vers le pilier nord. Aperçoit près d'un marchand de tours Eiffel en plastique fluo la femme qui donne des cours dans le grand amphi de la faculté de Lyon. Celle qui parle de la double négation, de l'imprimerie, du stylet. Elle l'observe, étudie le visage, le nez, la bouche bien dessinée, les cheveux châtains, la frange raide. Des jambes minces, longues. Un air à la fois sérieux et léger. Un air de bon augure. Elle s'approche, dit c'est vous, n'est-ce pas ?

Joséphine Cortès écarquille les yeux, étonnée.

— Vous m'avez reconnue tout de suite ! Vous n'avez pas hésité une seconde !

— C'est à cause de votre nez. On a le même. Regardez bien. Tout droit, tout mince, tout simple, sans prétention, avec des ailes extrêmement modestes. Et une toute petite virgule sur la narine gauche. Comme une fossette. De loin, il ressemble à tous les nez, de près, il est unique.

— Vous voulez qu'on marche un peu ? Il y a beaucoup de monde ici.

— Je voyais pas la tour Eiffel comme ça ! s'exclame Stella.

— Vous l'imaginiez comment ?

— Plus petite, plus plate. Elle est imposante !

— On peut remonter le Champ-de-Mars si vous voulez… Vous êtes venue comment ?

— Avec mon camion. C'est mon outil de travail. Je travaille à la Ferraille…

— Ah…

Elle a prononcé ce « ah » avec une pointe d'interrogation, de curiosité, l'air de dire racontez-moi, ça m'intéresse.

— J'aime bien. On se dépense, on est au grand air. On voit des gens différents. Je ne pourrais pas rester dans un bureau. Je ne supporte pas d'être enfermée.

Joséphine joint les mains et dit :

— Moi, j'aime les livres, les bibliothèques, le calme qui y règne. On entend tourner les pages.

Et puis elle s'arrête, rougit et murmure :

— Votre mère vous a parlé de mon père ?

— Oui. Un peu. C'est à cause de votre livre.

— Ah…

— Des remerciements à la fin. Vous parlez de lui, du jour de sa mort. Sinon je ne crois pas qu'elle me l'aurait dit…

— C'est délicat à avouer… Surtout à sa fille !

Elles croisent un groupe de Chinois. Ils suivent une femme qui tient très haut un parapluie rouge et glapit un baratin pour touristes.

— Il l'a rendue très heureuse. Je crois bien que ce sont les seuls moments de bonheur qu'elle a connus de toute sa vie. Deux mois de félicité, ce n'est pas beaucoup.

— Vous n'êtes pas obligée de me raconter…

— C'est-à-dire que ça me fait bizarre de parler de l'amant de ma mère…

— Et moi de la maîtresse de mon père !

Elles se regardent, embarrassées, pouffent d'un petit rire qui les soulage. Stella parle tout en se retournant pour apercevoir la tour Eiffel.

— Vous voulez qu'on s'asseye ? propose Joséphine. Comme ça vous pourrez continuer à la regarder et me parler en même temps…

— Ça vous ennuie ?

— Pas du tout !

Stella se laisse tomber sur la pelouse, ramène ses longues jambes en tailleur, redresse le dos. Joséphine l'imite et glisse ses jambes sur le côté.

— Après tout, ils étaient grands ! dit Stella. Ils savaient ce qu'ils faisaient.

— Mon père avait quarante ans…

— Ma mère, vingt-sept. Mais elle n'avait pas beaucoup vécu… Enfin, je veux dire, elle n'était pas très avertie.

Elle sort de son gros sac Moitié Cerise, la lettre de Lucien Plissonnier, le texte signé Lucien Rilke. Les tend à Joséphine.

— La lettre… j'ai pas voulu la lire. Il parle de vous, il paraît.

— C'était un gentil papa, murmure Joséphine en reniflant. Vous voyez… j'ai déjà des larmes !

— Je vais aller admirer la tour Eiffel de plus près pendant que vous la lirez…

Joséphine a pris Moitié Cerise entre ses mains et le contemple.

— Le mien s'appelait Sa Grandeur d'Ail !

Stella se relève, s'éloigne, aperçoit un billet de dix euros à terre, le ramasse. Le défroisse, le glisse dans sa poche. Se demande s'il vient la dédommager pour la pizza quatre saisons ou si c'est un clin d'œil du ciel qui bénit sa rencontre avec Joséphine. Il y a quelque chose de doux entre elles. Une familiarité paisible. Comme si elles se retrouvaient. Elles ne font pas de manières. Elles ne se croient pas obligées de parler, de remplir le silence. Le silence ne fait peur qu'à ceux qui n'ont rien à dire. Et puis elles ont le même nez. Et aussi… elle aime bien comme elle rit. Elle pouffe, la bouche dans la main, les yeux plissés. Elle a un petit mouvement du cou en avant comme pour souligner que c'est peut-être inconvenant mais que c'est plus fort qu'elle.

Oui, elle aime bien cette femme.

Sa moitié de sœur.

Il est encore trop tôt pour savoir si c'est pour de bon. Elle a toujours du retard dans les sentiments.

Quand tout le monde pleure, elle se demande si elle a rentré les ânes ou nourri Merlin le cochon. Le chagrin ne l'atteint qu'à retardement. Le bonheur aussi. Elle tient les émotions et les sentiments à distance, les soupçonne d'être de mauvais conseillers. Ou de grands menteurs.

Stella s'allonge sur la pelouse et observe les gens. Ils parlent fort, ont les jambes blanches, des chaussettes grises, le nez rouge. Une mère étale de la crème solaire sur les épaules de sa petite fille. La gamine porte un maillot deux-pièces rose à volants dont le haut, tout à fait inutile, tombe sur le nombril et lui fait une jupe de vahiné.

Je ne pourrais jamais vivre à Paris, se dit Stella. Et puis, est-ce une idée ou l'air sent mauvais ? Il faut que je prévienne Adrian. Si jamais il lui prenait l'envie de vivre ici.

Et elle se fige d'un coup.

Elle a l'absolue certitude qu'Adrian est à Paris.

Elle se tortille, attrape son téléphone, l'appelle.

Il décroche. Elle entend le bruit d'une radio derrière lui.

— C'est moi, elle commence en tentant d'écouter ce que dit la radio.

— Tu es où ? il demande. Tu n'es pas en train de travailler ?

— C'est samedi.

— Ah… j'oubliais.

— Et toi ? T'es où ?

— Je m'occupe. Je travaille pas aujourd'hui.

— Adrian, je sais que tu es à Paris. Ne mens pas.

Il y a un long silence à l'autre bout du fil. La voix d'un type à la radio parle du prochain bulletin météo.

— Adrian…

— Princesse ?

— Je sais que tu es à Paris.

— Je ne suis pas à Paris.

— Si. Ne mens pas.

— Je ne suis pas à Paris.

— Adrian ! J'ai des antennes, je te sens. Tu es tout près. Si je ferme les yeux et que je marche à l'aveuglette, je vais arriver jusqu'à toi.

— Stella ! T'es où ?

Il crie dans le téléphone.

— À Paris. Sous la tour Eiffel.

Alors il prend sa voix sourde, la voix qui tremble contre son oreille.

— Je serai à Saint-Chaland ce soir…

— Promis ?

— Promis.

Et il raccroche.

Pas assez vite pourtant…

Le type à la radio a délivré le bulletin météo, « et ce soir, dans la capitale, une belle soirée, vingt-cinq degrés, une petite brise, Parisiennes et Parisiens… ».

Elle le savait, il habite à Paris.

Elle revient vers Joséphine, s'assied à côté d'elle.

— Alors ? elle dit en regardant les yeux humides de sa moitié de sœur.

— Elle est belle, la lettre !

— Il paraît.

— Il l'a beaucoup aimée…

— Vous irez la voir ? Elle y tient beaucoup.

— Promis.

— Vous pourriez l'appeler d'abord. Ce serait moins intimidant…

— C'est une bonne idée.

— Ils vont la garder encore quelques jours à l'hôpital pour la remplumer. Elle est si maigre !

Stella ne sait plus quoi dire. Elle a hâte de repartir.

Il est à Paris. Et il ment.

Elle le sait. C'est comme ça.

— Vous avez des enfants ? demande Joséphine.

— Oui. Un petit garçon, Tom.

Stella sort le billet de dix euros de sa poche.

— J'ai trouvé ça par terre en marchant…

— C'est un signe de chance.

— Vous en êtes sûre ?

— Oui.

Stella déchire le billet en deux, en tend une moitié à Joséphine.

— Alors on partage, d'accord ?

Le soir, quand Philippe l'appelle, Joséphine lui raconte son rendez-vous.

— J'ai vu ma moitié de sœur. Sous la tour Eiffel.

— Elle est comment ?

— Très bien. Très grande, très blonde, avec une sorte de crête sur la tête… Elle ne ressemble à personne. Et elle semble être une femme bien. Elle avait trouvé un billet de dix euros par terre, elle l'a déchiré et m'en a donné la moitié. Alors qu'elle ne doit pas avoir beaucoup d'argent.

— Donc ton père avait bien une maîtresse !

— Non, mon père a aimé follement une femme.

— Comme tu le défends !

La nuit est tombée. Il est tard. C'est la nuit la plus courte de l'année. Joséphine se ramasse dans un coin du balcon et regarde le ciel. Zoé et Gaétan se sont enfermés dans leur chambre. Ils n'ont pas dit un mot pendant le dîner. Ils se disputent en silence, les yeux baissés, les épaules voûtées. C'est éprouvant. Elle a lancé des débuts de phrases mais ils l'ont ignorée. Elle a redoublé d'efforts, et pour les vacances, vous avez décidé ? Vous restez à Paris ou vous... Elle n'a trouvé aucun écho.

Elle contemple la lumière blanche qui voile la voûte céleste. Il fait doux. Deux taxis s'arrêtent en bas de l'immeuble. Elle entend des cris joyeux, quelqu'un demande qui a le code ? Qui a le code ? Elle décolle un brin d'herbe sur son chemisier. Il doit provenir du Champ-de-Mars.

Papa et Léonie. J'ai tenu entre mes mains la lettre qu'il lui a écrite quelques heures avant de mourir. Que c'est émouvant ! Il l'a aimée. Il a été heureux avec elle. Il sifflotait quand il avait son chantier à Sens. Il avait pris un hôtel à Saint-Chaland, il trouvait que c'était une jolie ville, à huit kilomètres de Sens. Il ne disait pas Saint-Chaland mais Saint-Charmant !

Il aurait pu partir avec cette femme. Il avait pensé à elle, Joséphine, avant de se précipiter dans son propre bonheur.

Elle lève la tête vers le ciel, contemple la petite étoile au bout de la Grande Ourse. Elle aime croire qu'elle lui parle, qu'elle scintille rien que pour elle.

— Papa, qu'est-ce que je vais faire de Léonie et de Stella ?

La petite étoile clignote, s'éteint, clignote à nouveau et elle entend une voix dans sa tête qui dit doucement :

— C'est très simple, Jo. Tu vas les aimer comme je les aurais aimées. Tout l'amour que tu as en toi, tout l'amour…

— Il fait si chaud qu'on pourrait faire cuire un œuf en le jetant par terre ! s'exclame Hortense en s'essuyant le front et en traversant le salon.

Elle a jailli de sa chambre où elle est en train de faire sa valise, cherche un tee-shirt imprimé qu'elle est sûre d'avoir laissé sur le canapé, c'est mon tee-shirt préféré, elle jure en faisant valser les coussins. Gary et elle partent après-demain. Ils passeront l'été à Paris, à Londres et partout où ils auront envie d'aller. « Le monde est magnifique et il nous appartient », c'est le nouveau refrain d'Hortense. Puis Gary repartira pour New York effectuer sa dernière année à la Juilliard School pendant que Hortense restera en France et lancera sa maison de couture.

— Oh là ! Quelle aventure ! elle répète en lançant les coussins en l'air. Donnez-moi la vie, que je la mange ! Que je plains les gens sans appétit !

Elle pétrit un coussin, réfléchit, ajoute :

— Si ça se trouve, Gary, nous n'irons nulle part. Il faudra peut-être que je me mette au travail tout de suite. Tout va dépendre de Jean-Jacques

498

Picart. Car voyez-vous, les garçons, je suis sur orbite, prête à décoller !

Le coussin dûment pétri tombe à ses pieds et elle conclut :

— Tout ça ne m'aide pas à trouver mon tee-shirt !

Gary, amusé, hausse un sourcil. Dans le tourbillon d'Hortense, il n'attrape pas tout. Quelques bribes de phrases lui suffisent.

Ils vont devoir vivre l'un sans l'autre, mais cette perspective, loin de les assombrir, ravive leur ardeur. Ils s'empoignent avec fougue. Ils se mesurent, s'embrassent, se menacent et repartent enfiévrés.

Mark suit le ballet des deux amants et se repaît de chaque miette torride qui leur échappe.

Si Gary voyage léger, Hortense remplit ses valises à en faire éclater les serrures.

— Et l'air conditionné qui ne marche plus ! Ne me regarde pas, Gary, je dois être hideuse ! Bande-toi les yeux !

— Et moi, je peux te contempler ? murmure Mark, vautré sur le canapé à côté de Gary.

Ils ont un casque sur les oreilles et écoutent Timber Timbre, leur nouvelle passion, en secouant la tête comme si elle était détachée de leur corps.

« *This is too damn good !*

— This is so good !
— Sweet fucking song, man[1] *! »*

— Toi tu peux… ce n'est pas grave ! décrète Hortense en trottinant. Même moche, tu me trouves sublime ! C'est ce que j'aime en toi. Tu me valorises. Je voudrais te trimballer partout comme un marchepied.

— Merci, dit Mark, je ne sais pas comment prendre cette déclaration, mais je te remercie de m'adresser la parole !

Il observe Gary, il observe Hortense, ces deux êtres le fascinent. Est-ce la vieille science amoureuse française ou une caractéristique propre à ces deux-là ? Les voir vivre, s'aimer, se disputer, se réconcilier le fait vibrer et grandir en savoir amoureux. Hortense a tant de charme, de séduction, qu'elle peut rassasier plusieurs hommes à la fois.

Elle passe et repasse, gaie, légère, arbore l'air téméraire de celle qui triomphe de tout. La nuit a dû être fameuse, se dit Mark qui s'enflamme à l'idée de ce plaisir qu'il ne connaîtra peut-être jamais. Hortense a été très claire, la volupté parfaite qu'elle connaît avec Gary est réservée à des amants triés sur le volet. En d'autres mots : réservée à Gary Ward et Hortense Cortès.

---

1. « C'est de la balle ! – C'est ouf ! – Putain de morceau ! »

Mark écoute « *Lay Down in the Tall Grass* » et balance une tête alanguie. Tant pis, semble-t-il dire, si je ne puis consommer, j'imaginerai.

Il se laisse aller à un délicieux vagabondage de tous les sens quand Gary fait un bond et se lève.

— J'y vais !

— Où ? demande Mark en retirant son casque.

— À l'école. J'ai répétition.

— Je te suis ?

— Comme tu veux !

Mark réfléchit et décide gravement, comme s'il y allait de sa vie :

— Je viens avec toi !

Hortense les aperçoit sur le point de partir, suspend sa course, arrête Gary, l'enlace, lui baise la bouche et Mark rougit, détourne la tête.

Il n'entend plus que les grondements des amoureux qui jurent de se retrouver vers huit heures, ce soir, dans un restaurant délicieux.

— Un trois-étoiles, s'il te plaît ! exige Hortense.

Puis, se tournant vers Mark, elle précise :

— Tu sais à quoi on reconnaît l'homme véritable, petit ver de terre à grosses lunettes ?

— Non, balbutie Mark dont les verres s'embuent.

— À ce qu'il n'a pas peur de traiter sa femme en altesse royale... Il sait que sa virilité en sera renforcée et non diminuée. Tu comprends ?

Mark hoche la tête, penaud.

501

— Tu peux dégager !

Et elle repart en dansant sur la pointe des pieds tandis que Mark emboîte le pas à l'homme véritable.

Gary tourne à gauche dans la rue. Mark s'exclame :

— On ne va pas à l'école ?

— Non. J'ai rendez-vous dans le Parc.

— Ah ! ah ! s'écrie Mark, soudain heureux de prendre sa revanche. L'affaire se complique !

— Tu peux ricaner, sourit Gary. Il fait beau, et je suis heureux !

— Heureux mais… empêtré ! dit Mark.

Gary sourit. Hausse une épaule qui dit oui.

— Tu as raison.

— J'ai tout compris.

— Tu es très fort.

— C'est pas très compliqué. Il suffit de t'observer.

— Alors vas-y…

— Tu aimes Hortense viscéralement et tu aimes Calypso délicatement. Qui, de la bête ou de l'ange, va l'emporter ?

Il mime le claquement de deux cymbales.

— Pas mal du tout ! s'esclaffe Gary. Tu prends combien pour la consultation ?

— Je répète la question : qui, de la bête ou de l'ange, va l'emporter ?

— Tu le sais, toi ?

— J'ai ma petite idée, mais je ne la dirai pas, ça pourrait t'influencer !

Gary lui donne une bourrade. Mark la lui rend. Et ils font mine de se battre en boxeurs bondissants. Un round, deux rounds, trois rounds, ils s'arrêtent, essoufflés.

— Tu sais ce que me disait mon grand-père chinois ? dit Mark en s'appuyant contre le parapet pour reprendre son souffle.

— Celui de la mafia ?

— Oui. Sauf qu'il n'a jamais appartenu à la mafia…

— Je le sais, banane ! Vas-y, livre l'info !

— Il disait… « quand tu hésites entre deux femmes, entre deux amis, entre deux plats délicieux, imagine que tu les jettes dans un grand feu et demande-toi celui ou celle que tu sauverais en premier »…

Gary réfléchit un instant.

— Si tu jettes Hortense et Calypso au feu, laquelle des deux sauveras-tu en premier ? Tu le sais ?

— Oui, répond Gary sans hésiter.

— Et… ? demande Mark avec une mine gourmande.

— Et je ne te le dirai pas. Ça te regarde pas.

— Alors je dégage et te laisse à tes errements.

— À demain ! Souviens-toi, Pinkerton nous attend pour la leçon d'harmonie.

— Je n'ai pas oublié, qu'est-ce que tu crois ?

Calypso l'attend. Près de la charrette à hot-dogs sur la 72e Rue. À l'entrée de Strawberry Fields. Gary s'approche et aperçoit sa natte brune, les petits cheveux qui frissonnent dans la lumière chargée de chaleur. Leur histoire est un battement d'ailes de papillon. Il ne faut pas chercher à la tenir entre ses doigts. S'il appuie trop fort, les ailes se détacheront et le papillon redeviendra ver à soie.

Elle l'aperçoit et sourit.

Il prend sa nuque entre ses mains, se penche vers elle, approche ses lèvres, l'embrasse si doucement qu'il n'est pas sûr que ce soit pour de bon.

Elle ferme les yeux, boit son baiser.

Si absorbée qu'elle vacille, qu'il doit la rattraper.

Le même cérémonial, toujours. Il enlace ses doigts, leurs hanches se touchent. Il l'attire contre lui. Elle se laisse aller. Pour l'éternité, dit son abandon silencieux.

Depuis leur premier baiser, elle ne porte plus de montre. Elle n'en a plus besoin. Elle est arrivée à destination.

Elle ne veut pas savoir qu'il vit avec une autre fille. Ni que cette fille est si jolie qu'elle confisque le sommeil des garçons. Elle refuse d'entendre qu'il part bientôt pour Paris.

Qu'ils iront à Londres ou à Séville, où le désir les guidera.

Elle est heureuse. Cela suffit.

L'autre fille est belle.

Et alors ?

Elle s'appelle Hortense et elle, Calypso.

Cela n'a rien à voir.

Elle a aperçu Hortense l'autre jour. Elle traversait Madison Avenue à la hauteur de la 93ᵉ Rue. Hortense sortait de la belle librairie The Corner Bookstore. Elle l'a reconnue tout de suite. Elle vient parfois chercher Gary à l'école. Elle tape du pied dans le grand hall, s'impatiente.

Dans la nuit, après l'avoir croisée, elle s'est réveillée, a ouvert grand les yeux. Elle a pensé Gary aime deux femmes, une jolie et une laide.

Elle s'est redressée, comme piquée par une abeille.

Comment peux-tu dire une chose pareille, Calypso Muñez ? Tu n'es pas laide, tu es différente. Certaines filles portent leur beauté en bandoulière, toi, tu la dissimules sous une fine poussière.

Elle s'est donné des claques et des claques. Une rafale de claques pour se punir de s'être rabaissée. Je t'interdis de penser ça, elle a dit en se souffletant.

Tu es Calypso Muñez. Tu ne ressembles à personne. Tu es belle ! La preuve ? Il t'embrasse, il laisse traîner ses lèvres sur les tiennes comme s'il voulait que son baiser ne s'arrête jamais.

Il peut aimer deux femmes à la fois. Ça ne me dérange pas. Pas le moins du monde.

Puisqu'il me fait de la place. Une belle place, bien nette, bien en vue. Jamais il ne m'escamote au coin d'une rue. Jamais il ne disparaît derrière un arbre pour ne pas être vu avec moi. Il marche droit et fier et j'ai l'impression d'être partout la bienvenue. Elle avait arrêté de se gifler et s'était promis de ne plus recommencer.

Elle avait réveillé la violette cornue qui se rétablissait à peine et avait besoin de beaucoup de sommeil. Elle l'avait assaillie de questions.

Pourquoi il ne faudrait aimer qu'une seule personne alors qu'il y a tant de femmes et d'hommes dans le monde ? Pourquoi faudrait-il avoir le cœur tout petit, tout étroit ? Ulysse, par exemple, il a aimé cette femme, Emily. J'entends comme il s'étrangle quand je prononce son nom. Et pourtant il aime Rosita, sa tendre épouse. Qu'est-ce que tu en dis, violette cornue ?

Elle a deviné pour Ulysse. Pas besoin d'être grande sorcière, de faire brûler des herbes et bouillir des cornues. D'abord, il y a son silence au téléphone quand elle prononce le prénom d'Emily, et puis... le regard noir de Mister G., ses colères, ses coups de botte dans le plancher, il défend son ami, c'est certain. Il veut le tenir éloigné de celle qui autrefois l'a ensorcelé. Et enfin, le parfum d'Emily semblable à celui de la robe bleue cousue de perles blanches. Ce n'est pas un hasard comme voudrait le lui faire croire Ulysse.

Il n'est pas si connu que ça, ce parfum français.

Il a été connu autrefois… Quand Ulysse se penchait sur Emily et répandait ses baisers.

Mais aujourd'hui… Il est totalement oublié. Elle est allée chez Bloomingdale au rez-de-chaussée où sont exposées les fragrances du monde entier. Eh bien… « Ivoire » de Balmain n'y occupe qu'une toute petite place sur une toute petite étagère, derrière l'escalator, juste avant les toilettes. Pas fameux comme emplacement. Un parfum en chute libre en somme.

Ulysse Muñez a aimé Emily Coolidge. Pourtant Ulysse aimait Rosita. Mais ça n'avait pas refroidi Emily.

La violette cornue semblait s'animer sous les rayons de lune. Elle frémissait, remuait le jaune et le violet, faisait trembler le bord argenté des pétales.

Elle lui donnait raison, c'était évident.

Elle disait aussi ne te traite plus jamais de vilaine et de laide. C'est commettre un péché contre toi. Le pire péché du monde. Apprends à t'aimer et tous, ils t'aimeront, te célébreront.

Elle disait tout cela, la violette cornue, sous les rayons brillants de la lune blanche.

Ils marchent dans le Parc. Calypso évoque le nom d'une violoniste, Hilary Hahn. Elle possède un violon français, un Jean-Baptiste Vuillaume de 1864. Elle part en tournée en Europe jouer le rare *Concerto pour violon* de Samuel Barber. Gary se tourne vers elle et dit :

— Calypso… tu iras en Europe faire une tournée avec ton Guarneri. Tu ne le sais pas encore, mais tu dois te faire confiance.

Elle enfonce ces mots dans sa tête pour y penser plus tard.

Demain il part.

Demain, je pars, pense Gary.

Partir, partir, oublier qui je suis, penser à peine, étendre la main, goûter le soleil qui chauffe, le ciel qui change, la bouche qui mord, le bon pain français, le café noir aux terrasses des bistrots parisiens, le ballon de rouge, le ballon de blanc, le croissant frais, Hortense qui court les magasins, s'impatiente, qui veut tout savoir, tout apprendre, qui trépigne, et l'Eurostar qu'on attrape en courant, les corgies de Mère-Grand, les étangs de Hampstead, le thé noir dans de grandes boîtes sombres, les remparts d'Écosse, le cri éraillé des cornemuses, les hommes qui traînent dans les pubs. Partir, partir, oublier qui je suis, étendre la main, goûter le soleil qui chauffe…

JFK. Lundi soir. Embarquement pour Paris-Charles-de-Gaulle. Le hall est rempli de voyageurs encombrés de valises, d'enfants, de sacs en bandoulière, d'ordinateurs, de caméras sur le ventre. Il est seize heures quarante-cinq. Leur avion part à dix-neuf heures. Hortense et Gary font la queue. Ils suivent les méandres de la longue file d'attente, poussent d'un pied leurs sacs et leurs valises, soufflent, transpirent. La cohue est générale. Les hôtesses au sol ont le fond de teint qui vire. Hortense trouve cette attente insupportable.

— Tu vois, c'est pour ça que je déteste être pauvre ! Si on était riches, on voyagerait en première classe. On aurait une allée rien que pour nous, des douaniers pleins d'égards, un salon pour se reposer, un thé, un café, une tranche de saumon, des journaux à foison…

— Arrête de rêver et avance, lui glisse Gary.

Une gamine les dépasse et marche sur les pieds d'Hortense, nus dans des sandales Hermès. Hortense pousse un cri et fusille l'enfant du regard.

Hortense n'est pas femme à se laisser piétiner dans la cohue. Elle réclame une minute et demie de réflexion. Respire profondément, avale ses joues, ferme les yeux, se concentre. On dirait un bonhomme de neige en été, se dit Gary. Elle a empilé sur elle ses vêtements préférés, ses vêtements « totems ». A refusé de les mettre dans ses valises. Tu connais le pourcentage de bagages égarés par les compagnies aériennes ? Je me suis renseignée et ça donne le frisson ! Et si je dois mourir en plein vol, autant périr couverte de mes plus beaux atours ! Comme ça je ne rougirai pas quand on identifiera mon cadavre.

Tous ces vêtements lui ont donné des idées, des débuts de pistes pour en inventer d'autres, ce ne sont pas seulement des fringues, elle déteste ce mot, c'est sa source vive d'inspiration.

Et soudain le bonhomme de neige rouvre les yeux et lance :

— Dis-moi que je suis magique !

— Tu es magique, Hortense Cortès, dit Gary, attentif à ne pas perdre sa place dans la file.

— Tu veux savoir à quel point je le suis ?

— Oui.

— Continue à faire la queue, je vais te surprendre !

Elle déboîte de la file d'attente et disparaît en direction des toilettes.

Gary pousse du pied sacs et valises et observe les gens autour de lui. Certains se laissent pousser et avancent malgré eux, d'autres foncent comme s'ils démolissaient une porte. Il y a les mous et les durs. Les résignés et les combatifs. Inutile de vouloir faire entrer Hortense dans une catégorie. Hortense est hors catégorie. Il sourit, ému, et se surprend à attendre le tour de magie qu'elle lui réserve.

Il n'est pas déçu.

Il ne s'est pas passé plus de quinze minutes qu'Hortense sort des toilettes, radieuse.

Et enceinte. Sur le point d'accoucher. Elle a roulé son excédent de vêtements en une boule plaquée sur le ventre. Elle avance en se tenant les reins jusqu'au comptoir Air France où elle exhibe son ventre et parlemente. Elle brandit le chiffre sept avec ses doigts, elle est donc enceinte de sept mois. Judicieux ! pense Gary. Au-delà de sept mois, elle n'aurait plus le droit de voyager. Un rapide regard vers lui pour indiquer qu'elle n'est pas seule et que l'ignoble individu qui l'a mise dans cet état, c'est le grand brun qui veille sur leurs bagages, Gary Ward.

Il baisse les yeux, presque honteux.

Et il attend.

Hortense revient, suivie d'une hôtesse qui se confond en excuses :

— Il fallait me le dire, madame Cortès, que vous attendiez un heureux événement. Nous vous aurions fait passer devant tout le monde.

L'hôtesse leur fait signe de la suivre. Ils franchissent l'enregistrement et la douane sans

encombre, empruntent le couloir réservé aux premières classes, reçoivent un passe pour attendre
l'embarquement dans le salon Air France et…

— Je vais essayer de vous surclasser. Dans
votre état… Attendez au salon, je vais voir ce que
je peux faire…

Hortense remercie d'un air de souveraine qui
retrouve son rang et se voit enfin traiter avec les
égards qui lui sont dus. L'hôtesse s'incline et trottine pour aller régler ce délicat problème.

Et c'est ainsi qu'ils se retrouvent dans le salon
Air France à boire du café, à déguster des canapés
au saumon, des cupcakes et du camembert.

— Elle est pas belle, la vie ? déclare Hortense.

Gary acquiesce, le nez dans les bulles d'un
champagne de renom.

— Est-ce que je ne suis pas une fille formidable ?

Il sourit et rétorque :

— Je t'adore, Hortense Cortès.

— Non. Tu ne m'adores pas. Tu m'aimes. Dis
que tu m'aimes et baise mes paupières.

— Et pourquoi je baiserais tes paupières ?

— Parce que bientôt je m'enfoncerai dans un
profond sommeil et ne prononcerai plus un mot
jusqu'à notre arrivée à Paris.

— Et si je te lutine sous la couverture ?

— Hors de question. Et tu sais pourquoi ?

— Non.

— Demain, en arrivant, j'ai rendez-vous avec Jean-Jacques Picart à onze heures tapantes. Je dois avoir le teint frais et les idées claires.

Elena, dans son salon à New York, repose son petit verre de vodka, regarde sa montre et décide qu'il est l'heure d'appeler sa vieille copine Élisabeth. Deux heures du matin à New York, huit heures à Londres. Elle n'arrive pas à dormir, elle fait des sauts de puce depuis dix jours à l'idée que... à l'idée qu'elle va reprendre ce qu'elle aime par-dessus tout : couper, tailler, monter des robes. Inventer des silhouettes. Lancer un style. Elle a besoin de parler à sa copine. Cela la fait toujours sourire d'accoler le mot « copine » à la reine Élisabeth II d'Angleterre, mais c'est la vérité. Les deux femmes se connaissent depuis plus de soixante ans. Elena refuse de compter le nombre exact d'années, elle dit souvent ça fait un sacré bail ! Élisabeth rit en entendant ces mots. Élisabeth parle un français parfait grâce aux leçons qu'elle a reçues, enfant, de sa gouvernante, miss Crawford, Crawfie pour les intimes, qui s'adressait à elle en français.

Elena compose le numéro du portable d'Élisabeth. Rares sont ceux qui connaissent ce numéro : le prince Philip, bien sûr, le secrétaire particulier de la reine, les entraîneurs de ses pur-sang, certains éleveurs de chevaux et... Elena Karkhova. C'est un privilège dont Elena n'abuse pas. Élisabeth a horreur des familiarités.

Elle se cale dans son fauteuil, entend le téléphone sonner, imagine la grande chambre d'Élisabeth au palais de Buckingham, les lourds rideaux à pompons jaunes, les tapis, les dorures, la grande cheminée glacée habitée de courants d'air. Élisabeth déteste ce palais. Trop grand, il comporte sept cents pièces, trop froid, trop humide, trop sombre. Le matin, à neuf heures, un garde royal vient jouer de la cornemuse sous ses fenêtres pendant qu'elle prend son petit déjeuner et lit le *Racing Post*, le journal des turfistes. De huit heures à onze heures du matin, Élisabeth est seule. Parfois elle prend son petit déjeuner avec Philip. On dépose alors des Tupperware avec les plats favoris du prince et d'Élisabeth, des omelettes aux herbes, des blancs de poulet grillés, des haricots blancs en sauce. Élisabeth tient à ses Tupperware bien plus qu'à l'argenterie soigneusement polie par une armée de domestiques. À onze heures, elle rejoint son secrétaire particulier et ses douze dames de compagnie. Au palais, seule la famille royale a le droit de marcher au milieu des tapis, le personnel doit emprunter le bord afin de ne pas user le motif central. Quand Elena fait allusion à ces bizarreries de l'étiquette royale, Élisabeth s'étonne qu'y a-t-il d'étrange à tout ça ? Rien, glousse Elena. Rien !

Enfin Élisabeth répond et Elena s'émeut en entendant sa voix.

— Élisabeth, c'est moi, Elena !

— Ah ! Elena… Comment allez-vous ? N'est-il pas le milieu de la nuit chez vous ?

— Oui mais je n'arrive pas à dormir…

— Cela faisait longtemps que je n'avais plus de vos nouvelles, je commençais à m'inquiéter.

— Je sais mais… la vie va trop vite. Tout s'accélère terriblement, vous ne trouvez pas ?

— Si ! Heureusement que j'ai mes chiens et mes chevaux pour me réconforter, sinon je penserais que le monde est fou.

Quand elles s'étaient rencontrées, elles étaient encore jeunes et belles. Élisabeth n'était pas encore reine, mais déjà mariée, mère de deux enfants et très amoureuse de Philip. C'était dans l'île de Malte, dans le petit village de Gwardamanga en 1951. Elena accompagnait Jean-Claude Pingouin venu « faire des affaires », Élisabeth suivait Philip, officier dans la Royal Navy et cantonné dans l'île. Elle avait laissé ses deux enfants en Angleterre.

Elles avaient fait connaissance de façon fort curieuse. Une bande de gamins du village poursuivait un grand cygne blanc en lui jetant des pierres. L'animal tentait de s'enfuir, mais était ralenti par une aile blessée et une patte endommagée. Élisabeth qui passait par là s'était interposée.

— Pensez-vous que ce soit une bonne chose que de poursuivre un animal sans défense? avait-elle demandé aux garnements en serrant son sac sous son bras.

Stupéfaits par le ton posé, presque sentencieux de cette femme aux vêtements acidulés, les gamins avaient déguerpi.

C'est à ce moment-là qu'Elena était arrivée, tenant le cygne blessé dans ses bras. Les deux femmes s'étaient penchées sur l'animal, l'avaient palpé, caressé. Elena l'avait emporté chez elle, dans la maison somptueuse qu'avait louée Jean-Claude Pingouin. Elle l'avait soigné, nourri. Élisabeth passait chaque jour prendre de ses nouvelles et restait pour *a nice cup of tea*.

C'est ainsi qu'elles étaient devenues amies.

Elena n'avait jamais oublié la première réflexion d'Élisabeth après l'attaque des gamins :

— En Angleterre, ils auraient été jetés en prison ! Vous comprenez, je suis propriétaire de tous les cygnes qui vivent sur mon sol et les attaquer, c'est s'en prendre à moi. C'est une vieille loi qui me va très bien.

Elles parlaient beaucoup. De futilités et parfois de choses plus graves. Elena ne provoquait jamais les confidences. Elle écoutait mais ne posait pas de questions.

En 1953, Élisabeth monta sur le trône. Elena pensa qu'elle ne la reverrait jamais. Quelle ne fut pas sa surprise le jour où elle reçut à Noël une carte *Happy Christmas* signée de *Her Royal Highness*. Elles prirent l'habitude de correspondre, et se voyaient quand Elena allait à Londres. Élisabeth l'invitait à Buckingham, à Balmoral ou à Windsor. Elles faisaient de grandes marches dans la campagne.

Comment va Gary ? demande Élisabeth.

Elena entend le bruit d'un journal qu'on froisse. Élisabeth a écarté sa feuille de chou pour s'enquérir du sort de son petit-fils.

— Ça y est ! Ils sont partis. Aujourd'hui. Direction Paris.

— *Well...*

— Ils vont y rester quelque temps, puis Gary ira à Londres. C'est un garçon magnifique, Élisabeth.

— Oui. C'est un bon garçon. Je ne voudrais pas qu'il se gâche.

— Son concert a été un grand succès. J'ai eu droit à une répétition privée. Remarquable ! Shirley est venue spécialement de Londres pour y assister. Elle ne vous a rien dit ?

— Si, si, elle a beaucoup apprécié, elle aussi.

Élisabeth marque un temps, puis demande doucement :

— Dites-moi, il ne se doute de rien ?

— Non. Ni lui ni sa petite amie. Ils ont gobé l'histoire que je leur ai racontée, la fable selon

517

laquelle j'échangeais un logement contre des heures de musique.

— Ils ne doivent surtout rien savoir !

— Non, bien sûr.

— Et la petite Hortense ? Elle est comment ? Shirley l'aime beaucoup.

— Pas commode ! Elle a son caractère, mais je crois qu'elle est bien. Et d'ailleurs, je suis en affaires avec elle...

— Comment ça « en affaires » ?

— Je me lance à nouveau dans la mode.

— *What ? Nonsense !*

Élisabeth vient de perdre son sang-froid légendaire. Elle toussote et se reprend aussitôt :

— Est-ce vraiment une bonne idée ? Après ce qui est arrivé...

— Une sacrée bonne idée ! dit Elena. D'abord parce qu'il ne faut jamais rester sur un échec. Ensuite parce que je vais devoir venir en Europe plus souvent et j'irai vous rendre visite !

— Vous allez prendre votre revanche, c'est cela ?

— Oui, je vais me venger et ce sera terrible pour « l'autre ».

Elle ne prononce jamais le prénom et le nom maudits. Elle dit « l'autre » et ses proches comprennent.

— Elena... pensez-vous que ce soit judicieux ?

— Personne ne m'en fera démordre. J'ai trouvé le bras pour me venger… La tentation est trop grande.

Élisabeth pousse un long soupir et ses chiens, étonnés, lèvent l'oreille et se mettent en position d'arrêt.

C'était en 1972.

Elena présentait sa première collection. Elle avait tout organisé avec l'aide du fidèle Robert Sisteron, le secrétaire du comte. Il lui servait d'assistant, de comptable, de conseiller, de grand ordonnateur.

Et d'amant. Il était jeune, elle avait envie de chair fraîche. Le comte avait une liaison avec une femme de trente ans sa cadette, affriolante, avide, qui avait décidé d'évincer Elena.

Robert l'avait prévenue. « Cette femme fera tout pour vous faire trébucher, rien ne l'arrêtera. Elle veut le comte. Si vous triomphez, il ne pourra plus jamais vous quitter. Il sera fier de vous, il aura envie de briller à vos côtés, elle le sait, méfiez-vous, Elena. »

Elle l'avait une fois de plus rabroué.

— Vous voyez des obstacles partout, Robert, moi, je fonce. Je veux lancer ma maison, je le veux depuis si longtemps, j'ai appris, je sais, je me sens forte maintenant. Qui plus est, j'ai de quoi me payer toutes les folies !

— Elle fera tout pour vous en empêcher, quitte à vous attaquer physiquement ou à payer un homme pour le faire. Je ne vous lâche pas d'une semelle. Ce serait plus raisonnable de m'écouter.

Elena avait passé outre.

Pendant des jours et des jours, elle avait dessiné, coupé, ajusté. Financé un atelier de cinq ouvriers et ouvrières. Créé une cinquantaine de modèles. Loué les salons de l'hôtel Meurice, le plus chic, le plus cher, les services d'une vingtaine de mannequins, convoqué la presse internationale et française.

Le grand jour était arrivé.

Robert avait fait livrer des dizaines de gros bouquets blancs, le grand salon de l'hôtel embaumait. Les cinquante modèles devaient être livrés à six heures du matin. Le défilé commençait à onze heures trente précises.

À six heures, elle se tenait debout dans le salon Quatre Saisons du Meurice. Un petit déjeuner était servi, café, thé, chocolat, viennoiseries, œufs au plat, œufs brouillés, toasts, jus de fruits.

L'atmosphère était électrique. Les personnes qui avaient travaillé toute la nuit avec elle se bousculaient autour du buffet, attrapaient au vol des bouts de croissant, des lambeaux de saumon, de jambon, exigeaient, réclamaient, se plaignaient que personne ne les entende.

Les uns hurlaient, les autres enchaînaient les cigarettes, trépignaient, couraient à droite, à gauche. En ce temps-là, on ne parlait pas de *fashion week* mais de « la semaine des collections ». On attendait cinq cents invités et non mille deux cents comme aujourd'hui, les photographes et les cameramen se tenaient sagement dans leur carré et n'étaient pas si nombreux. Il était interdit de diffuser films ou photos, il fallait attendre « un délai de publication » avant de faire paraître la moindre image du défilé. Les stars s'appelaient Yves Saint Laurent, Chanel et Dior, le prêt-à-porter, Dorothée Bis, Agnès B, Daniel Hechter, Emmanuelle Khanh, Kenzo. Et il y avait les autres, ceux qu'on appelait « le Cirque ». Ils n'avaient pas le droit de défiler dans le cadre de la haute couture et montraient leur travail sous une vaste tente plantée n'importe où, sur un parking ou un terrain vague. Les Mugler, Beretta, Montana, Castelbajac.

Elena avait réussi à se faire accepter par la chambre syndicale de la haute couture, on lui avait donné un jour et une heure.

Le défilé devait durer vingt-cinq minutes. Présenter cinquante modèles. Et s'il était réussi, on le savait le lendemain en achetant *Le Figaro* ou en lisant la première page de *Woman's Wear*.

La salle se remplissait lentement. Journalistes, chroniqueurs, amis et connaissances. Le Tout-Paris était là et attendait le triomphe de la chérie des médias, Elena Karkhova.

Derrière un rideau de fortune, elle observait la salle.

Le comte était au premier rang avec sa canne et son col d'astrakan. Et pour la société parisienne cela signifiait beaucoup.

Elena l'avait supplié d'être présent. Ne me laissez pas toute seule, s'il vous plaît, c'est une faveur que je vous demande et je ne vous ai jamais rien demandé.

Il avait fini par accepter. Même si « l'autre », furieuse, s'y était opposée. Elle avait cassé des vases, renvoyé des boucles de diamants, menacé de le quitter. Le comte avait résisté.

Tout était prêt en coulisses. Les mannequins, coiffés et maquillés, attendaient en petite culotte et soutien-gorge que les modèles arrivent. Les répétitions s'étaient déroulées sans accroc. Musique, lumière, passages sur le podium, tout semblait parfait.

Il ne manquait plus que les robes.

La salle bruissait de chuchotements. Ainsi la comtesse Elena Karkhova se lançait dans la mode. Ce n'était pas seulement une créature qui apparaissait dans les magazines et donnait de grands dîners, se levait à midi et feuilletait les magazines. Elle travaillait, elle avait des idées, elle créait. L'attente était grande. Les cous se tendaient. Les bouches se préparaient à persifler ou à encenser.

Elena en coulisses guettait l'arrivée du camion, regardait sa montre toutes les minutes, insultait Robert qui courait, téléphonait, envoyait des éclaireurs à l'entrepôt.

— Le camion est parti à cinq heures et demie, il devrait être là, répétait-il, transpirant d'inquiétude. Que fait-il ?

Les modèles n'arrivaient pas.

Elena, au bord de l'évanouissement, serrait les dents pour ne rien laisser paraître. Simone, sa première, poussait des cris entrecoupés de larmes, mais on ne va jamais pouvoir défiler, on a pris du retard, ils vont tous repartir, et elle croisait les doigts en invoquant le ciel.

Robert Sisteron s'épongeait le front et son strabisme devenait gênant. Elena sentait des rigoles glacées sur son décolleté.

Les employés se taisaient, pétrifiés, le préfet de police avait été alerté. Que s'était-il passé entre la rue de Crimée et le grand hôtel rue de Rivoli ?

Le camion n'arriva jamais.

Les invités attendirent une heure dans le grand salon du Meurice et, enfin, Robert Sisteron monta sur le podium et fit une annonce.

Le défilé était annulé. Les modèles avaient été subtilisés sur le chemin entre l'entrepôt et le Meurice.

Il y eut des cris de surprise, de déception. Pas possible, inimaginable. Du jamais-vu ! C'est une supercherie. Elle n'était pas prête et elle a voulu nous laisser croire que… Elle s'est fait un coup de pub ! C'est raté.

Elena dans les coulisses demanda une chaise et se laissa tomber.

C'était un coup de « l'autre ». Elle en était sûre. Elle n'avait pas de preuves.

Quand le comte quitta le premier rang, toute l'assemblée le suivit.

Elena renvoya tout le monde. Sauf le fidèle Robert qui alla lui chercher une camomille et deux aspirines.

— J'ai trop de larmes, je ne peux pas pleurer, elle murmura en avalant les comprimés. Je crois que je vais mourir.

Ils étaient assis dans le salon Quatre Saisons, entièrement vide, quand un coursier arriva avec une enveloppe blanche qu'il tendit à Elena.

— Madame Karkhova ?

Elena hocha la tête.

— C'est pour vous. Vous pouvez me signer mon bon ?

Elena fit signe à Robert de signer en son nom. Elle ouvrit la lettre.

Une grande feuille blanche sur laquelle était écrit « Désolée… » et le prénom honni.

Elle apprit huit jours plus tard par une indiscrétion que sa rivale avait soudoyé le chauffeur pour qu'il ne livre jamais la collection. « Elle » l'avait fait détourner dans un dépôt d'ordures et y avait mis le feu.

Ce fut la fin du rêve d'Elena.

Elle rentra chez elle.

Resta enfermée huit jours à manger des loukoums et à boire du champagne.

Ne versa pas une larme.

Refusa d'ouvrir sa porte au comte qui tambourinait.

Elle ne le reverrait plus jamais.

Elle ouvrit à Robert Sisteron. Lui ordonna de préparer sa fuite. Elle quittait Paris.

— Vous irez où ? il demanda.

— À New York. Là-bas on ne me connaît pas. Je recommencerai une vie nouvelle.

— Mais avec quel argent ? Tout votre argent vous vient du comte.

Elle leva un sourcil irrité.

— Je peux vivre sans le comte.

— Mais vous ne pouvez pas vivre sans le sou. Vous avez pris de mauvaises habitudes.

— Je préfère vivre seule que d'être humiliée. Elle veut le comte, je le lui laisse !

Puis elle ajouta :

— Je ne vous demande pas de partir avec moi. Il resta silencieux.

— Parce que je sais que vous demeurerez auprès du comte. Auprès de son argent. Vous êtes un amant délicieux, mais vous n'êtes pas courageux.

— L'autre va mettre la main sur sa fortune, dit Robert Sisteron.

— J'aurai mon honneur. Et ça n'a pas de prix. Je pars avec panache.

— Ça n'a jamais nourri personne.

— Moi, j'en ai besoin pour vivre. C'est l'air que je respire.

Trois mois plus tard, Jean-Claude Pingouin mourait dans un accident de voiture. On retrouva son corps qui embrassait un arbre sur la route d'Enghien. Il sortait du casino et il avait trop bu.

Il n'avait pas eu le temps de rédiger un nouveau testament.

Toute sa fortune revenait à sa femme, Elena Pingouin, comtesse Karkhova.

Elena l'apprit à New York. Dans la petite chambre d'hôtel, sur la 14e Rue, qu'elle avait louée en arrivant. Elle se faisait réchauffer une soupe en conserve sur un vieux Butagaz et collait un morceau de carton sur une fenêtre pour arrêter les courants d'air.

C'est Robert Sisteron qui le lui apprit.

Et ce jour-là, toutes les larmes qu'elle n'avait jamais versées jaillirent.

Elle avait aimé Jean-Claude Pingouin.

Quand l'Airbus s'était posé à Roissy, Hortense était déjà réveillée. Fraîche et dispose sur son siège de première classe. Elle s'était étirée, avait regardé par le hublot et lancé à nous deux Paris !

Le temps de récupérer les bagages, de sauter dans un taxi, de filer chez sa mère déposer ses valises, elle était repartie rue Saint-Honoré rencontrer Jean-Jacques Picart.

— *Wish me good luck*[1] ! elle avait crié avant de claquer la porte.

— *Good luck* ! avait lancé Joséphine.

— *Break a leg*[2] ! avait rétorqué Gary en attaquant une baguette fraîche et du bon beurre que Joséphine lui avait sorti du frigo une heure avant afin qu'il ne soit pas trop dur.

Ils avaient entendu la porte se refermer. Le silence était tombé dans la cuisine.

— Oh, Jo ! C'est si bon d'être ici ! avait soupiré Gary en mordant dans la baguette.

— Elle va où, Hortense ?

---

1. « Souhaite-moi bonne chance ! »
2. « Bonne chance ! »

— Elle a rendez-vous avec l'homme qui fait les stars dans le monde du luxe parisien, Jean-Jacques Picart.

— Ah… à peine arrivée ?

— Jo ! Ne fais pas comme si tu ne connaissais pas ta fille !

Hortense lève le nez devant le 217 de la rue Saint-Honoré et pousse une lourde porte en bois. Pénètre dans une cour pavée. Se souvient des instructions données au téléphone, rez-de-chaussée droite, première porte après la concierge.

Elle prend une profonde inspiration. Ferme les yeux. Se concentre. Son destin se joue derrière cette porte.

Elle va faire face à l'homme qui conseille Thierry Mugler, Ungaro, Helmut Lang, Jil Sander et lança la maison de couture Christian Lacroix. Ce n'est pas un nain. Elle déglutit, légèrement impressionnée. L'homme a un curriculum vitae long comme les Champs-Élysées.

Soit elle l'intéresse et il la prend sous son aile.

Soit elle l'ennuie, il la remercie et la raye de son agenda.

Jean-Jacques Picart est un personnage aimable, courtois, d'allure simple, mais le regard derrière les lunettes rondes annonce un homme à l'affût, rapide, et en perpétuelle réflexion. Habillé d'un polo noir, d'un pantalon gris. Le cheveu lustré.

Il la fait entrer dans son bureau. Une grande pièce aux tons beige et brun. Avec une grande table noire.

Elle se présente, Hortense Cortès.

— Elena m'a parlé de vous, il répond sobrement.

Elle tient ses cartons de dessins à la main et il lui fait signe de s'asseoir.

Il l'observe, la détaille, puis déclare :

— Êtes-vous consciente de la chance inouïe que vous avez qu'Elena vous finance ? C'est le rêve impossible de beaucoup de jeunes créateurs.

— Oui, répond Hortense. Mais elle a aussi la chance inouïe de m'avoir rencontrée. Nous formons une équipe. Sans moi, elle ne peut prétendre participer à cette aventure.

Il sourit et son œil s'anime derrière ses lunettes.

— Elena a un goût très sûr. Et c'est pour cela que je vous reçois.

— Vous recevez beaucoup de personnes comme moi ?

— Disons que j'en vois environ deux cents par an.

— Et vous en sélectionnez combien ?

— Une ou deux. Pas plus.

Hortense ne cille pas.

— Donc je serai la première ou la seconde.

Il sourit franchement, demande :

— Vous avez apporté vos dessins ?

Hortense hoche la tête, se baisse pour prendre son carton de croquis et le lui tend.

Le bureau est si sombre qu'elle se demande si c'est encore l'été dehors. Elle n'est assise que depuis trois minutes et elle a l'impression d'avoir fait un long voyage, d'être dans un autre monde. L'atmosphère est calme, feutrée, élégante. On n'entend aucun bruit.

Il s'empare de son dossier. Le place devant lui. Pose ses mains sur le dessus cartonné.

— Quel âge avez-vous ?

— Vingt-trois ans, presque vingt-quatre.

— Racontez-moi, quelle a été votre vie jusqu'à présent ? De quel milieu venez-vous ?

— Je suis née à Paris. J'ai grandi à Courbevoie, je n'ai pas eu le choix. Mon père était un homme très élégant, il travaillait pour une entreprise américaine puis il est parti monter son affaire au Kenya. Il est mort là-bas. Ma mère est une diplômée de l'université française, spécialisée dans le douzième siècle. Elle n'a ni élégance ni style. Et un gros défaut : elle m'horripile. Nos rapports sont compliqués, je l'aime et je la déteste, mais c'est d'une grande banalité, donc je ne développerai pas. J'ai grandi à Courbevoie en admirant de loin les lumières de Paris. À quatorze ans, je volais *Elle* et *Vogue*, je me faufilais dans tout ce qui ressemblait de près ou de loin à l'univers de la mode. J'habillais les voisines, dessinais des robes et des manteaux. Je n'avais pas d'amies, les filles de mon âge m'ennuyaient. J'ai eu mon bac et je suis partie à Londres étudier à la Saint Martins, quatre ans de délices absolues !

Quel a été votre premier déclic ? Votre première émotion de mode ?

— J'avais dix ans, mon père m'avait emmenée voir une exposition sur la photographie de mode. J'ai cru que j'allais mourir de bonheur. J'ai été un ange toute la journée. Et un démon les jours suivants ! Je voulais absolument y retourner et il fallait que quelqu'un m'accompagne. J'ai dû y aller dix fois. Je ne m'en lassais pas. Je me suis fait offrir deux catalogues. Un pour regarder, l'autre pour le découper. J'habitais une sorte de HLM et on me considérait comme une zombie. Ça m'était égal.

Il croise les bras sur son polo noir et semble intéressé.

— Les trois créateurs que vous préférez ? Et les trois que vous détestez…

— Chanel, Chanel, Chanel !

Il émet un petit rire.

— Vous savez qu'il existe une autre mode que Chanel ?

— Oui mais ça ne m'intéresse pas. Chanel a tout inventé.

— Et ceux que vous détestez ?

— Je ne perds pas de temps à détester. C'est dépenser de l'énergie pour rien.

Il sourit à nouveau, ouvre le carton, prend un premier dessin.

— Je ne vous ai apporté que les derniers. Les autres n'ont aucun intérêt, elle lâche pour dire quelque chose.

Son cœur s'est mis à battre très vite. Elle pétrit l'ourlet de sa jupe, tire dessus, le roule, le tend, le détend. Elle essaie de deviner ce qu'il pense aux mimiques de son visage, à ses gestes. Il n'a pas l'air de s'ennuyer. Il tourne les pages lentement, revient en arrière, examine un croquis, repart. Fronce un sourcil, toussote, se frotte la joue, s'appuie sur un coude, puis sur l'autre. Colle le nez sur un détail, sourit, c'est bon signe, non ?

Elle attend un moment puis se gratte la gorge et dit :

— On dirait que vous examinez une échographie et que vous apercevez un fœtus !

Il rit. Et la regarde, amusé.

— C'est exactement ça ! Ce n'est pas tant ce que vous me montrez qui m'intéresse, mais ce que je perçois de votre talent et que vous ignorez.

— Pas certain que je l'ignore. Je suis sûre de moi.

— Cela ne m'a pas m'échappé.

— Merci, je le prends pour un compliment. Je déteste les gens qui s'excusent d'avoir du talent.

Il ne frémit pas. Continue à examiner les dessins.

Elle reprend son ourlet, le presse, l'aplatit, l'écrase, le broie, le triture. Comme le temps passe lentement ! Et comme l'attente est cruelle ! Elle n'aime pas l'idée de devoir attendre un verdict.

N'y tenant plus, elle se penche vers lui.

— Je serai prête pour défiler en septembre ?

Il garde les yeux fixés sur un modèle de manteau juste au-dessus du genou, il a raison, c'est son préféré ! Il tend les bras pour l'examiner de plus loin et laisse tomber :

— En septembre, non. Mais on peut essayer pour mars. À condition que vous travailliez nuit et jour.

Elle lâche son ourlet et se retient de pousser un hurlement de joie.

— Pas de problème, elle articule d'un ton détaché.

— Que vous acceptiez que je vous coache.

— Pas de problème.

— Que je vous critique.

— Pas de problème.

— Que je vous secoue parfois.

— Pas de problème.

— Vous allez devenir enragée. Vous allez protester, contester, vous direz putain, ce vieux schnock, il m'emmerde ! Pourquoi il a cette réputation ? Il comprend rien à rien ! C'est toujours comme ça. Je suis habitué. Au bout d'un certain temps, vous vous calmerez…

— Tant que vous me faites faire des progrès, je veux bien vous détester…

— Je serai votre entraîneur. Je marcherai le long de la piscine pendant que vous ferez des longueurs et des longueurs. Je vous harcèlerai jusqu'à ce que vous trouviez ce qui est en vous. Quand vous pleurerez d'épuisement, je vous consolerai, quand vous aurez envie de danser de joie, je vous remettrai dans la piscine ! N'oubliez pas que je joue mon nom, ma réputation, moi aussi.

— Ça me va très bien.

— Enfin, si je vois que vous progressez, je passerai des coups de téléphone à deux ou trois journalistes et ils viendront voir vos premiers modèles. Ils se déplaceront parce que j'ai un certain crédit. Si je dis à une fille de *Vogue* ou du *Figaro* écoute, elle n'est pas tout à fait prête, elle le sera dans deux mois, mais j'aimerais bien que tu viennes voir, elle viendra. Parce qu'elle se souviendra que je lui ai fait découvrir avant tout le monde untel, untel et untel. C'est pour cela que je suis très dur. Je me mouille !

— J'ai compris. Et je suis tout à fait d'accord.

— C'est ce qu'on verra.

— Comment travaillera-t-on ? Vous viendrez voir mon travail chez moi au fur et à mesure ?

— Non. On échangera par mails. Tout le temps. Vous ne devrez penser qu'à ça. Par exemple, après une nuit de travail, vous m'enverrez vos croquis. Et je vous dirai ce que j'en pense. Vous m'enverrez aussi des dessins, des photos qui vous inspirent, des silhouettes, des couleurs, des tableaux vus dans un musée. Une scène dans un film. N'importe quoi qui vous fait gamberger. Vous devez vous nourrir de tout. Vous allez connaître des moments de joie et des moments de doute. Ne vous inquiétez pas, c'est normal.

— Je meurs d'envie d'apprendre, je veux m'empiffrer de mode. J'apprendrai. J'ai faim, vous comprenez, j'ai faim !

— Au tout début, quand je ferai venir les premiers journalistes, vous ne serez pas là afin qu'ils soient sincères et disent ce qu'ils pensent. Je vous ferai un rapport ensuite.

— Et vous filtrerez ! Vous enlèverez tout ce qui est méchant.

Il rit.

— Les critiques peuvent être très dures. Vous ne le supporteriez pas.

— Mais si ! Je sais faire le tri entre la vilenie et la critique constructive.

— Et puis un jour, vous m'enverrez un modèle parfait. Et je vous dirai continuez, vous êtes sur le bon chemin.

— Je n'y suis pas déjà ?

— Vous n'êtes pas loin. Mais il faut encore affiner, affiner. Il faut que vous entriez dans votre monde, que vous vous l'appropriiez. C'est le travail que vous allez devoir faire.

Elle se lève, ramasse ses dessins.

— Je serai prête pour mars. Je ne vais faire que ça.

— On fera un dernier bilan vers novembre. Je dois alors avoir la conviction forte que vous êtes au point. Ensuite il me faudra huit semaines pour mettre tout en branle… On rentrera alors dans le compte à rebours. Ce sera le moment le plus exaltant.

— Je présenterai combien de modèles ?

— Dix-huit. Dix-huit modèles, dix-huit mannequins. Dix-huit filles différentes. On essaiera de choisir la meilleure heure, le meilleur jour. Je téléphonerai à la chambre syndicale. Ça, c'est mon boulot pas le vôtre.

— Et quoi d'autre ?

— Je préparerai les esprits.

— Comment ?

— Je commencerai à faire le buzz. Chaque fois que je rencontrerai quelqu'un, je parlerai de vous. Afin que lorsque le carton d'invitation arrivera, les gens se disent ah, je vais aller voir… La première fois, on n'a jamais les gens importants, on a les assistants. Vous, entre-temps, vous aurez pris des stagiaires qui feront ce que vous n'aurez pas le temps de faire et vous aurez juste l'angoisse de ne pas être prête… Mais nous n'en sommes pas là ! Rentrez chez vous et travaillez.

— D'accord.

— Vous avez un atout : votre buzz va vite prendre parce que vous avez votre fameux tissu…

— Elena vous en a parlé ?

— Oui.

— Elle vous a dit qu'il avale la graisse ?

— Justement. Il y aura une nouveauté technologique et une nouveauté fashion. Cela va intriguer les gens. Ils voudront voir.

— Et où vais-je faire mon défilé ?

— On verra, on choisira ensemble… l'endroit où vous serez bien. De toute façon, on va se revoir très vite. Filez, allez travailler !

— Je salive déjà. Dites… le défilé durera combien de temps ?

— Douze minutes. Pas plus !

— Je vais jouer ma vie sur ces douze minutes ?

— Absolument. Vous allez avoir des crampes, de l'eczéma, les entrailles qui se retournent, vous allez hurler, pleurer, vous serez comme tous ceux qui sont passés par là.

— Et à la fin, les gens se lèveront, applaudiront et le lendemain je serai dans tous les journaux !

— Vous allez habiter où en attendant ce grand triomphe ? il demande, une lueur amusée dans le regard.

— Chez ma mère. Je n'ai pas le choix. Je travaillerai et j'habiterai chez elle.

— Elle est au courant ?

— Vaguement.

— Vous feriez mieux de la prévenir car cela va être éprouvant pour elle. Il vous faut une ou deux machines à coudre, une grande table, des tissus partout, il vous faut de l'espace. Beaucoup d'espace.

— Elle se poussera. Elle sera très heureuse de me rendre service.

— C'est parfait, il y a beaucoup de stylistes qui commencent en habitant chez leurs parents… Vous ne serez pas la première.

Hortense est à bout de questions. Elle sent une euphorie qui monte, monte, elle voudrait s'emparer d'une paire de ciseaux, coudre, monter, elle voudrait être à la veille de son premier défilé.

Elle referme son dossier. Noue les liens qui le retiennent. Se lève. Se mord la lèvre et demande :

— Combien vous prenez pour vous occuper de moi ?

— Au début, rien. C'est après le premier défilé que je passerai un contrat avec vous. Un contrat progressif basé sur votre chiffre d'affaires.

— Vous investissez sur moi en quelque sorte.

— En quelque sorte… J'espère juste que vous serez un bon investissement.

— Vous ne serez pas déçu.

Jean-Jacques Picart raccompagne Hortense jusqu'à la porte de son bureau puis décroche son téléphone.

Une sonnerie, deux, trois…

Il tire sur son polo. Il n'aime pas quand ça fait des plis.

On décroche enfin.

— Elena ? Je ne vous réveille pas ?

— Non. Je ne dors plus en ce moment. Je suis si excitée !

— Vous m'aviez demandé de vous appeler dès qu'elle serait partie…

— Alors ?

— Elle est douée. Très douée. Vous aviez raison. Il ne faut pas la laisser passer.

— Je vous l'avais dit…

— Mais attention ! Elle est coriace. Elle ne se laissera pas faire.

— Je le sais aussi. Elle ne me fait pas peur.

— Je préfère vous le dire. J'ai rarement vu une gamine aussi déterminée. Elle n'a aucun doute et elle est prête à tout pour réussir. Elle n'a pas posé une seule question sur vous. N'a pas cherché à savoir pourquoi vous preniez ce risque.

— Parce qu'elle est sûre d'être douée, sûre de réussir. Elle ne connaît pas le doute.

— Tant mieux. Pour elle et pour vous ! Vous allez bien, ma chère ?

En sortant de son rendez-vous, Hortense a envie d'embrasser les feux rouges, les sens interdits, les plaques des rues, la concierge appuyée sur son balai, le coursier qui enfourche sa moto, la pimbêche qui mâche son chewing-gum. Elle agite les doigts telle une marquise qui s'apprêterait à goûter des pâtisseries et hésiterait entre deux crèmes fouettées.

Il fait beau, elle caresse du regard les immeubles de Paris, les toits de Paris, les vitrines de Paris, les pigeons qui se goinfrent au sol, les filles qui gloussent, les garçons qui chaloupent, des Parisiens et des Parisiennes, Paris, Paris, Paris, elle soupire, épuisée par trop de bonheur.

Et puis elle s'arrête, foudroyée par un point d'interrogation.

Ce n'est pas suffisant de créer, d'avoir un parrain puissant, une douairière qui finance, il faut aussi qu'une personnalité, une Parisienne grand cru ou une star internationale porte ses vêtements, sinon…

Sinon elle croupira dans le caniveau de l'anonymat.

Elle ne connaît personne d'important à Paris.

À New York, elle aurait trouvé, peut-être. À Londres aussi, mais à Paris…

Elle remonte la rue Saint-Honoré, soudain dégrisée.

Il ne suffit pas de créer, il faut s'afficher.

Lady Gaga, Rihanna, Sofia Coppola, Jessica Alba, où êtes-vous ? Matérialisez-vous devant moi ! On ira prendre un café, je vous montrerai mes dessins et vous me direz oui, oui, oui ! Je suis capable de tout, vous savez ! Junior me l'a assuré, il faut prendre une grande inspiration, penser très fort, serrer les dents et la solution apparaît. Junior a souvent raison. Il fait confiance à son cerveau, dit qu'on n'en utilise qu'une infime part et que c'est tant pis pour nous. Alors… Je veux une personnalité connue pour porter mes robes, mes manteaux, mes boléros. Holà, vous m'entendez ?

Elle heurte un voiturier qui hèle un taxi, lui fait un sourire, l'homme s'excuse, s'efface, se plie en deux, lui ouvre la porte de l'hôtel Costes comme s'il était impératif qu'elle y entre.

Le Costes ! *The place to be in Paris !* Elle remercie et avance dans le corridor qui mène au restaurant.

Elle reconnaît le décor. Elle y venait souvent avec sa tante Iris. Elles déjeunaient toutes les deux, Iris lui apprenait à tenir son couteau, sa fourchette, elle détaillait les belles femmes adossées à leurs chaises, tu as vu comme elles grignotent, elles ne se goinfrent jamais, prends exemple ! Parle à voix basse, il n'y a que les poules qui caquettent ! Hortense aurait tout donné pour troquer sa mère empotée contre cette tante si chic, si belle, si parisienne.

— Vous avez une réservation ? demande la fille à l'entrée qui place les gens.

Elle doit mesurer un mètre quatre-vingt-dix. Moins dix centimètres de Louboutin. La taille dans un goulot de bouteille et la poitrine jetée en avant.

La fille la jauge. La soupèse, l'évalue, calcule en un millième de seconde si elle a le droit d'entrer. Hortense la maudit.

— Non, pas de réservation mais…

— Alors ça ne va pas être possible, la coupe la fille qui sourit déjà à un type derrière Hortense.

— J'ai rendez-vous avec une amie…

Hortense agite la main en direction d'une femme cachée derrière un palmier. La femme l'aperçoit, agite vaguement la main en retour, croyant reconnaître une relation, et la fille de l'entrée décide que oui, elle peut entrer.

— Inutile de m'accompagner, je peux y aller toute seule ! dit Hortense en remerciant le ciel de la distraction de la femme derrière le palmier.

La fille la laisse passer.

Hortense s'installe. Regarde le menu. Les prix. Commande un blanc de poulet. Une carafe d'eau. Du pain et du beurre. Ses derniers dollars vont y passer, mais elle a besoin de luxe pour réfléchir à son entretien avec Jean-Jacques Picart.

Pour se rappeler chaque mot, chaque phrase.

Et maintenant, conclut-elle, il ne me reste plus qu'à travailler d'arrache-pied.

Les conversations d'une table de filles à côté d'elle lui parviennent. Elles ragotent et lancent des flèches empoisonnées en agitant des mains brillantes de bagues. Elles s'acharnent sur une dénommée Léa, s'enflamment et crachent leur venin. Elles roulent de beaux yeux furieux, leurs bouches sifflent. Hortense les observe et sourit. Pauvres filles ! Vous devez être bien malheureuses ! Moi, je n'envie personne. Je sais que je vais réussir. Et j'ai un amoureux renversant. Alors pourquoi perdre du temps à dire du mal ? Par ennui, par désœuvrement ? Ou par simple besoin de parler, parce que vous n'avez rien d'autre à faire ?

À quoi sert de se comparer puisqu'on est unique au monde ?

Elle tend l'oreille vers l'autre table. Un type en pantalon orange s'esclaffe parce que Anna Wintour a souri lors de la *fashion week*. Elle a souri et bu un café. Et, lors du défilé de Givenchy, elle s'est retournée pour embrasser un ami, juste derrière elle. Elle s'humanise, qu'est-ce qui lui prend ? Elle est malade ou amoureuse. Les deux, peut-être, rétorque l'autre en buvant son jus de carotte.

Il n'y a plus de blanc de poulet dans l'assiette et elle a mangé les trois feuilles de salade qui le recouvraient. Elle beurre un morceau de baguette, mâche lentement, savoure.

Tourne la tête à droite, à gauche, regarde les murs, le plafond, cherche un imprimé, une couleur qui pourraient l'entraîner dans un tourbillon d'idées, il faudra que je prenne l'habitude d'envoyer des mails à Picart sur chaque détail que j'engrange, cela ne va pas être facile, à part Gary, je ne parle à personne de ce que je fais…

C'est alors qu'à une table sur la terrasse, elle aperçoit Inès de la Fressange. Elle finit de déjeuner avec une femme qui agite un long fume-cigarette, l'air autoritaire. Inès de la Fressange. Longue, mince, éblouissante. Une Parisienne.

La Parisienne !

Un magazine vient de la baptiser « Inès de France, la quintessence de l'élégance ».

Elle est sur le point de quitter le restaurant. Elle a une jambe qui avance, l'autre qui recule, retenue par la femme qui parle, parle, parle. Elle sourit avec un petit air penché et aimable, essaie d'abréger mais l'autre ne tarit pas.

Hortense demande l'addition. Paie. Se précipite dans la rue. Aperçoit la devanture d'un fleuriste. S'engouffre dans la boutique. Choisit vingt-cinq roses. Ses derniers dollars. Elle pâlit mais se ressaisit. Toute entreprise exige des risques et des

544

investissements. Elle demande un Bic, une petite carte, écrit « Je m'appelle Hortense Cortès. Je vais lancer ma maison de couture. Mon rêve? Vous habiller ». Elle signe et ajoute son numéro de téléphone.

Elle revient au Costes, bouscule le voiturier qui s'excuse une nouvelle fois. Se rue dans l'entrée. Attend qu'Inès de la Fressange se présente. Attend, attend, fait semblant de fouiller dans son sac, de parler au téléphone. L'aperçoit enfin, se précipite vers elle et lui offre le bouquet.

— S'il vous plaît, en hommage ! Je suis une jeune styliste, je voudrais vous habiller.

— On se connaît ? demande Inès dans un sourire si charmant qu'Hortense défaille.

— Non, mais bientôt vous ne connaîtrez que moi. Jean-Jacques Picart vient d'accepter de me parrainer. Et il ne se trompe jamais !

— Vous connaissez Jean-Jacques Picart ?

— Je sors de son bureau. 217 rue Saint-Honoré, rez-de-chaussée droite, j'avais rendez-vous à onze heures.

Elle préfère préciser au cas où Inès la prendrait pour une mythomane.

— Nous sommes en affaires ensemble.

— Alors j'attends de vos nouvelles, répond Inès en prenant les vingt-cinq roses dans ses bras.

— Merci. Dites… je pourrais avoir un numéro de téléphone ou un mail ? Pour vous prévenir quand votre robe sera prête.

Inès hésite, la détaille, puis lui donne son adresse mail.

— Retenez bien mon nom, ajoute Hortense. Hortense Cortès. C. O. R. T. È. S. Comme le conquistador !

— J'espère que vous ne ferez pas autant de victimes !

Inès sourit et s'éloigne en lui adressant un petit signe de la main. Un taxi l'attend. Elle s'y engouffre gracieusement, le téléphone collé à l'oreille.

Oh là ! s'exclame Hortense en reprenant son souffle. Il y a trop d'air dans sa poitrine. Elle va exploser. Il faut que j'appelle Junior.

— Junior ! C'est Hortense ! Ça marche, ton truc ! Je me suis concentrée comme une ouf et tout a roulé. J'ai rencontré Picart, il me prend, je suis tombée sur Inès de la Fressange et elle va porter mes robes. Réussite totale. Je suis la reine de Paris ! Je t'aime ! J'aime le monde entier ! J'aime la vie, j'aime les chaises, j'aime les crottes des caniches parisiens !

— Oui, je sais, répond Junior, j'étais branché sur toi. J'ai tout vu. Mère m'avait dit que tu arrivais à Roissy ce matin et je ne t'ai pas lâchée. Viens

vite me voir, ma beauté, j'ai des nouvelles allé-
chantes ! Nous allons avoir du travail par-dessus
les oreilles !

De : Gary Ward@juilliardschool.com
À : Calypso Muñez@juilliardschool.com

« Ma chère, ma très chère, ma plus que chère,
Je voudrais d'abord te remercier pour l'enregistrement que tu m'as fait parvenir. J'ai écouté avec
beaucoup de ferveur et d'admiration les morceaux
que tu as exécutés et je te félicite de tout mon
cœur. On dirait que depuis que je suis parti, tes
forces ont été décuplées. J'ai reconnu dans ta façon
de jouer une pureté, une intransigeance, un son
que je pourrais qualifier d'absolus. Ce bonheur-là,
Calypso, je l'ai ressenti si souvent en jouant à tes
côtés.

Calypso, petite fée enchanteresse… la vie est
bien terne sans toi.

Cela fait dix jours que je suis à Paris et je me
demande ce que je suis venu y faire ! J'ai l'impression étrange d'être coupé en deux.

Mon piano me manque et j'agite désespérément
les doigts en cherchant un clavier imaginaire. Je
marche dans Paris, désœuvré, inutile. Je cours les
concerts, mais ils se font rares en été ou il n'y a plus
de place, je me remplis de la beauté des pierres,

de la beauté des rues, de la pureté du ciel, de la gouaille des Parisiens, je traîne aux terrasses de cafés, mais cela ne suffit pas. Un vide immense m'avale et je meurs noyé de rien. Noyé de vide.

J'essaie de poser des notes, de trouver des lignes de force, des accords, mais mon stylo tombe et je désespère.

Qui suis-je ? Que fais-je ici ? Où est mon ciel ?

La force qui m'habite quand je suis à New York, quand je joue ou entends de la musique à chaque heure, chaque minute, cette force inflexible, indivisible s'en est allée et je me retrouve à me lamenter, impuissant. Presque ridicule, je dirais.

Je ne me reconnais plus. Je ne reconnais plus rien.

Oh, Calypso, je ne devrais peut-être pas te dire tout cela mais à quoi bon me mentir ou te mentir, n'est-ce pas la même chose, d'ailleurs ?

Je me rends compte que les années passées à la Juilliard m'ont profondément changé. Je ne suis plus l'homme allègre, bondissant, qui débarquait à New York, qui aimait la musique, certes, mais tant d'autres choses aussi.

Je suis tout entier dévoré par ma passion et je la cherche en vain partout.

Alors je ne sais plus quoi faire…

Et quand je lis tes mails, quand je t'écoute jouer, je deviens fou et je voudrais hurler rendez-moi ma musique ! Rendez-moi mes notes ! Rendez-moi le

Parc où j'improvise, les tables du Café Sabarsky où je griffonne, rendez-moi l'ange qui veille sur moi et m'inspire.

Il s'agit maintenant d'oser, de me poser, de travailler et je ne puis rien faire de tout ça. Je suis pris dans un tourbillon de cris, de famille, de revendications de toutes sortes et je dois montrer bonne mine car je ne suis pas chez moi. On dirait que je joue un rôle et je suis un bien piètre acteur.

Voilà mon état d'esprit, voilà mon désarroi.

Je sonne comme un piano désaccordé.

Pardonne ma tristesse et ma mélancolie.

Peut-être vais-je trouver un moyen de survivre ? Peut-être est-ce juste le changement brutal de lieu ? Peut-être dois-je surmonter cette épreuve et qu'elle fera de moi un autre homme, plus résolu, plus riche de mille contradictions ?

En attendant, petite fée, reçois toute mon admiration, ma tendresse, mes baisers et donne-moi vite des nouvelles et de nouvelles œuvres à me mettre dans la tête, dans le cœur et sous la dent.

Un affamé,

Gary Ward. »

Recroquevillé sur le canapé du salon entre la longue table d'Hortense – elle a disposé des tréteaux partout dans l'appartement – et la télévision, Gary appuie sur « Envoyer » et se taxe aussitôt de lâche et de pleurnichard.

Au lieu de t'apitoyer sur toi-même, il vaudrait mieux agir. Un peu d'entrain, un peu de colère, un peu de résolution et d'audace ! Ne te laisse pas domestiquer par une petite démone aguichante qui a mis le monde à ses pieds, imposé son désordre, rebelle-toi !

Et, comme pour souligner que le moment de réagir est arrivé, Hortense pénètre dans le salon en mordant dans un sandwich saucisson-cornichons et crie :

— Gary ! Tu es vautré sur ma toile ! C'est un nouveau modèle, tu vas me le saccager ! Va te poser ailleurs ! Ou sors te promener !

Gary la contemple, interdit.

C'en est trop !

Ils dorment sur un matelas posé à même le sol dans la chambre d'Hortense, sous une table couverte de tissus. Hortense y a placé sa machine à coudre, ses ciseaux, ses épingles, ses croquis. Il ne faut rien déplacer, rien toucher, *work in progress*[1] ! L'espace lui appartient tout entier. Car il lui faut plus d'une table, plus d'une machine. Elle exige toute la place ! Il n'y a pas un centimètre qui ne lui appartienne. Et elle veille à ce que personne n'empiète sur son territoire. La nuit, elle se réveille, rallume pour essayer un nouveau trait, une nouvelle façon de couper, esquisse une silhouette

---

1. « Artiste au travail ! »

qu'elle a vue dans la rue, tape un mail fiévreux et se rendort en repoussant la main qu'il hasarde sur une partie de son corps. Effleurer sa hanche, même cela l'incommode et elle maugrée que ce n'est pas le moment, qu'elle n'a pas la tête à ça.

Pas la tête à lui, c'est sûr !

Il prend sa douche en évitant d'asperger une autre machine à coudre qui sert à faire des boutonnières et des ourlets.

Il doit pousser des fils et des étoffes le matin afin de poser sa tasse de café et ses tartines.

Avale par mégarde une épingle. S'étrangle.

Observe les autres occupants de l'appartement qui subissent en silence la tempête Hortense.

— Le prochain ouragan, je propose qu'on lui donne ton prénom, Hurricane Hortense, ce serait pas mal, non ? il a dit en souriant l'autre soir alors qu'ils étaient sur un bout de table dans la cuisine à manger des pâtes.

Il tentait de mettre un peu de rire sur les mines affligées.

Personne n'avait ri. Et le silence qui avait suivi était éloquent.

Zoé attend les résultats du bac en observant silencieuse l'invasion de son territoire. Joséphine se réfugie en bibliothèque et Gaétan…

Gaétan affronte Hortense.

L'arme au poing.

Entre ces deux là, la guerre est déclarée.

Ils s'adressent l'un à l'autre en hurlant.

Ce n'est plus une famille, c'est une fournaise.

L'autre jour, Hortense a trouvé des petits carrés de papier blanc remplis de poudre dans les affaires de Gaétan alors qu'elle vidait un tiroir pour y ranger son matériel. Elle a couru aux toilettes et les a jetés dans la cuvette.

Gaétan est entré en éruption. Ces petits sachets valaient au bas mot dans les deux cents euros. C'était son business à lui ! Et comment il allait rembourser ? Hein ? Elle y avait pensé ? Il l'avait coincée dans l'entrée et hurlait :

— J'ai pas peur de toi, Hortense !

— Je ne veux pas de camé chez moi !

— J'habite ici, figure-toi. Et Zoé aussi ! Et Zoé, c'est ma meuf et elle m'aime. Tu connais ce mot-là ? Aimer ?

— Justement ! C'est pour le bien de Zoé que je dis ça. Que dirait maman si elle apprenait que tu te cames et que Zoé la ferme pour ne pas te perdre, hein ?

— C'est pas ton problème, Miss Parfaite ! Arrête de régenter tout le monde ! On vivait mieux quand t'étais pas là ! Fiche-nous la paix !

Il se mordait les poings pour ne pas la frapper.

— S'il y en a un qui doit se tirer, c'est toi ! Zoé pourra enfin respirer. Tu vois pas qu'elle n'en peut plus ? Qu'elle dépérit à cause de toi ? Elle se fait un sang d'encre, elle se ronge les ongles, se désespère, elle n'a plus d'appétit, elle pleure en sourdine et toi, tu ne vois rien !

— Elle sera cassée si je pars. C'est ce que tu cherches ?

— Un de perdu, dix de retrouvés. Je la consolerai. Elle pleurera un peu mais ça passera ! Elle n'a pas été élevée pour vivre avec un type comme toi.

— Elle m'aime et je l'aime, imagine-toi !

— C'est ce que tu crois. Elle n'ose rien dire, mais elle ne supporte plus cette situation. C'est une fille bien, ma sœur.

— Attends que j'aie les résultats du bac et je me tire d'ici !

— Parce que tu crois que tu l'auras ? Même pas en rêve. Et puis arrête de parler, tu fais du bruit, tu m'empêches de travailler !

Gaétan était parti en claquant la porte. Zoé avait soupiré. Elle ne parle plus et assiste, impuissante, à l'affrontement entre sa sœur et son homme.

Gary a envie d'agiter un drapeau blanc et puis il se dit à quoi bon ? Les hostilités continueront.

Et le pire, c'est qu'il ne sait plus à qui donner raison.

Il voudrait juste poursuivre son rêve rempli de notes et d'harmonie.

Il franchit le seuil de l'appartement et part marcher dans Paris.

Shirley s'assied sur les marches de l'église et s'essuie les mains à son tablier. Elle et Clare viennent de donner un cours intitulé « Comment me nourrir, moi et ma famille, quand je n'ai pas d'argent ».

Il y a encore une semaine, elle était à Moustique, dans son île. Shirley sourit en se rappelant la piscine où elle plongeait chaque matin avant son petit déjeuner. Les serviettes de bain blanches que Nina changeait tous les matins. Le soleil lancinant. Les petits pains dorés. Le jus d'orange frais. Une mangue, deux œufs frits sur des tranches de bacon si épaisses qu'elle pouvait à peine les couper. Le café, la mer bleue et verte, le sable blanc, les poissons amulettes…

Un matin, elle avait reposé son verre de jus d'orange et s'était dit ok, je rentre à Londres, ça suffit comme ça ! Je ne comprendrai jamais comment marche ma tête.

Le cours de Clare c'était une idée à elle, Shirley Ward. Elle aime être utile.

C'est ce que lui a dit Clare aujourd'hui après le cours.

— Hé ! Ne dis plus jamais que tu ne sers à rien ou je te casse la gueule !

Clare a trente-deux ans. Elle vit dans l'East London avec sa fille, Micky, sept ans. Quand elle était arrivée au refuge, un an auparavant, elle faisait des heures de ménage dans un Bed and Breakfast pour touristes sur Baker Street. Elle était payée une misère. Et puis il y avait la bière. Elle hésitait toujours entre une boîte de *baked beans* pour Micky et une bière. Elle achetait les *baked beans* et volait la bière.

Elle soupirait mon avenir, c'est quoi ? J'ai le choix : voler, mendier, me prostituer. Par quoi commencer ? Shirley protestait que ce n'était pas vraiment un choix.

Molly, la mère de Clare, avait travaillé trente ans comme cuisinière dans un pub de Vauxhall. Molly se vantait de réaliser des plats délicieux avec un poireau, un oignon, une carotte, du riz, des pâtes ou une pomme de terre. Elle avait appris à sa fille à ne jamais « crever la dalle ». Grâce à elle, Clare et Micky n'avaient jamais fait la queue devant la *food bank*. Cette humiliante parade de mamans avec poussettes qui se pressent aux portes des *community centers* sous les regards des voisins qui les toisent du haut des tours d'immeubles. Après avoir payé les factures, les habits de Micky achetés aux *charity shops* et autres frais incompressibles, il ne restait plus que quinze livres à Clare pour concocter les petits plats de la semaine. Et chaque

jour, elle remerciait Molly et ses recettes de cuisinière fauchée.

Un jour, Shirley lui avait dit pourquoi tu n'écri-
rais pas un livre avec ces recettes ? On pourrait l'imprimer et le distribuer dans les refuges
comme le nôtre. Cela soulagerait bien des gens.
Et peut-être bien qu'il attirerait l'œil d'un éditeur ? Peut-être bien qu'il se vendrait ? Peut-être
bien qu'il te rapporterait de l'argent ? Clare avait
levé la tête. Tu me racontes des craques, Shirley !
C'est dangereux de faire rêver, les gens peuvent
t'en vouloir si ça cafouille. Ça n'arrive que dans les
contes de fées, ça ! Eh bien, tu n'as qu'à te dire que
tu vas vivre un conte de fées et si ça ne marche pas,
tu auras perdu quoi, hein ? Rien du tout.

Clare avait écrit son livre de recettes à moins de
cinquante *pence* la portion. Hamburger végétarien
aux *kidney beans*[1], carottes et épices : *25 pence*.
Pâtes à la tomate et à l'estragon : *28 pence*. Tarte
aux légumes : *34 pence*.

Clare connaît le prix de tous les aliments. Un oignon frais coûte six *pence*, les tomates sont moins
chères en boîte, etc. Si Aldi augmente le prix des
petits pois surgelés, elle va chez Iceland ou Lidl.

Shirley l'avait accompagnée.

Le samedi, avec Micky, elles couraient au marché de Dalston Kingsland et faisaient le plein de

---

1. Haricots rouges.

fruits et de légumes. Les marchands connaissaient Clare et lui octroyaient des ristournes.

Le livre s'étoffait chaque jour d'une nouvelle recette et Clare se réjouissait. Quand elle avait bien géré sa semaine, elle achetait un paquet d'un demi-kilo de pistaches à la petite boutique asiatique au coin de sa rue et, avec Micky, elles les décortiquaient le soir en regardant *EastEnders*, et ça faisait des brisures qui rentraient dans son soutien-gorge et elle se grattait et elles riaient toutes les deux. Micky était fière du travail de Clare. Maman écrit un livre, elle disait à ses copines à l'école.

La première édition était sortie. Un livre à la couverture beige et bleu marine. Imprimé par Shirley et offert à toutes les femmes du refuge. Puis Clare l'avait distribué partout. Et partout on la félicitait ! Partout on le voulait ! Un éditeur s'était manifesté. Il était partant pour le publier en livre de poche à petit prix. Clare avait signé un contrat. Elle avait gagné de l'argent.

C'était il y a un an.

Clare a changé de métier. Elle travaille maintenant dans un restaurant où elle est aux fourneaux. Comme sa mère ! Elle revient une fois par mois au refuge pour enseigner aux femmes comment se nourrir.

À chaque fois, Shirley et elle se taquinent.

— Ne dis plus jamais que les contes de fées n'existent pas ! dit Shirley.

— Et toi, que tu ne sers à rien !

Clare a raison : Shirley est heureuse d'être utile.

Son histoire avec Philippe avait été totalement inutile.

Elle avait revu Philippe et s'était demandé si tout allait s'écrouler en elle, remparts, pont-levis, mâchicoulis. Elle avait retenu son souffle, guetté le premier frisson, et…

Rien n'était arrivé. Tout tenait debout. Elle n'éprouvait rien. Rien qu'une lourde lassitude.

Et depuis…

Elle ne veut plus jamais aimer. Je ne suis pas douée pour ça, elle pense en détachant son tablier.

Becca l'a aperçue sur les marches. Elle passe une tête par la fenêtre et l'apostrophe :

— Allez ! Au boulot ! La journée n'est pas finie.

Shirley soupire qu'elle est fatiguée.

— Fatiguée ! Avec une vie de millionnaire ! grogne Becca.

— Fatiguée d'être moi, murmure Shirley en pliant le tablier.

— Eh bien alors pense un peu moins à toi et un peu plus aux autres !

Shirley hausse les épaules.

— T'es lourde parfois, Becca, elle marmonne sans se retourner.

Elle veut rester là à contempler les briques des murs, les feuilles vertes qui s'agitent, compter les poussettes qui entrent et qui sortent.

Bubble vient se laisser tomber à côté d'elle sur les marches.

— T'as entendu ce qu'elle m'a dit ?

— Ben oui...

— Elle m'énerve avec ses leçons de morale ! C'est facile de faire la morale quand on a son âge !

— T'es vraiment fatiguée ?

— Oui. Les émotions, ça fatigue. Elle comprend rien, Becca.

— Si, dit Bubble, elle comprend autre chose.

— Tu veux dire que j'ai tort ?

— Non, que vous avez raison toutes les deux.

— Ben... tu te mouilles pas, toi !

— J'ai pas intérêt si je veux rester ici.

Il sourit. Ses yeux étincellent de moquerie. Sa figure mince brille et s'anime, et quand il sourit, une fossette apparaît entre deux cicatrices pâles.

Shirley cligne des yeux vers le soleil.

— Alors, t'es guérie ? demande Bubble.

— Guérie ?

— Ben oui... de la délicieuse maladie.

— La maladie d'amour ?

— Tu sais, on en parlait la dernière fois tous les deux. Alors t'es guérie ?

— C'est parti comme c'était venu.

— Ah oui ? il interroge, étonné.

— Le soir du concert de mon fils à New York. Je suis entrée dans la salle, j'étais amoureuse. Malade, tourmentée, amoureuse, quoi ! Mon fils a joué et… *I felt out of love*[1]. Ne me demande pas de t'expliquer.

— Ah, ça donne de l'espoir, il lance d'un ton désabusé.

— Tu me crois pas ?

— Sais pas.

— Ça a marché pour moi. Ça ne signifie pas que ça marche pour tout le monde.

— On est différents…

— C'est sûr, dit Shirley.

— Mais on a un point commun !

— Lequel ?

— On aime tous les deux les hommes !

Shirley éclate de rire, l'attrape par le bras et roule contre lui, encore convalescente et énervée de cet amour qui est parti en laissant une grande place vide.

— Ce que je n'aime pas en amour, c'est la ferveur…, elle ajoute en passant un doigt sur son front.

— La quoi ?

---

1. Littéralement : « J'ai été éjectée de l'amour. »

560

— Tu sais, quand un homme t'aime trop... quand il te donne tout, qu'il n'y a plus que toi au monde... J'ai envie de détaler. Ça m'étouffe, ça me dégoûte.

— À ce point ?

— J'aime pas quand on m'aime.

— Peut-être parce que toi, tu ne t'aimes pas..., dit Bubble qui essaie de comprendre.

— Je crois que je n'aime personne.

— Conneries !

— Si, si. J'ai un truc qui est resté coincé à la naissance. Qui n'a pas poussé.

— Pourtant tu aimes donner. Tu donnes beaucoup.

— Non. Je ne donne pas. Je me fais plaisir.

— Ah... Je voyais pas les choses comme ça.

Shirley lève vers lui un regard étonné.

— Pourquoi je te dis tout ça, Bubble ?

— Parce que je suis un parfait étranger. Tu peux te confier et faire comme si tu n'avais rien dit. Je n'existe pas.

Un peu plus tard, Bubble se ressaisit et lâche :

— J'oubliais ! J'ai un message pour toi...

— Tu veux dire que tu n'étais pas venu pour philosopher et te chauffer au soleil ?

Il sourit et la fossette réapparaît.

— Oh, Bubble ! Quand tu souris, tu es si craquant ! Dommage que tu n'aimes pas les femmes… On serait heureux ensemble !

— Deux éclopés. On ne courrait pas les marathons, c'est sûr !

— Ce n'est pas vraiment utile de courir, tu sais. On peut être très heureux immobile.

Il hoche la tête, mélancolique. Hésite. Passe son bras autour de Shirley, la ramène contre lui.

Shirley se cale sur son épaule. Ferme les yeux. Puis se souvient.

— Hé ! Qu'est-ce que tu voulais me dire ?

— Ah oui !

Il enlève son bras et reprend le maintien du messager qui récite la nouvelle.

— Ton fils a appelé au bureau. Ton portable ne répondait pas.

— Je l'ai laissé dans la cuisine.

— Il est à Londres. Il t'attend au bar du Claridge. Ce soir à dix-neuf heures pétantes.

— Mon fils, à Londres ! Youhou ! crie Shirley en sautant sur ses pieds.

Elle bouillonne d'une joie effervescente et fait des bonds.

— Ben… tu vois, t'es plus fatiguée du tout ! C'est louche, ça. Ça veut dire que t'es pas vraiment fatiguée, mais seulement mal dans ton cœur. Tu es triste parce que t'as personne à aimer… Tu es une sentimentale, Shirley. Tu fais semblant d'être une guerrière, mais…

— Arrête, Bubble, arrête ! dit Shirley en riant. Tu verrais ta tête quand tu dis ça ! On dirait un sage triste.

— Je suis un sage triste et je parle d'or.

Shirley pénètre dans le bar du Claridge à dix-neuf heures précises.

Elle s'est habillée pour faire honneur à son fils et à l'élégance du bar. A mis une robe, des talons. Un peu de parfum dans le creux du cou et des poignets. Et chavire sous un assaut de colliers. On ne se rend pas au Claridge comme on prend le métro. Un peu de tenue s'il vous plaît !

Elle cherche Gary des yeux et ne l'aperçoit pas. Une famille américaine voltige, évoque le programme du lendemain. Les parents font signe aux enfants de parler moins fort. Et les gamins tripotent les cravates qu'on les a forcés à porter. Ils ont dû obéir aux consignes de l'hôtel : *No short, no ripped jean, no base-ball cap, no flip-flops*[1].

Elle grimpe sur un tabouret rouge au bar pour ne pas manquer l'entrée de Gary. Scrute chaque silhouette haute qui se profile. Quelle ironie, elle se

---

1. « Pas de short, pas de jean déchiré, pas de casquette de base-ball, pas de tongs. »

dit, il me donne rendez-vous là où je l'abandonnais quand il était petit !

Gary entre et elle repère tout de suite ses yeux chagrins. Il a l'air égaré et elle a le cœur serré.

— Quelle bonne idée de rendre visite à ta mère ! elle dit en donnant une gaieté un peu forcée à son exclamation.

— J'ai eu tout à coup envie de venir à Londres. L'été anglais, on n'a jamais rien fait de mieux !

— Et puis tu en avais un peu marre des Français !

— On peut dire ça comme ça, il sourit tristement.

Ils commandent deux martinis dry pour se tourner la tête et vont s'asseoir à l'écart près de la cheminée.

— Belle idée, une cheminée au mois de juillet ! s'exclame Gary.

— C'est pour cela qu'ils y mettent des fleurs. Pour nous embaumer au lieu de nous chauffer !

S'ils commencent à parler du temps et des saisons, ils vont enchaîner les banalités sans broncher. Shirley lit le désarroi dans l'attitude de son fils. Il ne se tient pas droit, mais de guingois. Croise et décroise les jambes comme s'il était sur le point de dire quelque chose mais hésitait à s'élancer.

Elle chérit le blanc qu'il installe dans leur conversation et attend qu'il parle. Trempe ses lèvres dans la douceur amère du martini.

— Je crois que je vais aller en Écosse…, commence Gary en retenant ses mots.

— Voir ton château ? tente Shirley.

Elle flaire une inquiétude sourde mais ne comprend pas le lien avec l'Écosse.

Gary étend une jambe longue, longue, se déhanche et continue :

— Mère-Grand s'est donné beaucoup de mal pour le restaurer. Elle a même fait venir un piano tout neuf, tout beau. Elle l'a payé une fortune.

— Sur sa cassette personnelle ?

— Oui.

— Mère-Grand est une femme formidable ! s'exclame Shirley.

— Oui.

— Et puis c'est un cadeau de ton père, ce château…

— Oui. Un cadeau de mon père, répète Gary.

— Les garçons ont toujours besoin d'un père.

— Oui.

— Même s'il n'est plus là…

— Oui.

Elle a envie de demander tu sais dire autre chose que oui ? mais devine Gary tendu, préoccupé. Alors elle se tait. Observe les yeux gris ardoise qui abritent un orage qu'elle ne peut déchiffrer.

— Une mère, c'est pas mal non plus, dit Gary en lui souriant.

Shirley rougit. Elle se souvient du concert. Elle se souvient qu'elle a eu honte de la manière dont elle s'était conduite avec Gary quand il était enfant. Elle se souvient s'être dit qu'elle n'était pas une bonne mère.

Elle oublie la prudence et se jette à l'eau comme une amoureuse qui voudrait savoir à tout prix.

— Tu trouves que j'ai été une bonne mère ?

— Oui. Très bonne. Pourquoi tu me demandes ça ?

— Je me suis posé la question l'autre soir quand tu jouais à New York. Je me suis même dit que j'avais été une mauvaise mère.

Et elle ajoute pour alléger un peu l'atmosphère :

— Pas indigne, mais presque !

— Tu te trompes. Il n'y a pas une seule façon d'être une bonne mère et j'ai beaucoup de chance de t'avoir.

— Oh ! dit Shirley, émue. Tu le penses vraiment ?

Et soudain, elle déborde de joie. Elle frémit, emportée par une vague pleine, douce, haute.

— À cent pour cent. Les garçons élevés par leur mère ont quelque chose de spécial. Ils voient la vie différemment. Ils la voient en tant qu'hommes et ils la voient en tant que femme. Parce que forcément, tu as déteint sur moi !

— J'ai été tellement mal pendant ce concert…, soupire Shirley, délivrée d'un poids.

Elle a envie de l'embrasser, de l'étreindre. De le serrer contre elle comme lorsqu'il était petit et qu'un baiser suffisait à tout réparer. Mais elle se retient.

— Hortense devait venir avec moi en Écosse, poursuit Gary, songeur, et puis elle a changé d'avis. Elle a trop de travail. Elle n'a plus une minute de libre.

Shirley boit une gorgée de martini. Laisser venir la confidence. Se mettre sur le côté. Ne pas remplir à tout prix les silences.

— Entre son travail et moi, elle choisit son travail.

— C'est Hortense, dit Shirley.

— C'est Hortense, dit Gary.

Encore un silence. Mais celui-ci est plus riche, plus généreux. Il ouvre une porte.

— Alors tu vas aller en Écosse…

— Oui.

Il laisse tomber son regard dans les yeux de sa mère. Que c'est difficile de parler ! Il voudrait lui dire… Il voudrait lui dire… Il se verrait bien en Écosse avec Calypso. Ils se promèneraient sur les remparts du château. Installeraient le piano et le violon dans le grand salon avec les portraits des ancêtres au-dessus de leurs têtes. Ils joueraient du Brahms, du Mozart, du Beethoven. S'éclaireraient à la chandelle.

— Tu es où là, Gary ?

— Si tu savais…

Elle attend encore.

Elle remue son olive verte dans son verre, craque une chips grasse, s'essuie les doigts sur le napperon en papier, se force à ne pas poser de questions, mais il entend toutes les questions dans la tête de sa mère.

Alors il fait un effort et raconte.

Il raconte Calypso, la musique, leurs longues marches dans les rues de New York jusqu'à la 110e Rue, l'immeuble aux escaliers rouillés, les yeux liquides et noirs, il raconte les mails de Calypso. L'envie furieuse de s'enfuir avec elle en Écosse, loin de tout.

— Tu ferais quoi, toi ? il demande à sa mère.

— J'enverrais un billet d'avion et je lui dirais de venir.

— Tu ferais ça, vraiment ?

— La vie est trop courte pour avoir des regrets.

— C'est toi qui me dis ça ?

— Oui. Et c'est pour cela qu'il ne faut surtout pas en tenir compte. Je suis un très mauvais exemple. Je fais toujours les mauvais choix.

— Mais ça va changer…, il dit en souriant, soulagé qu'elle ait compris et qu'il n'ait plus besoin de parler.

— Oui. Peut-être…

— Alors, à New York ce n'était pas seulement le décalage horaire ?

— Non.

Elle sourit, tremblante, à son fils.

Il tend la main pour commander deux autres martinis.

Lève son verre vers sa mère.

La remercie.

Ils ont changé. Ils ont grandi. Avec leurs propres outils. Il ne juge jamais. Il ne pose pas de questions, mais il sait.

Et il sait qu'elle sait.

Un soir, alors qu'il descend la poubelle, Ray Valenti aperçoit, dans l'entrée de l'immeuble, des affiches sur lesquelles est écrit en grosses lettres VALENTI COUILLASSEC ESCROC.

Il y en a partout. Placardées avec du scotch. Gribouillées au gros feutre rouge.

Personne n'a pris la peine de les enlever.

Il a tout arraché, a fait une grosse boule de papier, y a mis le feu. A poussé la boule incandescente du bout du pied.

Il sait que ça va recommencer.

Il n'ose plus sortir.

Il gare sa voiture derrière l'immeuble. Va faire les courses loin de son domicile pour ne croiser personne. File jusqu'à Auxerre. Rentre à l'heure du journal télévisé quand ils sont tous devant la télé.

Il ne va plus jamais au café.

Il ne ramasse plus les enveloppes.

Ignore si Lancenny ou Gerson les récupèrent.

Il n'a plus de nouvelles d'eux. Quand il les appelle, c'est leurs femmes qui répondent. Elles disent qu'elles feront la commission. Ou il tombe sur leurs répondeurs. Il ne laisse pas de message.

Pire encore : il n'ose plus appeler.

Il reste enfermé chez lui. Il boit des bières, assis devant le petit écran. Il connaît tous les programmes par cœur. Il préfère les émissions avec des animaux sauvages. Ça l'apaise. La crinière du lion, son regard indifférent, ses bâillements de seigneur et maître, sa démarche lascive, compassée…

Avant de sortir, il enlève ses chaussures, se glisse dans l'escalier, vérifie que la voie est libre, qu'il peut aller déposer la poubelle ou partir faire les courses. Il faut bien manger. Soigner sa mère. Acheter les couches-culottes et les médicaments. Faire tourner les machines. Ne pas oublier d'acheter de l'aspirine. Il est devenu une vraie petite femme d'intérieur et ça le fait gerber.

Et puis, il y a ce gamin qui rôde près des boîtes aux lettres. Un jour, il l'aperçoit en train de glisser des enveloppes. Il crache sur sa boîte et part en courant.

C'est toujours le même.

À tous les coups, le fils de Stella ! Il a la même crête blonde sur la tête. Si même les enfants le détestent, maintenant !

La dernière fois, il a failli lui mettre la main dessus.

Il attendait une lettre de sa banque. Il était descendu en faisant attention à ne pas faire de bruit. Il avait aperçu le gamin qui venait de déposer une lettre. Il s'était élancé pour le rattraper, mais le temps de remettre ses chaussures, le morveux avait pris de l'avance. Il cavalait, il cavalait.

Il avait couru derrière lui à s'en défoncer les côtes.

Le môme à la crête s'était retourné et lui avait fait un bras d'honneur en criant :

— Couillassec, escroc, on aura ta peau !

Il n'avait même pas l'air d'avoir peur.

Il avait repris sa course en direction du bosquet. Ray s'était élancé, à deux doigts de le ceinturer.

Le gamin avait fait un bond sur le côté.

— Hé, Valenti, tu sais quoi ? T'es fini ! Ils ont ouvert une enquête sur toi. Ça va sortir dans le journal. Tu vas être en première page ! Ça va faire du bruit ! Un bruit d'enfer !

Le gosse reculait en le fixant droit dans les yeux.

Ray, essoufflé, se tenait les côtes.

— Petit salopard ! il avait crié à bout de souffle. Je t'aurai !

— T'es cuit, Valenti ! Cuit ! Archicuit !

Il lui avait tourné le dos, même pas peur, disait le dos. Et s'était éloigné, les mains dans les poches, en chantonnant Couillassec est cuit, Couillassec est rôti…

Autrefois il était un héros. Autrefois les gamins voulaient des photos. On avait baptisé une école de son nom. Il faisait la une des journaux.

C'était il n'y a pas si longtemps.

Il se prend la tête et ne comprend pas. C'est pas possible ! Pas possible !

Il n'a plus d'incendies à combattre pour redorer son étoile. On le juge trop vieux. Trop moisi pour grimper sur la grande échelle. Donnez-moi un bon feu et vous verrez de quoi je suis capable ! il rugit en écrasant sa cannette de bière entre ses doigts. Y en a encore là-dedans ! Et il se frappe la poitrine. Il se contemple dans la glace. Se parle en se haranguant. Qu'est-ce qu'ils croient ? Que j'aurais peur des flammes ? Peur d'empoigner la lance à eau ? Peur de faire voler les portes, voler les murs, peur de me jeter dans le brasier ?

Il suffoque. Il a besoin d'air. Il ne peut pas sortir. Il tourne en rond dans l'appartement.

572

Va s'allonger près de Fernande. Elle le prend dans ses bras. Le berce doucement.

Il regarde la télévision, blotti contre elle.

— On n'est pas bien comme ça? soupire Fernande en lui effleurant les cheveux.

Il ne répond pas.

— Quelqu'un t'a fait du mal, mon petit?

Il secoue la tête.

— Elle a bien fait de pas revenir, l'autre traînée! On se débrouille très bien sans elle, pas vrai?

Il ne sait pas si Léonie est sortie de l'hôpital. Ou si elle se fait toujours dorloter. Faudrait qu'il se renseigne.

— Pas vrai, mon petit?

— Oui, maman. T'as raison. Tu as toujours raison.

Elle réfléchit un instant et dit :

— Chacun doit vivre avec ses fantômes.

Ray lève la tête brusquement :

— Pourquoi tu dis ça?

C'est jeudi soir à l'atelier de patchwork. Il y a un air de vacances. Un oiseau tout fiérot fait des trilles dans la cour, un autre lui répond plus bas, des filles ont apporté du champagne, des bouteilles de vin rouge, de vin blanc, de la grenadine, des macarons, des mousses au chocolat et des cakes. Elles dégustent, comparent, échangent des recettes, lèchent leurs doigts poisseux avant de reprendre leur ouvrage. Au mois d'août, l'atelier est fermé. Valérie part en Angleterre suivre des stages, acheter du matériel, apprendre de nouvelles techniques.

Elle va d'une fille à l'autre et frémit de tout ce nouveau savoir qui l'attend outre-Manche.

— T'as vu ? Valentine Laignel n'est pas là, remarque Stella.

— Avec ce qui arrive à son mari, c'est normal ! dit Julie. Elle n'ose plus se montrer ici.

— Il dit quoi, ton père ? Parce que les ragots c'est bien, mais ce serait mieux si tout ça devenait officiel. On parle, on parle mais bon… Ça avance l'enquête ? Je n'ai plus de nouvelles. Ni de lui. Ni de Duré.

— Duré l'a appelé. Il ne peut plus garder ta mère à l'hôpital. Il doit libérer sa chambre.

— C'est pas vraiment une chambre. Elle est pas aux normes. Y mettaient personne dedans avant. Et pourquoi il me l'a pas dit à moi ? s'exclame Stella, les yeux furieux, en pointant ses ciseaux comme des couteaux.

— Probable qu'il va t'appeler…, répond Julie en s'écartant.

— Ben, il ferait mieux. C'est pas ton père que ça regarde, c'est moi.

Le petit sillon entre les lèvres et le nez de Stella se durcit, sa bouche se ferme, ses sourcils font un nœud coulant. On dirait un taureau qui voit rouge.

— Arrête, Stella !

— J'ai pas de nouvelles, je te dis. Pas un seul mot sur l'enquête. Je lui ai filé tous les documents et rien, que dalle ! Ils attendent quoi ? Que Ray se refasse une santé, rameute ses troupes et reparte à l'abordage ? Il ne va pas rester flapi tout le reste de sa vie !

— Ça va sortir, t'en fais pas !

— Ben, moi, je serais pas si confiante… Si tu y réfléchis, pourquoi ils se battraient, ton père et Duré ? Ça va leur apporter quoi ? Que des emmerdements, oui ! Moi, si j'étais eux, je me tiendrais peinard. Je parlerais, je parlerais mais je ne ferais rien d'autre. Je resterais bien tranquille dans ma belle maison.

— Oh, Stella ! S'il te plaît ! Tu es fatigante parfois.

— Je suis pas fatigante, je suis à vif. Je vais la mettre où, ma mère ? Faut que je m'organise !

— Chez Georges et Suzon…

— Ça se fait pas d'un claquement de doigts ! Ils croient quoi ?

Julie baisse le front sur le carré qu'elle brode et décide de laisser passer l'orage.

— Ah ! Tu vois ! Tu dis plus rien ! Tu vois bien que j'ai raison !

— Non. Je pensais à Jérôme.

Stella sursaute.

— Qu'est-ce qu'il vient faire là-dedans, Jérôme ?

Elle jette un regard plein de soupçons sur Julie.

— On se voit presque tous les soirs et c'est drôlement bien !

— Et alors ? Je vois pas le rapport.

— Pour moi, c'est important.

— Tu veux dire qu'il n'y a pas que moi dans la vie ? C'est ça ? T'en as marre de mes problèmes ?

— Non. Je veux dire qu'il y a de la place pour tout le monde, c'est tout. Et puis c'est l'été. Et… être amoureux en été avec les jours qui sont longs, les bonnes odeurs dans la campagne, les tournesols, les blés qui piquent, les grattons de chardons qui s'accrochent aux jupes, Jérôme qui les arrache doucement, moi je ne connaissais pas et ça me rend toute… toute…

Sa voix est retombée, douce, murmurante. Elle cherche, rêveuse, le mot qui pourrait résumer ce bonheur nouveau et ne le trouve pas. Alors elle répète toute… toute…, pique l'aiguille et divague, heureuse.

Stella interrompt son élan et regarde son amie qui dérive de bonheur. Julie mérite cette extase. Julie si confiante, si douce, si honnête et si dure à la tâche. Julie que les hommes appellent Patronne, Julie boudinée dans ses pulls. Julie qui n'a pas été abîmée par la vie, juste mise de côté, ignorée, Julie qui s'abandonne pour la première fois…

Julie est amoureuse. Elle a trente-quatre ans, elle embrasse un homme, il l'emmène dîner au restaurant et lui ouvre la portière de la voiture. Et alors ? Tu dois respecter ça, Stella. Ça vaut le coup de mettre ta colère en sourdine, non ?

Stella fait un effort et marmonne :

— Excuse-moi. Je suis un peu obsédée. Mais c'est que je me croyais si près du but ! Si près du but…

— Je sais, murmure Julie, mais faut pas désespérer !

— Alors il t'emmène où le soir, hein ? Vous allez au restaurant ? Au cinéma ? Il t'embrasse dans le noir ?

Julie rougit et hausse les épaules comme pour disparaître dans le col de sa chemise.

— Te moque pas !

— Je me moque pas, je demande !

Julie va pour répondre, mais est interrompue par son téléphone.

— C'est Marie ! elle dit en regardant Stella.

— Qu'est-ce qu'elle veut ?

Julie décroche. Fait oui, oui de la tête.

— Attends un instant, je demande à Stella. C'est Marie, elle a pas pu venir ce soir, elle est de permanence, elle demande si on veut passer la voir au journal, elle est seule, ils sont tous partis en reportage.

Stella opine avec vigueur. Elle n'a pas la tête à faire du point de croix ce soir.

— Elle dit aussi qu'on peut apporter du champagne s'il en reste, sourit Julie.

— Dis-lui qu'on arrive !

Stella a changé de visage. Plié sa fresque. Rangé ses bouts de tissu, ses ciseaux, ses aiguilles. A fait glisser d'un geste vif les boutons, les cordons, les rubans dans son sac. Allez, hop ! Allons-y ! Je vais en avoir le cœur net, je vais pouvoir vérifier si l'enquête est lancée ou si le dossier est enfermé dans un tiroir du rédacteur en chef.

Au journal, les filles posent leurs affaires sur le bureau de Marie et débouchent une bouteille de vin blanc tiède.

— Désolée, s'excuse Julie, c'est tout ce qu'il restait. Mais on a piqué le reste de cake. On va pouvoir se faire une dînette.

Elles trinquent, assises sur le bureau. Puis Marie décide de leur faire visiter le journal. Un grand espace. Des bureaux alignés les uns à côté des autres sur un étage.

— C'est ce qu'on appelle un *open space*, elle explique doctement.

— Ben oui… On en a entendu parler quand même ! proteste Stella vivement. On n'est pas des ploucs !

Julie lui lance un regard rapide qui signifie calme-toi, elle ne t'a rien fait ! Stella sourit en guise d'excuse.

— Y a que les chefs qui ont droit à un bureau privé, commente Marie. Nous, on appelle ça les aquariums.

Elle montre sur un mur le contenu du journal du lendemain. Les articles, les photos, la numéro-tation des pages.

— C'est le chemin de fer, elle explique. On le met toujours au mur parce qu'il est arrivé qu'il y ait des articles en double et ça fait con, quoi ! Mais sinon tout le monde l'a sur son ordinateur perso…

Elle enfle, se sent devenir importante, elle est sur son territoire.

— Et ça s'appelle comment ton boulot ? demande Julie.

— Je suis ce qu'on appelle un unier. Je fais la une.

— Y a pas de féminin ? interroge Stella.

— Non. Je crois pas. On a toujours dit unier.

— Et tu nous montres comment tu fais ? dit Julie.

— Si vous voulez, répond Marie, prise de court.

— Amina, elle m'a dit que tu lui avais fait une une rien que pour elle, dit Stella. Pour ses trente ans. C'est vrai, ça ?

— Oui. C'était une surprise.

— Elle a vachement aimé ! Tu m'en ferais pas une rien que pour moi ? demande Stella.

— Si tu veux…

— Comme ça, on verrait comment tu fais et on comprendrait mieux.

— Tu veux quoi comme titre ? lance Marie qui reprend son rôle de chef.

— Je sais pas… Un truc comme…

Stella fait semblant d'hésiter pour ne pas paraître trop brutale et que Marie ne se sente pas manipulée.

— Quelque chose qui te ferait vraiment plaisir…, poursuit Marie. La une, on la fait pas sur n'importe quoi !

— Attends, je réfléchis…

Julie s'approche du chemin de fer et déchiffre les nouvelles du lendemain.

— Cette partie-là, c'est l'édition de Saint-Chaland, précise Marie.

— Oh ! Regarde, Stella ! On parle de la Ferraille. Du contrat que papa a décroché en Inde. Une demi-page ! Il va être fier.

— Alors, t'as trouvé ? demande Marie à Stella.

— Je peux tout te demander, même mon rêve le plus secret ? ose Stella, jouant la timide.

— Vas-y, lâche-toi ! Je peux tout te faire.

Stella rumine, plisse les yeux. Elle prolonge l'attente pour que sa demande paraisse anodine.

— J'ai trouvé ! Un truc qui me ferait vraiment plaisir ! C'est un peu gonflé, mais c'est la seule chose qui…

— Vas-y, je te dis !

Stella enfonce ses mains dans les poches de sa salopette et se lance :

— « Ray Valenti : la chute d'un héros. » C'est pas mal, non ?

— Tu crois vraiment ? dit Marie.

— Oui, oui… et en sous-titre : « L'homme que toute la ville célébrait était un escroc. Les affaires se multiplient, révélant le vrai visage d'un homme sans foi ni loi. » Et tu colles une photo de lui en héros.

— T'y vas pas un peu trop fort ? demande Marie, inquiète.

— Ben… t'as dit que tu pouvais tout faire ! Et puis c'est pour rire !

— Oui. Bien sûr, mais…

— Je trouve même que je suis plutôt délicate. De quoi t'as peur ? Ce n'est que pour moi… Je l'accrocherai dans ma chambre et je la regarderai. Ça me fera du bien. Parce que l'enquête, elle n'avance pas beaucoup, je trouve.

— C'est pas ça, proteste Marie, mais le rédac-chef, il dit qu'il faut des éléments avant de se lancer dans cette histoire. C'est quand même pas anecdotique…

— Et il n'en a pas assez, peut-être ? lance Stella, énervée. Après tout ce que j'ai donné à Duré !

— Oui, je sais. Duré est venu le voir. Ils se sont enfermés dans l'aquarium, ils ont parlé longuement mais…

— Mais depuis ça patine, c'est ça ?

— Ben, on va dire qu'il prend son temps. Y a plein de gens qui vont être éclaboussés si on sort l'affaire. Ça remonte haut, tu comprends ?

— Pas besoin de me faire un dessin !

— Alors il se tâte…

— Il a la trouille, quoi !

— Il est pas le seul. Même ton père, Julie, il dit qu'il faut y réfléchir à deux fois.

— Papa ? Il dit ça ? Ça m'étonnerait, tu vois… C'est pas le genre à se dégonfler !

— Et nous, on dépend de l'argent de tous ces gens. Les journaux, ils ont tous des problèmes en ce moment. Y a pas que nous…

— Et ils se couchent devant le pognon ! s'exclame Stella en se renfrognant. C'est bien ça, non ? Il s'appelle comment ton journal, déjà ? Y a pas le mot « libre » dans le titre ?

Julie donne un coup de coude discret à Stella et lui fait signe de se calmer.

Stella pousse un soupir de rage et lâche :

— Suis désolée. C'est pas de ta faute…

— Ben, tu me demandais où ça en était, alors je t'ai dit la vérité…

582

— Mets-toi à ma place !

Pourquoi je dis ça ? elle se reprend aussitôt. On ne se met jamais à la place de l'autre. Je devrais le savoir depuis le temps…

— Allez, tu me la fais, ma une ? elle demande en prenant un ton suppliant. Ça sera mon lot de consolation…

Marie, hésitante, consulte du regard Julie qui acquiesce d'un hochement de tête.

— Fais-lui sa une. C'est pour rire, personne ne le saura. Ça nous rappellera le bon temps des muchachas…

— Monsieur Toledo ? interroge Marie en souriant.

— Oui. Monsieur Toledo… Il serait fier de nous, assure Julie. On a fait du chemin.

— C'est sûr !

Alors Marie cède et reprend son rôle de chef.

— Bon… d'accord. Je te mets le titre sur trois colonnes, une grande photo de Valenti au temps de sa splendeur, ta légende et un encart sur les vins de Bourgogne en haut. Un article à droite sur un château du coin restauré, un petit coup de météo et un article en bas de page sur la sécurité routière. Ça fera véridique. Ça te va comme ça ?

Marie s'affaire sur son ordinateur, fait apparaître des articles, des photos, déplace, rectifie, agrandit.

— C'est juste pour toi, hein ? Tu me le jures ?

— Oui, assure Stella.

— Et tu le diras à personne ?

— Promis.

— Et moi, je te tiendrai au courant pour l'enquête. Enfin, si ça bouge…

Et c'est ainsi que ce soir-là, Stella sortit de *La République libre* avec, roulée sous le bras, la une qui annonçait en grand sur trois colonnes, au milieu d'informations locales, la chute de Ray Valenti.

— C'est bien, ça, madame Valenti ! claironne Amina en entrant dans la chambre de Léonie. Il paraît que vous sortez aujourd'hui ? Le docteur Duré vient de me le dire. Je vais vous donner votre dossier avec les examens et les radios, il faudra le ranger et ne pas l'égarer.

— Ma fille vient me chercher tout à l'heure. Je vais aller habiter chez elle. À la ferme. Ou plutôt juste à côté, chez Georges et Suzon. Suzon, elle m'a élevée. Et Georges… eh bien, Georges, c'est Georges ! Il m'a appris à faire du vélo, à planter des citrouilles, à dénicher les œufs des poules…

Elle sourit, heureuse.

— Je vais retomber en enfance… Et c'est bien agréable !

— Vous serez avec votre fille et votre petit-fils…

— Tom ? Il m'a encore apporté un pain aux raisins, ce matin. Il doit avoir peur que je dépérisse.

La valise de Léonie est posée sur le lit. À côté du tas de partitions et du métronome.

— Vous allez pouvoir vous remettre au piano, madame Valenti…

Léonie n'entend pas. Elle va et vient entre le placard ouvert, la table de nuit, la salle de bains et plie ses affaires en prenant garde à ne pas les froisser.

— Je dois y faire attention, je n'en ai pas beaucoup. Tout est resté chez…

Elle a failli dire chez moi. Mais ce n'est plus chez elle, ça ne l'a même jamais été. Elle s'assied sur le lit et marmonne, songeuse :

— Il va falloir que je m'habitue…

— Vous allez commencer une vie nouvelle. C'est excitant, non ?

Léonie lève un regard de noyée vers Amina.

— Excitant ?

Elle a un petit rire surpris qu'elle étouffe dans sa main.

— C'est un mot qui ne va pas avec une femme de mon âge, Amina !

— Mais vous n'êtes pas vieille, madame Valenti ! Vous avez soixante ans. On peut recommencer sa vie à votre âge.

— J'ai eu ma part, Amina. Je vais me reposer maintenant.

— Vous allez être étonnée de voir comme tout revient vite.

— Vous exagérez. Vous voulez me faire plaisir, me rassurer. C'est que je ne suis pas très vaillante encore…

— Mais si ! Allez ! Je file chercher votre dossier et je vous aide à boucler votre valise, vérifiez que vous n'avez rien oublié.

— Vous êtes bien aimable, sourit Léonie.

Son regard se porte vers la fenêtre qu'Amina a laissée ouverte. Elle regarde le brouillard vert des branches qui remuent sur le ciel bleu. Le parfum du feuillage monte vers elle et efface les odeurs âcres de l'hôpital. Un vent léger fait gonfler les voilages qui masquent le parking, elle aperçoit les voitures garées tels des berlingots de couleur les unes contre les autres. Une idée folle la traverse, elle frémit, et si elle passait son permis de conduire ? Peut-être qu'elle en serait capable ?

Elle hausse les épaules. Ne rêve pas, Léonie, va à ton rythme, à ton pas. Ne gobe pas des pensées que ton corps ne pourra pas avaler. Heureusement, il va mieux. Elle se tient bien droite sous la douche et ne trébuche pas en sortant, en tendant la main pour attraper la serviette, les yeux encore pleins d'eau tiède. Elle a brossé ses cheveux, mis du rose aux joues et du rimmel noir. C'est Stella qui les lui a apportés. Tu es jolie, maman, tu l'as oublié. Léonie s'est regardée dans la glace et elle a répété les mots de Stella, tu es jolie, maman.

Autrefois, j'étais élastique et souple, je grimpais aux arbres, j'attrapais les branches, je me hissais jusqu'au sommet et là, je me posais, j'étendais les jambes, je contemplais la cime des arbres, les prés, les champs, la rivière au loin, les épis de blé. Cela m'apaisait. Les arbres m'ont toujours rassurée. Ils me donnaient du courage. Je pourrais à nouveau grimper aux arbres. Elle serre ses mains sur sa poitrine. Il y a tellement de choses qu'elle va pouvoir faire. Elle est libre. Et elle n'a plus peur. Ou du moins, plus comme avant.

Un grattement à la porte la tire de sa rêverie.

— Oui ? elle dit dans un sourire en se retournant.

C'est lui.

Ray Valenti. Campé sur ses deux jambes. Les pouces dans les poches de son jean. Les cuisses en avant. Des yeux noirs qui entrent dans les siens.

Elle a un hoquet de surprise et le souffle coupé. Ses mains deviennent moites, elle les frotte l'une contre l'autre. Elle se replie, creuse les épaules, s'affaisse. Elle ne peut plus faire un pas. Il l'a changée en un petit tas de pierres.

Il aperçoit la valise et demande :

— Tu t'en vas ? Ils te mettent dehors ? Alors mon pote avait raison, tu sors aujourd'hui. Et tu comptais aller où ? Parce que mon pote, il travaille dans le service de Duré, il m'a prévenu, ta femme, Valenti, elle sort aujourd'hui, tu viens pas la chercher ? Alors j'ai dit un peu que je viens la chercher ! Et j'ai foncé. Parce que tu es ma femme, tu dois revenir chez moi, enfin chez nous…

Elle voudrait répondre, lève le bras pour se protéger, se réfugie contre la fenêtre. Sa gorge est sèche, elle déglutit pour attraper un peu de salive.

— Léonie, n'aie pas peur… J'ai changé, tu sais. Viens ici, il faut qu'on parle.

Il s'avance vers elle.

— Ne crains rien, ma chérie. Je vais pas te faire de mal. Tu me manques tant ! Je peux pas vivre sans toi. Je ne peux pas… Il faut que tu reviennes à la maison.

Elle le regarde, paralysée.

— Léonie, ma petite chérie.

Ses bras pendent le long de son corps, comme s'il venait désarmé, qu'il demandait la paix.

— Je me suis mal conduit. J'ai compris, tu sais, j'ai compris. Tous ces mois sans toi…

Il s'est arrêté au pied du lit et la contemple avec douceur.

— Ne me laisse pas, Léonie, ne me laisse pas.

Sa voix déraille, devient celle d'un petit garçon qui se plaint.

— Tout le monde me tourne le dos… Si tu savais ce qu'ils me font ! Je suis tout seul. J'ai plus d'amis. Ils sont tous partis. Je me traîne, je fais rien

588

de la journée, je tourne en rond, c'est pas bon, c'est pas bon…

Il tend les mains vers elle, fait un pas, un autre, la prend contre lui, murmure à son oreille :

— N'aie pas peur, laisse-toi aller… Là ! Là !

Il flatte ses cheveux, caresse sa nuque.

— On s'est aimés, Léonie. Rappelle-toi au début… quand on allait au cinéma. On commandait une glace à deux boules et on la mangeait tous les deux, on s'embrassait, on était heureux… Qu'est-ce qu'il s'est passé, ma chérie ? Je le sais, moi, j'ai bien réfléchi, je suis devenu fou. Pardonne-moi. Je ne le ferai plus. Je te demande pardon. Pardon, Léonie.

— Ray ! Non ! elle a la force de dire, collée contre lui, les bras raidis dans un effort pour se déprendre.

Elle ne sait pas comment elle a pu prononcer ces deux mots. Elle se tient raide, les poings crispés. Elle a du plomb dans le ventre, du plomb dans les jambes, du plomb sur la langue. Elle n'a plus de forces. S'il la lâche, elle tombera.

Il la serre contre lui. L'oblige à le regarder.

— Il faut que tu me croies. On peut tout recommencer… Tu leur diras, hein ? Tu leur diras que j'ai changé, que je t'ai demandé pardon. Il faut que tu reviennes.

Elle secoue la tête pour dire non. Il croit qu'elle veut s'asseoir. Il la dépose sur le lit, cale un coussin dans son dos pour qu'elle se tienne droite, se place à côté d'elle.

— Tu es encore fatiguée? Je m'occuperai de toi, tu verras. Tu ne dois plus avoir peur. Je ne te ferai plus jamais mal, plus jamais! J'étais devenu fou! Qu'est-ce qui m'a pris?

Il baisse la tête, passe les doigts dans ses cheveux, grimace.

— J'ai réfléchi, tu sais. J'ai eu le temps de réfléchir. Tu m'as laissé si longtemps… C'est pas raisonnable de laisser son homme seul comme ça. Hein? Ma petite chérie…

Il rit nerveusement, se frotte le menton. Prend un air contrit.

— Je sais, c'est ma faute aussi. Mais je voulais pas, je te jure! Je voulais pas…

Il tente de lui prendre la main, mais elle la retire, pétrifiée.

— Léonie… ma petite chérie… Sans toi, ça va pas. Y a bien maman, mais elle est pas en forme. Elle aussi, elle te réclame. On a changé, tu sais! Depuis que t'es partie, on est comme deux bêtes. On sait plus quoi faire. C'est con, hein? Si tu reviens pas, je suis capable de faire une bêtise, une vraie bêtise.

Il prend le menton de Léonie entre ses mains.

— Écoute-moi, je ne parle pas en l'air… Je peux plus vivre comme ça. Je préfère me supprimer, oui, je te le dis tout net. Je donnerais tout pour me racheter, pour que tu oublies, que tu reviennes avec moi…

Il aperçoit les partitions, le métronome sur le dessus-de-lit.

— Ah ! Tu les as retrouvés ? Qui te les a apportés ? Hein ? Qui te les a apportés ? Je les avais vendus avec le piano, c'est dingue, ça ! Y a un mec qui les a rachetés et qui te les a rendus ! Dis-moi, c'est qui ?

Et il devient câlin, il boude, il supplie :

— Dis-le-moi, Léonie… Je lui ferai rien, je te promets.

Léonie ne peut pas répondre. Elle fixe la porte. Stella devrait arriver. Ou Amina. Il faut qu'elles viennent parce que sinon il va l'emmener, c'est sûr. Elle ne saura pas résister. Il la prendra sous son bras et l'emportera comme un paquet.

— C'est pas grave. Tiens, si tu veux, je t'achèterai un piano. Je n'aurais jamais dû le vendre. J'aimais beaucoup t'entendre, je te le disais pas, mais je trouvais ça très joli quand tu jouais, tu te rappelles la *Valse favorite*, c'était joli comme tu la jouais…

La *Valse favorite*. Léonie ferme les yeux. *Sol, fa, sol, ré, si, do, la, do, la*. Elle aimerait retrouver son piano, passer son permis de conduire, grimper aux arbres, manger un pain aux raisins chaque matin.

— Tu joueras tant que tu voudras. Tiens, je vais les mettre dans ta valise et on va partir, d'accord ?

On va partir tous les deux, bras dessus, bras dessous, comme un petit couple bien tranquille, parce que tu es ma femme, tu es ma femme, Léonie, et ça, personne ne peut rien y changer. C'est la loi. Ils y peuvent rien, les autres. Ils croient qu'on peut défaire ça comme un nœud de lacet, ils ont rien compris ! Je te le dis, moi, quand on se marie, c'est pour la vie. Pour quand ça va et pour quand ça va pas. C'est pas la peine de dire le contraire…

Il range les partitions et le métronome dans la valise. Fait le tour de la chambre. Aperçoit le peignoir accroché près de la douche.

— On va prendre le peignoir aussi, hein ? Et ta brosse à dents, elle est sur le lavabo ? Tu verras, tu ne manqueras de rien. Ah ! Ça va changer tout ça, ça va changer… Tu vas être comme une petite reine. Tu me diras merci, Ray, et on rira tous les deux et on se demandera ce qui a bien pu nous arriver pendant toutes ces années… Et puis, de toute façon, tu irais où, Léonie ? Tu n'as pas d'argent. Tu dépends de moi, rappelle-toi. Alors autant qu'on s'arrange tous les deux, hein ?

Il se lève, décroche le peignoir, le roule en boule, le jette dans la valise.

Léonie fait un geste pour protester, non, pas en boule, et Ray se méprend.

— Tu veux qu'on le laisse ici ? Tu ne le trouves pas joli ? Tu as raison. Je t'en achèterai un autre. Un avec des broderies qui iront avec tes yeux.

Il prend la brosse à dents, le dentifrice, le rose à joues et le rimmel. Laisse échapper un petit rire.

— C'est que tu es devenue coquette ! On me l'a changée, ma petite femme. Mais je veux bien ça aussi, si ça te fait plaisir ! C'est pas difficile, je suis d'accord pour tout. Je peux pas te dire mieux !

Il jette tout en vrac dans la valise. Léonie sursaute. Se lève pour ranger bien comme il faut.

— Allez, ma chérie, on y va ! On va partir sans se retourner, sans regarder en arrière. On n'en reparlera plus jamais. Et ça leur clouera le bec à tous ceux qui racontent n'importe quoi dans mon dos.

Il la prend dans ses bras, l'appuie contre le mur, revient fermer la valise.

— Mon dossier ? elle dit. Il faut que je prenne mon dossier.

— Mais pour quoi faire ? il s'énerve. T'as pas besoin de ton dossier. C'est des mauvais souvenirs, tout ça ! T'es guérie. Regarde, tu te tiens droite toute seule. Allez !

Il s'empare de la valise, pousse doucement Léonie vers la porte.

— Mais… il faut que je leur dise que je pars.

— Mais non !

— Je dois dire au revoir à Amina. Au docteur Duré. Ce n'est pas convenable de partir comme ça. Ils se sont si bien occupés de moi.

— Mais qu'est-ce qu'on en a à foutre de ces gens-là ! On a dit qu'on oubliait et on oublie, c'est tout !

— Il faut que je leur dise…

— Tu vois, tu recommences, tu dis des bêtises. T'as pas compris ce que je t'ai dit ? Tu veux que je répète ? Ça va pas mieux, ta petite tête ?

— Si, mais…

— Tu cherches déjà à m'énerver !

— Non, Ray, mais il faudrait quand même…

— Rien du tout ! On y va, c'est tout.

— Ce n'est pas bien, Ray.

— Arrête de faire ta chochotte ! Sinon il va falloir que je te brusque et ce serait dommage, hein ? On a dit qu'on faisait la paix, qu'on recommençait de zéro, tu vas pas me contrarier !

— Non, Ray, non !

— Léonie ! Ça suffit ! il crie en se redressant de toute sa taille.

Elle recule, sa main glisse sur le mur pour se retenir.

— Ray, tu avais dit…, elle murmure tout bas.

— Mais c'est de ta faute ! il hurle. C'est toi qui me pousses à bout ! Tu veux que je te dise ? Ça a toujours été de ta faute ! Tu fais tout de travers, tout pour me mettre en colère, alors forcément…

La porte s'ouvre et Amina entre, le dossier de Léonie à la main. Elle aperçoit Ray et s'exclame :

— Madame Valenti !

594

— Madame Valenti est guérie. Monsieur Valenti est venu chercher sa femme et ils rentrent à la maison. C'est comme ça et pas autrement ! tonne Ray.

— Elle ne peut pas partir ! Il faut que le docteur la voie, proteste Amina.

— Vous voyez pas qu'elle est guérie ! Putain ! C'est pas la peine d'être infirmière ! Faut changer de métier ! Elle était en train de faire sa valise quand je suis arrivé. C'est qu'elle partait, non ? Qu'est-ce que vous me racontez ?

— Elle ne quittera pas l'hôpital sans avoir vu le docteur Duré une dernière fois. C'est comme ça.

— Eh bien, on reviendra le signer, votre dossier !

Léonie, muette, suit le dialogue entre Amina et Ray comme s'il ne s'agissait pas d'elle.

— Non ! Je m'y oppose, déclare Amina. Et si vous insistez, j'appelle le docteur Duré. Vous n'avez pas le droit.

— Mais je vais le prendre le droit, moi ! Je suis son mari. Elle est à moi !

Il attrape le bras de Léonie et l'entraîne.

Elle le suit en somnambule. Amina aperçoit le regard vide de Léonie qui se laisse emmener sans protester.

— Madame Valenti ! Vous ne pouvez pas…

— Et comment qu'elle va pouvoir ! Tire-toi ! Laisse-nous passer !

Amina tente de s'interposer mais Ray la repousse et remorque Léonie hors de la chambre.

Amina, impuissante, cherche quelqu'un qui pourrait venir à la rescousse. Elle aperçoit un infirmier dans le couloir.

— Alex ! elle crie. Alex ! Empêche-les de partir ! Le docteur Duré veut les voir !

L'infirmier se retourne et lance :

— Trouve quelqu'un d'autre ! J'ai la patiente du 143 qui a fait un arrêt cardiaque, je dois m'occuper d'elle sinon elle va y passer !

— Alex ! hurle Amina qui se jette sur Ray pour le bloquer.

Ce dernier la repousse et la frappe en plein visage. Amina heurte le mur, rebondit et s'écroule.

Léonie pousse un cri et s'affale en pleurant dans le couloir.

— Oh non ! Oh non ! Pas ça ! Stella ! Stella ! Viens me chercher ! Stella !

— Ce n'est pas ta fille qui devait venir te chercher, c'est moi ! s'emporte Ray. T'as oublié ? Tu t'es encore embrouillée !

— Stella ! crie Léonie qui se laisse traîner sur le sol telle une poupée de chiffon.

Son dossier est tombé, s'est ouvert, les papiers, les radios jonchent le sol. Léonie se débat, se protège en levant un coude. Ray s'énerve, se penche, va pour la saisir quand il reçoit un coup violent au menton, perd l'équilibre et tombe.

— Putain de merde ! il crie en se massant le visage. Quel est l'enfoiré qui…

— C'est moi, dit Stella calmement. Je peux te demander ce que tu fais là ?

Elle le toise, étalé à ses pieds. Donne un autre coup bien asséné. Et un autre. Le pousse de son soulier. Le déséquilibre à chaque tentative qu'il fait pour se relever. Et chaque fois, il retombe. Et chaque fois, elle donne un coup plus fort.

— Ah ! C'est pas facile quand on est à terre ! Ça fait quel effet d'avoir le dessous ? De ne rien pouvoir faire quand on reçoit des coups ? Tu le savais pas, ça ? Eh ben… tu vois, il est jamais trop tard pour apprendre.

Elle le titille de son godillot. De plus en plus fort. Frappe dans le ventre, frappe sur les jambes, frappe entre les jambes. Elle ne peut plus s'arrêter. Il grogne, se recroqueville en jurant.

— Salope ! il crache. Salope !

— Tu me parles poliment, s'il te plaît ! On est dans un lieu public, il y a des témoins. Fais attention à ce que tu dis !

— Je suis venu chercher ta mère, il hoquette. C'est ma femme. Elle rentre avec moi.

— Erreur ! Elle part avec moi, dit Stella en posant une grosse semelle sur le visage de Ray Valenti. Bientôt elle ne sera plus ta femme, bientôt tu ne seras plus rien, Ray Valenti. C'est une affaire de jours. T'es pas au courant ? Ils t'ont pas rencardé, tes potes ? On a ouvert une enquête sur toi. Ta copine Violette, elle t'a balancé, elle a tout filé. Des dossiers avec toutes tes saloperies ! Elle avait tout photocopié. Tu le savais pas ? Et le journal fait une enquête. Tu vas te retrouver démasqué à la une de *La République libre*. Tu vas croupir en prison. En prison, Ray.

Amina est partie chercher du renfort et revient avec le docteur Duré et deux jeunes internes. Ils observent Ray Valenti en train de cracher, de jurer, les mains entre les jambes pour se protéger.

— Salope ! Salope ! Attends un peu et tu verras ! Ça va être ta fête !

Les deux internes font un geste pour intervenir, mais Duré les retient. Il veut laisser à Stella le temps de régler son compte à Ray.

— Tes petites combines qui mettaient le monde en coupe réglée, qui te rapportaient plein de pognon... tout ça c'est entre les mains de la justice maintenant, tu es cuit, Ray Valenti ! Ça va sortir. Tout va sortir. Tu es fini. Mets-toi bien ça dans la tête. Alors tu vas te relever, demander pardon à ma mère et la laisser partir, tranquillement, avec moi. Et si tu fais quoi que ce soit contre elle, il y aura des témoins.

— Connasse ! crache Ray. T'as pas le droit, pas le droit !

— Tu diras ça aux flics. Moi, ça ne m'intéresse pas. Moi, je m'occupe de ma mère. Pour le reste, je laisse faire la justice. Alors tu te lèves, tu la fermes et tu nous regardes partir ! TU LA FERMES, RAY VALENTI !

Stella a hurlé les derniers mots. Hurlé pour laisser échapper la haine qui la submerge quand elle voit sa mère à terre.

— CASSE-TOI ! CASSE-TOI ! Ou je ne réponds plus de rien !

Le personnel de l'hôpital, alerté par les cris, a accouru et ils font cercle autour de Stella, Léonie et Ray. Ils contemplent, ébahis, le grand Ray Valenti en train de ramper.

Il relève un visage tuméfié. S'appuie sur un coude. Tend une jambe, puis l'autre. Se remet debout. Jette un regard haineux à Duré.

— Et toi, tu fais rien ? Tu dis rien ?

— Tu en as assez fait comme ça, Ray. Léonie est sous ma protection. Et elle partira avec Stella.

— Vous ne vous en tirerez pas comme ça !

Il s'essuie le visage, passe la main dans ses cheveux, rentre sa chemise dans son jean, ajuste son blouson. Ignore Léonie. Et s'éloigne sans un mot.

Arrivé au bout du couloir, il donne un coup d'épaule dans la porte, se retourne, crie elle est à moi, je la reprendrai, bande de connards ! Et il disparaît.

— Maman ! dit Stella en se penchant sur sa mère. Ça va ?

Les deux internes se précipitent et aident Léonie à se redresser.

Elle s'appuie contre le mur. Ses yeux s'ouvrent, se ferment, elle revient à elle.

— Il était en train de t'entourlouper ? C'est ça ? demande Stella en passant la main sur le visage de sa mère, en lissant ses cheveux.

— C'était comme dans un mauvais rêve…

— C'est fini, dit Stella. Tu as ta valise ?

Léonie la désigne des yeux.

Stella s'en empare. Tend son bras à sa mère.

— Allez, viens ! On s'en va.

Puis, se tournant vers le docteur Duré :

— On peut y aller, n'est-ce pas, docteur ?

Duré opine. Les internes ramassent le contenu du dossier éparpillé par terre et le tendent à Stella.

— Il va falloir veiller sur elle jour et nuit, dit Duré. Il est capable de revenir la chercher. Et ni Georges ni Suzon ne seront de taille…

— Je sais, dit Stella, sombre.

— Ce n'est pas fini, Stella. Il va vouloir se venger. Et cette fois-ci, tu risques bien d'être toute seule…

Stella le regarde et soupire :

— Comme si je ne le savais pas !

— Je ne vois qu'une solution, avait décrété Georges un soir, c'est de faire les trois-huit et de monter la garde, Stella et moi. On ne peut compter sur personne d'autre. Moi, je fais le jour, Stella fait la nuit.

— Et je dors quand ? avait ironisé Stella en coupant un morceau de camembert.

— Tu demandes tes vacances d'été à Julie. Tu les prends maintenant. On est mi-juillet. Ça nous mènera jusqu'à mi-août.

— Et après ?

— Après on verra… On va vivre au jour le jour, on n'a pas le choix.

— D'accord, avait reconnu Stella. Tu veux du camembert, Tom ?

— Moi aussi, je peux faire les trois-huit, avait protesté Tom. J'ai déjà tiré avec Georges dans les bois. Et j'ai visé juste !

Stella avait effleuré la crête de ses cheveux et avait dit oui, bien sûr, mais s'il t'attrape ? Tu ne pèseras pas lourd et je ne veux pas te mettre en danger. Tu veux du camembert, oui ou non ?

Il avait dû en convenir. Sa mère avait réponse à tout. C'était énervant.

Alors, je fais le guet. S'il se pointe, j'aurai le temps de vous alerter. Je crierai très fort, ça vous réveillera et vous sortirez la carabine.

— Tu fais le guet d'où ? avait demandé Stella, son morceau de camembert en équilibre sur le couteau.

— De ma chambre !

— Et tu dors quand ?

— Y a pas école, c'est les vacances.

— On va voir, elle avait dit.

Et elle avait posé le morceau de camembert dans l'assiette de Tom.

C'était pas un non, et ça lui allait bien.

Il devait reconnaître que tout ça était bien plus excitant que de bavarder avec Jimmy Gun. Il l'avait complètement oublié, Jimmy, ces derniers temps. Il ne le tenait même plus au courant des événements.

— Et puis parfois, il y aura papa aussi, avait suggéré Tom. Ça nous fera des vacances quand il sera là, parce que lui, c'est un dur, il fera les trois-huit à lui tout seul.

Stella avait souri et ce sourire-là, Tom aurait donné n'importe quoi pour le voir plus souvent.

Le siège avait commencé.

Georges, Tom, Stella et Adrian quand il était là. Il avait obtenu un congé de son patron, une

602

affaire de famille, il avait expliqué, et le patron avait dit ok, on va s'arranger, mais faudrait pas que ça dure trop longtemps. Et mes papiers ? Tes papiers ? C'est Courtois qui s'en occupe maintenant, j'ai fait tout ce qu'il fallait, adresse-toi à lui.

Tom, Stella et Adrian s'étaient installés avec Léonie chez Georges et Suzon. Pour être efficaces, il vaut mieux qu'on soit groupés, avait expliqué Georges, et Stella avait reconnu qu'il avait raison. Elle regardait le journal tous les jours et bien sûr, rien ne sortait. Marie expliquait c'est l'été, la rédaction est réduite, les gens ont la tête ailleurs, ce n'est pas le moment d'agir, ce serait un coup d'épée dans l'eau.

Il a bon dos, l'été, râlait Stella en repoussant le journal.

— C'est de ma faute, répétait Léonie. Je vais partir.

— Pour aller où ? rétorquait Stella. Laisse-nous faire, maman. Repose-toi, remplume-toi, on va s'en sortir. On a connu pire !

— Non, répétait Léonie, il n'y a pas de raison.

— Si, disait Stella. Il y a une seule et bonne raison : personne n'est autorisé à faire régner la terreur.

Georges se taisait, Suzon soupirait, Léonie se tassait sur sa chaise et épluchait le bord de la toile cirée.

C'était tous les soirs pareil.

Les mêmes discussions inutiles, les mêmes silences lourds. Georges ruminait en pensant à tous les coups il va nous reprendre la ferme, c'est sûr, Suzon lisait l'inquiétude dans les yeux de son frère, Stella s'énervait à attendre. Ils dormaient mal, ils étaient fatigués, ils se bousculaient sans le vouloir, s'excusaient de moins en moins.

Et les jours passaient semblables les uns aux autres, toujours plus lourds. Il n'y avait rien à dire. Il n'y avait qu'à attendre.

Violette était venue les voir.

Elles avaient pris un café, assises au soleil sur le banc de pierre. Les chiens étaient couchés à leurs pieds et haletaient. Hector, le perroquet, refusait de sortir de sa cage même pour voir la dame de la météo. *Hot ! Hot*[1] *!* il criaillait.

Il faisait chaud, lourd, presque poisseux. Tom faisait le guet de la fenêtre de sa chambre. Georges lisait son journal, la carabine à portée de main, Léonie et Suzon épluchaient des haricots verts dans la cuisine.

— Alors ? C'en est où ? Je vois rien venir, avait dit Violette.

Stella avait haussé les épaules.

---

1. « Chaud ! chaud ! »

— Marie, elle peut pas faire mieux, ce n'est pas elle qui décide des sujets. C'est le rédac-chef. Ou les journalistes. Ils ont tous la trouille. Et moi, toute seule, qu'est-ce que tu veux que je fasse ?

— Tu leur as donné les documents et ils font rien ? Je le crois pas !

— C'est comme ça... Duré, il attend. Courtois, il est encore parti vadrouiller je ne sais où. Peut-être qu'ils ont pas renoncé mais je n'en sais rien. Ils sont aux abonnés absents. Je suis toute seule, je te dis.

— Ben dis donc... Ça donne de l'espoir, tout ça !

— J'ai encore un atout. La une du journal... Si je la lui mets sous le nez, il est capable de se supprimer, tu crois pas ?

— Possible. C'est pas le genre de mec à affronter un scandale.

Violette avait relevé ses cheveux, soupiré il fait trop chaud, ça embrouille les nerfs. Elle avait ajouté :

— En tous les cas, j'abandonne. J'ai mis la maison de mes parents en vente et je me casse.

— Tu vas aller où ?

— Je retourne à Paris. Y a rien à faire dans ce trou.

Paris, avait songé Stella. Paris...

Elle n'avait pas de nouvelles de Joséphine Cortès.

Mais ce n'était pas le plus important.

Et elle avait encore oublié de rendre son livre à Julie !

De Julie non plus elle n'avait plus de nouvelles. Julie était amoureuse.

Elle lui avait accordé son congé d'été sans broncher. Stella aurait pu lui demander la lune, elle la lui aurait donnée et le soleil avec.

— Ça me fait drôle tout de même de partager ma salle de bains avec Léonie, maugréait Georges le soir en se couchant, en faisant grincer les ressorts du matelas.

Il dormait avec Suzon. Stella, Adrian et Tom occupaient sa chambre et Léonie celle de Tom.

— On vit une drôle d'époque, il râlait, y a plus rien à sa place ! Je m'y retrouve pas. Qu'est-ce que je dois faire quand elle attend derrière la porte pour se laver les dents, hein ? Je dois m'excuser ?

— Tu fais comme si c'était normal. Tu finis de te laver et tu cèdes la place, disait Suzon. Et tu oublies pas de donner un coup avant de sortir pour que ce soit bien propre. Tu laisses pas traîner des poils de nez…

— Oh ! Tu m'énerves avec mes poils de nez !

Il ouvrait le drap et se laissait tomber dans le lit lourdement.

— N'empêche que ce n'est pas normal. C'est pas dans l'ordre des choses. Tu m'ôteras pas ça de la tête !

— Alors tu fais comme si c'était la guerre. Tu changes tes habitudes, bien obligé…

— Mais c'est la guerre, Suzon, c'est la guerre ! Il va pas nous lâcher comme ça, qu'est-ce que tu crois !

— Tu vas pas la livrer à ce sauvage quand même !

— Non, bougonnait Georges, bien sûr que non. Mais ça va finir vinaigre, cette histoire ! On va vivre comme ça combien de temps ? Tu le sais, toi qui es si maligne ?

— On va vivre au jour le jour, c'est tout. C'est toi-même qui l'as dit.

— Ben… j'aurais mieux fait de me taire ce soir-là !

Il tournait dans le lit. Y avait pas de place pour lui dans le lit de Suzon. Elle avait son trou, mais lui, il n'arrêtait pas de rouler contre elle et ça le faisait râler encore plus fort.

— Allez ! Endors-toi ! Ça va bientôt être ton tour de veiller. Tu perds des heures de sommeil.

— Parce que tu crois que je vais dormir ? J'arrive pas à dormir, je me fais un sang d'encre, et puis ce lit, il est fait pour toi toute seule !

— Dors, je te dis ! Si tu le fais pas pour toi, fais-le pour moi. J'ai besoin de sommeil, sinon je ne vais pas tenir longtemps sur mes cannes.

— Ah ! Et n'essaie pas de me culpabiliser en plus ! Manquerait plus que ça ! C'est bien un truc de bonne femme, ça !

Il bougonnait, bougonnait et finissait par s'endormir.

— Alors c'est vrai, tu habites à Paris ? chuchotait Stella, allongée contre Adrian.

Il souriait de son sourire si mince et répondait ben oui.

— Et pourquoi tu ne me le disais pas ?

— Pour te protéger, des fois qu'il viendrait à te questionner.

— Mais tu sais bien que je sais tout de toi…

Il resserrait son étreinte, déposait un baiser dans ses cheveux et soupirait :

— Je savais bien qu'un jour, je me ferais coincer. Tu es trop forte !

Tom à la fenêtre scrutait l'obscurité. Il entendait ses parents parler tout bas dans le grand lit de Georges et se disait qu'il n'avait jamais été aussi heureux de sa vie. Tous les trois dans la même chambre, dans la même nuit, tous les trois ensemble pour affronter le danger et lui qui veillait sur leur repos.

Il n'aurait échangé sa place pour rien au monde. C'était le plus bel été de sa vie.

Léonie n'arrivait pas à dormir.

Les yeux grands ouverts dans le petit lit de Tom, dans ses draps Tom et Jerry, elle s'en voulait de bouleverser la vie de ceux qu'elle aimait. Je devrais partir, mais où aller ? Je n'ai plus de maison. Le château de mon enfance est devenu une colonie de vacances pour des étrangers. Je n'y suis jamais retournée. Il paraît qu'ils ont installé des sanitaires partout, des rangées de portemanteaux dans les couloirs, abattu des murs pour faire des dortoirs. Il paraît aussi que cet été, ils refont l'électricité parce qu'il y a eu des courts-circuits et même un départ de feu. Et le parc ? Est-ce que les enfants montent dans mes arbres ? J'aimerais tant revoir ces arbres avant de…

Avant de quoi ?

Elle ne savait pas. Et ça la tourmentait.

Alors un soir…

On était le 10 août.

Adrian était absent, ils avaient fini de dîner, ils discutaient pour savoir qui allait assurer le premier tour de garde.

Ce soir-là, Stella avait posé les deux mains sur la table, s'était levée, avait passé une jambe par-dessus le banc et déclaré ça suffit, ça ne peut plus durer, on va devenir fous, il faut faire quelque chose.

Elle avait décrété Georges, tu restes là, tu veilles sur maman et Suzon. Toi, Tom, tu fais le guet et tu préviens Georges si tu entends ou vois quelque chose de suspect, moi j'y vais.

— Et tu vas où? avait demandé Georges en reposant son *Rustica*.

— J'y vais.

Elle était d'abord allée dans sa chambre, chez elle.

Ils avaient attendu sans rien dire. Ils se regardaient en se demandant ce qu'elle pouvait bien mijoter.

Elle était revenue. Elle avait enfilé sa parka, il ne faisait pas froid pourtant. Il faisait même une chaleur écrasante que la nuit ne parvenait pas à chasser. Cela faisait une grosse nappe huileuse qui leur collait aux épaules. Suzon essayait bien de créer des courants d'air mais ça marchait à peine. Ils économisaient leurs gestes et tendaient le cou pour attraper le moindre souffle d'air.

Elle les avait regardés, son chapeau en arrière sur le crâne. Et elle était partie.

Sans rien dire.

— Elle s'en va au pôle Nord ou quoi ? avait dit Georges pour dire quelque chose.

Personne n'avait répondu.

Ils avaient entendu le bruit du moteur du camion. La première qui s'enclenchait…

— C'est bien du Stella, ça, avait soupiré Georges. Partir sans rien dire en nous donnant des ordres…

— Laisse-la, avait dit Suzon, elle sait ce qu'elle fait.

— Suzon a raison, il faut faire confiance à maman, avait déclaré Tom.

Léonie était restée silencieuse.

Et puis elle avait dit la parka, je sais pourquoi, elle s'habille en homme, ça lui donne du courage, elle a toujours fait ça.

Il est affalé sur le canapé, en slip face au ventilateur.

C'est agréable, un ventilateur. Il en a acheté un pour lui et un autre pour sa mère. Il s'est rendu au Carrefour de Saint-Chaland. La caissière lui a souri et a lancé ça va, monsieur Valenti ?

Il fait glisser des glaçons sur son torse. En attrape un. Le suce. Je pourrais faire des glaçons au pastis, ce serait rafraîchissant. Sa mère dort dans la chambre à côté. Il a fini par lui donner un somnifère parce qu'elle lui fait vivre l'enfer avec cette

611

chaleur. Elle cherche ses jambes partout, délire, l'accuse de les avoir prises et rangées sous le lit. Rends-moi mes jambes, elle crie, rends-moi mes jambes ! Mais je ne les ai pas, maman, je te jure ! Qu'est-ce que tu voudrais que j'en fasse ! Elles sont où alors ? Hein ? Qui les a prises si c'est pas toi ? Et puis elle étend la main, tâte et constate mais elles sont là pourtant, elles sont là, je les sens ! Mais je les vois pas, Ray ! Je les vois pas ! Je suis devenue aveugle, Ray ! Je suis aveugle ! Il se demande combien de temps le somnifère fera effet. Il devrait bien avoir trois heures de tranquillité.

Et après ça recommencera, la corrida.

Putain de merde ! il se dit. Putain de merde ! Il a fallu que cette foutue canicule se pointe ! Ça commençait tout juste à aller mieux, les choses se calmaient, il n'y avait plus d'affiches dans le hall ni de courrier vengeur dans la boîte aux lettres, les gens avaient cessé de murmurer Couillassec dans son dos, il y en avait même qui lui faisaient des sourires, ils devaient se dire qu'il valait mieux redevenir amis avec lui des fois que ça se tasse.

Et ça se tassait. Il le sentait bien.

Tout passe, n'est-ce pas ? Les gens, ils ont la mémoire courte. Ils oublient vite. T'as plus beaucoup à attendre avant de reprendre ton business. Il suffira d'une pichenette et tout repartira tout seul sans même que tu aies besoin de pousser à la roue. Allez, vieux ! Un petit glaçon dans le cou, un coup de ventilo par dessus ! Et un petit verre de jaune pour accompagner le tout. Oui, c'est nouveau, il parle tout seul maintenant. Il n'a pas le choix. Il est devenu son meilleur ami. Bientôt, si tout va bien, il va en retrouver, des amis.

Bon, faut juste que cette foutue canicule passe !

Parce que ça n'arrange pas ses affaires, cette grosse chaleur. Plus personne ne sort, il n'a plus de nouvelles, il ne sait plus ce qu'il se passe, si ça se calme vraiment ou pas, si les flics ont laissé tomber l'enquête. Peut-être qu'ils sont en train de fouiller partout ? Peut-être que ça va éclater comme un coup de tonnerre ? Il ne le supporterait pas. Il n'hésiterait pas, il se supprimerait. Il ne sait pas comment mais il ne survivrait pas à un scandale. Lui, le caïd de Saint-Chaland, sur le banc des accusés ! La honte !

Ça le travaille.

N'empêche, il a bon espoir. Ça fait un moment que l'autre tordue l'a menacé du pire et rien n'est arrivé. Il n'a pas vu la queue du début d'une enquête, personne n'est venu le questionner. Elle a une fois de plus pris ses désirs pour la réalité, cette connasse.

Il se gratte les couilles, se relève, y a rien de bien à la télé, il peut aller se faire un petit jaune, tranquille. Tiens, quand tout ça sera passé, il se mettra au golf. Ça en jette le golf. Et puis ça apaise. Ce sera bon pour ses nerfs. Il va vers la cuisine, jette un œil en passant dans la chambre de sa mère, elle s'agite mais semble dormir, il regarde l'heure, il a encore un peu de répit, il entre dans la cuisine, ouvre le frigidaire, sort le bac à glaçons quand...

On sonne à la porte.

Qui ça peut bien être ? il se dit en refermant le frigo à regret. Ça lui a fait un courant d'air glacé et c'était drôlement bon. Un copain qui revient ? Lancenny ou Gerson. Qui vient s'aplatir. Va falloir les mettre au pas, ces deux-là. Pas leur faire croire qu'ils s'en tireront comme ça.

Il traîne les pieds sur le lino. Fait trop chaud pour les soulever. Trop chaud pour coller son œil à l'œilleton, allez, je parie sur Lancenny, c'est le plus lâche des deux, il sent que le vent tourne et vient faire amende honorable.

On sonne à nouveau. Le mec s'impatiente. Ben... t'attendras un peu, mon bonhomme ! Suis pas à ton service.

— Ouais ! J'arrive, il gueule.

Il se regarde dans le miroir du couloir et rentre le ventre. Il est beau en slip. Il a perdu du poids avec cette chaleur. Pas trop envie de bouffer. Et puis y a plus personne pour lui faire la bouffe...

Il tire les verrous du haut, tire les verrous du bas, enlève la chaîne, il ne fait plus confiance à personne, il se barricade, des fois qu'ils viennent lui chercher des poux dans le crâne comme elle

614

a dit l'autre folle ! Encore une vanne qu'elle lui a racontée pour faire sa maligne.

Il ouvre la porte d'un geste large, du geste de l'homme qui pardonne, qui est sur le point de pardonner, tend la main pour serrer celle de Lancenny et…

— Merde ! il s'écrie. Qu'est-ce que tu fous là ?

Il ne l'a pas reconnue tout de suite.

Elle est habillée comme en hiver.

Avec sa parka et ses grosses godasses.

— T'es folle ou quoi ? il ricane. T'es venue faire un bonhomme de neige ? Si c'est pour me sucer, t'es pas habillée pour !

Elle donne un coup de pied dans la porte et entre.

Claque la porte derrière elle.

— Mais ça va pas ? T'es chez moi, merde ! T'entres pas comme ça !

— La ferme, Ray ! Tu la boucles et tu t'assieds !

Elle le pousse vers le salon jusqu'au canapé. Il la fixe, hébété, et se laisse faire. Venir le défier chez lui ! Chez lui ! Elle est gonflée ! Il doit pas avoir l'air con, en slip devant cette gonzesse !

Elle le bouscule. Le fait tomber.

Il s'écroule sur le canapé et elle reste là, plantée devant lui.

— Et tu bouges plus ! J'ai une arme sous ma parka. C'est pour ça que je suis en bonhomme de neige, comme tu dis. Une arme fatale.

Elle le toise. Putain ! Elle est grande quand même !

— T'es chic en slip ! elle raille. Très chic, le chéri de ces dames !

— J'en ai rien à foutre ! Qu'est-ce que tu fous là ?

— Je suis venue te rendre une petite visite de courtoisie.

Il n'aime pas ça. Ça sent le pâté. Elle a l'air tranquille sous son galure. Elle serre un truc sous son bras droit. Une arme ? Elle est dingue, cette fille !

Il tente de se relever, mais elle le fait rasseoir d'un coup sur l'épaule.

— Tu bouges pas ! elle ordonne. T'écoutes ! Et t'ouvres grand les oreilles. Vaut mieux que tu restes assis pour encaisser le choc.

— Putain ! il hurle. Fous-moi la paix ! T'as pas le droit ! Tu es chez moi ! Propriété privée !

— T'inquiète. Je vais pas rester longtemps.

— Ben alors… vas-y, dégoise et casse-toi.

— T'en fais pas. Je profite juste un peu. Je te gêne pas ? Je t'empêche pas de regarder la télé ? Tu regardais quoi, d'ailleurs ?

— Je sais pas. Je m'en tape.

— Ah ! Tu t'en sers comme compagnie. T'as raison, note bien, tu dois plus avoir beaucoup d'amis.

Stella cherche un peu de salive à avaler. Elle a des rigoles de sueur dans le dos, sous les bras, sur le ventre. La tête lui tourne. Elle a attendu ce moment si longtemps. L'avoir en face d'elle, lui mettre le nez dans sa merde. Le pousser à bout. Qu'il ne pense qu'à une chose : se supprimer. Elle joue gros, ça peut marcher ou pas. On ne sait jamais avec ce genre de type. Faut du courage pour faire ça et Ray Valenti, il est tout sauf courageux.

Le dernier clou, elle se dit, le dernier clou. Faut pas que je me goure. Je le tiens, mais attention, j'ai pas droit à l'erreur, faut que je joue finement. Et surtout que je garde mon sang-froid. La colère bousillerait tout.

Elle respire un grand coup.

Il gigote, mal à l'aise sur le canapé.

— Je me demande s'il y a la télé en prison. Je veux dire, si les mecs ont le droit de la regarder dans leur cellule.

— J'en sais rien et je m'en fous.

— Bah… tu ferais mieux de te renseigner.

— Et pourquoi ?

— Justement… Je me demande si je te le dis tout de suite ou si j'attends un peu. J'ai envie de savourer, vois-tu. J'attends ce moment depuis si longtemps.

— T'attends quoi ? Que les poules aient des dents ? Tu peux toujours attendre, connasse !

— Tout de suite les gros mots… Serait-ce un signe de ton impuissance ?

— Mais je t'emmerde ! Je t'emmerde !

— Tu vois, tu continues ! Au fond, à part insulter les gens, les frapper, les terroriser, tu sais pas faire grand-chose.

— Blablabla ! C'est ça ! Fais-toi plaisir !

— C'est bien mon intention… C'est pour ça que je prends mon temps. Par exemple, je me suis toujours demandé pourquoi tu sauvais des gens, Ray. Je veux dire, quand tu montais au feu… qu'est-ce qui te poussait à être généreux, à mettre ta vie en jeu ? C'est le truc que je ne comprends pas chez toi. Le reste, c'est facile. C'est facile de terroriser des femmes, de les taper, les violer, mais sauver des enfants, des vies humaines, là, tu m'épatais. Je ne comprenais pas. C'est pour ça que j'ai douté parfois. Je te regardais jouer les héros et je superposais l'image de l'homme qui battait ma mère, qui entrait dans ma chambre la nuit et je me disais y a un truc qui cloche… Ça m'a longtemps perturbée.

— J'en suis bien heureux, figure-toi ! Quant au feu, si on m'avait pas mis à la retraite forcée, j'aurais continué. J'ai jamais été aussi heureux que quand je montais sur la grande échelle. Jamais !

Il a une petite mimique nostalgique et sourit.

— Tu peux pas comprendre, t'es une gonzesse. Mais quand j'étais tout en haut, avec les flammes autour de moi, j'étais plus fort que tout. Plus fort que le feu, plus fort que l'appel d'air, plus fort que les éclats de bois, de fer ! J'étais Ray le héros et c'était bon. Putain ! C'était bon ! J'entendais les gens crier en bas, je savais qu'ils retenaient leur souffle, qu'ils ne me lâchaient pas des yeux, je les tenais au bout de ma lance et je bandais, je bandais…

— Ah ! C'était ça, alors… Une histoire de bite !

— Appelle ça comme tu veux, mais je bandais comme un âne.

— À ce point-là ?

— Ouais. À ce point-là. Mais tu peux pas comprendre, toi, t'es une gonzesse, un trou qu'on fourre. J'aimais bien te fourrer, j'aimais bien te forcer, t'entendre hurler, ça aussi ça me faisait bander ! Putain !

Et il se masse le sexe en la regardant.

Ne pas m'énerver, ne pas crier, ne pas perdre l'équilibre en lui foutant un coup, rester calme. Calme. Respire, Stella, respire. Il te cherche. Ne tombe pas dans le piège.

Son cœur se met à battre de manière bizarre. Il galope, ça fait des coups dans sa poitrine, elle a la tête qui tourne, elle a presque la nausée, elle voudrait vomir.

Elle avale sa salive, donne un petit coup de tête dans le vide et se reprend.

— Mais qu'est-ce qu'elles t'ont fait, les femmes, Ray, pour que tu les traites comme ça ?

— Je me suis jamais posé la question. Mais quand je les tapais, que je les baisais vite fait, ça me faisait le même effet que le feu. Moins fort, d'accord, mais à peu près pareil. Je me sentais indestructible. Et puis je lisais la peur dans leurs yeux. J'aimais ça… Ça m'inspirait.

— Dis donc, t'as vachement réfléchi !

— Ben, j'ai eu le temps ces dernières semaines.

— Forcément…

— Mais ça va changer, tout ça ! Ça va changer !

— Peut-être pas comme tu le penses.

— Ah bon… T'as des infos ?

— Mieux que ça !

Ils entendent Fernande qui crie depuis la chambre :

— Raymond ! Y a quelqu'un ? J'entends des voix !

— Rendors-toi, maman, c'est un copain qui est passé me voir !

— Un copain ? Mais c'est qui ?

— Tu connais pas…

— Et pourquoi vous criez ?

— On est pas d'accord ! Mais il va se calmer, t'en fais pas.

— Ah bon… Tu me raconteras ?

— Oui. Rendors-toi.

— J'ai plus sommeil, Raymond. J'ai soif.

— Attends un peu, j'arrive. T'as qu'à écouter ta radio. Je l'ai mise sous ton oreiller.

Il se tourne vers Stella, explique, détendu, aimable :

— Elle a une petite radio, ça l'aide à s'endormir. C'est les vieux, ça. Ils ont du mal à trouver le sommeil, alors ils écoutent la radio et ils s'assoupissent. Je lui ai acheté le dernier modèle. Avec un timer. Comme ça au bout d'une heure, la radio s'éteint toute seule et ne la réveille pas. Et puis ça économise les piles.

— Y a pas de petites économies, c'est sûr, dit Stella en hochant la tête.

Ils n'entendent plus Fernande, juste le son lointain de la radio qu'elle vient d'allumer.

— Ça va aller comme ça, maman ? gueule Ray.

— Oui, mon petit. Tu me raconteras, hein ?

— Oui. Allez, dors !

— À demain, mon petit !

— À demain, maman.

Il a un sourire pour dire eh, oui, elle est comme ça mais c'est ma mère et je l'aime.

— On peut parler tranquilles, maintenant ? demande Stella. Elle ne va plus nous déranger, la vieille ?

La voix de Fernande a réveillé des souvenirs. Des frissons de peur partent de son ventre, lui coupent les jambes, viennent battre dans ses doigts qui deviennent glacés. Ses tempes vont éclater.

— Elle va se rendormir avec son poste collé à l'oreille.

— Ah… c'est bien. Parce que, vois-tu, il faut que je te montre quelque chose. Je ne suis pas venue ici pour te faire la conversation. Il y a une raison, Ray.

Il la regarde, intrigué.

— T'as un flingue, c'est ça ?

— J'ai mieux que ça.

Il s'agite, se dresse d'un coup. Va pour se lever. Mais Stella le fait retomber d'une bourrade.

— Bouge pas, je te dis !

— Dis donc, c'est pas toi par hasard qui as tiré sur Turquet ?

— Moi ? Pourquoi je lui en aurais voulu à Turquet ?

— Vous n'étiez pas dans les meilleurs termes…

— Ah! Tu veux dire parce qu'il massacre ma mère et qu'il a tué mon chien? Tu rigoles? J'ai connu bien pire avec toi. Bien pire!

Il se tait. Passe la main dans son slip, fait claquer l'élastique.

— Pourtant quelque chose me dit que c'est toi.

— Non, désolée. Je n'aurais pas risqué de me faire attraper pour Turquet. Ça valait pas le coup. Je chasse plus gros, moi. Beaucoup plus gros.

— Ah…

— Je te chasse, toi.

Il éclate de rire. Cherche un glaçon dans le bol et ne trouve que de l'eau glacée qu'il fait perler sur son torse en soupirant de bonheur.

— Ben, c'est loupé!

— Tu crois?

— Tu vois bien… Il ne s'est rien passé après tes menaces à l'hôpital. Que dalle!

— Tu crois vraiment?

— Ben oui. J'ai attendu. J'ai lu le journal. Je me suis dit que peut-être tu avais raison, que Violette m'avait vendu et que tout allait sortir au grand jour. Et puis rien! Rien du tout! Et non seulement j'ai pas eu la moindre alerte, mais figure-toi que les gens tout à coup, ils sont devenus bien plus… comment te dire? Ils sont redevenus aimables. Pas comme avant, bien sûr. Mais enfin, ils sont sur le bon chemin. Alors, tout ce que tu m'as dit, j'ai bien peur que ce soit du pipeau!

— Je ne crois pas, moi.

— Tu veux jamais me croire ! Jamais ! C'est ton problème, Stella. Tu fais pas confiance aux gens.

— Tu sais quoi, Ray ? Tu vas rester assis, bien tranquillement, et tu vas ouvrir grand les yeux. Parce que ce que tu vas voir, c'est pas de la gnognotte.

Il sourit, amusé, reprend un peu de gouttes glacées, s'en asperge le ventre.

— Tu me fais marrer. Tu m'as toujours fait marrer avec tes airs de justicière à la con. Toujours à faire la gueule, à me chercher. Tu crois que tu me terrorises ? Tu te goures. Je pourrais t'assommer d'une pichenette, mais je te laisse faire. Un dernier plaisir que je te donne.

— Alors regarde bien, Ray, regarde bien, mais t'as pas le droit d'y toucher parce que ce truc-là, je vais l'encadrer et le mettre dans ma chambre.

— Vas-y, vas-y… Je meurs de peur ! Pauvre conne !

Il rigole. Croise les deux mains derrière sa nuque, prend l'attitude du type dans son transat qui se fait rôtir au soleil.

— Vas-y, aboule !

Stella ouvre sa parka et sort la une de *La République libre* qu'elle déplie et brandit sous le nez de Ray.

— Tu sais lire ou je te fais la lecture ?

Ray déchiffre le gros titre et se redresse, comme transpercé. Il devient blême et se rejette en arrière.

— C'est quoi, ce truc-là ?

— C'est la une du journal de demain.

— C'est pas vrai ! il crie.

— Comment ça c'est pas vrai ? C'est ma copine, Marie, qui vient de me la filer. Prête à être imprimée. L'enquête dont je t'avais parlé a enfin abouti et tu es fini, Ray. Fini. C'est pour ça que je suis venue ce soir… J'ai un peu fait durer mon plaisir, mais c'était si bon de te voir confiant et souriant, à l'aise dans ton slip. C'était presque émouvant.

— Mais c'est pas possible ! il enrage en donnant des coups de poing dans le canapé.

— C'est comme ça. Et si les gens sont aimables avec toi depuis quelque temps, c'est parce qu'ils savent que tu es fini. Regarde bien, je l'ai pas inventée, cette une. Je savais qu'ils enquêtaient sur toi, je ne bluffais pas quand je te l'ai dit à l'hôpital. Je savais juste pas que ça allait prendre tellement de temps. Ils ont dû interroger les gens, remonter des pistes, tanner Lancenny, Gerson. Violette aussi. Elle a été la première à te dénoncer.

— La salope !

— Elle m'a raconté le coup de Miss Tif-Tif. C'est ce qui a tout déclenché. Parce que tu vois, Ray, il ne faut jamais, jamais humilier les gens. C'est pire encore que de leur piquer leur femme ou leur pognon.

— La salope !

— Bon, je l'ai un peu aidée, je reconnais. Je l'ai mise en relation avec Duré, avec Courtois. Tu les as humiliés, eux aussi. Et ma copine Marie nous a donné un coup de main. Elle travaille au journal et elle a poussé l'enquête. Ça va faire une belle histoire !

Stella le surveille du coin de l'œil et s'interdit d'exulter. Elle doit s'en tenir aux faits.

Il a baissé la tête, il serre les poings, et il répète salope, salope, je me suis fait baiser !

— « La chute d'un héros ». Ça, ce n'est que le titre, parce que à l'intérieur, il y a l'enquête et toutes les anciennes photos de toi. Avec Chirac, le maire, le préfet, PPDA ! Y a même la couverture de ton livre. On ne va parler que de toi dans les jours qui viennent. Ça, c'est le bon côté. Le mauvais côté, c'est que demain tu dormiras en prison…

Elle a à peine fini sa tirade que Fernande croasse à nouveau.

— Raymond, viens voir !

Ray ne bouge pas. Il secoue la tête, impuissant, inerte.

— Fais-la taire ! grogne Stella. J'ai pas terminé !

— Raymond ! crie Fernande. Viens, je te dis !

— Qu'est-ce qu'il y a ? dit Ray sans faire le moindre geste.

Stella se tient à distance. Elle redoute une ruse.

— Y a le feu au château des Bourrachard ! Ils viennent de le dire à la radio, sur France Bleu.

— Le feu au château ? rugit Ray.

— Voui ! Des dizaines de gamins sont coincés dans leurs chambres. Viens voir, Raymond !

Stella pâlit. Le château de sa mère. Sa mère le lui montrait de loin quand elle la conduisait à la piscine ou qu'elles allaient faire des courses à Carrefour.

Elle roule la une. La range dans la poche intérieure de sa parka. La coince sous son bras. Il ne viendra pas la chercher là.

Elle entend Fernande qui glapit, s'agite dans son lit.

Ray est resté immobile. Replié sur lui-même.

Stella le contemple, satisfaite. Le règne de Ray Valenti est fini. Elle s'était dit qu'après avoir vu la une, il n'aurait qu'une idée, se tirer une balle dans la tête, avaler des tranquillisants, se pendre ou se jeter à la rivière. Ou peut-être s'ouvrir les veines. Elle lui laissait le choix. C'était un coup de poker, certes, mais elle connaissait Ray Valenti. Elle était prête à parier qu'il n'affronterait pas la honte d'être démasqué, un long procès, un énorme scandale. Pas assez courageux pour ça. Mais là… l'incendie… c'est encore mieux !

— C'est bête, non, elle murmure doucement. Tu aurais pu bander encore, nous refaire le coup du héros. Et tout t'aurait été pardonné. Sauf que cette fois tu seras pas sur la grande échelle. C'est dommage ! T'es fini, tu vois bien, personne n'est venu te chercher. Personne ! Ils doivent tous être au château et toi, tu es là comme un con en slip sur ton canapé. T'es vieux ! T'es zéro ! Et pire, demain, on t'arrête. Ça va te faire bizarre, non ?

Ray lève sur Stella un regard meurtrier.

— Tire-toi ! Tire-toi ou je te casse la gueule ! il hurle.

Elle recule. Ne le quitte pas des yeux. Se dirige lentement vers le couloir. Entend la voix de Fernande.

— Ils ont besoin de toi, mon petit. Y a pas mieux que toi pour mater un feu. Va leur montrer que tu sais encore y faire ! Va leur montrer !

Stella ouvre la porte d'entrée, toujours à reculons. Elle aperçoit le clou de la brosse à habits accroché au mur. Quand elle était enfant, elle fixait ce clou, elle se disait quand je serai à sa hauteur, je serai grande, je pourrai me défendre, et alors…

Elle voit Ray qui se précipite dans la chambre de sa mère. Entend Fernande haranguer son fils, vas-y, Raymond, vas-y, montre-leur ! Fais-leur fermer leur bouche ! Allez, mon fils, allez !

— Mais maman…, il bafouille.

— C'est le seul moyen, Raymond. Le seul moyen.

— Mais ça fait longtemps que…

— J'ai rangé ton uniforme, ton casque, tes gants. Ils sont dans la penderie de ta chambre, dans une housse sur l'étagère. Vas-y, Raymond !

— Tu crois vraiment ?

— Je ne crois pas, j'en suis sûre ! Tu es le plus fort ! Ils ont oublié qui tu étais, ils ont juste oublié !

Ray baisse la tête et murmure oui, maman, t'as raison.

Stella referme la porte, grince entre ses dents *yes !*, et se dirige vers son camion.

Ray se rend dans sa chambre. Ouvre la penderie. Tend la main vers son casque. Fernande l'a si bien astiqué qu'il brille comme neuf. Il pose la main dessus et soupire. Comment a-t-elle pu avoir la force de faire ça ? Quelqu'un l'a aidée, ce n'est pas possible ! Il a honte soudain d'être si pleutre.

— Tu as trouvé, Raymond ? crie Fernande.

— Oui, maman.

— La veste va te serrer un peu, mais t'es pas obligé de la fermer complètement !

Les boutons de la veste brillent aussi.

Et les gants sont comme flambant neufs.

Il a du mal à rentrer dans son uniforme. Il a grossi. Il ne ferme pas les boutons du haut.

De sa chambre, Fernande l'encourage.

— « Sauver ou périr », rappelle-toi la devise ! Viens me voir quand tu seras prêt.

Il boucle le ceinturon, enfile les gants, les bottes. Se présente devant sa mère.

— Tu es beau, mon fils, tu es beau. Tu vas les sauver et redevenir un héros ! Embrasse-moi avant de partir.

Il enlace sa mère. La serre dans ses bras et lui dit :

— Je t'aime, maman, je t'aime.

— Et reviens vite me raconter ! Je vais suivre tes exploits au poste. Peut-être qu'ils vont parler de toi, hein ?

Elle a les yeux qui brillent, un peu de salive a coulé sur son menton.

Il va lui chercher une bouteille d'eau, lui fait un geste de la main et quitte la chambre.

Stella a ôté sa parka, rangé la une sous le siège. De son camion, elle guette la sortie de Ray Valenti. Pourvu qu'il ne se dégonfle pas ! Elle prie les doigts croisés, Vous là-haut, faites qu'il ne se défile pas ! Faites qu'il aille rôtir dans le feu !

Elle aperçoit Ray qui sort de l'immeuble, engoncé dans son uniforme. Il se glisse dans sa Maserati et démarre.

Il prend la route du château Bourrachard. Elle le suit, les yeux rivés aux feux arrière de la voiture.

Et s'il lui venait l'envie de faire demi-tour ?

Il y a foule autour du château. Des hommes courent dans tous les sens, poussent des cris. La route est embouteillée de voitures garées en épi. Les gens marchent en criant c'est par là ! C'est par là ! Elle entend un grondement monter comme des vagues qui se fracassent. Les gendarmes ont délimité un périmètre de sécurité et retiennent les gens qui se pressent, se piétinent. Éloignez-vous ! Éloignez-vous ! ils crient sans réussir à se faire obéir. Il y a des enfants que leurs parents tiennent dans leurs bras ou qu'ils ont hissés sur leurs épaules. Des femmes qui se trouvent mal. Des hommes qui grimacent putain ! Putain ! Ça, c'est du feu ! Elle entend des cris, des commentaires, il reste encore plein d'enfants à l'intérieur, ils sont bloqués au dernier étage ! Il paraît que ce sont les petits, dans un dortoir sous les combles, à tous les coups, c'est un court-circuit ! Ils avaient déjà eu un départ de feu au début de l'été…

Chacun y va de son argument.

Stella joue des coudes, s'approche au plus près. La foule est dense. Il y a un enchevêtrement d'ambulances, de camions de pompiers, de voitures de particuliers. Des nuages de poussière chaude, brûlante, lui coupent le souffle. Elle aperçoit des corps allongés sur le sol, des corps qui remuent, réclament de l'eau, se tordent. Des blouses blanches courent de l'un à l'autre, se penchent, lancent des ordres, repartent.

Elle cherche un endroit d'où elle pourra suivre la progression des pompiers. Monte sur une petite butte. Se place entre deux hommes et découvre l'étendue de l'incendie. C'est l'enfer. Les flammes sont avivées par un souffle violent, les vitres explosent sous l'effet de la chaleur, le goudron de la toiture s'est enflammé et brûle en laissant des traînées noires, huileuses.

On entend des cris effroyables, des femmes sortent, culbutées les unes sur les autres, des hommes se traînent en rampant, en crachant, en appelant à l'aide. Les pompiers ramassent les corps épuisés qui sortent des flammes, les dirigent vers les secours, ne savent plus quel ordre suivre. Le feu leur a échappé.

Une fumée noire, grasse monte des débris en flammes et obscurcit le ciel.

L'eau des lances s'abat en trombe sur la façade et les pompiers reculent sous la pression. La grande échelle est dressée. Stella aperçoit un mouvement dans la foule et une rumeur s'amplifie, c'est Ray Valenti, c'est Ray Valenti ! Mais qu'est-ce qu'il fait ici ? Il est fou ! Il est trop vieux !

632

— C'est normal ! réplique un grand maigre à côté de Stella qui a apporté des jumelles. C'est plus fort que lui. Un pompier reste un pompier, il a ça dans le sang.

— Pour sûr ! Il a jamais eu peur des flammes, lui ! répond un petit vieux. C'est pas comme les jeunes d'aujourd'hui.

— C'est facile de critiquer, rétorque le grand maigre, je voudrais vous y voir ! Ils sont arrivés trop tard. Le feu avait eu le temps de s'installer. Regardez, y a le mur à gauche qui s'effondre ! Tout le reste va suivre. Ils vont jamais s'en sortir, les petits.

Ray s'avance. Lentement. Comme au ralenti. Il mesure l'ennemi, il se place, cherche où frapper. On dirait un matador qui entre dans l'arène. La foule s'écarte sur son passage. Il retire son casque et le jette dans un geste d'arrogance. Des gens se précipitent pour le ramasser.

Un murmure parcourt la foule qui retient son souffle.

Il progresse, se dirige vers de jeunes collègues qui tentent de le repousser. Parlemente. S'impose.

Stella entend le mot « tenaille », « prendre le feu en tenaille » ou quelque chose comme ça. Elle ne quitte pas Ray des yeux.

Un gradé s'approche et tente de le faire reculer. Ray résiste. Parle encore.

Et...

Tout va très vite.

Il s'échappe brusquement et pénètre dans le château alors qu'une voûte s'effondre. On le repère à sa tête nue, à sa veste dont les boutons sont arrachés sous le souffle des flammes. Ses vêtements sont gonflés par l'air chaud et des lambeaux pendent, lamentables.

Il disparaît.

— Il a été soufflé ! crie une femme.

— Non ! Il ressort ! Regardez ! crie une autre.

Les gens poussent des cris. Ils n'ont d'yeux que pour Ray Valenti.

Il repart dans la fournaise. Il porte un bâillon sur la bouche et avance courbé.

Les gens répètent il est fou ! Il est fou ! Il va être aspiré ! Mais il ressort, il tient un enfant dans les bras. Le tend à un pompier et repart à l'intérieur.

La foule applaudit, emportée par son courage.

Il entre et sort ainsi sans discontinuer. Chaque fois, il ramène un enfant et le tend aux sauveteurs qui se pressent autour de lui.

Il est devenu le point de mire, le centre de l'incendie.

Il a ôté sa veste. Il est en chemise. Échevelé, le visage noirci. Il hurle les murs de l'entrée sont ébranlés, il faut passer par le côté, et les pompiers se déportent. Il a pris le commandement des opérations, tous lui obéissent.

Une détonation effrayante. Les gens plaquent les mains sur leurs oreilles.

— C'est une conduite de gaz qui a dû exploser, commente le grand maigre. C'est des vieux murs tout ça, de vieilles installations. Rien n'est aux normes. Ils auraient dû faire des travaux depuis longtemps !

Les pompiers reculent sous l'impact. Certains sont projetés à terre. La grande échelle se dresse au milieu des flammes. Les hommes hésitent à y monter.

Ray s'élance.

Un gradé tente à nouveau de l'en empêcher. Ray le repousse et grimpe en direction du dernier étage. Il se retourne pour voir s'il est suivi, constate qu'il est seul, harangue les pompiers restés au pied.

La foule ne respire plus. Les exclamations fusent, c'est de la folie ! Une mort certaine ! Il n'a pas peur ! Le risque d'un second éboulement est imminent, mais Ray ne s'écarte pas. Il s'élance dans les combles en feu, on ne voit que lui, sa chemise blanche déchirée, ses cheveux gris, son torse qui luit sous les flammes.

Une femme à côté de Stella se pâme il est beau, qu'est-ce qu'il est beau !

Il vole sur l'échelle, progresse puis recule, repoussé par la fournaise, remonte.

C'est étrange, pense Stella, il ressemble à Tom quand il grimpe jusqu'au plus haut des arbres et crie maman, regarde ! Regarde ! et que moi, je tremble à le suivre des yeux, à le voir sauter d'une branche à l'autre. Ray bondit par-dessus le brasier, retire un petit corps. Il se rit de l'incendie, il tend l'enfant inanimé à un pompier qui a osé le suivre. Un deuxième s'élance, puis un troisième, un quatrième, entraînés par Ray. Se forme alors une chaîne d'hommes casqués, gantés. Des hommes qui n'ont plus peur. Et les enfants sont arrachés aux chambranles en flammes, un à un, sous les applaudissements.

À chaque enfant sauvé, les gens poussent des cris. Oh ! Ah ! Oh là ! Ray semble ne plus pouvoir s'arrêter, il harangue ses collègues. Parfois, il suspend sa course pour scruter l'intérieur de l'étage, marque une pause, se penche et repart.

On lui ordonne de battre en retraite, mais il vole toujours plus loin.

Un autre pan de mur s'effondre. Il continue à monter et descendre le long de la grande échelle.

La confusion est totale. Le toit du château est un immense cratère qui crache des poutres, des barres de fer. Des vitres éclatent. La façade n'est plus qu'un rempart gluant qui dégouline de matières grasses et puantes. On dirait de la poix qui gicle. Ray se protège de ses bras pour continuer à progresser.

— Il doit en prendre plein la figure ! dit le petit vieux.

— Ça, je dois dire que l'homme est héroïque !

— Ce n'est pas la première fois, vous savez ! Je l'ai vu faire des choses encore plus dangereuses ! Il est connu ici.

— Ah oui…, dit le grand maigre, ses jumelles vissées sur les yeux. En tout cas, il les a tous entraînés !

Au sol, on s'embrasse, on se jette avec désespoir sur des corps inconscients, des hurlements de douleur se font entendre.

Les blessés sont emportés dans les ambulances.

La presse est arrivée. Les radios et la télé locale. Ils parlent le dos tourné au feu et commentent. Interrogent des rescapés, une femme de service, des moniteurs de la colonie de vacances.

Bientôt ils ne suivent qu'un seul homme : Ray Valenti.

Ils sont en train d'écrire la nouvelle légende d'un héros.

Les projecteurs sont braqués sur lui.

Ray les aperçoit et lève les bras en faisant le V de la victoire.

La foule hurle et applaudit.

Il prend la pose, écarte une mèche de cheveux, s'essuie le visage.

Les caméras et les téléphones portables filment cet instant inoubliable.

— Je l'ai ! Je l'ai ! C'est magnifique ! s'exclame un homme en tendant son téléphone.

Ray se retourne et crie un ordre qu'on n'entend pas.

Il fait signe vite, vite, et on lui lance un casque.

Il le repousse, crie autre chose. Toujours aussi inaudible.

Un pompier sur la grande échelle lui tend alors une lance. Ray tente de l'agripper mais ses mains enduites de matière grasse glissent le long du tuyau, laissent échapper la lance. Il vacille, perd l'équilibre et tombe dans la fournaise.

Des cris d'horreur s'élèvent :

— Il est tombé !

— Non !

— Il est mort !

— C'est incroyable !

Le grand maigre et le petit vieux sont en état de choc.

— Qu'est-ce qui lui a pris ? Il avait si bien réussi !

— Il a été distrait par les journalistes, c'est leur faute !

Le silence s'abat sur la foule alors que le feu finit d'emporter la charpente et la façade.

Tout s'écroule dans une explosion terrible. Des gens sont projetés au sol.

Stella attend pour être sûre que Ray ne se relève pas.

Bientôt elle ne voit plus rien. La fumée poussée de son côté la suffoque.

Elle bat en retraite, reconnaît Gaston Blandier, un ancien collègue de Ray, et s'en approche.

— Il est mort comme il l'aurait rêvé, dit l'homme. Il a eu une fin héroïque. C'était un héros, on l'a toujours su.

— Il est mort ? Vous êtes sûr ? demande Stella.

— Plus que mort, calciné.

— Merci beaucoup, répond Stella en s'éloignant.

Gaston Blandier la suit des yeux, stupéfait.

Stella ouvre la portière de son camion et entend quelqu'un l'appeler.

Elle se retourne, aperçoit Violette au volant de sa Mercedes.

Violette baisse la vitre et lance :

— Alors ?

— Il est mort.

— Ben dis donc…, dit Violette en guise d'hommage funèbre. Voilà qui règle tout !

Et elle redémarre.

Pauvre méchant, pense Stella.

Un jour à la radio, en revenant de Lyon, elle avait entendu un philosophe, Luc Ferry elle croit se rappeler, il rapportait cette phrase : « Pauvre méchant avide de pouvoir et d'argent. » L'homme qui avait écrit ça s'appelait Albert Cohen et il parlait de Pierre Laval. Elle s'était dit que cette phrase serait parfaite pour orner la pierre tombale de Ray.

À la ferme, ils l'attendent, assis autour de la table.

— Mais vous avez vu l'heure ? s'exclame Stella. Une heure du matin ! Vous n'êtes pas couchés ?

— On a suivi l'incendie à la radio, dit Georges. C'est Suzon qui a entendu la nouvelle la première.

— Alors vous savez ?

— Quoi ?

— Ray est mort.

— Tu l'as tué ? demande Tom.

Léonie sursaute.

— Non. Il s'est tué. Il est tombé de la grande échelle.

— Droit dans le feu ? demande Tom.

— Oui.

— Bon débarras !

Léonie entend mais ne comprend pas. Elle fixe Stella comme si elle attendait une explication.

Stella la prend dans ses bras.

— Ça va aller, maman ?

Léonie ne répond pas. Elle tremble de tout son corps.

— Il est… ?

— Mort. Oui, maman.

— Il est mort…

Et elle éclate en sanglots.

Stella la serre contre elle et fait signe à Suzon de lui donner un verre d'eau.

Elle fait boire Léonie qui dodeline de la tête. L'eau coule dans son cou, sur sa robe.

— Je vais aller la coucher, dit Stella, elle est en état de choc.

Il est six heures du matin à Paris. Hortense crayonne en écoutant la radio. La nuit a été longue. Elle a dessiné sans faire de pause. Jean-Jacques Picart avait raison. Parfois, elle le maudit. Il la pousse toujours plus loin, lui fait refaire dix fois le même dessin. Mais elle ne bronche pas. Et reprend sans rien dire. Elle l'aura à l'usure. Elle sait qu'un jour il lui dira ça y est ! Vous y êtes ! On y va ! Qu'est-ce qu'il lui avait dit la dernière fois ? « Vous croyez avoir trouvé votre style ? Peut-être… Mais vous ne vous l'êtes pas encore approprié. C'est quand il sera à l'intérieur de vous, quand il viendra tout seul, naturellement, que vous y serez. »

Elle attend ce jour-là.

Les bulletins d'information à la radio ne parlent que de l'incendie de Saint-Chaland, de la colonie de vacances du château Bourrachard, tout près de Sens, où des enfants allemands en vacances ont été sauvés grâce au courage d'un seul homme.

« Un homme qui s'est sacrifié, qui a donné sa vie. Un héros. Un de ces hommes valeureux dont on parle peu. Un homme respectueux, dévoué, honnête et droit. Entièrement au service des autres. Il s'appelait Ray Valenti. Il s'était déjà fait remarquer il y a quelques années pour sa bravoure et avait été décoré par le président Chirac… »

L'éloge funèbre du dénommé Valenti se poursuit et Hortense lève le nez de son dessin.

Valenti ? Valenti ? N'est-ce pas le nom de la femme dont lui a parlé sa mère ? Léonie Valenti. Et Saint-Chaland, c'est là qu'elle habite, non ? Avec sa fille, Stella. Cette demi-sœur sortie d'on ne sait où. Sa mère a été si bouleversée d'apprendre qu'elle avait une sœur que depuis elle leur en rebat les oreilles. À chaque repas. Hortense finit par ne plus entendre, mais Zoé relance sa mère pour avoir plus de détails.

— Alors Lucien, il a eu une maîtresse ? demandait Zoé.

— Ben oui, disait Hortense. Ça arrive à des gens très bien.

— Et tu as une sœur, disait Zoé à sa mère.

— Oui, répondait Joséphine. Elle s'appelle Stella. C'est elle que j'ai rencontrée.

— Et c'est notre tante, disait Zoé.

— Manquait plus que ça ! grommelait Hortense.

— Mais elle est très bien ! rétorquait Joséphine. Je l'ai trouvée très…

Et elle cherchait ses mots.

— Et Léonie… tu vas aller la voir ? continuait Zoé.

— Oui. Je crois. Je vais lui téléphoner d'abord… parce que quand même, il faut que je me prépare. Et qu'elle aussi se prépare.

— C'est sûr, commentait Zoé. Ça doit faire drôle… Une sœur après tout ce temps !

Et toutes trois pensaient à Iris et ça les rendait tristes. Elles n'osaient pas prononcer son nom.

Ce silence irritait Hortense qui mettait les pieds dans le plat chaque fois.

— Elle ressemble à Iris, cette nouvelle sœur ?

— Non, pas vraiment, murmurait Joséphine.

— Elle est comment ? disait Zoé pour tenter de chasser le souvenir d'Iris.

— Tu connais cette actrice qui s'appelle Tilda Swinton ? continuait Joséphine.

— Oui. Elle est pas mal !

— Elle lui ressemble comme deux gouttes d'eau.

— Et elle fait quoi dans la vie ?

— Elle est ferrailleuse… Enfin, elle travaille dans une ferraille.

— Ferrailleuse ! s'exclamait Hortense. Elle doit ressembler à un mec.

— Au début, j'ai cru que c'était un homme. Vous vous rappelez, celui qui venait à mes cours et repartait avant la fin ? Eh bien, c'était Stella.

— C'était une femme !

— Oui. Elle s'habille drôlement, c'est vrai on pourrait croire un homme de loin, mais de près, elle est très jolie. Elle est très grande, très mince, elle porte une grosse salopette très large, de grosses chaussures, et elle se débrouille pour être très féminine, avec quelque chose de fort et de fragile. C'est un drôle de mélange.

— Elle a quel âge ?

— Trente-quatre, trente-cinq, je ne me souviens pas.

— Et elle est jolie, tu dis ? insistait Hortense comme si elle n'en revenait pas.

— Oui. Très jolie. Très émouvante…

— Et on va la rencontrer ? interrogeait Zoé.

— Si vous voulez…

— Moi, je veux bien, acquiesçait Zoé.

— Je m'en fiche, répliquait Hortense. La famille, c'est pas mon truc !

— Merci beaucoup, disait Zoé, piquée.

— Je parle pas pour vous deux, je parle en général. Deux, ça me suffit. J'ai pas besoin de tout le tralala !

— Une famille, c'est bien aussi, rétorquait Zoé. Moi, je la trouve un peu maigre, notre famille.

— Une ferrailleuse… Ça peut être intéressant côté look ! pensait Hortense à haute voix.

— Elle a un petit garçon. Il s'appelle Tom. Il a dix ans.

— On a un nouveau cousin alors ! s'écriait Zoé. Génial ! On a un nouveau cousin, Hortense !

Hortense lui jetait un regard noir.

— Comme si on en avait besoin ! Et d'abord, arrête de manger. N'oublie pas que tu me sers de mannequin. Tu dois pas dépasser le trente-huit.

— J'ai faim !

— Arrête ! Tu vas devenir comme un tonneau et je ne pourrai plus faire mes essayages sur toi !

Et Hortense quittait la table en grommelant qu'elle n'était vraiment pas aidée.

— Je vais travailler.

— T'arrêtes pas de travailler ! C'est lassant, se plaignait Zoé.

— C'est comme ça !

C'était toujours la même conversation et ça tournait en rond.

Il faudrait bien que sa mère se décide, décroche son téléphone et appelle Léonie. Mais Joséphine prenait son temps. Elle détestait agir dans la précipitation.

— Elle est lente, notre mère, mais lente ! pestait Hortense quand elle était seule avec Zoé.

— Elle est pas lente, elle réfléchit. C'est important quand même... Tu réfléchis pas, toi, quand tu travailles ?

— Si, disait Hortense, je ne fais que ça.

— Alors, te moque pas de maman !

— Je me moque pas, je constate. Elle est pas pressée d'aller aux nouvelles, c'est tout !

— Eh bien, moi, je constate que t'as pas beaucoup de nouvelles de Gary !

— Comment tu le sais ? Tu m'espionnes ? Tu lis mes mails ? Tu regardes mon portable ?

— Non, je déduis. Tu n'en parles pas beaucoup.

— Eh bien... tu déduis mal. Tu ferais mieux de t'occuper de tes affaires ! Gary est en Écosse, il retape son château, point barre, et moi, je suis à Paris, je construis ma carrière. Mais ce n'est pas parce qu'on n'est pas ensemble que c'est un drame. C'est la vie. Tu devrais en savoir quelque chose, Zoé.

Zoé piquait du nez et ne répondait pas.

C'est vrai qu'elle n'a pas beaucoup de nouvelles de Gary.

Il est en Écosse dans son château. Il semble heureux.

« Je vais bien, je profite de mon château, je joue du piano. J'ai des copains qui sont arrivés de New York et on répète, on improvise. Dudamel vient faire une master class à Édimbourg et on va y assister. On est très excités. Tu le connais ? Non, je suis sûr que tu ne connais pas Dudamel. C'est un chef d'orchestre génial. Et sinon, comment allez-vous, Hortense Cortès ? »

Quand il l'appelle Hortense Cortès, c'est qu'elle lui manque et c'est bien. C'est le principal.

Il y a cette fille, Calypso, qui l'a rejoint. Avec un dénommé Rico. Ils font de la musique ensemble. Ils se promènent sur les remparts, dans la campagne. Ils vont dîner à Édimbourg. Ils mangent de la panse de brebis farcie.

Il a l'air heureux.

Elle ira le voir quand elle pourra.

De toute façon, pour le moment, il ne le lui demande pas.

Et c'est très bien comme ça.

Elle n'aurait pas de temps pour lui. Ils se disputeraient et ça lui prendrait de l'énergie. Il faut qu'elle se fasse une raison : elle n'est pas disponible.

Est-ce que Coco Chanel aurait fait passer un homme avant sa petite robe noire ?

Non.

Elle a de longues réunions avec Junior. Ils discutent de la fabrication des tissus. Des tissus intelligents qui, grâce à des milliers de nano-anneaux intégrés, s'activent au contact de la sueur, dissolvent la graisse, renseignent sur la température du corps, le rythme cardiaque, envoient les données sur un téléphone portable ou un ordinateur. Plus fort encore : des vêtements purificateurs d'air sont au stade de prototypes. Conçus par un chimiste et une styliste comme elle. Une autre fille… Une rivale ! Elle doit aller vite, les prendre de court. Elle doit déposer un brevet. Le tissu est en pleine révolution. Elle ne sait plus où donner de la tête.

Alors ça l'arrange drôlement que Gary se promène avec des amis sur ses remparts en Écosse…

— Je ne voulais pas te faire de peine, Zoé, elle dit avec une pointe de regret d'avoir été si brusque. Mais il fallait pas me chercher !

— Moi non plus, je ne voulais pas te faire de peine. Je ne sais pas pourquoi j'ai dit ça…

— Bon. On est d'accord. Je vais travailler. Si tu as quelque chose à me dire, tu m'envoies un mail ou un texto.

Parce qu'elles ne communiquent plus que comme ça.

Hortense ne veut être dérangée à aucun prix. Je suis concentrée, prière de ne pas me parler ! Elle suit une idée, la creuse, la tourne dans tous les sens, se lance, l'exécute puis laisse tomber en décrétant pour être créatif, faut pas avoir peur de se gourer !

Le sol est jonché de magazines, de photos, de livres, de dessins, de papiers d'emballage de tablettes de chocolat, de vieilles pubs, de sachets de thé, de couvercles de Nescafé, de rubans, de broderies. Une poterie de Vallauris trône au milieu de la pièce. Ses couleurs l'inspirent. De vieux chandails chinés aux puces de Vanves sont roulés en boule parmi des échantillons de tissu, des vêtements achetés dans des friperies, des surplus, des magasins vintage. Des reproductions de tableaux de Matisse, de Manet, de Cézanne, ses peintres préférés, figurent aux murs.

Elle s'empiffre de détails. Passe de longs moments immobile, puis ouvre son ordinateur et dessine.

Elle imprime et corrige la copie. Sort ses feutres, ses crayons de couleur, crayonne, atténue, gomme. Jette tout à la poubelle. S'emporte et recommence.

— On dirait que tu repasses ton bac, dit Zoé en ouvrant la porte.

— Approche-toi, que j'essaie un truc.

— Mais je n'ai pas que ça à faire ! T'exagères !

— Tu veux que je réussisse ?

Zoé acquiesce, boudeuse.

— Alors ramène-toi et tais-toi.

Zoé rentre le ventre et ne bouge pas. Hortense épingle une toile sur sa sœur qui cesse de respirer de peur de recevoir des coups d'épingle.

— Faut que t'arrêtes de manger ! Je m'y retrouve plus, moi !

— Mais je mange plus rien ! geint Zoé. J'ai perdu trois kilos depuis que t'es là !

— Eh bien, c'est pas assez. Affame-toi !

Hortense pousse le volume de la musique à fond, fronce les sourcils, tire un bout de langue, se mordille un ongle, recule pour juger de l'effet de la toile sur Zoé.

— Mais t'as ton mannequin Stockman ! Tu peux pas t'exercer sur lui ?

— Rien ne remplace le modèle vivant. Sur toi, le tissu bouge, sur le Stockman, il reste mort.

— C'est obligé, la musique si fort ?

— Oui.

— Et tu feras quoi après quand le modèle sera ok ?

— Je le ferai réaliser dans mon atelier.

— T'as un atelier ?

— Oui, grogne Hortense, énervée par les questions de sa sœur. C'est Elena qui le paye si tu veux tout savoir.

Hortense déplace la toile. Elle jubile. Le temps approche où elle appellera Picart et lui dira ça y est, vous pouvez venir voir !

Sa première réalisation. Une robe courte, décolletée dans le dos et sur le devant avec une jupe en biais. Un modèle très difficile à réaliser. Elle veut l'épater.

Elle prend une épingle dans son oursin, ajuste la jupe en biais. Voilà la différence. Une jupe droite aurait été commune, voire vulgaire, alors qu'avec une jupe en biais elle touche à l'excellence.

— Je peux y aller ? demande Zoé.

— Oui. J'ai besoin d'être seule pour récapituler.

— Merci beaucoup ! Plus jamais je pousse la porte de ta chambre !

On n'a le droit d'adresser la parole à Hortense que lorsqu'elle cesse de travailler. Au petit déjeuner, parfois au dîner.

Ses horaires sont bizarres. Le jour et la nuit n'existent plus. L'appartement est envahi de machines à coudre, de rouleaux de tissu, de ciseaux, d'épingles, de toiles, de grandes règles. Elle a confectionné des chaussons roses pour Du Guesclin afin de tester la solidité d'une nouvelle marque de pressions. Du Guesclin marche dans l'appartement en levant les pattes comme un chien de cirque et baisse le col, embarrassé et stupide.

Au petit déjeuner, elle est disponible. C'est l'heure où elle fait une pause avant d'aller dormir un peu et de reprendre.

C'est quand même bizarre une sœur qui habite sous le même toit et à qui je dois parler par mails, se dit Zoé.

Mais c'est pas mal non plus. C'est romanesque. C'est comme la Marquise avec sa fille. Elles n'habitaient pas ensemble mais se narraient leur quotidien dans de longues lettres.

Et puis, se dit Zoé, j'aime bien écrire, moi.

L'histoire avec Gaétan, Hortense l'a apprise par un mail. Elle n'aurait pas eu la patience d'écouter. Elle aurait soupiré allez, va droit au but, Zoé ! J'ai pas que ça à faire, moi !

Gaétan.

Il a eu son bac. Sans mention.

Zoé a eu son bac mention très bien.

Il n'a pas apprécié.

Au départ, ce n'était pas grave. C'était un détail qu'elle mentionnait ou pas.

C'est après que ça s'était gâté.

Leurs copains demandaient alors tu l'as eu ? Tu l'as eu ? Gaétan disait oui, Zoé disait oui, ils poussaient des cris, se félicitaient, faisaient des bonds, des *high five* et tout et tout.

Et après, seulement après, venait la question avec mention ?

Gaétan ne disait rien, Zoé murmurait oui, avec mention.

Mention quoi ? Mention quoi ? ils trépignaient.

— Mention très bien

Elle avait presque honte de l'avouer.

Et il haussait les épaules, se détournait, resserrait les lèvres sur la paille de son Coca. Fermé à double tour. Il ne lui adressait plus la parole. Il partait sans rien dire.

Au début, elle était gênée. Elle essayait de cacher sa mention. De ne pas répondre à la question.

Elle avait envoyé un mail à Hortense. Lui avait expliqué la situation. La réponse avait été directe : « Arrête de t'excuser. Mention très bien, c'est génial. Tu DOIS être fière. Laisse-le couver sa colère. Ça passera. »

Mais ça n'était pas passé.

Il devenait même ridicule, tout petit. Elle n'osait pas prononcer les mots à voix haute, mais il ressemblait à un coq déplumé. À poil, sans plumes, à faire cocorico avec des ailes minuscules.

Elle faisait comme si…

Comme si ça allait s'arranger.

Mais ça ne s'arrangeait pas.

Et puis un jour…

Un jour, c'était arrivé. La chose ahurissante qu'elle ne pouvait même pas imaginer. La chose la plus bouleversante, la plus inexplicable, la plus étonnante, la plus renversante, la plus surprenante, la plus…

Elle avait écrit un long mail à Hortense.

« Hortense, Hortense ! Lis attentivement ce qui suit.

Il s'est passé un truc incroyable.

Je ne sais pas quoi en penser.

Il faut que tu me dises !

Voilà, c'était l'autre soir…

On était dans la chambre. Sur le point de s'endormir.

Je lisais et Gaétan tapotait sur son téléphone. Je ne sais pas à qui il parlait, ça m'était égal. J'étais plongée dans les lettres de la Marquise et je ne faisais pas attention à lui.

Et puis à un moment, il a posé sa main sur ma cuisse et j'ai voulu qu'il l'enlève. Ce n'était pas un truc comme ça, c'était plus profond : il m'encombrait.

C'est arrivé d'un coup, sans préavis.

Je l'ai regardé et je n'ai eu que du vide.

Je ne l'ai pas trouvé moche ou bête, non, mais j'ai plus eu envie.

Fini.

J'ai aperçu mes rollers, ceux que maman m'a offerts pour mon bac. Ils étaient près du lit. Les lacets étaient défaits et j'ai eu envie de les enfiler, de partir loin, loin de lui. Je suis restée à les regarder pendant qu'il me caressait la cuisse et ça ne me faisait rien !

Hortense ! Ça ne me faisait rien !

Est ce possible ? Tout à coup comme ça ?

J'ai eu envie de partir, de filer dans les rues de Paris, de rejoindre d'autres garçons en rollers, de glisser avec eux. De faire un ballet. Je me suis dit qu'avec lui, je tournais en rond, que je n'avais plus rien à explorer, que je connaissais tout par cœur.

L'histoire de la mention, ça me ronge.

Je lui en veux.

Je crois que je ne l'aime plus.

Je ne veux plus d'une petite vie rangée avec mon mec le soir à la maison. Je ne comprends pas ce qui m'a pris de vouloir ça. Une petite vie qui suivrait une longue ligne, une vie longue et plate comme une digue.

Je ne vois plus rien d'excitant à vivre en couple. Tu te rappelles ? J'avais tellement peur qu'il parte et maintenant je suis libérée. J'ai envie de glisser, glisser. Je voudrais faire des arabesques, faire la fête, draguer d'autres mecs, rencontrer des tas de gens. Gaétan et moi, c'est devenu quelque chose qui ne me dépasse plus.

C'est tout petit.

Hier encore, on parlait de notre voyage de cet été, tu sais, on voulait aller en stop en Bretagne, je lui disais que j'avais plein de projets pour après, pour la rentrée, que peut-être je pourrais préparer une agrégation de lettres, qu'il fallait juste que je me décide, il m'a regardée et a lancé "mais t'es sûre que tu en es capable ?" avec la bouche entrouverte et souriante, d'un sourire que je ne lui connaissais pas, un peu moqueur.

Un sourire qui me rabaissait, quoi…

Et j'ai dit "ben oui".

Il s'est tu et il a remis son petit sourire moqueur.

J'ai cru devenir iceberg, je voulais partir en courant, le secouer, lui dire de se barrer, de faire le tour du monde, avec ou sans moi, de s'acheter un bateau, de surfer sur les requins blancs. Mais de faire quelque chose, quoi !

Je voulais qu'il se souvienne de la liste de rêves qu'on avait faite ensemble.

J'ai rien dit, mais ce soir-là quand il a posé sa main sur ma cuisse, j'ai su que c'était fini.

Je ne suis plus du tout prête à faire des choix par amour pour lui. Je crois qu'on a loupé le coche, lui et moi. Je n'ai plus envie. Quand je pense à nous, ça devient marécageux dans mon cerveau, je pourrais me noyer dans ma propre vase.

Dis, Hortense, je suis normale ou naze ? »

La réponse d'Hortense avait été comme toujours : lapidaire.

« C'est normal, c'est la vie. C'est le désir. Ça vient, tu sais pas pourquoi, et ça part tu ne sais pas pourquoi non plus ! »

Gaétan était parti seul en Bretagne.

Elle n'avait pas eu besoin de lui expliquer. Il avait compris. Elle se demandait même s'il n'était pas soulagé lui aussi que ça s'arrête. Elle avait eu un pinçon au cœur en constatant qu'il ne protestait pas, qu'il partait le sourire aux lèvres. Il avait juste demandé t'as pas vu mon survêt ? Sous le lit, elle avait répondu en se renfrognant. Est-ce qu'il pensait bon débarras ? Est-ce qu'elle s'était complètement trompée sur lui, sur eux ?

Elle avait eu un grand trou dans le ventre, et si je venais de faire la plus grosse bêtise de ma vie ?

Hortense avait chassé tout ça. Taratata, tu vas en trouver mille autres ! Taratata, tu vas bouffer la vie ! Viens avec moi, je file à Versailles me remplir de beauté et trouver mille idées.

Tout marche par mille avec Hortense.

Elles se promènent dans le parc.

Hortense prend des photos. Vole des couleurs, des perspectives.

— Tu penses à quoi ? elle demande à Zoé en zoomant sur les nervures d'une feuille.

— À l'amour… Pourquoi un jour on aime et le jour d'après on n'aime plus.

— L'amour, l'amour, répète Hortense comme si elle essayait de résoudre une énigme.

Elle ne sait plus très bien.

Son amour est posé sur sa table, ses dessins, ses essayages.

Sa bouche pleine d'épingles ne reçoit plus de baisers.

Oui mais… sa bouche n'a plus faim de baisers.

Elle aime Gary, mais serait bien embarrassée s'il était avec elle jour et nuit.

Sa tête est remplie de dessins, d'idées, de tissus qui se déroulent, s'enroulent, galbent, inventent des formes. Elle devient toute-puissante. Reine en son royaume. Elle n'a besoin ni de chevalier ni de vassal.

Et si Gary s'éloignait d'elle ?

Elle repousse l'idée. Elle se dit j'y repenserai plus tard, plus tard, quand j'aurai fini mon premier défilé.

Mais… que fait-il en Écosse ?

Forme-t-il un trio avec cette Calypso et ce Rico qu'il évoque dans ses mails de plus en plus laconiques, de plus en plus courts ? Ou se rapproche-t-il de cette fille à la drôle de tête ?

Car elle n'est pas laide, se dit Hortense. Seuls les imbéciles, les gens vains, pressés l'affirment. Cette fille porte une autre beauté.

Se pourrait-il que cette beauté frappe Gary au cœur ?

Son regard tombe sur un ensemble de boules de buis et d'ifs pointus, délicats motifs autour d'un parterre qui dessinent des pleins et des déliés. Elle s'arrête. Sa bouche frémit. Mais c'est un imprimé ! Et son appétit repart de plus belle. Elle sort son carnet de croquis, mille idées glissent dans sa tête.

Elle salive, elle salive.

Gary disparaît dans les courbes et les plis créés par un jardinier de génie.

J'y penserai plus tard, elle se dit.

J'y penserai plus tard.

Ce matin-là, au petit déjeuner, après avoir écouté la radio, Hortense annonce la nouvelle à Joséphine et à Zoé.

Saint-Chaland. Incendie. Ray Valenti. Léonie Valenti.

Joséphine lâche le toast qu'elle mordait à pleines dents, s'essuie la bouche et décrète :

— Mais oui ! C'est elle ! Il faut que je l'appelle.

Le titre de *La République libre* sur trois colonnes est sobre : « Saint-Chaland perd son héros. » Suit à l'intérieur un long article récapitulant la carrière exemplaire de ce soldat du feu, de ce citoyen courageux dont tous se souviennent, la larme à l'œil.

Ray Valenti. Il avait mis si souvent Saint-Chaland à l'honneur... C'était l'enfant du pays.

Ray Valenti, je l'ai bien connu, moi. C'était mon ami.

Ray Valenti... Toutes les femmes en étaient folles. Il avait un magnétisme incroyable !

Ray Valenti, un homme comme on n'en fait plus. Il avait eu une enfance difficile. Sa mère était bonne à tout faire, son père l'avait abandonné, ça forge son bonhomme, tout ça !

Ils témoignent tous. Dans les journaux, à la télé, à la radio. Ils se souviennent avec des sanglots dans la voix. Lancenny, Gerson, leurs femmes, monsieur Settin, le pharmacien, madame Robert, le préfet, le maire, tous y vont de leur couplet vantant le courage, la droiture, la conduite remarquable de Ray Valenti. Turquet s'est affaissé dans son fauteuil quand il a appris la nouvelle. Sa chemise était trempée de larmes, c'était mon ami, mon ami, l'amitié, c'est comme l'amour sauf que ça ne meurt jamais !

L'ambassadeur d'Allemagne en France a appelé Léonie. Il l'a félicitée pour le courage de son mari, l'a remerciée au nom des parents des enfants que

Ray avait sauvés. Lui a annoncé qu'il serait décoré à titre posthume de la croix d'honneur, réservée d'ordinaire aux combattants. C'était un soldat, madame Valenti, un homme tombé au champ d'honneur.

Léonie reçoit les hommages, ouvre les lettres de condoléances. Il est mort, elle dit sans y croire, il est mort.

— Dis, Stella, il est mort, tu es sûre ?

Elle n'ose pas sortir dans la cour. Refuse de rester seule. Colle aux basques de Suzon ou de Stella. Prend la main de Tom pour monter à sa chambre et ferme sa porte à clé.

Stella la contemple, impuissante. Elle ne sait que faire, que dire.

Il est mort, pauvre méchant, pauvre méchant.

Les obsèques auront lieu le jeudi suivant.

Ils sont tous présents.

Léonie habillée tout en noir. Georges et Suzon serrés dans leurs habits sombres. Tom tient la main de sa grand-mère et regarde Stella en haussant les épaules, c'était un salaud, maman, tout de même ! Pourquoi on lui rend hommage alors ? Il porte des lunettes de soleil pour qu'on ne voie pas ses yeux qui rient.

— On a gagné ! il chuchote. Ils ne savent pas qu'on a gagné mais nous, on le sait.

Le préfet, le maire et sa femme. Toute la population de Saint-Chaland est là, recueillie. Digne. Silencieuse.

Julie et Jérôme se tiennent par la main. Julie embrasse Stella et lui glisse ouf, bon débarras !

Stella la serre dans ses bras.

— Merci ! Je n'en peux plus, je vais éclater !

— On est venus pour toi. Pas pour lui. J'ai failli apporter une couronne avec ces mots : « En hommage à un salaud » !

Stella étouffe un rire nerveux.

— Et tu m'as toujours pas rendu mon livre !

Duré et Courtois se sont excusés. Ils n'ont envoyé ni fleurs ni condoléances.

Turquet sanglote en fauteuil roulant. Son jean est troué, ses grosses mains nouées ont l'air dures comme son visage. Ses rides sont des allées profondes creusées par les larmes. Il serre la photo de Ray dans la main droite.

Quand le cercueil glisse en terre, il se casse en deux dans sa chaise et vocifère c'est elle ! C'est elle qui l'a tué ! C'est sa faute à elle ! On le regarde avec pitié, on lui fait signe de se taire. Alors il s'époumone de plus belle, et c'est elle qui m'a tiré dessus ! C'est elle ! Un murmure parcourt l'assistance, mais qu'il se taise, qu'il se taise ! Quelle indécence ! Exaspéré, il fait faire un demi-tour à son fauteuil et tourne le dos à la tombe.

Stella a failli ne pas venir, mais a réfléchi, ce serait abandonner sa mère. Impossible.

Elle s'est habillée tout en blanc.

Adrian se tient à ses côtés. Lui aussi porte des lunettes noires.

Quand la cérémonie est terminée, a lieu le défilé des pleureurs qui viennent consoler la veuve et l'orpheline.

Stella serre des mains, droite, absente. Muette.

Elle ne remercie pas.

Adrian regarde ailleurs. Il fait beau, la chaleur s'est repliée. Un petit air frais soulève les jupes noires. Les couronnes de fleurs s'entassent sur la tombe, le cimetière est plein de gens qui murmurent entre eux. Il entend une femme dire on ne saura jamais la vérité, mais il était courageux, ça on peut pas dire le contraire !

On lui serre la main à lui aussi. Il fait partie de la famille désormais. C'est comme un mariage, il se dit, un mariage où les gens renifleraient et seraient en noir.

Il n'empruntera plus jamais le souterrain. La veille, Edmond Courtois est venu lui apporter ses papiers, tu es libre, Adrian, tu peux revenir travailler à la Ferraille, tu seras toujours le bienvenu.

Stella l'a remercié. Edmond a baissé les yeux et tenté d'expliquer :

— On y serait arrivés, je te promets. Je n'aurais pas laissé tomber l'affaire. Julie m'a raconté. Tu as été très forte. Je suis fier de toi.

Stella n'a pas répondu.

Fernande est absente. Elle refuse de croire que son fils est mort. C'est une ruse ! Il va revenir ! Il va nous épater. Elle a fracassé sa radio en la jetant à terre. Des mensonges ! elle crie, clouée sur son lit. Des mensonges ! Les gens sont jaloux. Ils voudraient qu'il soit mort parce qu'il est plus grand qu'eux, mais mon fils ne peut pas mourir ! Il va revenir, je le sais, je suis sa mère !

On lui a trouvé une maison de retraite pour qu'elle y finisse ses jours.

Quand tout le monde est reparti, que les croque-morts ont reçu leur billet, que le cimetière est vide, Stella s'approche d'Amina et de Julie.

Elles se prennent par la main toutes les trois.

— C'est fini, dit Julie, le cauchemar est fini.

Le lendemain des obsèques, Joséphine appelle Stella et demande à parler à Léonie.

Stella tend le téléphone à sa mère et fait signe à Suzon de la suivre dans la cour afin de ne pas gêner Léonie.

— Qui c'est encore ? demande Suzon en chuchotant. Quelqu'un de Saint-Chaland ? Je m'y retrouve plus avec tous ces gens qui carillonnent !

— Viens avec moi, je vais t'expliquer. On va ramasser une salade, si les limaces ne les ont pas toutes massacrées.

Quand Stella et Suzon reviennent dans la cuisine, Léonie est debout près de l'évier et fait la vaisselle du déjeuner.

— Laisse, maman ! On va s'y coller, Suzon et moi !

— Mais je ne suis pas en sucre, ma petite chérie, dit Léonie en se retournant.

Elle sourit et son sourire est réel. Pas un sourire absent, plaqué sur ses lèvres pour faire comme si...

— J'ai bien bavardé avec Joséphine Cortès. On a parlé de Lucien. De la lettre. Elle dit qu'il m'a aimée...

— Et... ? demande Stella, anxieuse.

— On va se voir. C'est sûr. Elle viendra ici ou j'irai à Paris. J'aimerais beaucoup aller à Paris. Il faudrait que je m'achète une robe et des chaussures. Et un paletot... Je veux lui faire honneur !

Une ombre passe dans ses yeux et elle soupire :

— Mais je n'ai pas d'argent ! Comment je vais faire ? Je ne veux pas lui faire honte.

— On se débrouillera, ne t'en fais pas. Tu vas être belle, la plus belle pour aller sous la tour Eiffel !

Léonie n'eut pas longtemps à attendre pour savoir si elle pourrait s'offrir une robe et des chaussures.

Elle héritait.

De l'argent de Ray Valenti.

Devant le notaire, elle fut si surprise qu'elle en resta la bouche ouverte.

— C'est pour moi ? Pour moi ? elle répéta plusieurs fois.

— Oui, madame Valenti. Tout vous revient. Et il a laissé beaucoup d'argent, votre mari !

Quand elle comprit enfin, elle se leva, remercia le notaire, prit le bras de Stella et déclara :

— Et si on allait acheter ma tenue pour Paris ? Je sais exactement ce que je veux porter.

Le notaire, abasourdi, se leva, les raccompagna jusqu'à l'entrée de l'étude, revint s'asseoir à son bureau en soupirant que les femmes avaient décidément bien changé, même les veuves n'étaient plus comme avant.

Aucune retenue, il grommela. Elle n'a même pas fait semblant ! Les femmes ! De drôles de bêtes. On ne sait jamais ce qu'elles ont dans la tête. Et on prétend que c'est le sexe faible... Quelle ineptie ! De grandes coquettes, oui ! Elles vendraient leur cœur pour une robe ! J'ai de moins en moins d'appétit pour le genre humain...

NOTE DE L'AUTEUR

Je voudrais d'abord m'incliner devant Élisabeth II, reine d'Angleterre, et lui présenter toutes mes excuses pour avoir fait d'elle, sans le lui demander, un personnage de mon roman.

Mais après tout, c'est une *muchacha* de première classe. Cinquante ans qu'elle tient la dragée haute à tous les mâles de la Couronne.

Merci encore à celles et à ceux qui m'ont accompagnée :

Nadine, qui m'a accueillie dans sa ferme.

Gloria, qui m'a ouvert les portes de la Ferraille.

Jérôme et ses conseils de médecin avisé.

Gilbert, mon lecteur normand.

Patricia, ma lectrice d'Amérique.

Cyrille pour fendre les bûches.

Michel pour les leçons de tir.

Martine et Carole, mes consultantes « musique ».

Didier Rolland, soldat du feu.

Merci encore à ;
Octavie Dirheimer.
Charlotte de Champfleury.
Sophie Montgermont.
Thierry Perret.
Coco Chérie.
Sarah Maeght.
Alain Castoriano en direct de Miami.
Sophie Legrand en Angleterre.

Merci à Jean-Jacques Picart et Inès de la Fressange qui m'ont conseillée pour le personnage d'Hortense et ont accepté d'entrer dans le roman.

Merci à :
Bruno Monsaingeon et son livre *Mademoiselle* sur Nadia Boulanger, Van de Velde, 1980.
Georges Duby et Michelle Perrot, *Histoire des femmes en Occident*, tome 2, *Le Moyen Âge*, Tempus, 2002.
Marc Hillman, pour ses *Mots en mêlée*, Ixelles Éditions, 2011.

Merci aussi à tous ceux dont les propos m'ont inspirée, m'ont nourrie de détails, les « divins détails ».

Merci encore et encore à Charlotte, à Clément, mes amours d'enfants.
À Romain. À Jean-Marie. Merci d'être toujours là.

Du même auteur :

Aux Éditions Albin Michel

J'ÉTAIS LÀ AVANT, 1999.
ET MONTER LENTEMENT DANS UN IMMENSE AMOUR…,
    2001.
UN HOMME À DISTANCE, 2002.
EMBRASSEZ-MOI, 2003.
LES YEUX JAUNES DES CROCODILES, 2006.
LA VALSE LENTE DES TORTUES, 2008.
LES ÉCUREUILS DE CENTRAL PARK SONT TRISTES
LE LUNDI, 2010.
MUCHACHAS (3 vol.), 2014.

Chez d'autres éditeurs

MOI D'ABORD, Le Seuil, 1979.
LA BARBARE, Le Seuil, 1981.
SCARLETT, SI POSSIBLE, Le Seuil, 1985.
LES HOMMES CRUELS NE COURENT PAS LES RUES,
    Le Seuil, 1990.
VU DE L'EXTÉRIEUR, Le Seuil, 1993.
UNE SI BELLE IMAGE, Le Seuil, 1994.
ENCORE UNE DANSE, Fayard, 1998.

Site Internet : www.katherine-pancol.com

Le Livre de Poche s'engage pour
l'environnement en réduisant
l'empreinte carbone de ses livres.
Celle de cet exemplaire est de :
650 g éq. CO_2
Rendez-vous sur
www.livredepoche-durable.fr

PAPIER À BASE DE
FIBRES CERTIFIÉES

Composition réalisée par Belle Page

Achevé d'imprimer en septembre 2015, en France sur Presse Offset par
Maury Imprimeur – 45330 Malesherbes
N° d'imprimeur : 200556
Dépôt légal 1ʳᵉ publication : octobre 2015
LIBRAIRIE GÉNÉRALE FRANÇAISE – 31, rue de Fleurus – 75278 Paris Cedex 06